애타는 로맨스

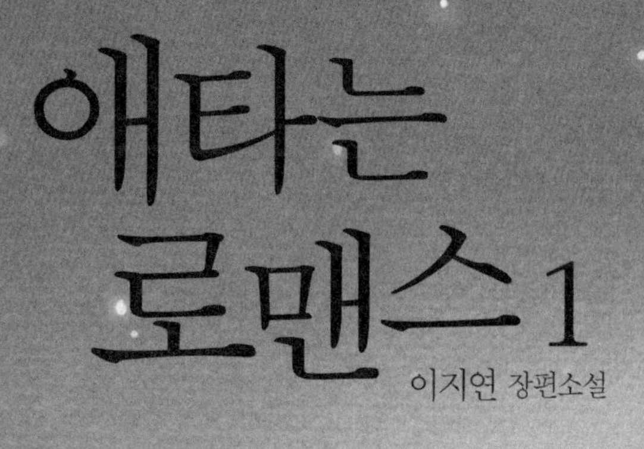

극본 김하나 김영윤

CONTENTS

1권

1. 처음부터 무릎에 앉아버리면? / 7
2. 왜 하필 저 여자의 방이야! / 33
3. 우는 여자가 예뻐 보이긴 처음이야 / 67
4. 뭐 하고 있을까? 나를 기억하기나 할까? / 95
5. 넌 나에게 모욕감을 줬어 / 123
6. 난 더 멋있어졌는데 / 144
7. 늘 이런 식으로 도망치나? / 180
8. 전 제 여자 속만 챙깁니다 / 209
9. 우린…… 원나잇이니까 / 237
10. 과거는 과거일 뿐 / 262
11. 나에게 할 말 없습니까? / 286
12. 연애라도 하자는 건가? / 313
13. 나한테, 떨려? / 347
14. 쉬운 게 없구나 / 386
15. 확인할 게 있어 / 416
16. 나, 책임져요 / 441
17. 이건 데이트가 아니라 일의 연장일 뿐 / 468
18. 이렇게라도 같이 있고 싶으니까 / 503

2권

19. 쪽! 방금 그건 애피타이저 / 7
20. 딸꾹질을 멈출 수 있게 도와줘요? / 40
21. 자, 이제 어떻게 할 거지? / 65
22. 그날 밤, 그 일, 후회해요? / 95
23. 당신이라서 좋았어요 / 122
24. 혼자 자는 것도 싫고, 혼자 밥 먹는 것도 싫어! / 153
25. 너, 도대체 누구 아들이냐? / 184
26. 솔직하게 말해. 너에 대한 거, 전부 다! / 212
27. 이제부턴 나와 함께 가는 거야 / 243
28. 나와 결혼해줘 / 273
29. 절대로 놓지 않을 겁니다 / 303
30. 지금 볼 수 있어요? 보고 싶어요 / 329
31. 온종일 아무것도 안 먹었어 / 363
32. 에로 배우 딸이란 게 뭐가 어때서? / 386
33. 꿈만으로는 만족 못하니까 / 421
34. 결혼해, 우리! / 449
35. 우리만의 애타는 로맨스를 위하여 / 482
Epilogue. 불타는 로맨스 / 502
Behind Story. 진욱의 비리 백서 / 528
작가의 말 / 542

Episode 1

처음부터 무릎에 앉아버리면?

"그런 눈으로 보지 마."

강하게 어깨를 움켜잡는 거친 손길과 그의 이글거리는 눈빛에 온몸이 타들어가는 것처럼 목이 마르다.

심장이 오그라든다.

"더는 참을 수 없어."

그녀를 벽에 밀어붙이며 그가 나직하게 중얼거렸다.

"하아."

귓가에 닿는 뜨거운 숨결에 그녀의 입술이 열리며 여린 신음이 흘러나왔다.

어깨에 머물던 손길이 그녀의 풍만한 곡선을 훑어 내리자 오소소 온몸에 소름이 돋았다.

아, 미칠 것만 같아.

그녀의 속마음을 읽었는지 그가 재빨리 고개를 숙여 입술을 빼앗았다. 거칠게 빨아들이며 강하게 밀려들어 오는 남자의 뜨거운…….

[이번 역은 삼성, 삼성역입니다. 내리실 문은 왼쪽입니다.]

"흐익!"

책 속에 파묻혀 있던 유미는 지하철 안내 멘트에 퍼뜩 현실로 돌아왔다. 그녀는 콧등까지 흘러내린 검은 안경테를 손가락으로 쓰윽 올리며 빠르게 창밖을 내다보았다. 아까 분명히 한양대역이었는데 지하철은 어느새 삼성역으로 진입하고 있었다.

책에 너무 집중하느라 내릴 곳을 지나칠 뻔했다.

어떡해. 서둘러야 해!

유미는 펼쳤던 책을 덮으며 다리 밑에 두었던 가방을 집어 들었다. 너무 급하게 가방에 넣느라 그만 손으로 가렸던 책 제목이 드러났다.

저급한 그대

옆자리에 앉은 승객이 책 표지를 보며 눈살을 찌푸렸지만, 유미는 허둥지둥 문으로 달려가느라 전혀 눈치채지 못했다. 내릴 것도 아니면서 입구를 가득 메운 승객을 피해 겨우 삼성역에 내린 유미는 면접에 늦지 않으려 걸음을 빨리했다.

지하철역 밖으로 나오자 매서운 바람에 코끝이 찡했다. 유미는 유행이 지나도 한참 지난 재킷을 여미며 주머니에서 휴대폰을 꺼냈다.

"역에서 나오자마자 바로라고 했는데……?"

유미는 네이버 지도를 들여다보며 주위 건물을 두리번거렸다.

오늘은 영양사 채용 1차 면접이 있는 날이다. 대기업은 아니지만 탄탄한 중소기업으로, 취직만 시켜준다면야 이 한 몸 다 바쳐 일할 각오가 되어 있었다. 별로 기대하지 않았던 서류 심사에 통과하고 얼마나 기뻐했던가! 그러나…….

"이유미 씨는 자격증이 영양사 면허 달랑 하나뿐인가요? 양식, 중식 조리사 자격증이야 그렇다 치고 한식 조리사 자격증도 없어요?"

면접관 모두 그녀의 농담에 빵 터질 때도 싸늘한 눈빛으로 서류만 훑어보던 면접관이 그녀의 아킬레스건을 꾸욱 건드렸다.

"다음 달에 한식 조리사 자격증 실기 시험을 볼 예정입니다."

유미는 최대한 밝게 웃으며 상냥하게 대답했다.

"그래요?"

면접관의 시큰둥한 표정은 가시지 않았다. 그는 탁, 소리 나게 서류를 내려놓으며 혼잣말로 크게 투덜거렸다.

"대학 졸업한 지가 언젠데 아직까지 자격증 안 따고 뭐 했나?"

그의 살벌한 말투에 유미의 시선이 슬그머니 바닥으로 떨어졌다. 그와 함께 사기도 저 밑으로 추락했다.

"알겠습니다. 그만 가보세요."

"네. 감사합니다."

유미는 두 손을 모으고 최대한 허리를 숙여 정중히 인사했다.

면접장을 걸어 나오는데 다음 사람이 안으로 들어섰다. 그녀는 날씬하고 가느다란 몸매에 눈에 띄는 미모의 소유자였다.

"김하나 씨는 조리사 자격증이 7개나 있네요."

방금 유미를 구석으로 몰던 면접관이 그녀가 자리에 앉기도 전에 먼저 말을 꺼냈다.

"한식, 양식, 일식, 중식, 제과, 제빵, 그리고 복어 조리사 자격증까지. 정말 대단합니다."

유미는 자신의 귀를 의심하며 의자에 앉은 후보에게 슬쩍 시선을 돌렸다.

아니, 저 사람? '자격증 따는 게 제일 쉬웠어요!'야, 뭐야?

자그마치 7개라니! 면접을 보러 다니면서 지금까지 만났던 사람들 중에 가장 많은 자격증을 가진 후보 같다. 저런 쟁쟁한 후보를 물리치고 과연 취업할 수 있을까?

"후우."

유미는 땅이 꺼질 듯 한숨을 내쉬며 면접 대기실 의자에 올려두었던 가방을 어깨에 둘렀다.

어째…… 예감에 망친 것 같지? 어차피 면접 봐도 떨어질 거, 우선은 조리사 실기 시험 준비에나 몰두할까?

터덜터덜 건물을 나오는데 주머니에 넣어둔 휴대폰이 요란스럽게 진동했다.

"여보세요?"

[유미야!]

통화 버튼을 누르기가 무섭게 활달한 소영의 목소리가 흘러나왔다. 고등학교 동창인 그녀는 두 달에 한 번 정기적으로 친구를 불러 모은다. 오늘이 아마 그날인가 보다.

[너 지금 어디야?]

"삼성역 근처. 면접 보고 나오는 길이야."

[맞다. 너 오늘 면접 본다고 했지. 어때, 잘 봤어?]

"아니……. 조리사 자격증 7개를 가진 괴물을 만났어."

[응? 괴물?]

"그런 게 있어. ……하여간 망친 것 같아."

유미가 풀 죽은 목소리로 중얼거렸다.

[에고, 불쌍한 것. 우리가 찐하게 위로해줄 테니까, 와.]

"어딘데?"

[요즘 핫하다는 '프리덤'!]

"프리덤?"

유미의 눈이 의아함으로 커다랗게 동그래졌다.

'Freedom'이라고 쓰인 네온사인을 지나 육중한 철문을 열자, 쿵쾅거리는 비트가 쏟아져 나왔다. 성큼 안으로 들어서자 어지러이 돌아가는 레이저 조명 아래, 열기로 가득 찬 실내가 한눈에 들어왔다.

신나게 춤추는 사람, 바(Bar)에 기대어 술을 마시는 사람, 큰 소리로 대화하는 사람 등등.

항상 북적거리는 이곳은 외로움을 떨치기에 안성맞춤인 장소였다.

진욱은 무심한 눈빛으로 주위를 둘러보았다.

"어머, 저 남자 좀 봐."

출입문에 어깨를 기댄 진욱을 발견한 여자들이 저마다 힐끔거리기 시작했다. 평범한 차림이지만 패션의 완성은 얼굴과 몸매라고, 그의 작은 동작 하나하나에 모두의 시선이 쏠렸다. 근육질 몸에 적당히 달라붙은 검은 티셔츠와 청바지는 떡 벌어진 어깨를 강조하며 훤칠한 키와 다부진 몸매를 한층 돋보이게 했다. 게다가 조각같이 반듯한 얼굴 윤곽은 어떻고! 이마에서 자연스럽게 내려오는 높은 콧대와 다듬은 것처럼 정리된 짙은 눈썹, 적당하게 각진 턱 선하며 다부진 입술까지…….

환상 속의 왕자님처럼 모든 것이 완벽했다.

"모델인가?"

"어떡해! 나, 손 떨리는 것 좀 봐."

몇몇 여자들은 아예 대놓고 손가락으로 진욱을 가리키며 귓속말로 쑥덕거렸다.

나름 미모에 자신 있는 여자 한 명이 불쑥 진욱 앞으로 다가갔다.

"차진욱. 맞지?"

여자는 생글생글 웃으며 진욱을 향해 윙크를 날렸다. 그는 긍정도 부정도 하지 않은 채 한쪽 입꼬리를 비틀었다.

"여기 자주 뜬다며."

어깨에 쓱 손을 올리며 여자가 유혹의 눈빛을 던졌다.

"그래서?"

그의 차가운 반응에 여자의 동공이 살짝 커졌다. 대부분 그녀의 교태에 바로 넘어오는데, 진욱은 끄떡도 하지 않으니까.

"이제 여기도 그만 와야겠네."

무표정한 얼굴로 여자를 내려다보던 진욱이 손을 들어 그녀의 손을 가볍게 쳐냈다. 그리고 먼지 털 듯 손이 닿았던 어깨를 툭툭 털어내며 댄스 플로어로 등을 돌렸다.

여자는 자신이 거절당했다는 사실이 믿기지 않는 듯 멍한 얼굴로 그의 뒷모습을 바라보았다. 그리고 곧 모멸감에 부들부들 떨기 시작했다.

"야! 너, 거기 못 서!"

그러나 진욱은 뒤 한 번 돌아보지 않은 채 춤추는 무리 속으로 사라졌다.

"왔어?"

댄스 플로어를 가로질러 무대 가까이 가자, 클럽 사장이자 대학 선배인 철민이 환하게 웃으며 다가왔다.

"왜 인제 와? 아까부터 '나애리'가 너 안 오느냐고 난리다, 난리."

"나애…… 뭐?"

낯선 이름에 진욱이 미간을 찌푸렸다.

"왜, '나애리'라고 요즘 뜨는 신인 배우 있잖아."

"몰라. 관심 없어."

"콜라 병 몸매, '나애리'를 모른다고? 하여간 한번 보기나 해라."

철민은 진욱의 어깨를 잡으며 '나애리'를 찾기 위해 클럽 안을 둘러보았다. 그러던 중 갑자기 못 볼 걸 본 것처럼 입을 쩍 벌렸다.

"아니, 저건 또 뭐야?"

철민을 따라 진욱의 고개가 자연스럽게 옆으로 돌아갔다.

"아놔! 물 흐리게 누가 들여놓은 거야?"

진욱의 시선이 구석에 있는 여자에게 닿았다. 머리를 질끈 하나로 묶은 여자는 투박한 검은 안경을 쓰고 유행이 지나도 한참 지난 검은 정장을 입고 있었다. 셔츠 단추를 목 끝까지 채우고 앞으로 어슷하게 멘 서류 가방에, 이곳에 전혀 어울리지 않는 복장이었다. 진욱 역시 기가 막힌다는 듯 미간을 찌푸렸다.

고막이 찢겨나갈 듯 쩌렁쩌렁 울리는 음악은 참는다 치더라도 발 디딜 틈 없이 붐비는 건 정말 싫다. 조금만 움직여도 옆 사람과 몸이 닿다니……. 유미는 울상을 지으며 조금이라도 옆 사람과 떨어지려 몸을 바르작거렸다.

하지만 그녀를 제외한 대부분은 전혀 상관없나 보다. 서로 착 달라붙은 상태로 이리저리 몸을 부딪치며 춤추기 바쁘니까. 공간을 꽉 채운 뜨거운 열기에 사우나 안처럼 숨이 막히고 답답했다.

왜 비싼 돈 주고 생고생하나 몰라?

자꾸만 삐질삐질 땀이 흘러내려 안경이 콧등으로 미끄러졌다. 유미는 손끝으로 안경을 밀어 올리며 고개를 설레설레 내저었다. 어쩌자고 유혹에 넘어가서는……. 어째, 기분 전환은커녕 두통만 생기겠다.

유미는 사람들과 부딪히지 않게 조심하며 천천히 앞으로 나아갔다. 댄스 플로어를 반쯤 가로지르자 애타게 찾던 소영과 친구들이 보였다. 몸에 꽉 달라붙는 미니 원피스에 킬 힐로 무장한 친구들은 바(Bar)에 일렬로 기대어 서서 병맥주를 홀짝거리고 있었다. 머리끝에서 발끝까지 한껏 섹시하게 치장한 친구들은 검은 바지 정장의 유미와는 너무나도 대조되었다. 우아한 백조에게 쭈뼛쭈뼛 다가가는 까마귀 같다고나 할까?

유미가 다가오자 소영이 이상한 기운을 느끼고 슬그머니 옆을 바라보았다.

"헐!"

소영의 입에서 짧은 비명이 흘러나왔다. 그 소리를 신호로 나머지 일행이 차례대로 고개를 돌렸다. 그리고 소영과 똑같이 비명을 내지르며 우르르 유미를 둘러쌌다.

"너, 지금 그러고 온 거야?"

"클럽에 그렇게 입고 오는 사람이 어딨어?"

이것들이 지금 나이가 몇인데 벌써 기억이 오락가락하나? 방금 통화하면서 면접 보고 나오는 길이라고 했잖아! 하지만 유미의 대답은 친구들의 살벌한 눈빛에 도로 목구멍으로 들어갔다. 잘못한 것도 없는데 왜 이리 주눅이 들지?

유미는 어색한 미소를 지으며 얼버무리듯 대답했다.

"어, 그게…… 면접 보고 바로 오느라."

그제야 소영이 지나가는 투로 물었다.

"그래서 면접은 잘 봤어?"

까마귀 고기라도 먹었나? 망친 것 같다고 징징거렸더니 위로해준다며? 하지만 이번에도 유미는 찍소리 못한 채, 한숨만 내쉬었다. 대신 소영의 병맥주를 빼앗아 벌컥벌컥 들이켜기 시작했다.

"여기 좀 있어 봐. 나, 저 여자 내보내고 올게."

유미를 노려보던 철민이 흥분해서 팔을 걷어 올렸다.

"관둬. 특이하고 좋네!"

진욱이 재빨리 철민의 팔을 잡아당겼다. 여자의 차림이 끔찍한 건 사실이었지만 그렇다고 쫓아낼 것까지야…….

"네 눈에는 저게 특이해 보여? 저건 처참한 거야."

"됐고. 그보단 음악이나 좀 어떻게 해봐."

"어, 네가 듣기에도 그러냐?"

화제를 돌리려고 꺼낸 말이었지만 솔직히 오늘의 음악은 맹숭맹숭하고 지루하기 짝이 없었다.

"DJ가 펑크 냈어. 오늘 음악, 완전 개망삘이지? 그런데 저 여자마저 물 흐리고 있잖아. 그러니까 내가……."

"됐고."

철민을 말리던 진욱은 클럽 구석에 서 있는 청색 슈트 차림의 남자를 발견하고 멈칫했다.

"쳇, 여기까지 따라왔네."

남자를 알아본 진욱의 얼굴이 갑자기 굳어졌다.

"누구?"

철민이 의아한 표정으로 진욱의 시선을 좇았다.

"아버지의 충성스러운 장 비서."

"화장실까지 널 따라다닌다는 작자?"

지난주부터 차대복 회장은 자신의 직속 비서인 장우진에게 진욱을 감시하라는 지시를 내렸다. 그래서 진욱의 일거수일투족이 하나도 빠짐없이 최 회장에게 낱낱이 보고되고 있었다.

"따돌린 줄 알았는데 용케도 여기까지 왔네. 형, 나 이만 갈게."

급하게 클럽을 나서려는데 어떤 여자가 도발적인 눈빛을 보내며 진욱을 막아섰다.

"누구?"

진욱은 눈을 가늘게 뜨고 여자를 바라보았다. 아슬아슬한 옷차림에 진한 화장을 한 여자는…… 나애리?

화면에선 몰라도 실제 그녀의 얼굴은 짙은 화장에도 불구하고 성형한 티가 확연히 드러났다. 진욱은 자신도 모르게 인상을 찌푸렸다.

"여기 자주 온다고 해서 지난주부터 기다렸어."

"그거야 내 알 바 아니고."

진욱이 무시하며 그냥 지나치려 하자 애리가 뒤에서부터 와락 끌어안았다. 그녀의 돌발적인 행동에 그는 비틀거리며 벽 쪽으로 쓰러졌다.

"뭐 하는 짓이야?"

진욱은 짜증을 내며 애리를 밀쳐내려 했다. 하지만 그녀는 진욱을 끌어안은 팔을 풀지 않았다.

좋게 타일러서는 안 되겠군. 진욱은 한 손으로 벽을 짚으며 다른 한 손으로 애리의 턱을 들어 올렸다. 저돌적으로 달려든 여자가 어디 한둘인가! 나애리쯤 쉽게 떼어버릴 수 있다.

진욱은 마치 키스라도 하려는 듯 애리에게 얼굴을 가까이 가져갔다. 헛된 기대감에 부푼 애리의 입술이 살며시 벌어졌다. 진욱의 입가에 냉소적인 미소가 번졌다.

"이렇게 가까이서 보니까 더욱 티가 나는데! 눈 했고, 코도 했고. 턱은 돌려 깎았나?"

분명 기분 나쁘라고 한 소리였다. 그런데도 애리는 해맑게 웃으며 되받아쳤다.

"그래도 가슴은 오리지널 내 건데!"

머리가 나쁜 거야? 자존감이 하늘을 찌르는 거야?

진욱은 어처구니없다는 표정으로 애리를 바라보았다.

"크윽, 킄."

유미는 연속으로 트림하며 테이블 위에 쪼르륵 세워진 빈 병들을 바라보았다. 맥주는 취하기도 전에 배가 먼저 부르다. 꿀꿀할 때는 그저 소주가 최곤데……. 유미는 입맛을 쩝 다시며 다른 맥주병에 손을 뻗었다.

"으!"

그러나 맥주를 한 입 들이켜기도 전에 아랫배에서 신호가 왔다. 너무 빨리 마셨나? 화장실이 어디지? 유미는 한 손으로 아랫배를 움켜쥐며 급하게 자리에서 일어났다. 두리번거리는 그녀의 눈에 복도 끝에 있는 화장실 표지판이 들어왔다.

급한 마음에 부리나케 달려가는데 서로 부둥켜안은 남녀가 좁은 복도를 가로막고 있었다. 화장실 앞에서 뭐 하는 거야? 유미는 난처한 얼굴로 흘러내린 안경테를 손으로 추켜올렸다.

당장에라도 키스할 것같이 야릇한 분위기를 연출하는 두 사람은 마치 영화 속의 연인 같았다. 특히 남자는 입이 다물어지지 않을 정도로 끝내주는 외모였다.

저런 남자에게 사랑받으면 어떤 느낌일까? 순간 유미의 머릿속에 《저급한 그대》의 한 장면이 떠올랐다. 거기서도 여자를 벽으로 밀어붙이며 거칠게 입술을 탐했었지! 아이, 내가 키스하는 것도 아니면서 왜 얼굴이 빨개지지? 유미는 짜릿한 키스를 상상하며 아랫입술을 꾹 깨물었다.

"윽!"

잠깐, 이럴 때가 아닌데. 야한 상상이 배설의 욕구를 자극했는지 아랫배가 싸했다. 더 구경하고 싶지만, 우선 급한 볼일부터…….

"죄송합니다! 제가 좀 급해서요."

유미는 두 사람 사이로 파고들어 떨어뜨리고는 냅다 화장실을 향해 뛰어갔다.

"뭐야, 저 여자!"

유미 때문에 분위기가 깨지자 애리가 빽 소리를 질렀다. 기회는 이때다 싶어 진욱은 애리로부터 멀찍이 떨어지며 출입구를 향해 등을 돌렸다.

"그럼 난 이만. 깜순이가 기다려서."

"뭐어, 깜순이?"

진욱은 대답 대신 애리를 향해 손을 흔들며 빠르게 클럽을 빠져나갔다.

"으아악!"

프라이팬에서 갑자기 불길이 치솟자 유미는 비명을 지르며 뒤로 물러섰다. 수강생들이 유미의 요리 작업대로 고개를 돌리며 웅성거리기 시작했다.

"또야?"

어디선가 나타난 요리 선생님이 유미를 옆으로 밀어내고 가스레인지의 불을 끈 뒤 프라이팬을 빠르게 흔들었다. 그제야 기름 위로 치솟던 불길이 서서히 잦아들었다.

"감사합니다. 콜록. 콜록."

유미는 요리 선생님에게서 연기가 폴폴 나는 프라이팬을 얌전히 건네받았다. 거기엔 불에 탄 동그랑땡 몇 개만이 처량한 모습으로 남아있었다.

"여기가 중국집이야? 왜 불 쇼는 하고 그래? 이참에 요리 학원까지 태워먹지, 왜?"

이런 일이 한두 번이 아니라는 듯 유미를 바라보는 요리 선생님의 눈길이 매서웠다.

"죄송합니다."

"유미 씨, 이번이 몇 번째지? 삼수? 사수?"

한식 조리사 실기 시험을 묻는 거라면…….

"사수까진 아니고…… 삼……수인데요."

"이번에 또 떨어지면 그냥 학원 옮겨. 우리랑 안 맞는 걸 수도 있잖아. 요리 학원이 여기밖에 없어? 아니면 진지하게 다른 진로를 생각해 보는 것도 괜찮고."

그녀의 말이 아주 틀린 건 아니다. 어째 요리하는 것보다 태우는 게 더 많으니…….

유미는 고개를 밑으로 떨어뜨리며 연기로 뿌얘진 안경을 벗어 옷자락에 쓱 닦았다. 오늘따라 왜 이러는지 몰라.

학원에서의 불행은 집에까지 이어졌다. 오래된 연립주택의 반지하 계단을 터덜터덜 내려가니 문에 붙은 노란 포스트잇이 눈에 들어왔다. 유미는 고개를 갸웃거리며 포스트잇을 떼어냈다.

"헐!"

휘갈긴 글씨로 쓰인 내용을 읽던 유미의 입에서 짧은 탄식이 흘러나왔다.

계약 만기 D-30. 이사 요망. 주인백

말도 안 돼! 이런 밑도 끝도 없는 통보라니! 한 달 안에 어떻게 집을 구하라고.

띠리리—.

절망 어린 표정으로 한숨을 푹 내쉬는데 휴대폰이 울리기 시작했다.

휴대폰 화면으로 상대방을 확인한 유미의 얼굴이 급속도로 굳어졌다. 왜 하필 이럴 때……. 마지못해 통화 버튼을 누르자 엄마, 미희의 목소리가 낭랑하게 흘러나왔다.

[유미야아.]

"어."

한층 고조된 미희와는 정반대로 유미는 아주 침통한 목소리로 대답했다.

[청첩장 받았지?]

"아니."

[이상하네? 갈 때가 됐는데……. 하여간 청첩장 없어도 장소랑 시간 다 아니까.]

"엄마, 나 못 갈 거 같아. 내가 지금 거기 갈 처지가……."

[뭐? 야!]

휴대폰 너머로 미희의 쩌렁쩌렁한 목소리가 넘어왔다.

[너 하나, 유일한 가족인데 결혼식에 안 오면 어쩌라는 거야? 너, 엄마 망신시킬 일 있어?]

귀가 멍멍할 정도로 큰 소리에 유미는 휴대폰을 귀에서 떼며 눈살을 찌푸렸다. 왜 엄마마저 신경을 긁는지 모르겠다.

아, 제발 나 좀 가만히 내버려둬!

"아니, 그러게 누가 강원도 산골짜기까지 가서 결혼하래?"

유미도 같이 발끈하며 버럭 언성을 높였다.

[어머, 얘! 거기가 왜 산골짜기야? 거기는 럭셔리 대복 리조트가 있는…….]

"몰라, 대복 리조트든 전복 리조트든 나 못 가! 아니, 안 가. 끊어!"

유미는 신경질적으로 소리치며 일방적으로 전화를 끊어버렸다. 그리고 두 손으로 머리를 마구 헝클었다.

"으아!"

혼자 열심히 성질내는 그녀의 눈으로 바닥에 떨어져 있는 연보라색 봉투가 들어왔다.

집배원 아저씨가 문틈에 끼워놓고 간 게 떨어졌나? 봉투를 집어 안을 열어보니 분홍 꽃무늬의 청첩장이 보였다.

신랑 김영한

신부 조미희

엄마가 그녀에게 보냈다는 청첩장이었다. 못 받았을 때는 아주 쉽게 안 가겠다고 했지만, 막상 청첩장을 받으니 뒤통수가 간질간질하면서 기분이 묘했다.

"아, 진짜!"

유미는 청첩장을 들여다보며 깊은 고민에 빠져들었다.

"이게 뭐냐!"

진욱이 회장실 안으로 들어오자마자, 차 회장의 벼락같은 호통이 떨어졌다. 차 회장은 책상 위에 태블릿 PC를 휙 던지듯 내려놓으며 차 회장이 잡아먹을 것처럼 진욱을 노려보았다. 태블릿 PC를 힐끗 내려다본 진욱의 입매가 살짝 비틀렸다.

'달밤의 원나잇' 나애리, D 그룹 C 군과 이태원 클럽 밀회

키스한 것도 아니고 잠시 끌어안았다고 스캔들이라니! 하여간 이놈의 인기란…….

"이제 내년이면 서른이 되는 녀석이 변변한 직장 하나 없이 애비 돈으로 놀고먹으면서……."

언제나 같은 레퍼토리의 잔소리가 시작되었다.

"……내가 너라면 미안해서라도 쥐 죽은 듯 가만히 있었을 거다. 허구한 날 사고를 치는 것도 모자라서 이젠 그룹 얼굴에 먹칠을 해?"

"그렇다고 먹칠까지야."

진욱이 빈정거리자 차 회장의 얼굴이 분노로 빨개졌다.

"뭐?"

"아버지 회사가 재계 순위 1, 2위 하는 재벌급은 아니잖아요."

그 말이 끝나기가 무섭게 차 회장이 주먹으로 쾅! 책상을 내리쳤다.

"네 이 녀석! 안 되겠다. 너 당장 짐 싸서 냉큼 내려가! 가서, 당분간 근신하면서 일이나 배워."

"싫은데요."

그러나 차 회장은 진욱의 의견을 무시하며 인터폰을 눌러 장 비서를 호출했다.

"장 비서, 들어와! 당장 이 자식 끌고 가."

"아버지, 정말 이러실 겁니까?"

진욱이 불만 어린 눈으로 차 회장을 노려보았다. 철들고 나서 기억하는 아버지는 언제나 이런 모습이었다. 엄마 없이 큰다고 보듬어주기는커녕 버릇 나빠진다며 오히려 더 엄격하게 대했다. 차분히 대화할 생각은 없는지 자초지종을 듣기도 전에 버럭 화부터 냈다. 이젠 아버지와의 오해를 푸는 것에도 슬슬 지쳐간다.

"좋아요."

진욱은 애써 짜증을 누르며 이빨 사이로 내뱉듯 말했다.

"가겠습니다. 간다고요!"

진욱은 그대로 등을 돌려 성큼성큼 회장실을 걸어나갔다.

"지금 나보고 이걸 타고 가라고?"

진욱은 정류장에 세워진 '대복 리조트' 관광버스를 흘끗 쳐다본 후, 슈트를 핑크로 통일한 우진에게로 고개를 돌렸다.

"내가 굳이 내 차 말고 이걸 타야 하는 이유가 뭐지?"

"회장님의 지시입니다."

진욱의 캐리어를 바닥에 내려놓으며 우진이 무뚝뚝하게 대답했다.

"어차피 장 비서가 내 차 끌고 가니까, 나도 그냥 같이 타고 가면……."

"차진욱, 그 자식은 인간이 덜됐어!"

별안간 말을 도중에 끊으며 우진이 손가락을 치켜들고 진욱을 향해 소리치기 시작했다.

"사람 구실 제대로 할 때까지는 일절 다 끊어! 현금, 신용카드, 차키, 죄다 압수야. 압수!"

진욱이 황당한 얼굴로 쳐다보자 우진은 어느새 본인의 말투로 돌아가 정중히 고개를 숙였다.

"라고…… 회장님께서 말씀하셨습니다."

"허!"

이거 왠지 장 비서의 사심이 담긴 외침 같다.

진욱은 주먹을 불끈 쥐며 험상궂은 얼굴로 우진에게 다가갔다.

"형은 지금 이 상황이 재밌지. 어?"

언제나 '장 비서'라고 부르던 진욱이 오히려 나이를 따져 우진을 '형'이라고 부를 때는 참을 수 없게 화가 났다는 뜻이다.

이거 이러다 한 대 맞는 건 아니겠지? 우진은 덜컥 겁이 났다. 진욱의 성격으로 봐선 절대로 그럴 리야 없겠지만 그래도 또 모르는 거니까. 우진은 슬그머니 고개를 들어 진욱을 살폈다. 죽일 것처럼 살벌한 진욱의 시선에 우진은 꿀꺽 마른침을 삼켰다.

"좋아. 이번엔 내가 참지."

진욱은 부드득 어금니를 갈며 거칠게 캐리어를 들어 올렸다.

복도 쪽에 자리를 잡은 진욱은 애써 화를 가라앉히려 크게 숨을 들이마셨다. 항상 곁에서 친형처럼 돌봐주던 우진은 차 회장의 직속 비서로 들어간 후로는 완전히 아버지의 사람이 돼버렸다. 아예 처음부터 모르던 타인이면 서운하지나 않지……. 진욱은 자신의 컨버터블을 몰고 떠나는 우진을 원망스러운 눈으로 바라보았다.

"이거 대복 리조트 가는 거 맞죠?"

잠시 후, 물 빠진 검은 청바지에 고리타분한 스타일의 검은 스웨터, 헐렁한 카디건을 입은 유미가 끙끙거리며 버스에 올랐다. 그녀는 작은 천 캐리어를 가슴에 끌어안은 채 쓰윽 버스 안을 둘러보았다. 어째 빈 자리를 찾기가 쉽지 않을 것 같았다.

통로를 따라 안으로 쭉 들어가던 그녀의 캐리어 모서리가 진욱의 머리를 툭 건드렸다.

"앗!"

날카로운 통증에 진욱이 머리를 감싸며 위를 쳐다봤다. 그러나 빈자리 찾는 데 정신이 팔린 유미는 자신이 무슨 짓을 했는지 전혀 눈치채지 못하고 있었다.

그녀는 무심한 얼굴로 캐리어를 안은 채 계속해서 안쪽으로 걸어 들어갔다. 부글부글 화가 끓어올랐지만 모르고 한 실수이니, 진욱은 일단 참기로 했다.

"자리가 없네."

더 들어갔음에도 빈자리가 없자 유미는 안타까운 얼굴로 되돌아 나왔다. 그러다 다시 캐리어 모서리로 진욱의 머리를 툭 치고 말았다. 눈물이 찔끔 날 만큼, 아까보다 좀 더 세게…….

"저기요!"

이번엔 도저히 참을 수 없다. 진욱이 재빨리 유미를 불러 세웠다.

"네?"

아무 생각 없이 뒤돌아보던 유미의 눈이 진욱을 발견하고는 동그랗게 커졌다. 이 남자는……? 그때 클럽에서 로맨스 영화를 찍던? 한 대 때려주고 싶을 만큼 잘생긴 남자를 어찌 잊을 수 있을까? 이 남자도 나를 알아보고 아는 척? 얼마 전에 클럽에서 봤었죠? 우리 이것도 인연인데……일 리는 없을 텐데?

그때 진욱 옆의 빈자리가 눈에 들어왔다. 아, 여기 자리가 있으니까 앉으라는 거구나! 상냥하기도 하셔. 외모가 잘생긴 남자가 마음씨도 고운가 봐.

"감사합니다."

유미는 꾸벅 고개를 숙여 감사의 인사를 한 후, 선반 위에 캐리어를 올리려 팔을 번쩍 들었다. 그러다 반쯤 열려 있던 캐리어 앞주머니에서 책 한 권이 툭 떨어졌다.

"앗!"

책은 곧장 진욱의 머리 위로 떨어지며 책 모서리가 그의 이마를 찍었다. 눈앞에 별이 번쩍거리는 것 같은 통증에 진욱은 한 손으로 이마를 감싸며 신음을 내뱉었다. 이 여자가 진짜! 한마디 하려는데 바닥에 떨어진 책의 표지가 눈에 들어왔다.

"저급한 그대?"

진욱은 수준을 알 만하다는 표정으로 미간을 찌푸렸다. 유미는 화들짝 놀라며 황급하게 책을 줍고는 코끝으로 흘러내린 안경을 쓱 추켜올렸다.

"정말 죄송합니다."

왜 하필 그 책이 떨어져서는……. 근데 저 사실은요, 제목만 그렇지 야하기만 하고 내용 없는 그런 책, 아니거든요. 아주 애절한 여자 주인공과 순수한 남자 주인공의 불타는 사랑 이야기예요. 그렇다고 러브신이 아예 없는 건 아니지만…….

그러나 입 안에서만 맴돌 뿐 막상 말을 하려니 도저히 입이 떨어지질 않았다. 민망한 유미는 혹시 다른 자리는 없는지 빠르게 버스 안을 훑어보았다. 그러나 애석하게는 빈자리는 거기뿐이었다.

"출발합니다. 자리에 앉으세요."

"네, 네."

에이, 모르겠다. 얼굴에 철판 깔고 그냥 옆에 앉는 수밖에……. 할 수 없이 안쪽으로 들어가 앉으려는데 남자는 그녀를 빤히 쳐다볼 뿐 조금도 비켜주지 않았다. 유미는 난처한 얼굴로 그가 앉은 자리를 살펴보았다.

키가 무척이나 큰 탓에 넉넉한 좌석 공간에도 불구하고 남자의 무릎이 거의 앞 좌석에 닿아 있었다. 그래, 다리가 길어서 비켜주고 싶어도 비켜줄 공간이 없겠네. 이해해. 당근 이해해. 유미는 진욱 대신 변명해 주며 그의 발을 밟지 않게 조심조심 안쪽으로 들어갔다. 그때 버스가 예고도 없이 '덜컹' 움직였다.

"어, 어!"

순간 중심을 잃은 유미의 몸이 크게 휘청거렸다. 그러고는 절대로 의도치 않았지만, 무릎이 팍 꺾이며 털썩 그 자리에 주저앉고 말았다.

"……!"

잠깐 내가 지금 어디에 앉은 거지? 엉덩이에 느껴지는 따뜻하면서도 적당하게 딱딱한 이 느낌은? 어머나! 자신이 앉은 곳이 남자의 무릎 위라는 걸 깨달은 유미가 '헉!' 숨을 들이켰다.

"어머머, 어떡해. 죄송해요. 정말 죄송합니다."

유미는 어쩔 줄 몰라 당황해하며 남자의 무릎에 앉아 연신 고개를 숙였다.

"차가 갑자기 움직이는 바람에……."

"계속 거기 앉아 있을 겁니까?"

짜증이 한껏 밴 목소리로 진욱이 나직하게 묻고서야 그녀는 자신이 아직도 그의 무릎에 앉아 있다는 사실을 깨달았다.

"죄송합니다."

스프링처럼 벌떡 일어나 옆자리로 옮기며 그녀가 다시금 사과했다. 하지만 진욱은 아무 말 없이 옷매무새를 정리하고는 그대로 고개를 돌려 눈을 감았다.

"저기, 저……."

없는 사람 취급하는 진욱의 태도에 유미는 급 무안해져서 콧등에 주름을 잡으며 아랫입술을 삐죽 내밀었다. 되게 매몰차네. 일부러 그런 것도 아니고 무슨 남자가 이리도 까탈스러워? 뭐라고 한마디 쏴주고 싶네. 뭐, 그래도 내가 잘못한 거니까 이쯤에서 참지 뭐. 유미는 속으로 투덜거리며 흐트러진 카디건을 한 손으로 여몄다. 그런데! 나, 이 남자 무릎에 앉았던 거야? 아무리 사고라지만 남자와 이런 스킨십은 처음인데…….

유미는 어색함에 얼굴을 붉히며 진욱을 슬그머니 훔쳐보았다. 가까이에서 보니까 더욱더 숨 막히게 잘생겼다. 어디 얼굴뿐인가? 사람을 사로잡는 오묘한 눈빛은 어떻고? 지금은 눈 감고 있어 볼 순 없지만, 아까 마주친 그의 눈빛은 서늘하면서도 부드러웠다. 뭐랄까, 한마디로 들판에 부는 봄바람처럼 아늑하면서…….

순간 진욱이 번쩍 감은 눈을 떠 그녀와 시선이 마주쳤다.

"딸꾹."

몰래 훔쳐보던 걸 들킨 유미의 입에서 딸꾹질이 터져 나왔다.

"크읍. 큭."

숨을 멈췄는데도 계속해서 딸꾹질이 새어 나오자, 유미는 한 손으로 가슴을 내리치며 재빨리 창밖으로 고개를 돌렸다. 진욱은 무심한 눈으로 잠시 유미를 바라보다 다시 두 눈을 감고 잠을 청했다.

"후우."

진욱이 눈 감은 걸 확인한 유미가 손등으로 이마를 쓸어내리며 안도의 한숨을 내쉬었다.

"딸꾹."

딸꾹질을 멈추려 한 손으로 입을 틀어막았지만, 전혀 도움이 되지 못했다.

이놈의 딸꾹질은 왜 멈추질 않는 거야? 미치겠네!

"딸꾹, 딸꾹."

조용한 버스 안에 그녀의 딸꾹질 소리가 간간이 울려 퍼졌다.

얼마나 달렸을까? 구불구불한 산길이 끝나는 곳 너머 푸르른 동해가 서서히 보이기 시작했다. 유미는 창문에 머리를 기댄 채 해안 도로를 따라 펼쳐진 바다를 하염없이 바라보았다. 한가하게 결혼식에 참석할 상황은 아니었지만 그래도 이왕 온 김에 멋진 풍경을 즐기는 것도 나쁘진 않으리라. 눈코 뜰 새 없이 바쁘게 지내느라 마지막으로 바다에 온 게 언제인지도 모르겠다.

하지만 구경도 잠시, 얼마 안 가 그녀의 눈꺼풀이 천근만근 무거워지기 시작했다. 유미는 하품이 나오는 입을 손으로 막으며 좀 더 편한 자세로 좌석 등받이에 상체를 기대었다. 어제 밤늦게까지 이삿짐을 정리하느라 잠이 모자랐나 보다. 잠을 쫓기 위해 고개를 흔들고 몇 번이나 손으로 뺨을 톡톡 때렸지만 소용없었다. 그녀는 곧 그대로 잠이 들고 말았다.

그때까지 팔짱을 낀 채 미동도 없던 진욱이 스르르 두 눈을 떴다. 속 편한 여자군. 진욱은 유리창에 머리를 기댄 채 깊게 잠든 유미를 바라보며 어이없다는 듯 고개를 흔들었다. 옆에 낯선 남자가 있건 말건 완전 무방비 상태로 잠들다니…….

아까부터 호기심을 자극하는 향기의 출처를 찾으려 진욱은 유미를 찬찬히 살펴보았다. 이 여자에게선 뭔가 달콤한 향이 났다. 분명 향수 냄새는 아닌데. 그렇다고 샴푸나 화장품 향도 아니고. 도대체 뭘까?

투박해 보이는 검은 안경테에 유행이 지나도 한참 지난 것 같은 물 빠진 검은 청바지, 답답해 보이는 고리타분한 검은 스웨터……. 전혀 끌리는 스타일은 아니었지만, 그래도 잡티 하나 없이 뽀얀 피부에는 감탄사가 나왔다. 화장기 하나 없는 고운 피부가 유리창에서 쏟아지는 햇빛에 매끄럽게 반들거렸다. 손으로 만지면 손끝이 피부 위에서 사르르 미끄러질 것만 같았다.

진욱은 입매를 비틀며 유미에게서 시선을 거두었다. 그래, 하나라도 내세울 게 있어야 세상 살맛이 나겠지. 통로 반대쪽 창밖으로 고개를 돌리자, 저 멀리서 바닷가에 자리 잡은 대복 리조트 건물이 서서히 웅장한 모습을 드러내기 시작했다.

얼마 안 가 관광버스가 리조트 앞 정류장에 멈춰 섰다.

"목적지에 도착했습니다."

운전기사의 안내에 승객들이 자리에서 일어나 저마다 짐을 챙겨 버스에서 내리기 시작했다. 그러나 진욱이 선반에서 캐리어를 내릴 때까지도 유미는 세상모르고 잠들어 있었다.

"이봐요. 다 왔어요."

보다 못한 진욱이 유미에게 말을 건넸다. 그러나 그녀는 깊게 잠들었는지 도무지 깨어날 줄 몰랐다.

"이봐요?"

그녀의 어깨를 건드리려던 진욱이 움찔 손을 멈췄다. 괜히 건드렸다가 좋은 소리 못 들을 것 같았다. 알아서 내리겠지. 잠시 유미를 내려다보던 진욱은 그대로 뒤돌아 버스에서 하차했다.

밖으로 나오자 웅장한 리조트 건물이 우뚝 선 채로 그를 맞이했다. 강렬한 햇살에 대리석 외벽이 눈부시게 반짝거렸다. 여행 온 거라면 무척 신바람 났겠지만, 지금 그는 외딴곳에 유배 온 거나 다름없는 처지일 뿐.

"도대체 여기서 뭘 하라는 거야?"

진욱은 한 손으로 햇빛을 가리며 리조트 건물을 향해 투덜거렸다. 기분 탓이겠지만, 오늘따라 앞에 선 하얀 건물이 더더욱 차갑게만 느껴진다.

Episode 2

왜 하필 저 여자의 방이야!

"잘 오셨습니다."

안내해주는 방으로 가자 먼저 리조트에 도착한 우진이 얄미울 정도로 환하게 웃으며 진욱을 맞이했다. 그리고 곱게 접은 직원 유니폼을 진욱에게 내밀었다.

"뭐야, 이게?"

유니폼 위 노란색 배지를 보며 진욱이 황당한 표정으로 물었다.

"보시는 대로입니다."

"그러니까 나보고 벨보이를 하라고?"

'그게 뭐 어때서?'라는 얼굴로 우진이 어깨를 으쓱거렸다.

"갈아입고 나오시면 총지배인님께서 자세한 업무를 알려주실 겁니다. 10분이면 충분하겠죠?"

하, 이것 봐라. 이 틈을 타서 상관 노릇을 하려 하네!

"나한테 이러는 거, 감당할 수 있겠어?"

우진은 표정 하나 바꾸지 않고 무덤덤한 목소리로 대답했다.

"감당은 본인 자신의 몫입니다. 그럼, 저는 밖에서 기다리겠습니다."

우진은 빠르게 고개를 숙인 후, 그대로 등을 돌려 방을 나섰다.

진욱은 우진의 저런 모습을 한 번도 본 적이 없었다. 처음엔 안 된다고 해도 진욱이 계속해서 부탁하면 못 이기는 척 그의 말을 들어주던 우진이었다. 그런데 이번엔 달랐다. 바늘구멍만큼도 틈을 보이지 않았다. 도대체 아버지에게 무슨 지시를 받았기에 저러는 거야?

"좋아, 누가 이기는지 한번 해보자고."

진욱은 애써 화를 내리누르며 두 손으로 유니폼을 움켜쥐었다.

"지금 장난하시는 거죠?"

그에게 내려진 업무는 상상을 초월했다. 수영장 청소도 모자라서 객실 청소까지 하라고? 그 외에도 호텔 주방 보조와 크고 작은 이벤트 도우미 등등. 빡빡하게 채워진 일정표를 훑어 내리는 진욱의 얼굴이 험상궂게 변해갔다.

"그럴 리가요. 차 회장님의 아드님에게 장난칠 리가 있겠습니까."

백발이 성성한 50대 초반의 총지배인은 상냥하게 웃으며 고개를 내저었다.

시골의 관광호텔로 시작한 대복 리조트를 지금의 규모로 키워내기까지 그녀의 공로가 얼마나 컸는지는 대복에 몸담은 사람이라면 누구나 아는 사실이다. 그런 총지배인이기에 웃고 있어도 강렬한 눈매에선 연륜과 깐깐함이 그대로 드러났다.

"우선은 객실 청소부터 하시죠. 여기 영석 씨가 먼저 시범을 보일 겁니다."

총지배인이 힐끗 뒤를 돌아보자 20대 초반으로 보이는 서글서글한 인상의 남자 직원이 앞으로 나서며 진욱에게 꾸벅 허리를 숙였다.

"잘 부탁합니다."

진욱은 인사를 받는 대신 못마땅한 눈으로 영석을 흘겨보았다. 리조트에서 일하라기에 프런트 데스크나 사무실에서 일하게 될 줄 알았는데, 뭐? 객실 청소? 주방 보조? 이벤트 도우미?

"자, 서두르세요."

혼자 씩씩거리며 화를 삼키는 진욱에게 총지배인이 싸늘한 목소리로 재촉했다.

"지금은 좀 곤란하고 한 시간쯤 쉬고 하죠. 오전 내내 불편한 버스를 타고 왔더니 허리가 결려서 말이죠."

애석하게도 총지배인은 만만치 않은 상대였다. 그녀는 피식 입꼬리를 비틀더니 주머니에서 휴대폰을 꺼내 번호를 누르기 시작했다. 마지막 버튼을 남겨두고 그녀가 생긋 웃었다.

"회장님께 보고할까요?"

은근한 협박에 진욱은 아랫입술을 깨물며 총지배인을 노려보았다. 그녀는 아무렇지도 않은 표정으로 그의 시선을 맞받아냈다. 총지배인과 대립해봤자 손해 보는 건 자신일 것이다.

결국 진욱은 작전상 잠시 후퇴하기로 했다.

"좋아요. 지금 바로 시작하죠."

사무실을 나서는 진욱의 뒤를 영석이 급하게 따랐다.

리조트 오너인 차대복 회장의 아들이라는 것을 아는지라 영석은 진욱을 정중히 대했다. 심지어 그와 눈도 제대로 못 마주치면서 객실 청소하는 방법을 열심히 알려주었다.

진욱은 팔짱을 끼고 영석이 청소하는 모습을 지켜만 보았다.

잘하면 이렇게 구경만 하다 끝날 수 있겠군. 그러면 그렇지.

그러나 본보기 객실 청소가 끝나자, 회심의 미소를 짓는 진욱에게 영석은 자기 일은 여기까지라며 청소 도구가 담긴 카트를 내밀었다.

"뭐? 나보고 객실 청소를 혼자 하라고?"

"제가 하는 거 보셨으니까 이제부턴 혼자 하실 수 있죠?"

영석은 진욱의 무서운 눈길을 외면하며 객실 마스터키를 건넸다.

"총지배인님이 직접 점검하신다니까 제대로 하셔야 해요."

"뭐? 점검?"

"네, 그럼 전 이만."

영석은 혹시라도 발목이 잡힐까, 뒤도 돌아보지 않고 직원용 엘리베이터로 달려갔다.

"내 참, 기가 막혀서."

창고에서 짐을 나르면 날랐지, 걸레를 들고 객실 청소를 하라니!

진욱이 화난 얼굴로 카트를 뻥 걷어차는데 맞은편 객실 문이 열리며 유미가 걸어 나왔다.

"네. 번호는 297456번이에요."

그녀는 그사이 옷을 갈아입었는지 검정 바지 정장 차림이었다.

"다시 불러드릴까요? 이……구……칠……."

통화에 열중한 그녀는 진욱을 보지 못하고 복도 반대쪽으로 걸어갔다. 진욱은 빠르게 걸어가는 유미의 뒷모습과 방금 그녀가 나온 객실 문을 번갈아 바라보았다.

왜 하필 처음 청소하는 객실이 저 여자의 방이야!

"네에?"

진욱이 고개를 내저으며 객실 문을 여는데 별안간 뒤쪽에서 새된 비명이 들렸다.

깜짝 놀라 뒤를 돌아보니, 조금 떨어진 복도에서 유미가 창백해진 얼굴로 휴대폰을 들고 부들부들 떨고 있었다. 머리끝에서 발끝까지 검은색으로 통일해 가뜩이나 우중충한데 얼굴까지 창백하니 마치 저승사자를 보는 것 같았다.

가만? 저 옷! 어디서 많이 본 거 같은데……?

객실 안으로 들어서던 진욱이 우뚝 제자리에 멈춰 섰다. 진욱은 눈을 가늘게 뜨며 며칠 전 클럽 '프리덤'에서 철민을 광분케 했던 검정 정장 차림의 여자를 떠올렸다.

그때의 모습과 지금 모습이 서서히 하나로 겹쳐졌다. 버스 안에서의 '저급한 그녀'와 클럽에서의 B 사감이 혹시 동일 인물?

"떨어졌다고요?"

유미가 떨리는 목소리로 물었다. 면접을 망쳤기에 큰 기대는 없었지만, 그래도 확인 사살 받는 건 너무나도 가혹했다.

"한 번만 더 확인해보시면 안 될까요?"

그녀의 애절한 목소리에도 불구하고 수화기 너머에서는 싸늘한 답변만이 돌아왔다.

[한 번이 아니라 다섯 번 확인했습니다. 합격자 명단에는 297456번도, '이유미'라는 이름도 없습니다.]

"……네, 알겠습니다."

전화를 끊은 유미는 넋이 나간 듯한 표정으로 제자리에 털썩 주저앉았다. 한식, 양식 조리사 자격증은 없어도 활달하고 밝은 인상으로 면접관에게 조금은 어필하지 않았을까 기대했는데…….

유미는 땅이 꺼져라 한숨을 내쉬었다. 뽑아주지도 않을 거, 왜 내 농담에 빵빵 터졌는데? 아, 아니지. 개그우먼 뽑는 것도 아니고. 그게 뭐가 중요하겠어. 자격증 7개를 소지한 후보가 당연히 뽑혔겠지.

—대학 졸업한 지가 언젠데 아직까지 자격증 안 따고 뭐 했나?

면접관이 힐난조로 중얼거리던 말이 마치 옆에서 들리는 것만 같았다. 야속하지만 그의 말이 맞았다. 지금까지 조리사 자격증 하나 따지 않고 뭐 했지?

"유미야, 너 왜 사니? 죽자, 죽어!"

유미는 으악! 비명을 지르며 두 손으로 머리를 헝클어트렸다. 한동안 심각하게 자학하던 그녀는 뭔가를 깨달은 듯 잠시 얼어붙었다.

"앗, 맞다. 키!"

전화 받는 거에 정신 팔려서 카드키를 객실에 놓고 나왔다. 놀라서 옆으로 고개를 돌리는데 청소 카트를 끄는 호텔 직원이 그녀의 객실을 마스터키로 여는 모습이 눈에 들어왔다.

"저, 저 잠시만요."

진욱이 마스터키로 객실 문을 열자 복도 저편에 서 있던 유미가 쏜살같이 달려왔다.

"와, 살았다. 다시 프런트 데스크로 내려가야 하나 했는데……."

그녀는 유니폼을 입은 진욱을 전혀 알아보지 못하는 것 같았다. 뒤

따라 객실 안으로 쪼르르 들어오며 그를 향해 환하게 웃어 보였다. 순간 진욱의 자존심에 팍 금이 갔다.

아무리 유니폼을 입었다고 나, 차진욱을 못 알아봐? 어떻게 이 외모를 잊어버릴 수가 있지?

"지금 뭐 하시는 겁니까, 손님?"

그녀의 객실이라는 걸 빤히 알면서도 진욱은 괜히 심술을 부렸다.

"네?"

유미가 왜 그러느냐는 듯 눈을 동그랗게 떴다.

"죄송하지만 아무나 객실에 들일 순 없습니다. 확인을 위해 본인의 카드키로 문을 열어주시겠습니까?"

"제가 전화하느라 깜빡하고 카드키를 책상 위에 놓고 나갔거든요."

정말 유미의 말대로 책상 위에 두 개의 카드키가 고이 놓여 있었다. 그리고 그 옆을 차지한 책, 《저급한 그대》. 창가에는 그녀가 보물단지처럼 소중하게 안고 온 작은 캐리어가 놓여 있었다.

분명히 그녀의 방이 맞다. 그건 누구보다도 진욱이 잘 안다. 방금 두 눈으로 객실에서 걸어 나오는 그녀를 봤으니까. 하지만 아까 당한 것도 있고, 자신을 몰라보는 것도 괘씸해서 진욱은 쉽게 카드키를 내어줄 생각이 없었다.

"죄송하지만 프런트 데스크에 내려가서 다시 받아 오세요."

"이보세요. 방금 내가 여기서 나가는 거 봤잖아요."

유미가 너무하다는 듯 울상을 지었다. 통화하느라 정신은 없었지만 분명 그가 카트를 밀고 오는 걸 봤다. 아주 찰나의 순간이었지만 '저 남자, 여기서 일하나 보네?' 하며 놀라기까지 했다고! 그도 분명히 자신을 봤다는 걸 확신한다. 그런데 왜 이리도 빡빡하게 나오는 거야! 왜?

"제가요?"

유미가 항의하자 진욱은 무슨 소리냐는 듯 인상을 찌푸렸다.

통화하느라 정신없는 줄 알았는데 언제 그걸 봤대? 하지만 오리발쯤이야!

"프런트 데스크에 내려가서 카드키를 받아 오십시오."

진욱은 단호한 표정으로 유미를 밖으로 밀어내고 객실 문을 '쾅' 닫아버렸다.

떨어진 것도 속상해 죽겠는데……. 유미는 씩씩거리며 손에 쥔 카드키를 내려다보았다. 아무리 사정해도 고개를 내젓는 진욱 때문에 유미는 프런트 데스크까지 내려가서 이것저것 실명 확인을 하고 나서야 새 카드키를 받을 수 있었다.

아까 무릎 위에 앉았다고 복수하는 거야, 뭐야? 아우! 내가 잘생겨서 봐준다!

툴툴거리며 신부 대기실 안으로 들어서자 전신 거울 앞에 선 늘씬하고 볼륨 있는 자태의 신부가 뒤를 돌아보았다. 가슴골이 훅 파이고 어깨가 드러난 웨딩드레스를 입은 미희는 50대 중년 여인답지 않게 탄력 있는 피부와 매혹적인 외모를 자랑했다.

"어머, 딸 왔구나아아아."

반갑게 두 팔을 활짝 벌리던 미희는 유미의 복장 상태를 깨닫자 짧게 비명을 질렀다.

"아악! 애! 옷이 그게 뭐니? 너, 지금 결혼식 온 거니, 장례식 온 거니? 네가 저승사자야?"

"이게 뭐 어때서? 청바지 안 입고 온 게 어디야."

소파에 털썩 앉으며 유미가 심드렁하게 대꾸했다.

"그래, 어차피 갈아입을 건데 상관없긴 하다."

미희가 손가락을 탁! 튕기자, 전신 거울 뒤에서 신부 도우미 두 명이 나타났다.

"응?"

눈 깜짝할 사이 유미의 안경을 벗긴 도우미들은 유미의 양팔을 잡고 탈의실로 끌고 가기 시작했다.

"자, 잠깐만요!"

그다음은 모든 것이 숨 가쁘게 이뤄졌다.

'어? 어어?' 하는 사이에 미운 오리 새끼에서 우아한 백조로 태어났다. 어깨가 훤히 드러나는 연보라색 칵테일 드레스에 완벽하게 세팅된 헤어스타일, 이목구비를 강조하는 연한 화장까지…….

미희는 대변신에 성공한 유미를 뿌듯한 얼굴로 바라보았다.

"안경 벗고 렌즈 끼니까 좀 좋아. 네가 안 꾸미고 다녀서 그렇지, 미모로는 둘째가라면 서러운 조미희의 딸이라고. 아, 맞다! 제일 중요한 걸 빼먹었네. 그것 좀 줘봐요."

미희가 손을 내밀자 도우미가 뭔가 허연 걸 건넸다. 불길한 예감에 유미의 눈동자가 흔들렸다.

"그게 뭐야? 서, 설마!"

물체의 정체를 확인한 유미가 기가 막힌다는 듯 인상을 찌푸렸다.

"난 됐거든! 그건 엄마나 실컷 하셔."

"도망가긴 어딜, 이리 오지 못해!"

미희는 싫다고 뒷걸음치는 유미의 드레스 가슴 부위를 거칠게 확 뒤로 젖혔다.

"싫어, 싫다고! 꺄아악!"

유미의 날카로운 비명이 신부 대기실 안에 울려 퍼졌다.

온통 하얀 꽃으로 꾸민 야외 이벤트 식장에선 결혼식이 한창 진행 중이었다. 연단 옆에는 거대한 스크린이 설치돼 있었고, 그 앞으로 하객들이 둘러앉은 원형 테이블이 놓여 있었다.

"기어이 결혼하고야 마는구나."

행복한 얼굴로 마주 선 미희와 영한을 바라보며 유미는 씁쓸한 미소를 떠올렸다. 기쁜 마음으로 엄마의 행복을 빌어줘야 하는데 그게 참 쉽지가 않네.

"그럼, 신랑 신부의 '사랑의 편지' 낭송이 있겠습니다."

사회자의 소개에 이어 영한이 강원도 사투리가 심한 억양으로 편지를 읽기 시작했다.

"먼저, 이렇게 좋은 날. 저희 두 사람을 축복해주기 위해 먼 걸음 해주신 하객 여러분께 진심으로 감사드립니다. 제 나이 올해 오십하고도 많이 지났습니다만……."

미희와 영한은 세상에 두 사람만 있는 듯 서로를 그윽하게 바라보았다. 두 사람은 진심으로 사랑하는 걸까? 그러니까 결혼하겠지?

말없이 두 사람을 바라보던 유미는 저 멀리 푸른 바다로 눈길을 돌렸다.

하품이 날 정도로 지루하다. 아까부터 어깨도 지끈지끈 결리고. 결혼식이 끝나야 휴식이고 뭐고 내 시간을 가질 텐데……. 진욱은 험상궂은 얼굴로 느릿느릿 진행되는 결혼식 연단을 노려보았다.

그때 갑자기 연단 옆쪽에서 우진이 모습을 드러냈다. 그는 빈 접시를 나르는 영석에게 다가가더니 귓속말을 소곤거렸다. 우진이 주머니에서 무언가를 꺼내는 동시에 진욱의 눈이 번쩍 커졌다.

그건 분명 컨버터블 차 열쇠였다. 영석에게 차 열쇠를 건넨 우진은 다시 연단 뒤로 사라졌다.

이런 게 바로 하늘이 주신 기회라고 하는 거다! 그와는 감히 눈도 마주치지 못하는 영석이니까, 차 열쇠를 손에 넣기는 식은 죽 먹기일 것이다.

눈에 띄지 않고 자연스럽게 영석에게 다가가야 하는데…….

주위를 둘러보는 진욱의 눈에 3단 웨딩 케이크를 실은 카트를 끌고 식장 안으로 걸어오는 여직원이 들어왔다. 진욱은 씩 입꼬리를 끌어올리고 여직원에게 다가가 싱긋 미소를 지었다.

"혼자 끌기에 너무 무겁지 않아요?"

"네? 아뇨. 바퀴가 달려서 괜찮은데요."

그러나 진욱은 여직원의 말을 가볍게 무시하고 그녀를 옆으로 밀어냈다.

"그런 가녀린 손으로 끌다가 다치기라도 하면 어쩌려고요."

"네?"

여직원이 얼굴을 붉히자 진욱은 재빨리 카트 손잡이를 차지했다.

"내가 밀고 갈게요."

진욱은 영석을 주시하며 조심스럽게 앞으로 카트를 밀고 나갔다.

"이번에는 신랑 신부의 성장 과정이 담긴 스페셜 영상 상영이 있겠습니다."

사회자의 소개가 끝나자 연단 옆에 설치된 스크린 위로 '조미희. LOVE. 김영한'이란 타이틀이 떠올랐다. 화면은 곧 둘로 나뉘며 두 사람의 어린 시절 흑백사진이 떠오르기 시작했다. 강원도 토박이인 영한은 바닷가나 산에서 찍은 사진이, 미희는 도시에서 찍은 사진이 대부분을 차지했다. 사진은 빠르게 10대를 거쳐 20대 시절로 거슬러 올라갔다.

20대 초반, 비키니를 입은 미희의 모습이 스크린을 가득 채우자 유미의 얼굴에 어두운 그림자가 내려앉았다.

뭔가 불길한 예감…… 설마…… 그게 나오는 건 아니겠지?

"신부 미모가 완전 배우네."

유미의 맞은편에 앉은 하객이 혼잣말처럼 중얼거렸다.

"배우 맞아. 그 있잖아, 왕년에……."

그러자 옆자리에 앉은 다른 하객이 귓속말로 무어라 소곤거렸다.

"진짜?"

하객이 깜짝 놀라며 맞은편에 앉은 유미를 힐끗 쳐다보았다. 유미는 두 사람의 대화 내용을 알아들은 것처럼 흠칫 몸을 굳혔다.

그때였다. 둘로 나뉜 화면이 하나로 합쳐지며 80년대 영화 포스터가 떠올랐다.

터질 거예요!

선정적인 빨간 글씨와 함께 22세의 미희가 셔츠를 거침없이 확 열어젖힌 모습으로 나타났다. 드러난 맨가슴은 아주 절묘하게 '청소년 관람 불가'라는 글자로 가려져 있었다. 전혀 예상하지 못한 포스터에 하객들이 술렁이기 시작했다.

"……엄마!"

유미는 마치 자신의 발가벗은 사진이 나온 것처럼 절망적인 얼굴로 스크린을 노려보았다.

"내놔."

진욱이 급작스럽게 가로막으며 손을 내밀자, 영석의 얼굴이 당혹감으로 일그러졌다.

아무리 장우진 비서의 지시라 해도 진욱은 대복 리조트의 오너, 차대복 회장의 아들이다. 괜히 그의 심기를 건드렸다간 암울한 미래를 맞이할지도 모른다.

영석은 찍소리도 하지 못하고 순순히 진욱에게 열쇠를 건넸다.

"고마워."

진욱은 재빨리 바지 주머니로 열쇠를 집어넣고 휘파람을 불며 다시 연단 쪽으로 카트를 끌었다.

유미는 조심스럽게 주위를 둘러보았다. 모두가 수군거리며 그녀를 향해 비난과 힐난의 싸늘한 눈초리를 보내는 것 같았다. 벗은 몸을 보여주는 건 엄마인데 왜 그녀 자신이 수치스러운지 모르겠다. 어디선가 '쯧쯧쯧, 그러면 그렇지.' 하는 비난이 들려오는 것만 같아 도저히 자리에 앉아 있을 수가 없었다.

결국 유미는 자리에서 벌떡 일어섰다. 역시 오는 게 아니었어! 유미는 주먹을 불끈 쥐고 홱 몸을 돌려 앞으로 뛰어갔다. 그런데 하필이면 진욱이 카트를 끌고 앞을 지나가던 중이었다.

"어, 어어!"

갑자기 달려드는 유미를 발견한 진욱이 재빨리 카트 손잡이를 반대쪽으로 틀었지만, 너무 늦은 것 같다. 아무리 운동신경이 발달한 진욱이라도 갑자기 달려드는 유미를 피할 순 없었다.

"악!"

유미의 몸이 카트에 정면으로 부딪치며 케이크가 풍선처럼 하늘 위로 붕 떠올랐다. 허우적대며 뒤로 넘어가는 유미를 진욱이 다급하게 팔을 뻗어 가까스로 잡았다. 1초도 안 되는 순간, 눈물이 그렁그렁 맺힌 유미의 눈동자가 진욱을 향했다. 이 여자, 울어?

유미의 눈물에 진욱이 살짝 흠칫하는 순간, 두 사람의 시선이 허공에 얽혔다. 그리고…….

철퍽!

하늘로 치솟았던 웨딩 케이크가 정확히 유미의 머리 위로 떨어졌다.

"꺅!"

그 반동으로 유미는 뒤로 훽 쓰러지며 그대로 바닥에 엉덩방아를 찧었다. 동시에 유미의 허리를 잡고 있던 진욱의 손에 의해 드레스 옆구리 부분이 위아래로 부욱 찢어졌다.

"헉!"

유미는 벌러덩 바닥에 누운 자세로, 진욱은 황당한 얼굴로 제자리에 선 자세로, 서로를 마주 보았다.

머리에 케이크를 뒤집어쓴 채 눈물이 그렁그렁한 유미. 그런 그녀를 당황한 얼굴로 내려다보는 진욱. 현실은 몇 초도 안 되는 짧은 시간이었지만 두 사람에게는 영원과도 같았다.

잠시 후, 유미는 퍼뜩 정신을 차리고 자리에서 벌떡 일어났다. 엄마 때문에 미치겠는데, 케이크를 뒤집어쓰고 옷까지 찢어지다니! 어떡해, 어떡해! 유미는 찢어진 부위를 허겁지겁 손으로 가리고 후다닥 호텔 본관 쪽으로 뛰어갔다. 하지만 얼마 못 가 구두 굽이 삐끗하는 바람에 '철퍼덕' 앞으로 엎어지고 말았다.

진욱은 마치 자신이 넘어진 듯 인상을 찌푸렸다.

유미는 곧 오뚝이처럼 벌떡 일어나 다시금 다다다 뛰어갔다.

"미스터 차."

어깨를 톡톡 두드리는 손길에 고개를 돌리자 총지배인의 매서운 얼굴이 눈에 들어왔다.

"방금 그게 뭐죠? 한번 해보자는 겁니까?"

"무슨 말을 그렇게 하십니까? 고의가 아니라 사고였습니다."

"고의가 아니라고요?"

"네. 성난 들소처럼 뛰어드는 여자를 제가 무슨 수로 피합니까?"

그 말에 총지배인은 '쯧쯧' 혀를 차며 주머니에서 휴대폰을 꺼냈다.

"회장님께 보고해야지, 안 되겠군요. 여기서 잘리면 어디로 가게 될지, 제가 말씀 안 드려도 아시겠죠?"

"그게 무슨 말…… 아니……?"

총지배인의 표정으로 봐선 여기보다 더 험하면 험했지 나은 곳으로 가게 될 것 같진 않았다. 혹시 노예선이나 외딴 섬으로 보내는 건 아니겠지? 순간 등골이 서늘해지며 등에 식은땀이 주룩 흘러내렸다. 진욱이 입을 꾹 다물고 더는 반항하지 않자, 총지배인은 휴대폰을 도로 집어넣었다.

"당장 가서 사과하세요. 성난 들소로 오해받은 고객님께 직접!"

"네? 제가 직접 가라고요?"

"두 번 말하기 싫습니다. 그럼, 전 이만."

어이없다는 표정으로 총지배인을 노려보았지만, 그에게는 선택의 결정권이 없었다.

"제길."

진욱은 짧게 욕설을 내뱉으며 호텔 본관으로 걸음을 옮겼다.

"엄마, 미쳤어?"

'성난 들소'처럼 흥분한 유미의 우렁찬 목소리가 쩌렁쩌렁 방 안에 울려 퍼졌다. 휴대폰을 들고 왔다 갔다 할 때마다 머리에 뒤집어쓴 케이크 생크림이 대리석 바닥으로 뚝뚝 떨어졌다.

"에로 배우 했던 게 자랑이야?"

유미는 눈가에 흘러내린 생크림을 손등으로 쓱 문지르며 쉬지 않고 소리쳤다.

"왜 거기서 그걸 트느냐고, 틀긴!"

[혼자 보기 아까워서 그렇지. 내가 한 몸매 하잖아, 안 그래?]

화가 머리끝까지 난 유미와는 달리 미희는 아주 해맑은 목소리로 대답했다.

"아이고, 그러세요? 장례식 영정 사진은 올 누드로 해드릴까요, 그럼?"

[이 계집애! 말하는 것 좀 봐?]

유미의 비아냥거림에 기분이 상한 듯 미희가 빽 언성을 높였다.

[제 엄마 죽으라고 고사를 지내라, 지내!]

"고사나 지내주면 고마운 줄 알아."

[이 계집애가 점점! 야!]

미희가 꽥꽥 소리 지르자 영한의 목소리가 뒤에서 들려왔다.

[자기야, 하객도 있는데 좀 참아. 오늘 자긴 신부라고, 신부.]

"휴."

유미는 고개를 뒤로 젖히며 크게 숨을 내쉬었다. 그래, 아무리 화가 나도 오늘은 엄마의 결혼식이니까 이쯤에서 참자.

"엄마, 제발 부탁인데 이젠 좀 나이에 맞게 살아. 사람들 보기 창피하지도 않아?"

착 가라앉은 목소리로 아이를 타이르듯 조곤조곤 말하는 유미의 충고에 미희는 흥, 코웃음을 쳤다.

[나보고 뭐라고 하지 말고 너야말로 나이에 맞게 살아. 남자 만나서 연애도 좀 하고 그래야지. 도대체 넌 누굴 닮아서 앞뒤가 꽉 막혔니? 너만 보면 내가 아주 숨이 턱 막힌다고.]

아, 역시나! 엄마는 항상 그랬다. 한 번도 진지하게 이야기를 들은 적이 없었다. 모든 것을 자신 위주로 해석해버렸다.

"됐어. 그만해."

언쟁에 지쳐버린 유미는 일방적으로 전화를 끊어버렸다. 아랫입술을 꽉 깨문 그녀는 앞에 놓인 거울 속을 멍하니 들여다보았다. 우스꽝스러운 모습의 여자가 슬픈 눈으로 그녀를 마주 본다. 엉망이 된 드레스와 흉측하게 지워진 화장, 생크림으로 찐득찐득해진 머리카락까지……. 정말 몰골이 말이 아니다. 결혼식 하객들이 다 보았을 텐데. 아우, 창피해.

"내가 미쳤지. 무슨 부귀영화를 보겠다고 여기까지 와서…… 후우."

뜨거운 물에 몸을 푹 담그고 나면 기분이 좀 나아지려나?

유미는 재빨리 찢어진 드레스를 벗고 옷걸이에 걸린 목욕 가운을 걸쳤다. 서둘러 욕실로 향하려는데 '딩동' 벨 소리가 울렸다.

"누구세요?"

문을 빼꼼히 열자, 진욱이 양해도 없이 카트를 끌고 객실 안으로 들어왔다. 화들짝 놀란 유미는 가운 깃을 단단히 여미며 뒤로 물러났다.

"어머머머! 뭐예요?"

"룸서비스입니다."

상대가 진욱이라는 걸 깨달은 유미는 당황한 듯 미간을 찌푸렸다.

"저는 룸서비스 시킨 적 없는데요."

그럼에도 불구하고 진욱은 못 들은 척, 와인 코르크 마개를 따기 시작했다. 유미는 그의 막무가내 행동에 짜증이 확 올라왔다. 시킨 적 없다는데 왜 와인을 따고 난리야? 룸서비스면 많이 비쌀 텐데!

"이봐요! 룸서비스 시킨 적 없다니까요?"

"공짜입니다."

코르크 마개를 뽑으며 진욱이 짧게 대답했다.

"공짜라면 다 좋아하는 줄 알아요? 다 필요 없으니까 나가주세요."

"이 와인이 얼만지 알면 그런 말 못 할 텐데……."

진욱은 도무지 그녀의 시원찮은 반응을 이해할 수 없었다. 치즈, 과일 안주까지 곁들여서 시중에선 쉽게 구할 수 없는 최고급 와인을 가져왔는데……. 혹시 이게 무슨 와인인지 모르는 건가?

진욱은 유미가 와인 레벨을 잘 볼 수 있도록 와인 병을 돌렸다. 그러나 유미는 소주병 바라보듯 무심한 눈으로 레벨을 쳐다보았다.

"얼마짜린데요?"

"설마, 이 와인을 모르는 거예요?"

사람을 깔보는 것 같은 진욱의 말투에 유미의 속이 부글부글 끓기 시작했다. 보자 보자 하니까! 그래, 나 와인 잘 모른다. 소주는 종류별로 다 마셔봤지만, 와인은 붉은 건 레드 와인이고 희멀건 건 화이트 와인이라는 것만 안다. 그래서 뭐?

"다 필요 없으니까 나가요."

머리끝까지 열 받은 유미는 손가락으로 문을 가리켰다.

"당장 나가라고요!"

"후우."

분을 못 이겨 부들부들 떠는 유미를 보며 진욱은 작게 한숨을 내쉬었다. 역시 최후의 방법을 써야 하나? 진욱은 한쪽 손을 바지 주머니에 찔러 넣으며 벽에 비스듬히 기대섰다. 동시에 눈을 살짝 내리깔며 뇌쇄적인 눈빛을 던졌다. 이렇게 하면 여자들 대부분은 그의 치명적인 매력에 홀려 제자리에 그대로 얼어버렸다.

그런데 이 여자는 손톱만큼의 동요도 보이지 않았다. 그저 죽일 듯이 그를 노려볼 뿐이었다. 어? 통하지 않네? 총지배인과 그녀, 모두 비정상적인 개인의 취향을 가진 모양이었다. 할 수 없군. 한 발 물러날 수밖에…….

"아까 일, 사과하려고 왔습니다."

진욱이 꼬리를 내리자 유미는 팔짱을 끼며 거만한 표정으로 눈을 치켜떴다. 무슨 일로 사과하려는 건지 모르겠지만 지금 그녀는 대충 사과 받고 그를 내보낼 생각밖에 없었다. 이런 꼴로 그를 대하고 있다는 자체가 참을 수 없이 곤혹스러웠으니까.

"좋아요, 그럼. 어서 사과하세요."

그녀의 태도를 오해한 진욱은 황당하기만 했다. 사과한다고 하면 그녀가 먼저 '아니에요. 저야말로 죄송합니다. 제가 갑자기 들이대는 바람에 일어난 사고인 걸요.'라고 할 줄 알았다. 평화롭게 카트를 밀고 가던 그에게 성난 들소처럼 달려든 건 그녀였단 말이다. 그런데 적반하장도 유분수지. 당당하게 사과를 요구하다니!

"사과하러 오셨다면서요. 어서 하세요."

"이런 게 말로만 듣던 갑질이라는 건가?"

진욱은 그녀에게 들으라는 듯 크게 혼잣말을 중얼거렸다.

"뭐요?"

"내 사과 받고 싶으면 그쪽도 나에게 사과해요."

"하, 내가 왜요?"

뭐야, 사과한다더니 왜 나보고 사과하래?

유미는 어이가 없다는 표정으로 실소를 흘렸다.

"솔직히 말해서."

진욱이 불쑥 유미 쪽으로 한 발짝 다가섰다. 갑자기 코앞으로 다가온 진욱에 유미는 흠칫 놀라며 눈을 동그랗게 떴다. 유미를 빤히 쳐다보던 진욱은 주머니에서 손을 빼 손가락으로 그녀를 가리켰다. 그 탓에 주머니에 있던 차 열쇠가 카펫 바닥으로 떨어졌지만, 그와 유미는 전혀 눈치채지 못했다.

"웨딩 케이크를 향해 성난 들소처럼 뛰어든 게 누군데 그래?"

성난 들소? 누가? 내가? 가냘픈 사슴이 아니라?

"지금 말 다했어요?"

"아니, 아직 더 남았는데, 더 해봤자 내 입만 아플 거 같으니까 이쯤에서 관두죠."

그 말을 마치고 진욱은 반격할 기회도 주지 않고 그대로 등을 돌려 방을 걸어나갔다. 그 뒤로 '쿵' 소리를 내며 문이 닫혔다.

뭐지? 이건? 눈 뜨고 당한 느낌!

"뭐, 뭐야! 저 남자가 진짜!"

성난 들소 뒷발에 제대로 한번 걷어차여볼래?

유미는 씩씩거리며 마치 진욱의 정강이를 걷어차듯 닫힌 문을 뻥 걷어찼다.

씩씩거리며 엘리베이터에서 내리는 진욱에게 영석이 쭈뼛쭈뼛 다가왔다.

"저…… 체크아웃한 객실 청소해야 하는데요."

"너나 실컷 해."

진욱은 영석을 무시한 채 그대로 지나쳤다. 영석은 그런 진욱에게 찍소리도 못 하고 오던 길로 다시 되돌아갔다.

"크."

로비를 향해 걸어가던 진욱은 화가 나서 어쩔 줄 모르던 유미를 떠올리며 실소를 터뜨렸다. 입을 벌리고 발을 동동 굴리는 모습이 마치 먹이를 달라고 앙탈 부리는 토끼 같았다. 머리에 케이크를 뒤집어쓴 채 눈을 동그랗게 뜨고 노려보는 모습이 은근히 귀여운걸?

진욱은 혼자 키득거리며 차 열쇠를 꺼내기 위해 바지 주머니에 손을 넣었다. 그런데…… 어? 왜 허전하지?

"이런!"

열쇠를 흘렸나? 낭패감에 젖은 진욱이 홱 위쪽으로 고개를 틀었다.

"악!"

완전 실수다! 맨발로 문을 차다니.

유미는 두 손으로 발갛게 부은 발을 움켜쥐고 콩콩 제자리에서 뛰어올랐다. 이게 다 그 건방진 남자 때문이야!

"생각할수록 짜증 나네. 성난 들소? 하, 자기는…… 어우, 자긴 코뿔소같이 생긴 게……."

그런데 솔직히 말하자면 늘씬한 은빛 늑대는 떠오를망정 덩치 큰 코뿔소는 절대로 아니다. 그래서 더 약이 올랐다. 유미는 두 주먹을 불끈 쥐며 발을 동동 굴렀다.

"아우, 짜증 나! 잘생겨서 더 짜증 난다고!"

유미는 열이라도 식힐 겸 진욱이 따놓고 간 와인을 병째로 벌컥벌컥 들이켰다. 어라? 생각지도 못한 황홀한 맛에 그녀의 눈이 커다래졌다.

"비싼 게 좋긴 좋구나."

유미는 와인을 한 모금 마신 후, 조심스럽게 입 안에서 굴려보았다. 단맛과 약간 떫은맛이 적절히 조화되면서도 은근히 올라오는 알코올의 뒷맛이라니! 와인이 목구멍을 통해 부드럽게 흘러내린 후에는 긴 여운까지 남았다. 수업 시간에 이론으로 배운 좋은 와인이란 게 바로 이런 거구나!

—이 와인이 얼만지 알면 그런 말 못 할 텐데…….

와인을 따며 거만하게 미소 짓던 진욱의 얼굴이 떠올랐다. 다시 욱하고 화가 치밀어 올랐지만, 손에 쥐어진 와인을 보며 애써 마음을 달랬다.

"흥, 맛있어서 봐준다."

유미는 한 손에 와인 병을 들고 콧노래를 흥얼거리며 욕실로 향했다. 그때 다시 '딩동' 벨 소리가 들렸다.

응? 또 누구지? 또 그 남자일 리는 없고……. 엄마?

객실 문에 달린 렌즈를 통해 밖을 내다보았지만, 텅 빈 복도만 보일 뿐이었다. 다시 돌아서는데 다시 '딩동' 하는 벨 소리가 들렸다. 아무 생각 없이 문을 열어본 유미는 렌즈를 피해 문 옆으로 기대선 진욱을 발견하고 눈살을 찌푸렸다.

"이번엔 또 뭐예요?"

"뭘 떨어뜨리고 간 것 같은데 잠깐 들어갑시다."

그녀는 진욱의 뻔뻔한 태도에 울화가 치밀었다. 방금 그 진상을 부리고 간 주제에 사과 한마디 없이 뭐 어쩌자고? 흥! 내가 바보야? 한 번 당하고 또 당할까 봐?

"됐어요. 뭔지 모르지만 찾으면 프런트 데스크로 연락할게요."

유미가 매몰차게 문을 닫아버리려 하자, 진욱이 재빨리 문틈으로 팔을 밀어 넣었다.

"잠깐이면 됩니다."

"싫어요. 싫다고요! 팔 못 빼요?"

이럴 줄 알았으면 체인을 걸고 문을 여는 건데……. 언제나 소 잃고 외양간 고치는 유미야, 너 왜 사니! 그녀가 씩씩거리며 있는 힘껏 문을 도로 닫으려 하자, 진욱이 통사정하기 시작했다.

"제발 부탁입니다. 저 그거 잃어버리면 여기서 짤릴지도 몰라요."

"짤려요?"

이렇게 나오면 마음이 약해지는데……. 요즘처럼 취업이 힘든 시기에 애써 잡은 직장에서 잘리면 좀 그렇긴 하지.

"좋아요. 그러면 빨리 찾고 나가…… 악!"

문을 열어주려던 유미는 그만 생크림이 떨어진 대리석 바닥에 미끄덩하며 중심을 잃고 말았다.

"어! 어! 어!"

중심을 잡기 위해 두 팔을 벌려 허공에 휘저었지만 애석하게도 너무 늦은 것 같았다.

쿵—. 쨍그랑, 챙—.

요란한 소리가 방 안을 가득 채웠다. 놀라서 객실 안으로 뛰어들어온 진욱은 눈앞에 펼쳐진 광경에 경악하고 말았다.

"흐으응……."

대리석 바닥에 대자로 뻗어버린 유미의 입에서 희미한 신음이 흘러나왔다. 와인 병에서 나온 붉은 와인은 마치 피처럼 그녀 주위에 빠른 속도로 퍼져나갔다.

"이봐요!"

재빨리 유미의 앞에 무릎을 꿇은 진욱은 넋이 나간 듯 멍하게 눈을 뜬 그녀의 뺨을 손바닥으로 톡톡 때렸다.

"정신 차려요."

으, 아프거든요. 살살 좀 때리라고!

그러나 충격에 혀가 굳어버려 입에서는 말 대신 가느다란 신음이 흘러나왔다.

"……흐흥. ……으."

그런 와중에도 유미는 자신이 어떤 상태인지 너무나도 잘 파악되었다. 아주 볼썽사나운 꼴로 바닥에 누워 있고, 넘어지며 목욕 가운이 훌러덩 위로 말려 올라가 의도치 않게 허벅지가 훤히 드러나버렸다. 게다가 저 남자가 이런 내 모습을 내려다보고 있다고! 버스 안에서도 그렇고, 결혼식장에서도 그렇고, 지금도 그렇고. 난 왜 이 남자 앞에선 중심을 못 잡는 걸까? 아, 창피해.

화도 나고, 창피하고, 허탈한 등등의 복잡한 심경에 유미는 질끈 두 눈을 감아버렸다. 진욱은 그녀가 기절했다고 오해한 모양인지 급하게 휴대폰을 꺼내 들었다.

"조금만 참아요. 119 부를 테니까."

안 돼! 이 꼴로 119라니!

"됐어요."

천만다행으로 하늘이 도왔는지 충격으로 마비되었던 혀가 제대로 굴러갔다. 유미는 가까스로 눈을 뜨며 몸을 일으키려 바르작거렸다. 옆에서 지켜보던 진욱이 안 되겠다 싶었는지 유미를 번쩍 안아 들었다. 헉! 유미는 몸이 허공으로 붕 뜨자 흠칫 몸을 떨었다.

이 남자, 날 안아 올린 거야? 어머, 어머!

"뭐, 뭐……뭐예요?"

깜짝 놀란 탓에 목소리가 심하게 떨리고 얼굴이 빨개졌다.

"나, 나 혼자 걸을 수 있어요."

"알아요. 가만히 있어요."

문 앞에서 침대까지 그 짧은 거리를 안긴 주제에 그녀의 심장이 두근두근 격하게 반응했다. 넓은 어깨, 단단한 가슴과 팔이라니……. 은은한 남자 향수 냄새까지 코끝에 훅 스며든다.

그녀를 침대 위에 내려놓은 진욱은 혹여 부러진 곳은 없는지 그녀의 몸을 조심스럽게 살폈다. 팔과 다리 여기저기, 깨진 유리 파편에 베인 것 빼곤 큰 이상은 없어 보였다. 다행이다. 여기서 그녀가 잘못되기라도 했다면 총지배인은 그를 산채로 갈아버리고도 남았을 테니까.

"혹시 쇼크가 올지 모르니까 조금 더 지켜보다 갈게요."

진욱은 수건을 들고 바닥에 흩어진 유리 파편을 치우기 시작했다.

"안 보이는 유리 조각이 있을지 모르니까 진공청소기로 청소할 때까진 맨발로 걷지 말아요."

말 잘 듣는 아이처럼 진욱의 지시에 가만히 고개를 끄덕이던 유미는 침대 맞은편에 놓인 커다란 거울에 비친 자신의 비참한 모습과 마주했다. 미친 여자처럼 헝클어진 머리카락엔 하얀 생크림이 덕지덕지, 목욕 가운에 피처럼 번진 붉은 와인……. 몰골로만 따지자면 미친 여자가 따로 없었다.

창피해서 죽겠다. 어디 쥐구멍은 없나?

"……짜증 나."

멍하니 거울에 비친 자신의 모습을 바라보던 유미가 혼잣말처럼 중얼거렸다.

왜 오늘은 되는 일이 하나도 없지?

갑자기 알 수 없는 서러움이 와락 밀려오자, 유미는 나오려는 울음을 참으며 아랫입술을 꼭 깨물었다.

"그러니까……."

바닥을 치우던 진욱이 자리에서 일어나 유미를 뒤돌아보았다.

"그래서 내가 나가라고 했잖아요. 왜 쓸데없는 그런 걸 갖고 와선…… 누가 와인 그딴 거 달라고……."

그동안 참았던 울음이 터지려는 듯 그녀의 목소리에 물기가 어렸다.

"되는 일 하나도 없고. 씨이, ……동그랑땡도 제대로 못 만들고…… 월세 사는 것도 서러운데, 막 방 빼라고 하고. 왜 모두 나만 가지고?"

툭—.

눈물 한 방울이 그녀의 뺨을 타고 흘러내렸다. 눈물을 들키기 싫은 유미는 재빨리 손등으로 뺨을 문질렀다. 그러나 아쉽게도 한 번 터진 울음은 쉽게 멈출 수 없었다. 고장 난 수도꼭지처럼 뜨거운 눈물이 하염없이 흘러내렸다.

"괜찮아요?"

그녀의 눈물에도 아무 동요 없이 무심한 눈으로 바라보던 진욱이 툭 던지듯 물었다.

"네……?"

"괜찮으냐고요."

완전히 허를 찔린 질문이었기에 대답이 쉽게 나올 리 없었다. 풀리지 않는 의문이 꼬리에 꼬리를 물고 이어졌다. 괜찮으냐고? 나, 괜찮은 건가? 대답 대신 눈물이 후두둑 쏟아지기 시작했다. 내가 왜 이러지?

울음을 참아보려고 해도, 표정만 일그러질 뿐 쉽지 않았다. 그녀의 눈물을 보고도 진욱의 표정은 여전히 담담했다. 대신 그는 자신의 재킷을 벗어 그녀의 어깨에 걸쳐주었다.

그의 돌발 행동에 유미는 흠칫 놀라며 그를 올려다보았다. 두 손으로 그녀의 겉옷을 여며주며 진욱이 무뚝뚝하게 말했다.

"그쪽도 요새 힘든 일이 많은 모양인데……. 그래도 놀러 왔으니까 남 신경 쓰지 말고 즐겨요. 우울 포스 푹푹 풍기지 말고. 내 말 무슨 뜻인지 알겠어요?"

유미가 얼떨결에 고개를 끄덕거리자 그는 피식 마른 웃음을 흘렸다.

"내가 대충 치웠으니까 나머지는 하우스 키핑에서 해줄 거예요."

진욱은 그 와중에도 바닥에서 찾아낸 차 열쇠를 허공에 휙 던졌다가 받으며 유유히 객실을 걸어나갔다.

유미는 진욱의 뒷모습을 그저 멍하니 바라보았다.

그녀가 울든지 말든지 무슨 상관이지? 그런데 왜 이리도 가슴이 답답한지 모르겠다. 객실을 나온 진욱은 쉽게 발걸음을 뗄 수가 없었다.

"하, 참."

자신도 모르게 헛웃음이 흘러나온다. 여자가 우는 모습을 한두 번

본 것도 아니고. 보통은 여자 눈에서 눈물이 글썽거리는 순간부터 귀찮아서 소름이 쫙 돋는데 왜 지금은 안절부절못하는 걸까?

한참 동안 닫힌 문을 뚫어지게 응시하던 진욱은 고개를 설레설레 흔들었다. 아마도 나 때문에 넘어져서 그게 미안해서 그런 걸 거다. 그래, 양심에 걸려서 그런 거다. 나, 차진욱. 양심 있는 남자니까.

띠딕—. 띠딕—.

그때 뒷주머니에서 휴대폰 벨 소리가 흘러나왔다. 특별히 지정해놓은 벨 소리에 진욱의 얼굴이 굳어졌다. 그는 주머니에서 휴대폰을 꺼내 서둘러 통화 버튼을 눌렀다.

"……어, 나야. 알아냈어?"

잠자코 상대방의 이야기에 귀를 기울이는 진욱의 눈썹이 미세하게 꿈틀거렸다.

"확실해? ……알았어. 주소 찍어봐."

통화를 끊자 '띠링' 문자 한 통이 날아왔다.

"후…… 역시 내 예감이 맞았네."

휴대폰 화면을 보는 진욱의 얼굴에 어두운 그림자가 내려앉았다.

조용한 시골 마을 한구석에 자리 잡은 아담한 식당은 이렇다 할 간판도 없이 '전복죽 팝니다.'라는 푯말 하나만 입구에 걸려 있었다. 그 앞으로 진욱의 컨버터블이 멈춰 섰다.

말없이 식당을 쳐다보던 진욱은 휴대폰을 꺼내 문자 메시지를 확인했다. 화면에 뜬 주소와 눈앞의 식당 주소가 서로 일치하자, 그는 조수석에 놓아둔 꽃다발을 들고 차에서 내렸다. 하지만 생각과 달리 선뜻 식당 안으로 들어갈 수가 없었다.

"후우."

쉽게 결정을 내리지 못한 채 입구에서 한참을 서성거리던 진욱의 입에서 한숨이 흘러나왔다. 당장에라도 그리움에 달려갈 거라고 생각했는데, 아직 마음의 준비가 덜 된 건가? 진욱은 말없이 손에 든 꽃다발을 한참 동안 내려다보았다.

결국 그는 식당 옆 담장 위에 꽃다발을 조심스레 올려놓고는 차에 올라타 빠르게 시동을 걸어 그곳을 벗어났다.

잠시 후, 식당 문이 열리며 50대 중반의 중년 부인, 애령이 걸어 나왔다. 그녀는 무슨 소리를 듣고 나온 듯, 고개를 갸우뚱거리며 주위를 둘러보다가 담장 위에 놓인 꽃다발을 발견했다. 꽃다발을 들고 이리저리 살피던 애령은 안에 든 작은 카드를 발견하고 서둘러 꺼냈다.

카드를 열자 '생신 축하드려요.'라고 적힌 손 글씨가 나타났다. 안타까운 얼굴로 카드를 내려다보던 애령은 혹시나 하는 마음에 큰길로 뛰어나갔지만 진욱의 차는 이미 흔적도 없이 사라진 후였다.

흥! 남 신경 쓰지 말고 즐기라고? 유미는 허리에 손을 얹은 채 고깃집 앞에 놓인 글을 원망스러운 눈으로 노려보았다. 객실에 혼자 멍하게 있던 그녀는 진욱의 충고를 따르기로 했었다.

—남 신경 쓰지 말고 즐겨요.

그의 말이 맞다. 바닷가에 와서 그냥 돌아가긴 너무나 아쉬웠다.

유미는 몸에 남은 케이크와 와인을 샤워로 말끔히 씻어낸 후, 검은 바지 정장으로 갈아입었다. 자신감을 높이기 위해 미희가 준 물건까지 서슴없이 착용했다. 바다로 향할 때까지만 해도 한껏 기대에 부풀어 올랐었는데…….

예쁜 배경으로 셀카도 찍고, 바다가 훤히 보이는 카페에 앉아서 시원한 아이스커피도 마시고, 해안 도로를 따라 산책도 하려고 했건만……. 주위에 보이는 건 죄다 연인뿐이었다. 서로 끌어안고 생글거리는 연인들 사이에서 그녀 혼자만 씁쓸히 고독을 씹어야 했다. 그랬는데 이젠 고깃집, 너마저도?

유미는 '2인 이상 주문 가능'이라고 적힌 글을 노려보다 쓸쓸히 발길을 돌렸다. 결국 그녀는 편의점에서 '불고기 맛' 삼각 김밥을 사 들고 리조트로 돌아가기 위해 버스 정류장으로 향했다. 멀뚱히 벤치에 앉아 김밥 포장을 뜯고 와그작 한 입 씹어 삼켰다. 뻑뻑한 김밥에 목이 멘 듯 답답했지만 그래도 이게 어디야.

유미는 우물우물 김밥을 삼키며 멀거니 도로를 바라보았다. 그때 컨버터블 한 대가 버스 정류장 앞을 지나갔다. 무심코 시선을 주는데, '끼이익' 소리를 내며 저만치 앞에서 차가 정지했다. 응? 왜 갑자기?

유미는 고개를 갸우뚱거리며 의아한 눈으로 차를 바라보았다. 차는 빠르게 후진하더니 그녀의 앞에 멈춰 섰다. 운전석에는 진욱이 앉아 있었다. 그가 유미를 향해 천천히 고개를 돌렸다.

"궁상떠는 게 취미인가?"

정류장 벤치에 앉은 사람이 유미란 걸 확인한 진욱이 피식 입매를 비틀었다.

"캑!"

가뜩이나 김밥 때문에 목이 메는데 갑작스러운 그의 등장으로 가슴마저 탁 막혔다. 유미는 주먹으로 가슴을 팡팡 내리치며 뾰로통한 얼굴로 진욱을 외면했다.

"그냥 못 본 척하고 지나가주실래요? 괜히 또 시비 걸지 마시고요."

아까 일 때문에 창피해서인지 그녀는 제대로 눈을 마주치지 못했다. 그런 모습에 진욱의 장난기가 발동했다.

"이번엔 차에 뛰어드는 건 아닌가 걱정돼서……."

진욱이 피식 웃으며 놀리는 투로 말했다.

"뭐예요?"

역시나 그녀는 곧바로 반응했다. 화난 듯 눈을 부릅뜨고 노려보는 얼굴이 영락없는 토실토실 토끼 같았다. 진욱은 새삼스레 유미를 위에서 아래로 죽 훑어 내렸다. 바닷가 차림으론 절대로 어울리지 않는 바지 정장이라니……. B 사감처럼 고지식하고 깐깐해 보이는 차림이었다. 그것도 시꺼먼 색으로.

"깜순이가 따로 없네."

진욱은 자신도 모르게 혼잣말처럼 투덜거렸다.

"까…… 뭐요? 깜순이?"

"있어요. 내가 아끼는 애."

깜순이는 뭐고 아끼는 애는 뭐래? 여자 친구? 갑자기 나타나선 여자 친구 있다고 자랑하는 거야? 혼자 속으로 구시렁거리던 유미는 진욱이 탄 차가 블록버스터급 영화에서나 볼 수 있는 럭셔리 컨버터블이라는 걸 깨달았다.

"그러는 그쪽은 그 차, 뭐예요? 렌트라도 했어요? 이런 곳에 그런 차를 빌려주는 곳은 없을 텐데……. 설마 손님 차 훔친 건 아니죠?"
유미의 엉뚱한 질문에 진욱의 자존심에 금이 쫙 가버렸다. 손님 차를 훔쳐? 도대체 이 차진욱을 뭘로 보고! 하여간 이 여자, 사람 우습게 만드는 재능이라도 있나? 진욱은 자신을 도둑놈 취급하는 유미를 기가 막힌 얼굴로 바라보았다.
"이봐요. 그쪽이 지금 나에 대해서 잘 모르는 것 같아서 하는 말인데……. 잘 들어요. 나, 보통 사람 아닙니다."
"아, 네에……. 그러세요?"
유미는 꼴같잖다는 듯 위아래로 고개를 끄덕거렸다. 거듭된 무시에 자존심 상한 진욱은 지그시 어금니를 깨물었다.
"이런 말까진 안 하려고 했는데, 내가 그 리조트 회장 아들……."
"네에? 그럼 리조트 회장 아들의 차를 훔친 거예요?"
그의 말을 중간에 자르며 유미가 경악한 표정으로 외쳤다. 계속 엉뚱한 방향으로 대화를 이끄는 그녀 때문에 진욱은 미치고 팔짝 뛸 것 같았다. 회장 아들이라고 밝히지 않아도 머리끝에서 발끝까지 줄줄 흐르는 부티를 당연히 알아봐야지! 하긴 코앞에 최고급 와인을 들이대도 몰랐으니……. 하, 말을 말자.
진욱은 체념한 듯 좌우로 고개를 흔들었다.
"됐고……. 타요. 태워줄게."
보통 여자라면 자신의 차에 태워준다는 말에 화색이 돌 텐데, 유미는 뭔가 찝찝하다는 눈빛으로 그를 빤히 쳐다보았다.
"흐음."
그녀는 선뜻 차를 타지 못하고 힐끗거리며 불안한 듯 눈동자를 굴리더니 작게 한숨까지 내쉬었다.

"지금 그쪽, 고민하는 거예요? 내가 태워준다는데도?"

차에 쪼르르 올라타며 '오빠, 달려!'까진 아니더라도 이건 아니잖아?

"저기…… 차 훔친 공범으로 잡혀가는 건 아니겠죠?"

유미의 자못 진지한 질문에 진욱은 두 손, 두 발 들어 항복했다. 이젠 화도 나지 않았다.

"싫으면 말고."

진욱은 투덜거리며 시동 버튼에 손을 가져갔다. 그러다 잠시 동작을 멈추고 버스 정류장 표지판을 힐끗 쳐다보았다. 심술이 뭉글뭉글 샘솟았다.

"그나저나 이 동네는 워낙 외진 곳이라서……."

무슨 뜻이냐는 듯 쳐다보는 유미에게 진욱은 입꼬리를 비틀며 약을 올리듯 말했다.

"버스가 금방 끊기는 거 같던데."

그 말이 효과가 있었는지 유미의 두 눈이 커다래졌다. 그녀의 머릿속에서 으스스한 상상이 휙휙 날아다니기 시작했다. 이런 곳에서 버스가 끊기면? 혼자 여기서 밤을 새울 수도 있다는 말?

순간 주위가 빠르게 어두워지고 여기저기서 동물들의 울부짖는 소리가 들리는 것 같았다. 유미는 벤치에서 벌떡 일어나 허겁지겁 조수석 문을 열었다. 잽싸게 차에 올라타고는 시치미를 뚝 떼며 서둘러 안전벨트를 채웠다. 그리고 민망함에 앞만 응시하며 얼버무리듯 말했다.

"……고객 서비스라고 칠게요."

하여간 하나도 안 지려고 하지. 진욱은 씩 입매를 끌어올리며 빠르게 차를 출발시켰다.

Episode 3

우는 여자가 예뻐 보이긴 처음이야

뻥 뚫린 해안 도로를 따라 컨버터블이 시원하게 질주했다.

유미는 열린 창에 팔을 기대고 상쾌한 바닷바람에 얼굴을 맡겼다. 서로 사이좋게 맞닿은 하늘과 바다의 푸르른 풍경이 눈이 시리게 아름다웠다. 유미는 입가에 환한 미소를 머금으며 끊임없이 '와아' 감탄사를 내뱉었다.

해맑게 웃는 유미를 힐끗 바라보는 진욱의 입가에도 어느새 은은한 미소가 스며들었다. 차에 태워주고 싶은 스타일은 절대 아닌데……. 글쎄…… 우는 모습을 보았기 때문일까? 이상하게도 울지 않으려고 애쓰는 그녀의 모습이 신경 쓰였다. 계속 눈앞에 아른거려 가슴이 답답했다.

"근데 그새 면접이라도 갔다 왔어요?"

눈은 도로를 향한 채, 진욱이 지나가는 투로 물었다.

"네? 무슨 면접이요?"

진욱의 말뜻을 제대로 이해하지 못한 유미가 콧등에 주름을 모았다. 여전히 시선은 앞을 향한 채 그가 비아냥거렸다.

"솔직히 드레스보단 그쪽이 어울리긴 해요. B 사감 같기도 하고."

"뭐라고요? B 사감?"

화가 나 소리는 빽 질렀지만, 당혹감으로 유미의 얼굴이 일그러졌다.

헉! 정곡을 찔렀다!

이 남자가 어떻게 내 별명을 알지?

진욱의 무서운 질문은 계속해서 이어졌다.

"혹시 밤마다 혼자, 소리 내서 읽는 건 아니죠?"

"뭐, 뭘 읽어요?"

어떻게 그것까지 알았지? 돗자리라도 깔았나? 꼭꼭 숨겼던 비밀을 들킨 것처럼 그녀의 눈빛이 마구 흔들렸다.

진욱은 그녀를 보지도 않은 채, 목소리만으로도 모든 걸 파악한 듯 여유롭게 피식 웃어 보였다.

"책 제목이 몹시 마이너하던데. 《저급한 그대》라……!"

"그, 그, 그거 그런 책 아, 아니거든요."

띵―. 띵―. 띵―.

그때 별안간 계기판에서 경고 음이 흘러나왔다.

"이게 무슨 소리예요?"

깜짝 놀란 유미가 소리가 나는 곳을 찾기 위해 두리번거렸다.

"아놔, 장 비서……."

계기판을 살피던 진욱이 인상을 쓰며 작게 욕설을 내뱉었다. 뭐지? 이러다 차가 영화처럼 막 폭발하고 뭐 그러는 건 아니겠지? 유미는 불안한 눈으로 진욱과 계기판을 번갈아 보았다.

"저기요."

아랫입술을 깨물고 앞만 주시하던 진욱이 조용히 그녀를 불렀다.

"네?"

아무렇지 않은 듯 애써 표정 관리하며 진욱이 말했다.

"돈 좀 꿔줘요."

"네에?"

[죄송합니다, 회장님. 모두 제 불찰입니다.]

수화기 너머로 착 가라앉은 우진의 목소리가 흘러나왔다.

차 회장은 의자에 등을 기대고 눈을 감은 채 잠자코 우진의 보고를 듣기만 했다.

[멀리 가진 못했을 겁니다. 수중에 카드도 없고 현금도 없습니다. 차에 기름도 별로 없고 하니까…….]

"됐네."

차 회장이 근엄한 목소리로 우진의 말을 중간에 끊었다.

"오늘은 그냥 놔둬. 갈 데가 있을 테니까……."

[네. 알겠습니다.]

통화를 끝낸 차 회장은 천천히 눈을 떠 천장으로 눈길을 돌렸다.

"……흠."

잠시 생각에 잠겼던 그가 혼잣말처럼 중얼거렸다.

"얼굴을 보고 나면 조금이라도 마음을 잡을지 모르지."

진욱은 인적이 뜸한 한적한 바닷가 근처에 차를 세우고 시동을 껐다. 차 문을 열고 내리려던 그가 힐끔 유미를 쳐다보았다.

"내려요."

주변을 두리번거리던 유미는 황당하다는 듯 진욱을 바라보았다.

"아니, 여기가 어딘데요? 리조트에 가는 거 아니었어요?"

"난 리조트로 데려다준다고 한 적 없는데……."

"네? 아니, 지금 장난해요?"

그러나 진욱은 대답 대신 그대로 차에서 내려버렸다. 그러곤 넋이 나간 듯 멍하니 앉아 있는 유미를 재차 재촉했다.

"안 내려요?"

"지금 나보고 여기서 내리라는 거예요?"

"싫으면 말고."

진욱은 어깨를 한 번 으쓱거린 후 그대로 바다를 향해 등을 돌렸다.

"이봐요. 나 혼자 여기 두고 가면 어떡해요?"

유미가 차에서 허둥지둥 내리자 진욱은 걸음을 멈추고 그녀를 향해 뒤돌아섰다.

"차에 기름 없대서 기름까지 넣어줬더니만 왜 자기 마음대로 내리래?"

유미가 뚱한 얼굴로 투덜거렸다.

"아 참, 그깟 기름 값 가지고 되게……."

"뭐예요? 그깟 기름 값이요?"

이 남자가 5만 원이 누구 애 이름인 줄 아나! 그깟 기름 값이라니! 유미는 두 주먹을 불끈 쥐며 진욱에게 가까이 다가섰다.

"그쪽 한 시간에 얼마나 벌어요? 5만 원이면 적어도 몇 시간은 뼈 빠지게 일해야 벌 수 있는 돈이라고요."

"지금 그쪽이 내가 누구인지 몰라서 그러는 모양인데……."

"왜요? 시간당 5만 원이라도 벌어요?"

"나 참, 나는 시간당 5만 원이 문제가 아니라, 그러니까 나는 바로 대복……."

씩씩거리며 자신의 신분을 밝히려던 진욱은 흠칫 입을 다물었다. 어차피 오늘 보고 안 볼 사이인데 굳이 대복 그룹 오너의 아들이란 사실을 알릴 필요는 없었다.

"됐어요."

진욱은 빤히 쳐다보는 유미의 시선을 슬쩍 피했다.

"하여간 내가 그 돈, 두 배로 갚아줄게요."

"그 말을 어떻게 믿어요?"

유미가 흥! 코웃음을 치자 진욱이 상체를 굽혀 그녀의 코앞에 얼굴을 들이댔다.

"나, 한 번 약속하면 무슨 일이 있어도 꼬옥 지키는 사람입니다."

진욱의 화난 눈빛이 그녀를 태울 것처럼 이글거렸다.

가슴 떨리게 왜 이렇게 얼굴을 가까이 들이밀고 난리야?

유미는 짐짓 아무렇지 않은 듯 슬그머니 뒤로 한 발짝 물러섰다.

"아, 알았어요."

"난 여기서 일몰 보고 갈 거니까 그쪽은 마음대로 해요. 택시를 타든, 히치하이킹을 하든. 잘될지는 모르겠지만."

"뭐요?"

진욱은 기가 막힌다는 듯 눈동자를 굴리는 유미를 지나쳐, 트렁크를 열어 와인 병을 꺼내고는 휘적휘적 바닷가로 걸어갔다.

진욱의 뒤통수를 힘껏 째려보던 유미는 퍼뜩 뭔가 떠오른 듯 진욱을 향해 쪼르르 달려갔다.

"이봐요. 운전하는 사람이 술을 마시면 어떡해요? 나, 음주 운전 한다고 경찰에 신고할 거예요."

유미가 제법 심각하게 경고하자, 진욱은 어이없다는 표정으로 그녀를 쳐다보았다.

"대리운전 부르면 됩니다."

"주머니에 동전 하나 없으면서 무슨 대리운전을 부른다고 그래요? 또 나보고 돈 꿔달라고 하려고요? 훙, 어림없어요. 내가 무슨 그쪽 돈 지갑이라도 되는 줄 알아요?"

"괜찮아요. 리조트로 돌아가면 나 대신 돈 내줄 사람은 많으니까."

진욱은 유미를 가볍게 무시하고 바다를 향해 저벅저벅 걸어갔다.

아우, 정말! 이러지도 못하고 저러지도 못한 유미가 혼자 발을 동동 구르고 있는데, 갑자기 진욱이 걸음을 멈추고 뒤를 돌아보았다.

"같이 한잔할래요?"

그가 그녀를 향해 와인 병을 들어 보였다.

"같……이요?"

진욱은 대답 대신 이리 오라고 고개를 옆으로 까닥였다. 급작스러운 제안에 유미의 머릿속이 복잡해졌다.

이런 한적한 바다에서 남자와 단둘이 술을 마시라고? 하, 그 무슨 말도 안 되는. 하지만, 아니면 나 혼자 여기서 뭘 할 건데? 여기서 무슨 택시를 잡겠어. 그리고 히치하이킹 했다가 납치라도 되면 어쩌려고, 안 그래?

유미는 애써 자신을 설득했다. 잠깐 같이 술 마셔주다가 대리운전 기사 불러서 돌아가면 되지 뭐. 그래 그때까지만…….

유미는 얼굴을 발그레 물들이며 종종걸음으로 진욱을 향해 달려갔다. 맹세컨대 저 남자 곁에 있고 싶어서 그러는 건 절대로 아니다!

어느새 주홍색 노을이 바다 위로 잔잔히 내려앉았다.

진욱은 모래사장에 털썩 앉더니 익숙한 솜씨로 와인 코르크 마개를 따기 시작했다. 저번에도 느낀 거지만 그는 느긋하게 와인 병을 따는 모습까지도 너무나 섹시했다. 마개를 빼느라 힘이 들어간 핏줄이 도드라진 손등하며, 와인 병을 꽉 움켜잡은 긴 손가락 하나하나까지 보는 사람의 애간장을 태웠다.

뽕—.

코르크 마개가 뽑히자, 진욱은 한 손으로 와인 병을 들어 병째로 한 모금 들이켰다. 고개를 젖히고 와인을 마시는 진욱의 목울대가 크게 위아래로 움직였다.

진욱의 옆에 앉아 힐끔 훔쳐보던 유미는 자신도 모르게 마른침을 꿀꺽 삼켰다. 무슨 남자가 병째로 술 마시는 모습까지 이리도 멋있는 거야? 이건 필시 붉은 노을 때문에 일어나는 착시 현상일 것이다. 절대로 이 남자가 근사해서 그런 건 아니라고…….

와인을 한 모금 들이켠 그가 바다를 바라보며 중얼거리듯 말했다.

"기분도 꿀꿀한데 우리 여기서 각자 힐링이나 합시다."

여기서 힐링? 이거 지금 작업 멘트인 거지, 그렇지? 유미의 심장이 저 밑으로 '쿵' 떨어졌다.

긴장한 눈으로 자신을 바라보는 유미에게 진욱은 그녀의 속마음을 읽은 것처럼 무뚝뚝하게 말을 이었다.

"작업 거는 거 아니니까 괜히 설레지는 말아요."

뭐야, 이 남자. 누구 약 올리는 거야? 이상야릇한 말이나 툭툭 해대면서 작업 거는 게 아니라니!

"흥, 웃겨! 설레긴 누가 설렌다는 거예요?"

"아니면 말고."

그는 피식 입꼬리를 비틀더니 다시 와인 병을 입으로 가져갔다. 그러나 한 모금 들이켜기 전에 유미의 손이 홱 와인 병을 가로챘다.

"나도 한 모금 줘봐요. 아까 그 비싼 와인 얼마 마시지도 못하고 박살 냈다고요."

유미는 두 손으로 와인 병을 움켜잡고는 벌컥 와인을 들이켰다.

"크으."

와인 병에서 입을 뗀 그녀가 손등으로 입술을 문지르며 소주를 마신 것처럼 미간을 찌푸렸다. 다시 와인 병을 입에 가져가며 그녀가 혼잣말처럼 중얼거렸다.

"어차피 쪽이란 쪽은 다 팔려서 이젠 더 팔릴 쪽도 없고. 그쪽이랑 오늘만 보고 말 사이인데. 될 대로 되라지."

그런 유미를 바라보던 진욱의 얼굴에 어딘가 모르게 외롭고 쓸쓸한 미소가 떠올랐다. 유미는 한 모금이 아니라 제법 많은 양의 와인을 마신 후에야, 병에서 입을 떼고 손등으로 입술을 쓰윽 닦아냈다. 그러다 문득 뭔가를 발견한 듯 눈을 동그랗게 뜨며 손가락으로 앞쪽을 가리켰다.

"어? 이거 봐요!"

그녀가 가리키는 곳으로 고개를 돌리니 모래에 파묻힌 동전이 눈에 들어왔다. 유미는 얼른 손을 뻗어 동전을 주워 들었다.

"와! 돈 주웠다!"

아이처럼 좋아하며 동전을 뒤집어 본 그녀가 입을 크게 벌리며 환하게 웃었다.

"이거 내가 태어난 해에 만들어진 동전이에요. 나, 오늘 운 되게 좋은 거 같아요."

"운이 좋다고 하기에는…… 그쪽 오늘 좀 그렇지 않았나?"

진욱의 빈정거림에 유미는 동전을 만지작거리며 씩씩한 목소리로 되받아쳤다.

"나는 말이죠, 안 좋은 일이 100가지라도, 좋은 일 하나만 있으면, 그날은 운 좋은 걸로 쳐요. 이 넓은 모래사장에서 오백 원, 그것도 내가 태어난 해에 만든 동전을 찾는다는 게 어디 보통 운으로 되겠어요?"

제법 타당성 있는 설명이다. 진욱은 고개를 끄덕이며 희미한 미소를 떠올렸다. 동전 하나에 저리 좋아하는 모습을 보니 조금은 귀엽게도 느껴졌다. 우스꽝스러운 안경을 벗으니 앙증맞은 콧대와 토끼같이 크고 동그란 눈이 도드라지는 것 같기도 하고. 와인 때문에 발갛게 물든 통통한 뺨도 은근히 눈길이 끌렸다.

무엇보다도 손끝을 대자마자 그대로 미끄러질 것 같은 맑고 부드러운 피부. 그녀의 피부를 만져보고 싶은 충동에 진욱의 손가락이 꿈틀거렸다. 미친……. 지금 뭐 하자는 거야?

진욱은 자신을 비웃으며 주먹을 꼭 움켜쥐었다.

동전을 바라보며 생글거리던 유미는 갑자기 모래가 묻은 동전을 옷에 쓱쓱 닦더니 불쑥 진욱에게 내밀었다.

"자요, 선물."

진욱이 살짝 인상을 찡그렸다. 조금 전, '주머니에 동전 하나 없으면서…….'라고 다그치던 그녀의 말이 떠올랐기 때문이다.

"지금 기름 값 없다고 적선하는 겁니까?"

"아뇨."

유미는 기분 좋은 얼굴로 환하게 웃으며 고개를 내저었다.

"행운을 주는 거예요."

그녀가 말간 눈동자로 그를 빤히 쳐다보며 말을 이었다.

"그쪽도 보면, 아까부터 되게 우울해 보였거든요."

유미는 손가락으로 자기 양쪽 눈꼬리를 아래로 쭉 내려 우는 얼굴로 만들었다.

"하염없이 엄마를 기다리는 새끼 고양이 같다고나 할까요?"

"고양이?"

기가 막힌다는 듯 인상을 찌푸리던 진욱의 눈에 약간 풀어진 유미의 동공이 들어왔다.

"그거 마시고 벌써 취했나?"

"어머? 사람을 뭐로 보고? 나, 술 엄청 세거든요."

그렇게 말했지만 그녀의 볼은 아까보다 더 진하게 발그레해진 상태였다.

"이까짓 와인 몇 모금에……. 흥!"

유미는 진욱을 한 번 째려본 후, 다시금 와인 병을 들어 벌컥벌컥 들이켰다.

수평선 위로 지는 노을이 점점 더 짙게 물들어갔다. 유미와 진욱은 바다를 향한 채, 지붕이 열린 컨버터블 뒤편에 나란히 걸터앉았다. 눈앞으로 펼쳐진 붉은 세상에서 눈을 뗄 수 없었다. 중심을 잡기 위해 뒤로 짚은 두 사람의 손은 서로 닿을락 말락 가까웠다.

"아까는 고마웠어요."

황홀한 눈으로 불타는 석양을 바라보던 유미가 속삭이듯 먼저 말문을 열었다. 진욱은 그녀의 말에 귀 기울이면서도 무심한 듯 앞만 바라보며 와인을 들이켰다.

"요즘 되는 일이 하나도 없었거든요."

아까보다 조금 더 술에 취한 듯 유미는 눈꺼풀을 천천히 깜박이며 느릿하게 말을 이었다.

"너무 외롭고……. 진짜 힘들었어요. 근데 아무도 괜찮으냐고 물어봐주는 사람이 없는 거예요. 난 정말 아슬아슬 한계에 다다르고 있었는데……."

그녀의 얼굴에 쓸쓸한 그림자가 내려앉았다.

"그쪽이 처음이었어요. 괜찮으냐고 물어봐준 사람."

후, 작게 한숨을 내쉰 그녀가 밑으로 고개를 숙였다.

"별것도 아닌데, 괜찮냐는 그 말이…… 이상하게 위로가 됐어요."

허전한 목소리에 진욱은 천천히 유미에게로 눈길을 돌렸다.

더 이상 설명하지 않아도 무슨 뜻인지 알 것 같았다. 자신도 그녀와 똑같은 상황이니까. 왜 반항하는지 잘 알면서도 언제나 현실을 외면하는 아버지. 한 번이라도, 단 한 번이라도 그에게 괜찮으냐고 물어봐주었더라면 어쩌면 조금은 상황이 나아지지 않았을까?

진욱은 힘없이 축 처진 유미의 가냘픈 어깨를 말없이 응시했다. 낮에 그녀의 어깨에 겉옷을 입혀주었던 것처럼, 자꾸만 자신의 팔로 감싸주고 싶다는 충동이 들었다.

툭―.

그 순간 눈물 한 방울이 유미의 허벅지 위로 떨어졌다.

"에이, 뭐야."

당황한 그녀가 손등으로 눈물을 닦아냈지만, 그러기가 무섭게 또 다른 한 방울이 투둑, 떨어졌다. 민망하게 왜 이러지? 우는 모습은 엄마에게도 보여준 적 없는데……. 왜 낯선 사람 앞에서 주책없이 눈물이 쏟아지나 몰라.

유미는 아랫입술을 깨물며 손바닥으로 눈물을 닦아냈다. 그러나 한 번 터져버린 눈물은 야속하게도 좀처럼 멈춰지지 않았다. 그때 진욱이 조심스럽게 손을 들어 그녀의 뺨을 건드렸다.

"아, 저기……."

눈물로 흐려진 유미의 눈이 놀람으로 서서히 커다래졌다. 진욱은 아무 표정 없는 얼굴로 눈물이 범벅된 그녀의 눈가를 엄지손가락으로 쓰윽 문질렀다.

"나 때문에 운 여자가 한둘이 아니지만…… 괜찮은지 물어봤다고 우는 여잔 또 처음이네."

말투는 아무 감정 없이 무뚝뚝했지만, 그의 손길은 너무나도 다정했다. 너무나도 따뜻했다. 유미는 혀가 굳어버린 듯 아무 말도 할 수 없었다. 그저 빤히 그를 바라볼 수밖에…….

두 사람 사이에 짧은 침묵이 흘렀다.

유미의 눈가를 맴돌던 손길이 서서히 아래로 내려갔다. 그녀의 뺨을 두 손으로 그러쥐며 진욱이 나직한 목소리로 속삭였다.

"우는 여자가 예뻐 보이는 것도 처음이고."

쿵! 심장이 저 아래로 떨어진 것처럼 유미는 가슴이 타들어가는 통증을 느꼈다. 남자에게 이런 말, 이런 눈빛을 받아보는 거……. 태어나서 처음이다! 멈춘 것만 같았던 심장이 다시금 '쿵쿵' 뛰더니 별안간 드럼 연주를 하듯 마구 빨라졌다.

"크윽, 딸꾹!"

그러더니 이젠 딸꾹질마저 나기 시작했다. 이상한 신체 반응에 당황한 그녀의 눈빛이 사정없이 흔들렸다. 동시에 모태 솔로의 본능이 '삐이익!' 위험 신호를 울리며 철벽 방어에 들어갔다.

"너, 너, 너……무 늦었다. 이만 가야겠어요."

유미는 엄동설한에 벌거벗고 나온 사람처럼 몸을 덜덜 떨며 말을 더듬었다. 서둘러 자리를 피하고자 허둥지둥 몸을 일으키려 했지만, 그만 발이 꼬여버렸다.

"꺄악!"

진욱은 넘어지려는 그녀의 허리를 본능적으로 붙잡아 자신의 품에 끌어안았다. 얼떨결에 그에게 안겨버린 유미가 헉, 숨을 들이켜며 커다래진 눈으로 진욱을 올려다보았다. 너무 놀랐는지 그녀의 눈에는 눈물이 그렁그렁 맺혀 있었다.

시간이 멈춘 듯, 그녀와 그의 시선이 허공에서 부딪쳤다. 그런 와중에…….

"딸꾹!"

유미의 입에서는 계속 딸꾹질이 흘러나왔다. 눈물과 마찬가지로 한번 나오기 시작한 딸꾹질은 멈출 듯하다가도 계속해서 이어졌다.

"큽…… 딸꾹!"

좀처럼 멈춰지지 않는 딸꾹질에 유미는 난감한 표정으로 진욱을 바라보았다.

한동안 그녀를 지그시 바라보던 진욱이 살며시 고개를 숙였다. 숨결이 느껴질 정도로 그의 얼굴이 가까이 다가왔다. 그녀의 심장이 걷잡을 수 없이 뛰기 시작했다.

"내가 좀 도와줄까?"

그가 조심스럽게 그녀의 뺨을 감싸 쥐며 속삭이듯 물었다. 그리고 그녀가 미처 대답하기도 전에 그의 입술이 빠르게 겹쳐졌다.

"흡!"

그건 전혀 예상하지 못한 갑작스러운 행동이었다. 충격으로 동그래진 유미의 눈에서 후두둑 눈물이 떨어졌다.

쿵쾅! 쿵쾅!

그녀의 심장은 무섭게 날뛰다 못해 밖으로 튀어나갈 것만 같았다. 그저 입술만 살짝 닿았을 뿐인데도 눈앞에 별이 보이는 것처럼 정신이 아득해졌다. 그리고 거짓말처럼 딸꾹질이 멈췄다.

"하아."

진욱이 입술을 떼자 묘한 상실감에 온몸이 떨렸다. 그의 입술이 닿았던 부분이 불에 덴 것처럼 따끔거리고 얼얼했다. 유미는 혀를 내밀어 화끈거리는 입술을 위아래로 적셨다. 살짝 벌어진 입술과 분홍색 혀의 조화가 얼마나 유혹적인지 전혀 깨닫지 못한 채…….

그녀를 말없이 내려다보는 진욱의 눈빛이 서서히 짙어졌다. 딸꾹질을 멈추려 한 장난에 가까운 입맞춤이었는데……. 그건 큰 실수였다!

한 번으로 끝내기에는 그녀의 입술과 숨결이, 손끝에 닿는 그녀의 부드러운 촉감이 너무나 좋았다. 손이 그녀의 뺨에 닿는 순간, 입술이 내려앉는 순간, 손끝과 입 안에 가득 차는 그녀의 매끄러운 살결과 달콤한 향기에 숨이 막혀버릴 것만 같았다.

"이번엔……."

진욱은 바르르 떨리는 유미의 손을 꽉 잡으며 나직이 속삭였다.

"나를 도와줄 차례야."

당신 때문에 머릿속이 텅 비어버렸으니까. 너무 달콤해서 해소되지 못한 목마름에 목이 타들어가니까. 진욱이 다시 고개를 숙였다.

유미는 느릿하게 눈을 깜빡거리며 서서히 다가오는 그를 쳐다보았다. 그가 무엇을 하려는지 알면서도 피할 수 없었다. 어떻게 피할 수가 있지? 한 번 더 그의 입술을 맛볼 수 있다면 무슨 짓이라도 할 수 있을 것 같았다. 살며시 입술이 맞닿자, 온몸에 전기가 흐르는 것처럼 찌릿찌릿하고 다리에 힘이 풀렸다. 유미는 저도 모르게 그의 어깨를 꼭 움켜쥐었다.

진욱은 비스듬히 고개를 옆으로 기울이며 그녀의 턱을 밑으로 끌어당겼다. 도톰한 입술이 열리자 그는 틈을 주지 않고 곧바로 혀를 깊숙이 밀어 넣으며 안으로 파고들었다. 혀끝에 느껴지는 매끄러운 감촉에 소름이 돋는 것처럼 짜릿했다.

"으음."

서로의 숨결이 마치 하나인 것처럼 뜨겁게 엉켰다.

진욱은 조금 더 그녀를 느끼기 위해 한 손으로 그녀의 뒷머리를 조심스레 감싸며 다른 한 손으로는 그녀의 허리를 끌어당겼다. 잘 익은 과즙이 톡 터지듯, 입 안 가득히 달콤한 맛과 향이 흘러들었다. 아무리 거세게 빨아들이고 탐해도 갈증은 쉽게 해소되지 않았다.

"하아."

숨 쉴 겨를도 없이 격렬하게 밀어붙이는 키스에 그녀가 숨을 헐떡이기 시작했다. 진욱은 그녀를 위해 힘겹게 입술을 떼어냈다. 유미는 두 눈을 감은 채 어지러운 듯 그의 가슴에 얼굴을 파묻었다. 진욱은 조심스레 그녀의 등과 허리를 위아래로 쓰다듬었다.

잠시 후, 호흡을 고르던 그녀가 고개를 들어 그를 바라보았다. 진욱은 살며시 미소 지으며 손등으로 그녀의 매끄러운 뺨을 쓸어내렸다. 아무 말을 하지 않아도 서로의 마음이 통하는 것 같은 느낌…….

이번에는 유미가 진욱의 목에 팔을 걸고는 먼저 입술을 겹쳤다. 그녀의 적극적인 태도에 진욱의 입꼬리가 위로 말려 올라갔다. 그녀는 난생처음 키스해보는 사람처럼 서툴기 그지없었다. 그의 입술 아래에서 그녀의 입술이 덜덜 떨리고 있었다. 진욱은 그녀를 돕기 위해 두 손으로 그녀의 등과 허리를 꽉 끌어당겼다.

서서히 깊어지는 입맞춤.

열렬히 입 맞추는 두 사람 뒤로, 진한 주홍색으로 물든 바다가 아름답게 반짝거렸다.

쏴아아아—.

붉은 루비처럼 불타오르는 바다에서 몰려온 파도가 모래사장 위로 하얗게 부서졌다.

[아직 돌아오지 않았습니다.]

수화기 저편에서 우진이 착 가라앉은 목소리로 말했다. 차 회장은 책상 위에 놓은 시계로 힐끔 눈을 돌렸다. 시계는 밤 9시 15분을 가리키고 있었다.

"아직까지 연락도 없고?"

[네. 아무 연락도 없었습니다.]

"전화는 해봤나?"

[휴대폰을 꺼놓았는지 받지 않습니다.]

"흠……."

[죄송합니다, 회장님. 정말 면목이 없습니다. 근처에 사람을 풀까요?]

차 회장은 침통한 얼굴로 책상을 손끝으로 톡톡 두드리며 잠시 생각에 잠겼다. 그녀를 만나는 줄 알았는데 그런 것도 아니고……. 이 녀석은 도대체 어디로 가버린 걸까?

[……회장님?]

차 회장으로부터 아무런 대답이 없자 우진이 다시 조심스레 물었다.

[어떻게 할까요?]

"후, 다 큰 녀석이 뭐 어떻게 되기야 하겠나. 좀 더 기다려봐."

[네, 알겠습니다.]

우진이 전화를 끊자, 차 회장은 인터폰을 눌러 밖에 대기 중인 김 비서를 불러들였다.

"네, 회장님."

김 비서가 회장실로 들어오자 차 회장은 책상에서 일어나 창가로 걸어갔다. 뒷짐을 진 채 어둑어둑해진 창밖을 응시하던 그가 천천히 입을 열었다.

"아무래도 장 비서에게만 맡겨선 안 될 것 같네. 녀석이 워낙 종잡을 수 없어서 말이네."

"알겠습니다, 회장님. 그러면 지금이라도 그쪽과 연결할까요?"

"그래, 연결 좀 시켜봐."

차 회장이 침통한 얼굴로 고개를 끄덕였다. 이렇게까지 하고 싶진 않았지만, 할 수 없다. 녀석이 먼저 도발했으니까.

"알겠습니다. 지금 당장 처리하겠습니다."

김 비서는 허리를 굽혀 인사한 후, 회장실을 나섰다.

얼마나 오랫동안 부둥켜안고 있었을까?

"이제 그만 돌아가야죠."

진욱의 품에 파묻었던 얼굴을 살며시 들며, 유미가 작게 중얼거렸다. 진욱은 대답 대신 손바닥으로 그녀의 등을 천천히 쓸어내렸다.

유미는 솔직히 리조트로 돌아가고 싶지 않았다. 이렇게 끌어안고 밤새도록 키스만 하고 싶었다. 하지만 오늘 그녀는 지금까지 자신이 세워 놓은 한계를 훌쩍 넘겨버렸다.

더 이상은 안 된다. 태어나서 처음 남자와 입술이 닿은 것도 모자라서 키스까지 하고. 그것도 그냥 키스가 아니라 다리가 후들후들 떨릴 만큼 진한 키스란 말이다. 와인에 취했기 때문은 아니다. 세상을 붉게 물들이는 노을에 홀려서도 아니다. 그건 모두 앞에 있는 이 남자 때문이었다. 하지만 여기까지! 분위기에 휩쓸리지 말고 스스로 컨트롤해야 한다!

"대리기사 불러요."

유미의 단호한 말투에 진욱은 짧게 한숨을 내쉬었다. 그녀가 옳았다. 더 늦기 전에 이쯤에서 돌아가야 한다. 진욱은 주머니에서 휴대폰을 꺼내 리조트에서 떠나기 전 저장해둔 대리기사의 번호를 눌렀다. 음…… 그런데 버튼을 누르고 얼마 지나지 않아 진욱이 당황한 눈으로 휴대폰 화면을 노려보았다.

"어? 왜 신호가 안 가지?"

"네? 무슨 소리예요? 신호가 안 간다니요?"

휴대폰에 귀를 댄 채 진욱이 고개를 흔들었다.

"전화 거는데 아무 신호도 안 가요."

"배터리 없는 거 아니에요?"

진욱은 '방전이라도 되었나?' 하는 마음에 휴대폰 화면을 다시금 확인해 보았다. 배터리 눈금은 꽉 찬 상태였다.

"배터리는 많아요. 그런데……."

물끄러미 화면을 들여다보던 진욱이 투덜거리듯 중얼거렸다.

"이런, 신호가 전혀 안 잡히네."

"뭐라고요?"

유미는 재빨리 진욱의 손에서 휴대폰을 빼앗아 화면을 들여다보았다. 정말 그의 말대로 신호가 전혀 잡히지 않았다. 휴대폰을 들고 이리저리 방향을 바꾸었지만 결과는 마찬가지였다.

"잠깐만요. 내 걸로 해봐요."

유미는 자신의 휴대폰을 꺼내 빠르게 잠금장치를 풀었다. 그러나 애석하게도 그녀의 휴대폰 역시 전혀 신호가 잡히지 않았다.

"뭐 이런 데가 다 있어? 대한민국에서 신호가 안 잡히는 곳이 어디 있다고!"

유미는 믿기지 않는다는 표정으로 먹통이 된 휴대폰을 노려보았다. 신호가 잡히는 곳을 찾기 위해 바닷가를 이리저리 뛰어다녔지만 아무 소용이 없었다. 최후의 수단으로 차를 세워놓은 곳에서 아주 멀리 떨어진 도로까지 걸어가보았지만 여전히 신호는 잡히지 않았다.

"우리 이제 어떡하죠?"

유미가 난감한 얼굴로 진욱을 바라보았다. 둘이서 주거니 받거니 와인 한 병을 바닥까지 다 비워서 절대로 운전대를 잡을 순 없었다. 버스 정류장까지 걸어간다고 해도 버스는 이미 예전에 끊겼을 테고…….

"어, 근데……?"

뭔가 차가운 액체가 머리 위에 톡 떨어졌다. 유미는 의아한 얼굴로 위를 향해 고개를 들었다. 휴대폰 신호를 잡기 위해 뛰어다니느라 깨닫지 못했는데 바다 쪽에서부터 시커먼 먹구름이 몰려오고 있었다. 설상가상으로 후두둑 빗방울이 떨어지기 시작했다. 변덕스러운 바닷가 날씨답게 지나가는 소나기인지 빗방울이 제법 굵었다. 순식간에 두 사람은 비에 흠뻑 젖고 말았다.

"히잉, 어떡해요!"

"차로 가요. 어서!"

다행히 떠나기 전, 차의 지붕을 닫아두었기 망정이지 큰일 날 뻔했다. 유미와 진욱은 세워둔 차를 향해 전속력으로 달려갔다. 도착하자마자 리모컨으로 차 문을 열고 신속하게 차에 올랐다.

"우선 젖은 머리끝부터 닦아요."

진욱이 글러브 컴파트먼트(Glove compartment)에서 마른 수건을 꺼내 유미에게 건넸다. 그녀는 추위에 이를 딱딱 부딪치며 수건으로 머리와 얼굴의 물기를 닦아냈다. 하지만 옷이 흠뻑 젖어버린 탓에 큰 도움은 되지 못했다. 젖은 옷이 피부에 착 달라붙어 체온을 급속히 떨어뜨렸다.

"히……히터 좀 틀어봐요."

유미가 두 손으로 팔을 끌어안고 부르르 몸을 떨며 말했다. 그러나 진욱이 그녀의 청을 단칼에 거절했다.

"안 됩니다."

"네? 아니 지금 기름 값 아까워서 그러는 거예요?"

유미가 황당하다는 얼굴로 묻자 진욱은 고개를 내저으며 뒷좌석에 놓아둔 코트를 집어 들었다.

"히터 틀려면 시동을 걸어야 하는데. 지금 이 상태에서 시동 걸면 음주 운전으로 처벌받을 수 있어요."

어머, 정말? 하지만 추워죽겠는데 어쩌라고!

"힐링 두 번 했다간 그냥 얼어 죽겠네요."

추위에 덜덜 떨며 그녀가 못마땅하다는 듯 투덜거렸다.

"우선 옷부터 벗어요."

자신의 코트를 불쑥 유미에게 내밀며 진욱이 담담하게 말했다.

"네에? 옷을 벗어요?"

이 남자, 늑대의 본색을 드러내는 거야, 뭐야!

유미는 경악한 표정으로 입을 벌리며 진욱을 쳐다보았다. 하지만 진욱은 전혀 아무렇지 않은 표정으로 재빠르게 그녀의 젖은 재킷을 벗겨냈다.

"젖은 옷을 입고 있으면 체온이 떨어져요. 그러니까 우선 젖은 옷을 벗고……."

"어머, 지금 어디에 손을 대는 거예요?"

진욱이 셔츠의 맨 윗단추마저 풀려 하자 유미는 기겁을 하며 빽 소리를 질렀다. 그러자 진욱이 코트로 그녀의 몸을 덮으며 설명했다.

"이 코트는 비상용으로 차 안에 넣고 다니는 거예요. 우선 젖은 옷을 벗고 이걸 입고 있어요. 앞좌석에선 불편할 테니까 뒷좌석으로 가서 벗어요."

어느새 무섭게 내리던 소나기가 그치고 거짓말처럼 하늘이 맑게 갰다. 오늘따라 달빛이 몹시도 환하게 빛났다. 조명이 없어도 서로의 모습이 훤히 보일 만큼……. 유미는 뒷좌석으로 넘어가 진욱의 코트로 몸을 가리고 조심스럽게 옷을 벗기 시작했다. 차 안이라는 좁은 공간에서 옷을 벗기가, 그것도 마른 옷이 아닌 젖은 옷을 벗기는 여간 어려운 게 아니었다. 그녀는 끙끙거리며 젖어서 몸에 착 달라붙은 셔츠와 바지를 벗었다.

신기하게도 젖은 옷을 벗으니 어느 정도 추위가 가시는 것 같았다. 유미는 코트로 벗은 몸을 감싸며 앞좌석에 앉은 진욱을 바라보았다. 그는 아직도 젖은 옷을 입고 있는 터라 몹시도 추워 보였다. 꼭 다문 입술이 파르르 떨리고 있었다. 코트를 양보하고 혼자 추위에 떠는 그에게 유미는 미안한 감정이 들었다.

"셔츠만 벗을게요."

결국 진욱은 더 이상은 참을 수 없었는지 셔츠 단추를 풀기 시작했다. 그는 단추를 빠르게 풀어 단숨에 셔츠를 벗었다. 어둠 속에서 그의 벗은 상체가 달빛에 흐릿하게 드러나자, 적당하게 잡힌 탄탄하고 매끈한 근육에 유미의 입에서는 절로 감탄사가 흘러나왔다.

유미는 얼굴을 붉히며 황급히 그의 벗은 상체에서 시선을 돌렸다. 열이 오른 것처럼 뺨이 화끈거렸다.

"저기요. 바, 바지도 벗어도 돼요."

"정말 벗어도 돼요?"

"저는 그냥 눈 감고 있을게요."

"눈 뜨고 있어도 난 상관없는데……."

진욱의 농담에 유미는 어색하게 웃으며 푹 고개를 숙였다.

사사삭, 옷 벗는 소리가 어둠 속에 조용히 울려 퍼졌다. 바지를 다

벗었는지 잠시 어색한 침묵이 흘렀다.

"큭."

하지만 곧 진욱의 기침 소리가 고요한 정적을 깨뜨렸다. 아무리 젖은 옷을 벗었다고 해도 엄청 추울 거다. 코트를 덮고 있는 그녀 자신도 조금 쌀쌀한 느낌이었으니까. 저러다 감기라도 들면? 유미는 이러지도 못하고 저러지도 못하고 깊은 고민에 빠졌다.

보통 이런 상황에서 어떻게 대처해야 하는지 전혀 모르는 건 아니니까. 하지만 그렇다고 어찌……. 유미는 차 바닥을 내려다보며 아랫입술을 잘근잘근 깨물었다. 아, 진짜 어떻게 해야 하지? 그러나 결국 그녀는 마음을 다잡았다. 지금 상황에서 얄밉게 자기 자신만 생각할 순 없었다.

"이쪽으로 와요."

유미가 애써 아무렇지 않은 표정으로 진욱에게 코트의 반대쪽을 건넸다.

"괜찮겠어요?"

"그쪽 얼어 죽는 걸 두 눈 뜨고 지켜보는 것보단 괜찮을 거예요."

그 말에 진욱은 '큭' 웃음을 터뜨렸다. 그는 뒷좌석으로 넘어오는 대신 그녀를 빤히 쳐다보기만 했다. 뭔가 물어보는 듯한 눈빛에 유미는 살며시 옆으로 시선을 비켰다. 그리고 조금은 쌀쌀맞게 말했다.

"나, 두 번 말하기 싫어요."

결국 그는 그녀의 제안을 받아들이기로 했는지 뒷좌석으로 넘어와 그녀 옆에 자리 잡았다.

"너, 너무 바싹 붙진 말아요."

서로의 어깨가 맨살로 맞닿자 유미는 소스라치게 놀라며 몸을 움찔거렸다. 그렇다고 딱히 어떻게 할 수도 없었다. 이불도 아니고 코트 한 개를 두 성인이 나누어 덮는데 어찌 신체적 접촉이 없을 수 있을까.

유미는 진욱과 맨살이 닿아 있다는 걸 짐짓 못 느끼는 체하며 슬그머니 얼굴을 코트에 묻었다.

"흐읍."

"후우."

쏴아아아—.

고요한 밤의 정적 속으로 두 사람의 숨소리와 밀려오는 파도 소리가 잔잔하게 파묻혔다. 처음엔 당혹스러웠지만, 어느덧 서로의 존재에 익숙해졌다. 서로의 따뜻한 체온을 나눈다는 건…… 왠지 설레는 일이었다. 뒷좌석에 나란히 앉아 선루프로 보이는 밤하늘의 별을 바라보는 것도 그리 나쁘진 않았다. 서로 발가벗은 채 코트 하나를 나눠 걸치고 있다는 점만 뺀다면…….

어느새 그녀의 고개가 스르르 진욱 쪽으로 기울었다. 밤하늘의 별 감상에 빠져버린 유미 자신은 전혀 눈치채지 못했다.

"우리 언제까지 이러고 있어야 해요?"

"새벽 4시쯤 되면 운전해도 될 것 같기는 한데……."

"음, 그래요."

옷도 그때쯤 되면 마르려나? 다시금 어색한 침묵이 이어졌다. 두 사람의 옅은 숨소리만이 고스란히 귓속으로 파고들었다.

"궁금한 게 있는데……."

긴 침묵이 흐른 후, 진욱이 조심스레 말을 꺼냈다.

"뭔데요?"

유미의 고개가 진욱에게로 돌아갔다.

"향수 뭐 씁니까?"

"향수 안 쓰는데요."

"그럼 이 달콤한 향은 어디서 나오는 겁니까?"

"달콤한 향이요?"

유미는 냄새를 맡으려는 듯 코를 킁킁거렸다.

"아무 냄새도 안 나는데……."

"……음, 나는데……."

"그래요? 보디 샴푸 향인가?"

코트를 살짝 들어 올리고 자신의 냄새를 맡은 본 그녀가 혼잣말처럼 중얼거렸다.

"바닐라랑 코코넛 향이 섞인 제품이거든요."

"아……네."

갑자기 숨이 턱 막히는 것 같아 진욱은 제대로 말을 이을 수가 없었다. 그냥 너무 조용해서 아무 생각 없이 물어본 거였는데 어째 대화가 좀 끈적끈적해진 것 같다. 보디 샴푸 향이라고 하니까 괜히 샤워하는 장면이 연상되면서 본인 의지와는 다르게 건강한 신체가 반응을 일으켰다. 이러면 안 되는데……. 애국가라도 불러야 하나?

"그러고 있으면 불편하지 않아요? 편하게 다리 쭉 펴고 있어도 돼요."

유미는 그런 그의 속사정도 모르고 자꾸만 옆에서 바르작거리며 그를 자극했다. 남자 경험이 전혀 없어 순진한 건지, 아니면 남자 경험이 너무 많아서 아무렇지도 않은 건지. 아까 키스하는 거로 봐선 생전 남자와 키스 한 번 안 해본 사람처럼 서툴기만 했는데……. 젠장! 좀 전에 나누었던 키스를 떠올리자 애써 내리눌렀던 열기가 다시금 고개를 쳐들기 시작했다. 동시에 심장 박동이 미친 듯이 빨라졌다. 바닐라 향인지, 코코넛 향인지 아니면 그녀의 체취인지 모를 향기에 홀렸나 보다.

진욱은 살며시 유미에게로 고개를 돌렸다. 그의 시선을 느낀 그녀도 천천히 그에게로 고개를 돌렸다. 진욱과 뜨거운 시선이 마주치자 그녀는 조금 긴장한 듯 저절로 입술이 벌어졌다.

저 입술을 삼키고 뜨겁고 다디단 숨결을 빨아들이고 싶다. 몇 센티미터만 더 다가가면 미치도록 달콤한 그녀를 느낄 수 있는데……. 조금만 더 가까이 다가가면…….

두근, 두근, 두근. 이제는 누구의 심장 소리인지도 모르겠다.

어둠 속에서 두 사람의 시선이 뜨겁게 얽혔다.

진욱은 손을 들어 그녀의 뺨을 천천히 훑어 내렸다. 손끝으로 미세하게 떨리는 그녀가 느껴졌다.

잠시 후, 누가 먼저랄 것 없이 고개가 기울고 서로의 입술이 겹쳐졌다. 두 사람의 숨결이 다급하게 섞이며 엉켜들었다. 몸을 덮었던 코트가 바닥으로 떨어졌지만, 서로를 탐하기에 바쁜 두 사람은 전혀 깨닫지 못했다. 그녀의 몸이 서서히 시트 위로 쓰러지고 그의 몸이 자연스럽게 위를 차지했다.

"흐윽."

허공에서 얽힌 두 사람의 시선이 촉촉이 젖어 들고 꽉 맞잡은 손으로 흠뻑 땀이 배어들었다. 온몸을 타고 흐르는 전율에 눈앞이 하얗게 타들어가 머릿속이 텅 비는 것만 같았다. 몰아치는 환희를 견디지 못한 그녀의 눈가에 그렁그렁 눈물이 맺혔다. 그는 깨지기 쉬운 유리 인형을 다루는 것처럼 조심스럽게 그녀를 쓰다듬으며 그녀의 얼굴에 자잘한 키스를 퍼부었다.

"하아."

하나로 뒤섞인 거친 숨결이 잦아들며, 두 사람은 서로에게로 서서히 무너져 내렸다. 그렇게 두 사람은 서로를 품에 안은 채, 깊은 잠 속으로 빠져들어갔다.

"으음."

몸을 뒤척이던 진욱이 잠에서 깨어났다. 그는 차의 천장을 쳐다보며 아직도 잠이 덜 깬 눈을 느리게 깜빡거렸다. 그간 불면증에 시달렸다는 게 거짓말인 것처럼 실로 오랜만에 단잠을 잤다. 그녀 때문일까?

진욱은 자신의 품에서 잠든 유미를 가만히 내려다보았다. 그녀는 아직도 한밤중인지 두 눈을 꼭 감은 채 새근새근 숨을 내쉬고 있었다. 달콤한 숨결과 매끄러운 살결, 부드러운 머릿결, 살짝 벌어진 핑크 빛 입술까지 모든 것이 사랑스러웠다. 그저 그녀를 바라만 봐도 입가에 저절로 미소가 떠올랐다.

진욱은 고개를 숙여 그녀의 입술에 살며시 입술을 맞대었다. 마음 같아선 좀 더 진하게 키스를 하고 싶었지만, 고이 잠든 그녀를 깨울 순 없었다. 진욱은 그녀가 깨지 않게 조심하며 천천히 몸을 일으킨 뒤 바닥에 어지럽게 떨어진 옷을 챙겨 입고 코트로 그녀를 잘 덮어준 다음, 차 밖으로 나왔다.

어느새 수평선 위로 떠오른 태양에 파란 바다가 보석처럼 반짝이고 있었다. 진욱은 차체에 등을 기댄 채 말없이 바다를 바라보았다. 오랜만에 맞이하는 상쾌한 아침이었다.

진욱은 차 안으로 고개를 돌려 곤하게 잠든 그녀를 내려다보았다. 어젯밤 몇 번이나 한계로 몰아붙였으니 많이 피곤할 만도 했다. 아무래도 깨어나려면 좀 더 시간이 지나야 할 것 같았다.

진욱은 그녀가 깨기 전, 간단한 아침이라도 사 올 겸 도로 쪽을 향해 걸어갔다. 차를 세워둔 곳으로부터 한참 걸어가니 관광객을 위해 아침 일찍 문을 여는 카페가 눈에 들어왔다. 바지 주머니에는 어제 기름 값을 내고 남은 잔돈이 조금 남아 있었다. 진욱은 머핀과 커피 세트를 사서 다시 차로 돌아왔다.

"으응?"

어찌 된 일인지 차 안에 잠들어 있어야 할 그녀가 보이지 않았다. 그녀를 덮어준 코트 역시 사라지고 없었다. 진욱은 의아한 얼굴로 주위를 둘러보았다. 산책이라도 하러 갔나?

근처 바닷가를 샅샅이 뒤져도 찾을 수 없자, 멀리 절벽까지 가보았다. 하지만 어디에도 그녀는 없었다.

"도대체 어딜 간 거지?"

걸음을 빨리하며 그녀의 이름을 부르려던 진욱은 문득 무언가를 깨닫고 제자리에 멈춰 섰다. 이제 보니 그는 그녀의 이름을 알지 못했다. 그녀의 보디 샴푸의 향이 바닐라와 코코넛이라는 건 알면서도 정작 그녀의 전화번호도, 그녀가 어디에 사는지도 몰랐다. 텅 빈 바닷가를 바라보는 진욱의 눈빛이 당혹감으로 흔들렸다.

쏴아아—.

저 멀리서부터 파도가 하얗게 부서지며 빠르게 모래사장으로 밀려들었다.

Episode 4

뭐 하고 있을까? 나를 기억하기나 할까?

“하아, 제발…….”

열기로 흐릿해진 그녀의 눈에 그렁그렁 눈물이 맺혔다.

“원하는 걸 말해.”

욕망으로 탁해진 목소리가 귓가에 울리고 뜨거운 손길 아래서 온몸이 파르르 떨렸다. 한계에 이르러 이젠 도저히 참을 수 없을 것 같다.

“……멈추지 말아요.”

온몸에 퍼지는 짜릿한 감각에 그녀는 두 눈을 감으며 그의 어깨를 꽉 움켜쥐었다. 동시에 그가 강하고 거칠게 그녀의…….

탁—.

유미는 화들짝 놀라 눈을 동그랗게 뜨며 허겁지겁 책을 덮어버렸다.

쿵! 쿵! 쿵! 심장은 미친 듯이 날뛰고 손발 모두 후들후들 떨렸다. 이래서는 도저히 다음 문장을 읽을 수 없었다. 집이라면 몰라도 여긴 타인의 눈이 번뜩거리는 공공장소이니까.

유미는 슬그머니 책을 가방에 넣으며 조심스럽게 열차 안을 살폈다. 승객들은 그녀가 무슨 책을 읽는지 아무도 관심이 없었다. 대부분 창밖을 내다보거나 조용히 휴대폰을 들여다보는 등 자기 할 일에 바빴다. 그녀 혼자 괜히, 한마디로 도둑이 제 발 거린 거다.

유미는 '흠, 흠' 헛기침을 하며 창밖으로 슬쩍 고개를 돌렸다. 지하철은 강변역을 지나, 막 한강을 지나고 있었다. 바람에 일렁이는 파란 강물이 마치 파도에 출렁이는 바다처럼 보는 이의 가슴을 탁 트이게 만들었다. 햇빛에 반짝이는 한강을 바라보던 유미의 입가에 씁쓸한 미소가 떠올랐다.

정확히 3년 전, 그날 이후부터이다. 발작하듯 날뛰는 심장과 얼굴은 물론 목덜미까지 빨개지는 탓에 공공장소에선 수위 높은 장면을 읽을 수 없게 돼버렸다. 예전에는 아무리 수위 높은 장면이 나와도 교과서 읽듯 무표정을 유지할 수 있었는데…….

아무 경험도 없는 상태에서 혼자 상상하며 읽는 것과 그 느낌이 어떤지 알아버리고 읽는 건 하늘과 땅 차이였다. 문장 하나하나 읽을 때마다 자꾸만 3년 전, 그날 밤이 떠올라 숨이 목까지 턱 막혔다. 어떤 땐 그녀도 모르게 눈물을 글썽거리며 끙끙 앓는 소리까지 냈다.

미치지 않고서야 공공장소에서 그런 모습을 보일 순 없었다. 대신 좋은 게 하나 있다면 이제는 책에 빠져들어 내릴 역을 놓치거나 하진 않는다는 거.

어느덧 유미의 입가에 아련한 미소가 떠올랐다. 어디선가 '끼룩끼룩' 갈매기 소리와 '쏴아아' 파도 소리가 들리는 것만 같았다. 괜히 뭉클해지는 기분에 유미는 두 눈을 감으며 두 손바닥으로 눈두덩을 꾹 눌렀다. 그는 지금 뭐 하고 있을까? ……나를 기억하기나 할까?

잠시 멍하니 창밖을 내다보던 유미는 다음 역에서 내리기 위해 가방을 들고 자리에서 일어섰다.

오늘 그녀는 평소보다 일찍 집에서 나왔다. 초등학교 인턴 영양사로 근무하는 마지막 날이기 때문이었다. 다음 주부터는 인턴 딱지를 떼고 정식 영양사로 대기업 구내식당에서 근무하게 된다. 동기들은 대기업으로 가는 유미를 부러워했지만, 정작 그녀는 아이들과 헤어질 걸 생각하니 마음이 아팠다. 그사이 아이들과 흠뻑 정이 들었는데…….

"오늘은 돈가스, 모두 맛있게 먹어."

하얀 가운을 입은 유미가 환하게 웃으며 아이들의 식판에 돈가스를 올려주었다.

"우왕! 돈가스다!"

"선생님, 최고!"

"내일도 돈가스 해주세요!"

아이들은 자신들이 좋아하는 음식이 나오자 환호성을 지르며 제자리에서 폴짝폴짝 뛰어올랐다. 이런 모습을 보는 게 오늘로 마지막이라고 생각하니 괜히 코끝이 찡해졌다.

"어쩌지? 나는 내일부터 안 나오는데……."

그러자 아이들의 얼굴에 혼란의 빛이 떠올랐다. 방학하려면 아직 멀었는데, 왜 내일부터 안 나오신다는 거지?

"안 돼요, 선생님. 가지 마요!"

"보고 싶을 거예요, 선생님!"

몇몇 눈치 빠른 아이들은 유미가 그만둔다는 걸 알아챈 듯 그녀의 주위를 둘러싸기 시작했다. 어떤 아이는 두 손으로 그녀의 가운 자락을 붙잡고 매달렸다. 유미는 애써 밝게 웃으며 아이들의 머리를 하나하나 쓰다듬어주었다.

"나도 너희들이 보고 싶을 거야."

꾹 참으려고 했는데 어느새 그녀의 눈가에 스르르 눈물이 맺혔다.

P.M. 01:15

대복 그룹 본사 건물 앞에 우뚝 선 우진은 팔을 들어 손목시계로 시간을 확인했다. 넥타이에서부터 구두, 양말까지 그린 톤으로 통일한 우진을 지나가던 행인이 힐끔힐끔 쳐다보았다. 그러나 우진은 개의치 않는 듯 무덤덤한 표정으로 정면을 주시했다.

잠시 후, 고급스러운 검은 세단이 건물 앞으로 미끄러지듯 세워졌다. 우진이 차로 다가가 뒷좌석 문을 공손히 열었다.

"어서 오십시오, 본부장님."

뒷좌석에서 앉아 느긋하게 태블릿 PC를 들여다보던 진욱이 고개를 들었다.

"외부 업체와의 미팅은 잘 마치셨습니까?"

"그럭저럭."

진욱은 서류 가방에 태블릿 PC를 집어넣고 천천히 차에서 내렸다.

"가방 저에게 주십시오."

우진이 진욱에게 손을 내밀었다.

"됐어. 내 건 내가 들어."

진욱은 우진의 어깨를 툭 친 후, 한 손으로 슈트의 앞깃을 정리하며 앞으로 걷기 시작했다. 그런 진욱을 우진이 뿌듯한 얼굴로 바라보았다. 기업인에 어울리는 단정한 헤어스타일, 매끄럽게 몸을 감싸는 최고급 슈트와 넥타이, 한눈에 봐도 억 소리가 절로 나오는 손목시계 등등……. 과거의 차진욱과는 180도 달라진 모습이었다. 더 날카롭게 변한 콧날과 턱선, 꽉 다문 입매. 그중에서도 상대를 뚫을 정도로 강렬해진 차가운 눈빛의 변화가 가장 도드라졌다.

진욱이 저벅저벅 회사 건물 안으로 들어서자 마치 모세의 지팡이에 의해 홍해가 갈리듯 로비를 가득 메운 인파가 양옆으로 갈라졌다. 직원들 모두 당황한 얼굴로 저마다 바삐 가던 길을 재촉했다.

진욱은 무심한 눈빛으로 주위를 둘러보다 거칠 것 없는 발걸음으로 로비를 가로질렀다.

"우와, 후광이 비치는 거 같아."

"어쩌면 가면 갈수록 더 멋질까!"

로비에 있던 여직원들이 선망의 눈빛으로 진욱을 바라보았지만, 진욱은 그들에게 눈길 한 번 주지 않고 지나쳤다. 우진이 그런 진욱의 뒤를 조용히 따랐다.

"브랜드 출시 3년 만에 매출이 업계 1위로 올라섰고, 주요 백화점 입점은 물론 매장 수 역시 빠르게 증가하고 있습니다. 소재, 기능성, 디자인 모든 면에서 타사와 비교할 수 없는 절대 우위에 있기 때문입니다."

진욱은 보고 자료를 내려놓으며 대회의실 안을 쓰윽 둘러보았다. 차대복 회장과 임원들 모두, 흐뭇한 얼굴로 진욱에게 귀를 기울였다.

"이 여세를 몰아, 올해는 해외 시장 진출에 총력을 기울일 생각입니다."

"해외 시장 진출이라……. 글쎄요. 올해가 과연 옳은 시기일까요, 차본부장님?"

임원 중 유일하게 뚱한 얼굴로 고개를 가로젓던 맹 이사가 반대 의견을 던졌다.

"요즘처럼 경기가 불안한 때에 해외 시장 진출은 무리입니다. 내수 시장에 더 집중해야 해요. 타사와 비교할 수 없는 절대 우위라는 것도 도표상에서만 그런 거지, 현장의 느낌은 다릅니다."

맹 이사의 이유 없는 반대는 한두 번이 아니었다. 대북 그룹의 2인자였던 맹 이사는 진욱의 입사 이후, 3년 만에 골방 노인 신세가 되었다. 그러니 진욱이 눈엣가시 같은 존재일 수밖에…….

"위기의 대복을 살린 게 누굽니까?"

맹 이사와 시선을 맞추며 진욱이 싸늘한 목소리로 물었다. 뜨끔한 맹 이사는 슬그머니 눈을 내리깔았다.

"접니다. 제가, 이 차진욱이 흔들리는 대복을 살렸습니다!"

이에 임원들 모두 숙연해진 얼굴로 고개를 숙였다. 진욱의 말은 100%, 모두 사실이니까. 그 누가 예상이나 했을까? 경영 수업은 나 몰라라 홍청망청, 연일 스캔들만 일으키던 차진욱이 위기에 몰린 대복 그룹을 구해낼 거란 걸.

3년 전, 대복 리조트에 말단으로 유배 보내졌던 진욱은 어느 순간 '미친 워커홀릭'이라는 소리를 들으며 180도 달라진 모습을 보였다. 그가 서울 본사로 올라오고 나서 얼마 후, 차 회장이 고혈압으로 쓰러졌다. 당시 2인자였던 맹 이사가 임시로 대리 경영을 맡았지만, 반년 만에 뿌리가 흔들릴 정도로 대복은 큰 위기를 맞았다.

그때 진욱이 다크호스처럼 나타나 대복을 다시 정상 궤도로 올려놓았다. 그렇게 입지를 굳힌 그는 단숨에 총괄 본부장으로 승진했고, 그 이후로 그의 말 한 마디 한 마디에 모든 이가 긴장했다.

"맹 이사님은 매장과 공장을 얼마나 자주 방문하십니까? 일 년에 한

번, 두 번?"

"그거야 내가 워낙 바쁘다 보니……."

"직접 현장을 발로 뛰지 않고 탁상공론만 하면서 이의 제기라. 좀 뻔뻔하다는 생각 안 드십니까?"

정곡을 찌르는 진욱의 말에 맹 이사의 얼굴이 험상궂게 일그러졌다. 맹 이사가 뭐라고 한마디 하려는데 차 회장이 손을 들어 올렸다.

"자, 오늘은 이만 여기서 끝냅시다."

그 말에 맹 이사는 안색을 굳히며 입을 다물었다. 차 회장의 심기를 건드려서 좋을 건 하나도 없었으니까. 차 회장은 그에게 남은 마지막 안전줄이었다.

"그럼 이만 보고를 마칩니다."

진욱은 감정 없는 얼굴로 임원들에게 묵례한 후, 앞에 놓인 마이크 전원을 껐다. 중역 회의가 끝나고 하나둘 회의실을 빠져나가자, 차 회장이 상석에서 일어나 회의 서류를 정리하는 진욱에게로 다가갔다.

"살살 좀 해라, 살살. 네가 그러는 거 이해는 하지만, 그래도 맹 이사, 창립 공신이야. 대복에 청춘을 바쳤다고."

"저도 지금 대복에 청춘을 바치고 있습니다만."

"허허, 녀석도 참."

차 회장은 너털웃음을 터뜨리며 진욱의 어깨를 두드렸다. 지금도 차 회장은 아들의 놀라운 변신이 믿기지 않았다. 혹시 이 모든 것이 꿈은 아닌지, 지금도 어쩌다 허벅지를 꼬집곤 한다. 따끔거릴 때마다 '허허' 웃음이 흘러나왔다. 그런 속마음을 아는지 모르는지 진욱은 시종 무표정으로 일관했다.

"이번 주까지 해외 진출 사업 계획서를 끝내겠습니다."

철은 들었지만, 성격은 더욱더 차갑게 변해버렸다. 가끔은 사람이 아닌 쇠붙이와 대화하는 건 아닌지 의문이 들 정도였다. 게다가 가장 중요한 인륜지대사(人倫之大事)를 소홀히 하고 있으니 걱정이 태산이었다.

"근데, 너 결혼은 언제 할 거냐?"

"이미 시장조사는 다 끝났고, 마케팅 전략은 수정하는 대로 올리겠습니다."

진욱이 말을 못 들은 척 딴청 부리자, 차 회장은 언성을 높였다.

"결혼을 해야 자식을 가질 거 아니냐고."

"할 일이 산더미라 당분간 생각 없습니다."

"너 벌써 서른하고도 둘이야! 장난삼아 여자 만나는 거 그만하라고 했지, 내가 언제 수도사처럼 독신으로 살라고 했어!"

언제나 똑같이 되풀이되는 차 회장의 닦달에 진욱은 얕은 한숨을 내쉬었다. 정신 차려서 경영에 매달리니까 이제는 언제 결혼할 거냐고, 언제 손주를 보게 해줄 거냐며 불만이다. 자식을 향한 부모의 욕심은 끝이 없는 걸까? 진욱은 애써 짜증을 누르며 무뚝뚝하게 대답했다.

"그럼 아예 수도회에 정식으로 입회해볼까요?"

"뭐야?"

차 회장이 버럭 소리를 질렀지만, 진욱은 표정 하나 바꾸지 않고 무덤덤하게 말했다.

"그럼 전 이만 실무 회의 가겠습니다."

그 말을 끝으로 진욱은 그대로 등을 돌려 대회의실을 걸어나갔다. 차 회장은 대화를 매몰차게 끝내고 사라지는 진욱을 허탈한 눈으로 바라보았다. 모르는 사람이 보면 여자에게 큰 실연이라도 당한 줄 알겠다.

"아니, 저 녀석. 어쩌다 저렇게 됐지?"

차 회장은 한 손으로 이마를 짚으며 설레설레 고개를 흔들었다.

오늘은 처음 출근하는 날. 혹시라도 늦을세라 유미는 버스에서 내리자마자 부랴부랴 걸음을 빨리했다. 그 덕분에 출근 시각보다 일찍 도착할 수 있었다.

"와, 멋지다!"

유미는 활짝 웃으며 햇빛에 반짝이는 'DAEBOK'이라고 쓰인 대형 현판을 올려다보았다.

오늘부터 몸담을 직장이라고 생각하니까, 사인만 봐도 애정이 마구 솟아오른다. 재수, 삼수까지 하면서 얼마나 어렵게 한식, 양식 조리사 자격증을 땄던가! 인턴을 마치고 정식 영양사로 첫발을 내딛는 이곳에서 몸 바쳐 열심히 하는 거야! 유미는 각오를 단단히 하며 불끈 주먹을 쥐었다.

힘차게 건물 안으로 향하려는데 뭔가 반짝거리는 물체가 그녀의 눈에 띄었다. 가까이 다가간 유미의 얼굴에 환한 미소가 떠올랐다.

"어머, 오백 원이네!"

그녀는 재빨리 허리를 굽혀 동전을 주워 들었다. 그리고 버릇처럼 연도를 확인하고는 소매에 동전을 스윽 닦았다. 태어난 해에 만들어진 동전은 아니지만 그래도 이게 어디야! 유미는 동전 뒤쪽에 입을 쪽 맞추며 콧노래를 흥얼거렸다.

왠지 첫 출근부터 좋은 일이 생길 것 같다. 대복이 완전 대박이 될 것 같은 예감!

유미가 건물 안으로 들어가고 얼마 안 되어, 진욱의 세단이 건물 앞에 멈춰 섰다. 조수석 문을 열고 우진이 먼저 차에서 내려섰다. 뒷좌석 문을 열자 진욱이 감았던 눈을 천천히 떴다.

"오늘 일정 말해봐."

로비에 들어서자, 진욱이 우진에게 고개를 돌리며 물었다.

"8시 30분부터 업무 보고 회의, 9시부터 품평 회의가 잡혀 있습니다. 이건 제가 회의를 위해서 요약 정리한 자료입니다."

진욱은 우진이 건네주는 서류를 받아 들며 엘리베이터 앞에 걸음을 멈추었다.

"오늘 준공된 수원 공장도 둘러봐야 하지 않나?"

반대편 엘리베이터 앞에는 유미가 등을 보인 자세로 서 있었다. 그녀는 고개를 뒤로 젖히고 층층이 아래층으로 내려오는 엘리베이터 불빛을 뚫어지게 응시하고 있었다.

"네, 1시 30분에 도착하는 것으로 잡아놓았습니다."

우진은 일정표에서 눈을 떼지 않은 채 손을 뻗어 엘리베이터 버튼을 눌렀다.

"프랜차이즈 인수 건은 계약서 검토 끝나는 대로 바로 미팅 잡도록 하겠습니다. 그리고……."

"일단 거기까지."

진욱이 한 손으로 관자놀이를 누르며 우진의 말을 끊었다. 아까보다 더 창백해진 진욱의 안색에 우진이 미간을 좁혔다.
"어제 밤잠 설치셨습니까?"
"그게 어디 하루 이틀 일인가."
"식사는요?"
"내가 알아서 해."
"오늘 공장 들르는 일정은 빼죠. 지금 본부장님 컨디션으론 무리입……."
"쓰러져도 내가 쓰러져."
진욱이 단번에 거절하자, 우진은 염려스러운 얼굴로 살짝 언성을 높였다.
"제발 건강 좀 챙기세요."
"아침부터 바가지 좀 긁지 마. 머리 아프니까."
서류로 시선을 내리며 진욱이 차갑게 대꾸했다.
띵—.
그때 반대편에서 엘리베이터가 도착했다는 신호 음이 들렸다.
문이 열리고 유미가 앞으로 한 걸음 내딛는 순간 진욱은 이상한 힘에 이끌려 스르르 뒤를 돌아보았다. 엘리베이터에 올라탄 유미도 문을 향해 돌아섰다.
문이 닫히는 찰나, 진욱의 눈에 유미의 얼굴이 스치듯 새겨졌다.
"하!"
서, 설마? 그의 심장이 쿵! 저 밑으로 떨어졌다. 충격으로 시야가 흐릿하게 뿌얘지며 머리가 핑 돌기 시작했다. 진욱은 한 손으로 얼굴을 감싸 쥐고 허리를 구부렸다.
"본부장님!"

당황한 우진이 쓰러질 듯 비틀거리는 진욱의 팔을 잡았다. 진욱은 마치 귀신이라도 본 사람처럼 문이 닫힌 엘리베이터를 멍하니 쳐다보았다.

"……바, 방금 봤어?"

"뭐를 말씀이십니까?"

"……까만 옷 입은 여자."

진심으로 걱정된다는 듯 우진이 심각한 표정으로 물었다.

"저승사자라도 보셨습니까? 진짜 어디 안 좋은 거 아니에요?"

진욱의 귀에는 우진의 말이 전혀 들리지 않았다. 얼어붙은 것처럼 꼼짝도 하지 않고 문 닫힌 엘리베이터를 노려볼 뿐이었다. 그 여자가 여기 있을 리가 없다. 그저 비슷한 분위기의 여자였겠지. 진욱은 크게 동요하는 자신이 한심스러웠다. 갑자기 참을 수 없는 짜증이 밀려온다. 왜 그녀는 이젠 환상까지 보이면서 나를 괴롭히는 걸까!

"본부장님!"

"……그래, 이제 그……."

또다시 눈앞이 빙글빙글 돌기 시작했다. 진욱은 더는 말을 잇지 못하고 천천히 눈을 깜박거렸다. 속이 메슥거리며 그를 둘러싼 주위가 빠른 속도로 회전하기 시작했다. 중심을 잃지 않으려 노력했지만, 회전 속도는 점점 빨라져 갔다.

삐익—.

날카로운 소음에 귀가 멍해지며 눈앞으로 서서히 검은 장막이 내려왔다.

결국 힘없이 다리를 휘청거리던 진욱은 그대로 자리에 주저앉았다.

"본부장님! 본부장님!"

우진이 외치는 소리가 아득히 멀어져갔다.

"와아!"

텅 빈 구내식당 안으로 들어선 유미는 감탄하며 크게 입을 벌렸다. 단순한 플라스틱 테이블과 의자만 놓여 있을 거라고 생각했는데 대리석으로 세세하게 꾸며놓은 벽 장식부터 시작해 원목으로 제작된 테이블과 의자 등등. 마치 최고급 뷔페 레스토랑에 들어온 것만 같았다. 대복 그룹은 직원 대우가 좋다고 하더니 정말이구나! 이런 곳에서 일한다니! 너무 좋아! 이런 걸 보고 고생 끝에 낙이 온다고 하는 건가?

조리실도 마찬가지였다. 수월하게 작업할 수 있게끔 넉넉하고 깔끔한 공간에 쿠킹 매거진에서나 볼 수 있던 최신식 조리 기구로 채워져 있었다. 이곳이야말로 이제까지 바라던 꿈의 직장이다!

그러나 그녀의 행복은 영양사 사무실을 보자마자 곧 깨져버렸다.

이 창고 같은 곳이 영양사 사무실이라고?

사무실 안에는 식품 재료 박스와 조리 물품들이 여기저기 쌓여 있었고, 중앙에 있는 긴 테이블 끄트머리에 구형 컴퓨터가 놓여 있었다. 그 옆으로 화이트 보드와 전신거울, 그리고 영양사 가운이 걸려 있는 스탠드 옷걸이가 눈에 들어왔다. 화려한 구내식당과 널찍한 조리실에 비하면 너무나 초라했다.

유미의 입에서 짧은 한숨이 흘러나왔다. 하지만 곧 자기 자신을 스스로 위로하며 시무룩하던 표정을 풀었다. 그녀는 옷걸이에 걸린 영양사 가운을 몸에 걸치고 전신거울 앞으로 다가갔다. 출근할 곳이 있다는 게 어디야, 안 그래? 유미는 거울 속 자신을 향해 밝게 웃었다.

"여러분, 잘 부탁드려요. 오늘부터 대복 그룹 구내식당을 책임질 영양사, 이유미입니다!"

인사를 마친 유미는 '호호호' 웃으며 혼자 손뼉을 부딪쳤다. 그러나 그녀의 호들갑에도 불구하고 조리사들은 아무 감흥 없는 얼굴로 그녀를 바라보았다.

짝짝짝—. 짝짝—. 짜……악—.

조리사들의 무반응에 유미의 박수 소리가 점점 잦아들었다.

유미는 어색한 미소를 띠며 함께 일하게 될 조리사들의 눈치를 조심스레 살폈다. 40대 후반인 조리장 왕복자는 뭐가 그리도 못마땅한지 뭐 씹은 표정이었고, 나머지 조리사들 역시 딱히 환영하는 분위기는 아니었다.

조리사 중 유일한 남자인 신화는 감자를 만지작하며 딴청을 피우고 있었고, 빨간 립스틱을 바른 제니는 관심 없다는 표정으로 손톱을 내려다보고 있었다. 그나마 귀여운 인상의 막내 조리사 은비만이 환영의 미소를 띠며 유미를 바라봐주었다.

"여기 오기 전에 학교 급식실에 있었다며?"

조리장인 복자가 유미를 위아래로 쓰윽 훑어보며 물었다.

"네. 초등학교요."

"정신 바짝 차려. 학교 급식이랑 회사 급식은 우선 식수 인원부터 다르니까."

"무조건 열심히 하겠습니다."

유미의 바짝 군기 든 외침에 제니가 눈살을 찌푸렸다.

"아휴, 귀청 떨어지겠네."

제니는 유미가 들으라는 듯 큰소리로 투덜거렸다.

"신입들은 꼭 처음에 한 번씩은 사고 치던데, 이번엔 어쩌려나?"

아무래도 여기 텃세가 장난 아니게 센 것 같다. 유미는 마른침을 꿀꺽 삼키며 애써 표정 관리에 들어갔다. 쩔쩔매는 유미를 보고만 있을 수 없었는지 은비가 친절하게 앞으로 나섰다.

"제가 조리실 내부 구경시켜 드릴게요."

"네, 고마워요."

유미에게는 어색하고 불편한 상황에서 구해준 은비가 마치 구세주와도 같았다. 그녀는 앞장서는 은비를 재빨리 따라갔다.

복자와 제니, 신화는 그런 유미의 뒷모습을 탐탁지 않게 바라보며 고개를 설레설레 흔들었다.

"영양실조라니 이게 말이 됩니까?"

맹 이사의 외침이 병실 안에 쩌렁쩌렁 울려 퍼졌다. 링거 주삿바늘을 꽂은 채, 침대맡에 기대어 태블릿 PC를 들여다보던 진욱이 눈살을 찌푸렸다.

"자기 몸 하나 관리하지 못하면서 어떻게 회사를 관리한다는 겁니까? 당분간 회사 일은 우리에게 맡기시고……."

"맡기면요. 말아 잡수시게요?"

진욱이 고개를 들어 맹 이사를 무섭게 노려보았다. 본인이 생각하기에도 맞는 말이기에 맹 이사는 지그시 입술을 깨물었다. 맹 이사가 입을 다물자 그 옆에 있던 임원 한 명이 넌지시 말을 꺼냈다.

"건강에 좀 더 신경을 쓰시는 게 좋을 것 같습니다만……. 지금이라도 전용 쉐프를 고용해서."

"전용 쉐프요? 돈이 남아돕니까?"

무안해진 임원 역시 서둘러 입을 다물었다.

"업무 시간에 우르르 몰려와서 이래라저래라 하지 마시고 각자 맡은 일이나 잘하세요."

진욱의 날 선 반응에 임원들은 더 이상 아무 말 못 하고 조용히 병실을 물러났다.

모두 나가자 뒤에서 가만히 지켜보던 우진이 진욱에게로 다가갔다. 그리고 진욱을 향해 깊숙이 허리를 숙였다.

"내일까지 사직서 제출하겠습니다."

우진의 폭탄선언에 진욱이 눈살을 찌푸렸다.

"아픈 사람 앞에서 그게 할 말인가?"

"본부장님께서 쓰러지신 건 모두 제 책임입니다. 억지로라도 병원으로 모셨어야 했는데. 전 비서로서 자격 미달입니다."

우진이 몹시 비장한 얼굴로 말했지만, 진욱은 진지하게 받아들이지 않았다.

"갑자기 왜 그래? 딴소리 말고 오후 일정이나 다시 잡아줘."

"그동안 감사했습니다."

우진이 다시 허리를 굽혔다. 그리고 곧바로 문 쪽을 향해 돌아섰다.

뭐야, 진심이야?

"장 비서!"

구석에 몰린 진욱이 버럭 소리를 질렀다. 그러나 우진은 뒤 한 번 돌아보지 않고 문손잡이에 손을 올렸다. 우진이 문을 열자, 진욱이 다급하게 침대에서 몸을 일으켰다.

"우진이 형!"

'우진이 형'이란 소리에 문을 열던 우진이 우뚝 동작을 멈췄다. '형' 앞에 '우진이'를 붙여 '우진이 형'이라고 부르는 경우는 흔치 않았다. 대부분 진욱이 코너에 몰렸음을 인정할 때이다.

"원하는 걸 말해!"

역시나 진욱의 입에서 항복의 말이 흘러나왔다. 우진은 느릿하게 등을 돌려 진욱을 바라보았다.

"내가 어떻게 하면 되겠어?"

화가 잔뜩 난 표정으로 어금니를 꽉 문 채 진욱이 재차 물었다.

"어려운 거 아닙니다. 오늘부터 하루 세끼, 꼬박꼬박 챙겨 드십시오."

"뭐? 하루 세끼, 꼬박꼬박 챙겨 먹으라고? 그게 형이 원하는 거라고?"

"네."

"하, 나 참……."

진욱이 어이없다는 듯 대답을 바로 못 하자 우진은 어깨를 한 번 으쓱하곤 씁쓸히 웃어 보였다.

"싫으시면 할 수 없죠."

우진은 다시 문 쪽으로 돌아서며 문손잡이에 손을 올렸다.

"알겠어, 알겠다고! 먹으면 되잖아, 먹으면!"

진욱은 항복의 표시로 손바닥을 내보이며 두 손을 들었다.

"그러면 이제부터 제가 알아서 준비해두겠습니다."

"그래, 마음대로 해."

진욱이 우진을 노려보며 투덜거렸다.

아무래도 우진의 계략에 말려든 것 같다.

당황해서 미처 몰랐는데 우진이 이만한 일로 평생직장을 때려치울 리가 없다. 그럴 거면 아주 예전에 때려치웠어야 했다. 하지만 이미 약속을 해버렸으니까…….

진욱은 침대맡에 몸을 기대며 두 눈을 감았다.

"이유미 영양사님, 여기 계십니까?"

종이 상자를 든 우진이 조리실 안으로 뚜벅뚜벅 걸어 들어왔다. 은비와 함께 감자 상자를 옮기던 유미가 출입구로 고개를 돌렸다. 은비가 재빠르게 귓속말로 "대복의 2인자, 총괄 본부장님의 직속 비서, 장우진 비서예요."라고 알려주었다. 본부장님의 비서가 왜 나를?

유미는 흙 묻은 손바닥을 흰 가운에 쓱쓱 닦으며 우진에게 다가갔다.

"제가 이유미 영양사입니다만 무슨 일로…… 앗."

말을 끝내기도 전에 우진이 다짜고짜 유미에게 종이 상자를 안겼다.

"싱싱한 전복 생물입니다. 그걸로 당장 전복죽을 끓여주십시오."

"네에?"

"본부장님이 퇴원하시고 바로 드실 수 있게 지금 바로 부탁합니다. 영양사니까 영양 밸런스를 고려해서 잘하시리라 믿습니다."

"저는 조리사가 아니라서……."

유미가 머뭇거리자 우진의 눈썹이 미세하게 꿈틀거렸다.

"아, 그렇군요. 죄송합니다. 제가 미처 거기까진 생각하지 못했습니다. 그렇다면 도시락 전문 겸용 영양사로 다시 채용해야겠군요."

그건 자르겠다는 말? 출근한 지 도대체 몇 시간이나 되었다고?

유미의 얼굴이 순식간에 일그러졌다.

"영양사를 다시 채용한다니요? 출근 첫날에 이러시면……."

유미가 원망스러운 얼굴로 항의했지만, 우진은 표정 하나 바꾸지 않고 차분하게 말했다.

"출근 첫날이요? 대복이 없다면 출근이라는 게 가능이나 할까요?"

"네?"

"대복을 이끄는 본부장님이 끼니를 제때 챙기지 못하고 산더미 같은 업무를 해결하시다가 결국 영양실조로 쓰러지셨습니다. 본부장님 없는 대복은 돛을 잃은 배와도 같습니다."

탐탁지 않았지만, 유미는 마지못해 우진의 설명에 귀를 기울였다.

"기왕이면 구내식당 영양사님께서 본부장님의 건강 도시락을 전담해주시는 게 좋겠다는 게 제 생각이었습니다. 그런데 영양사님께서 조리사가 아니라서 할 수 없다니까 다른 영양사……."

우진의 말에 그녀의 귀가 솔깃해졌다. 아직은 되돌릴 기회가 있다는 거지?

"제가 도시락을 담당하기만 하면 되는 거죠?"

거절하면 밥줄이 끊기는데 도시락쯤이야.

"제가 책임지고 하겠습니다!"

유미는 눈을 크게 부릅뜨며 힘주어 말했다.

“꺄아악!”

전복을 손질하던 유미가 펄쩍 뛰어오르며 부르르 진저리를 쳤다. 갑작스러운 비명에 점심 준비에 한창이던 복자와 조리사들이 놀란 얼굴로 달려왔다.

“뭐야? 왜 그래?”

“방금 꿈틀거렸어요. 얘가, 얘가 만지니까 막 꿈틀거리고. 악!”

손에 쥐고 있던 전복이 다시 꿈틀거리자 유미는 화들짝 놀라며 전복을 허공으로 집어 던졌다.

“살아 있는 생물 한 번도 안 다뤄봤어?”

복자가 기가 막힌다는 듯 쳐다보자 유미는 도리도리 고개를 내저었다. 조리사 실기 시험에 냉동 해산물이 나오면 나왔지, 살아서 꿈틀거리는 해산물이 나올 리는 없잖아! 지금까지 요리 학원에서 다룬 재료는 모두 죽어 있는 상태였다.

“아휴.”

복자를 비롯한 조리사들이 복장 터진다는 듯 한숨을 내쉬었다. 제니가 가슴 앞으로 팔짱을 끼며 ‘쯧쯧’ 혀를 찼다.

“그러면서 무슨 책임을 지겠다는 거예요? 왜 덥석 하겠다고 덤벼, 덤비기는. 내가 그랬잖아. 신입들은 꼭 처음에 한 번씩은 사고 친다고.”

“안 그러면……”

유미가 고개를 숙이며 풀 죽은 목소리로 중얼거렸다.

“……제 밥줄이 끊기는 걸요!”

“장 비서, 말만 그렇지 절대로 쉽게 해고 못 해요.”

바닥에 떨어진 전복을 주우며 은비가 넌지시 귀띔했다.

"네에……?"

"엄연히 노조가 있는데 마음대로 해고 못 하죠."

"그러니까 일종의 페이크지. 그것도 모르고 넘어간 거고."

제니가 한심하다는 얼굴로 은비의 말을 거들었다.

"그러지 말고 편의점에서 파는 죽 사다가 예쁘게 꾸며봐요."

신화가 지나가는 투로 제안하자 유미의 눈이 동그래졌다.

오우, 굿 아이디어!

"뭐, 그러다 들켜서 짤리면 할 수 없는 거고……."

아니, 지금 도와주는 거야, 약 올리는 거야!

유미는 신화를 째려보며 도마 위에 올려놓은 전복을 엉겁결에 움켜쥐었다.

"꺄아악!"

손바닥 안에서 전복이 꿈틀거리자, 유미는 다시 기겁하며 비명을 내질렀다. 이러다간 해가 질 때까지도 전복 손질이 안 끝날 것 같다. 그러니 제시간에 죽을 끓이는 건 어림도 없는 일이고……. 나, 이러다 짤리는 걸까? 출근 첫날, 이렇게 허무하게?

유미는 밀려드는 허탈감에 고개를 푹 숙였다.

"감사합니다. 정말 감사합니다!"

하늘이 무너져도 솟아날 구멍은 있다고, 보다 못한 복자가 온갖 구박을 해가며 그녀 대신 전복을 손질해줬다. 덕분에 무사히 전복죽을 끓일 수 있었다. 얇게 저민 전복과 다진 파를 올리고 통깨도 솔솔 뿌리니, 꽤 먹음직스럽게 보였다.

장조림과 김치를 담아 뚜껑을 닫으려는데 병원에서 퇴원한 차 본부장이 막 회사에 도착했단다. 우진은 사내 식당까지 갈 시간이 없다며 직접 본부장실로 도시락을 가져오라고 지시했다.

“네, 알겠습니다.”

전화를 끊은 유미는 뿌듯한 얼굴로 보온 도시락을 바라보았다.

본부장님의 쾌유를 빕니다. 맛있게 드세요! ^___^

- 이유미 영양사 -

그녀는 마지막으로 도시락 뚜껑 위에 정성스럽게 손으로 쓴 포스트잇을 붙였다.

“여긴가?”

유미는 보온 도시락을 소중히 가슴에 안고 벽에 걸린 사무실 팻말을 따라 앞으로 나아갔다. 복도 끝에 다다르자 그녀가 찾는 사무실 팻말이 눈에 들어왔다.

총괄 본부장 차진욱

노크하려고 그녀가 손을 드는 순간, 예고도 없이 벌컥 문이 열렸다.

“남은 걱정돼서 와줬더니. 뭐 어쩌고 어째?”

붉으락푸르락한 얼굴의 맹 이사가 사무실에서 뒷걸음질로 걸어 나왔다. 화들짝 놀란 유미는 한 걸음 뒤로 물러섰지만, 불행히도 늦고 말왔다.

"아앗!"

그에게 밀린 유미는 도시락 통을 안은 채 뒤로 발라당 넘어져버렸다. 맹 이사는 고개를 틀어 바닥에 쓰러진 유미를 힐끗 내려다보았다. 하지만 미안하다는 사과 한마디 없이, 일으켜줄 생각도 하지 않은 채, 그대로 유미를 지나쳐 걸어갔다.

"아으, 엉덩이야."

유미는 투덜거리며 자리에서 일어나 황당한 눈으로 맹 이사의 뒷모습을 쳐다보았다. 저 늙은 아저씨는 뭐지? 그때 다시 문이 열리며 우진이 걸어 나왔다.

"전복죽 다 됐습니까?"

"네."

유미는 가슴에 안고 있던 도시락을 우진에게 건넸다.

"아 참, 아까 깜빡하고 말씀 못 드렸네요."

안으로 들어가려던 우진이 멈춰 서더니 유미를 향해 뒤를 돌았다.

"앞으로 아침, 점심, 저녁, 약속한 시각에 맞춰 해주시면 됩니다."

유미는 자신의 귀를 의심했다. 런치 박스가 아니라 하루 세끼?

"세끼를 다요?"

"문제 있습니까?"

부드럽던 우진의 눈빛이 순식간에 오싹할 정도로 싸늘해졌다. 은비는 마음대로 자르지 못할 거라고 했지만, 저 눈빛을 본다면 아마도 찍소리 못 할 거다.

"아뇨. 전혀 문제없습니다."

유미는 정신을 바짝 차리고 빠르게 대답했다.

"하루에 삼, 사백인분도 만드는데 그깟 도시락 하나 못 만들까요."

물론 생긋 웃는 것도 잊지 않았다.

"그렇죠? 앞으로 잘 부탁드립니다."

우진이 본부장실 안으로 들어가자, 유미는 허탈한 표정으로 벽에 쓰러지듯 기대었다. 다른 회사보다 월급을 더 많이 준다고 했을 때 눈치챘어야 했다.

세상에는 절대로 공짜가 없다는 사실!

유미는 당장이라도 울음을 터뜨릴 것 같은 얼굴로 터덜터덜 구내식당으로 향했다.

"이게 뭐야?"

도시락 뚜껑을 연 진욱의 얼굴이 험상궂게 구겨졌다. 진욱의 어깨너머로 전복죽을 내려다본 우진은 고개를 갸우뚱거렸다.

"제가 전복죽을 끓이라고 전복을 안겨주긴 했습니다만……."

"전복죽? 이게 꿀꿀이죽이지, 장비서 눈엔 전복죽으로 보여?"

맹 이사 때문에 바닥에 넘어져 얇게 저민 전복과 다진 파, 깨, 김치, 장조림 등이 어지럽게 섞여버렸다. 그 탓에 먹음직스러웠던 죽의 비주얼이 영 아니올시다가 돼버렸다. 좋게 말하면, 꿀꿀이죽. 나쁘게 말하면, 음식 쓰레기.

"우리 깜순이도 이것보단 잘 먹어! 치워!"

진욱은 구역질이 나는 듯 손으로 입을 가리며 도시락을 거칠게 옆으로 밀쳤다.

점심 자율 배식이 한창인 구내식당을 돌아다니며 유미는 음식 수량을 꼼꼼히 점검했다. 그때 가운 속에 넣은 그녀의 휴대폰이 울리기 시작했다. 유미는 아무 생각 없이 휴대폰을 꺼내 통화 버튼을 눌렀다.

"이유미입니다."

[장우진 비서입니다. 게살 죽으로 다시 만들어주셔야겠습니다.]

"게살 죽이요?"

[네. 30분 드리겠습니다. 아, 그리고 영덕게 살로 부탁합니다.]

말을 마친 우진은 일방적으로 전화를 끊었다. 유미는 멍하니 휴대폰을 바라보았다. 이게 무슨 요리 대결도 아니고. 다짜고짜 30분을 준다니. 나보고 어쩌라고? 게다가 지금은 정신없이 분주한 점심시간인데…….

—문제 있습니까?

순간 우진의 싸늘한 눈빛이 떠올랐다. 동시에 온몸에 소름이 돋았다. 은비가 귀띔해준 정보에 의하면 장 비서보다 그의 상관인 차 본부장이 열 배는 더 살벌하다고 했다. 그러니까 하라면 해야지. 별수 있나.

유미는 음식 수량을 점검하는 동시에 냄비에 물을 올리고 죽을 끓였다. 겨우 끝내고 불을 끄려던 찰나, 그녀의 휴대폰이 울리기 시작했다.

"네, 이유미입니다."

[장 비서입니다. 본부장님이 갑자기 외근이 생기는 바람에 밖에서 점심을 해결하시게 됐습니다. 대신 저녁 도시락 부탁합니다.]

죽을 끓이고 반찬이 적어도 10찬 이상이어야 한다는 말에 땀을 뻘뻘 흘리며 저녁 반찬까지 준비했다. 거의 마무리가 되어가는 즈음에 그녀의 휴대폰이 다시 울리기 시작했다.

[장우진입니다.]

"네, 네, 지금 거의 다 끝나갑니다."

[아뇨, 됐습니다. 본부장님이 외근 마치고 바로 퇴근하신답니다.]

"네에?"

[오늘 수고 많았습니다. 그럼 내일 아침 도시락 부탁하겠습니다.]

전화를 끊은 유미는 뚱한 얼굴로 휴대폰 화면을 노려보았다. 일찍 좀 말해주면 어디가 덧나나? 똥개 훈련시키는 것도 아니고. 아우, 짜증! 왕짜증! 유미는 조리대 위에 휴대폰을 내려놓으며 털썩 의자에 주저앉았다.

아담한 2층짜리 건물 1층에 자리 잡은 맥&북. 책과 맥주 아이콘이 어우러진 간판 밑 유리문에는 'OPEN P.M. 3 / CLOSE Whenever'라고 적힌 팻말이 걸려 있고 옆에는 스쿠터 한 대가 얌전히 세워져 있었다.

유리문을 열고 안으로 들어가자 어두운 조명의 실내가 눈에 들어왔다. 유미는 벽마다 어우러진 세계 각국의 장식물과 기념품, 엽서를 지나 구석에 놓인 소파로 걸어갔다.

"어, 왔어?"

유미가 소파에 앉으려 가방을 내려놓는데 책에 사인을 해주던 현태가 카운터에서 손을 들어 아는 척했다.

정현태. 북 카페 맥&북 사장에, 요새 아주 잘나가는 작가. 저런 잘난 인물이 고등학교 동창이며 남자 사람 친구라는 것에 뿌듯해야 하는데 오늘은 은근히 질투가 나면서 부아만 치밀었다. 금수저보다 더 부러운 자식!

"출근 첫날 어땠어?"

맥주와 콜라를 테이블 위에 내려놓으며 현태가 물었다. 유미는 대답 대신 콜라를 병째로 꿀꺽꿀꺽 마시기 시작했다. 열불이 나서 목이 바짝바짝 탔으니까.

"하아."

유미는 테이블 위에 '탁' 소리 나게 병을 내려놓으며 손등으로 입술을 훔쳤다.

"어째 수라간 나인처럼 온종일 시달렸다 온 것처럼 보이냐?"

"수라간 나인이면 고맙게. 노예선 '벤허(Ben-Hur)'처럼 열나게 노 젓다 왔다."

"뭐? 노예선?"

오늘 유미가 어떻게 시달렸는지 알 길이 없는 현태가 미간을 찌푸렸다.

"엄청 저기압이네. 왜? 첫날부터 짤린 거야?"

"짤릴 뻔했는데, 지금 생각해보니까 오히려 그게 나을지도 몰라."

"응?"

"아, 몰라. 나 올라갈게. 좀 쉬어야지 이대로 기절하시겠다."

유미는 현태에게 손을 흔들며 비틀거리는 걸음으로 카페를 빠져나갔다. 북 카페를 나온 유미는 건물을 빙 둘러서 뒤쪽으로 연결된 외부 계단을 통해 2층으로 향했다.

현태가 운영하는 북 카페 건물 2층에 세 들어 산 지 벌써 3년이 지났다. 갑자기 방을 비워달라는 집주인의 통보에 쩔쩔매던 그녀에게 현태가 임시로 자신의 건물을 제공해주었다. 처음에는 임시로 반년만 살려고 했는데 어쩌다 보니 지금까지 머물게 됐다.

하아암, 정말 피곤해서 돌아가시겠네. 유미는 입이 찢어져라 하품하며 계단을 올랐다. 생각 같아선 그냥 이불 속으로 뛰어들고 싶지만, 그럴 순 없지. 고양이 세수라도 하고 자야지.

화장실에서 대충 씻고 나온 유미는 화장대 앞에 앉아 모이스춰 로션과 에센스를 바르기 시작했다. 손끝으로 얼굴을 문지르던 그녀는 잠시 거울에 비친 자신의 얼굴을 들여다보았다. 앞으로 고생할 걸 생각하면 한숨만 푹푹 나온다. 그래도 어쩌겠는가. 요즘같이 취업하기 어려운 시절에 출근할 곳이 있다는 것에 감사해야지.

불을 끄고 자리에 눕자, 방 안으로 어둠이 내리고 천장과 벽에 잔뜩 붙여놓은 야광 별 스티커들이 반짝이기 시작했다. 마치 3년 전, 바닷가의 밤하늘처럼…….

'끼룩끼룩' 갈매기 울음소리가 들리며 멀리서 '쏴아아' 파도가 밀려올 것만 같다.

지금 그 남자가 옆에 있다면 뭐라고 해줄까? '괜찮아요?'……라고 물어봐줄까?

한참 동안 천장을 바라보던 유미는 스르르 눈을 감았다.

Episode 5

넌 나에게 모욕감을 줬어

"으아악!"

늦잠을 자다니! 어떡해, 어떡해! 너무 피곤해서 알람 맞춰놓은 걸 못 들었나 봐. 유미가 쿵쾅쿵쾅 철제 계단을 뛰어 내려오자, 소리가 너무 컸는지 북 카페 문이 열리며 현태가 밖을 내다보았다.

"무슨 일이야?"

"너 아침 일찍 여기서 뭐 해? 카페 문 열려면 한참 멀었잖아."

"문 열기 전에 주방 대청소 좀 하려고 일찍 왔어."

이런 걸 보고 하늘이 무너져도 솟아날 구멍이 있다고 하는 거다!

"현태야, 나의 사랑스러운 친구야!"

유미는 다급한 얼굴로 현태의 팔을 덥석 잡았다.

"나 스쿠터로 출근 좀 시켜줘!"

"저 사람은……?"

우진이 갑자기 대화를 멈추고 로비 밖으로 시선을 돌렸다. 진욱은 자동으로 고개를 돌려 우진의 시선을 좇았다. 헬멧을 쓴 남녀가 스쿠터를 앞에 세우고 막 내리려던 참이었다. 먼저 헬멧을 벗은 남자가 여자의 헬멧을 벗겨주려고 손을 뻗었다.

진욱은 미간을 좁히며 헬멧을 벗는 여자를 유심히 바라보았다.

"누군데?"

헬멧이 벗겨지며 여자의 얼굴이 반쯤 드러나는 순간, 진욱이 다시 우진에게 고개를 돌렸다.

"이유미 씨라고 이번에 새로 온 영양사요. 본부장님의 건강 도시락을 맡고 있죠. 남자 친구가 스쿠터로 바래다주나 보네요. 자상도 하지."

지금까지 우진이 여자에게 관심을 보인 적이 없었기에 진욱의 입꼬리가 위로 말려 올라갔다.

"왜? 남자 친구가 있어서 서운해? 저 여자에게 관심이라도 있어?"

"그럴 리가요."

그 말에 우진이 펄쩍 뛰었다.

"이유미 영양사는 지금 본부장님의 건강을 책임지고 있으므로 그래도 다른 사원보다는."

"됐고. 아까 하던 이야기나 마저 해."

진욱은 우진의 설명을 끊으며 빠르게 로비를 가로질렀다. 우진은 뒤를 돌아 유미와 현태를 힐끗 쳐다본 후, 조용히 진욱의 뒤를 따랐다.

"점심은 불고기 덮밥으로 준비해봤습니다."

하루 사이에 어떻게 이렇게까지 다크서클이 내려올 수 있을까?

우진은 조금은 염려스러운 얼굴로 유미를 바라보았다. 이러다 새로 온 영양사마저 쓰러지는 건 아닌지 모르겠다. 그녀에게 무리한 업무를 맡긴 게 조금 양심에 찔리긴 했지만, 진욱의 건강을 위해선 어쩔 수 없었다. 잠시 얼굴에 철판을 깔 수밖에…….

"기대해도 되겠습니까?"

이미 오늘 아침 한 번 퇴짜 받고 아침을 두 번 만든 그녀였다. '미운 놈 떡 하나 더 준다.'는 마음으로 심혈을 기울여 준비한 점심 도시락이었다. 유미는 어금니를 꽉 깨물며 과장되게 웃어 보였다.

"그럼요."

"알겠습니다. 수고하셨습니다."

우진이 도시락을 건네받으며 정중하게 고개를 숙였다. 그리고 곧바로 본부장실 안으로 사라졌다.

우진의 뒷모습을 지켜보던 유미는 기도하는 마음으로 두 손을 꼭 움켜쥐었다. 메모까지 정성스럽게 남겼는데 이번엔 괜찮겠지?

바쁘게 서류를 넘기는 진욱의 앞에 우진이 도시락을 내려놓았다. 서류를 훑어보던 진욱이 고개를 들자, 우진이 한 자, 한 자 정확하게 발음하며 말했다.

"모두 드셔야 합니다, 본부장님."

진욱은 다시 서류로 시선을 돌리며 건성으로 말했다.

"알았어. 두고 나가."

"도시락은 제가 이따 검사할 겁니다."

선생님 말투가 따로 없군. 마치 자신이 급식을 남겨 선생님에게 혼나는 초등학교 학생이 된 기분이었다.

진욱은 짜증스러운 표정으로 고개를 끄덕였다.

"두 번 말하지 않아도 돼."

"그럼 저는 차 회장님께 보고서 올리고 오겠습니다."

우진이 문을 닫고 나가고 진욱은 다시 빠른 속도로 서류를 넘기기 시작했다. 그러다 눈앞에 놓인 도시락을 힐끗 쳐다보았다. 도시락 위에 놓인 노란 포스트잇을 발견한 그가 눈을 가늘게 모았다.

이제 보니 이유미라는 영양사는 언제나 도시락 위에 간단한 메모를 남겼다.

본부장님의 쾌유를 빕니다. 맛있게 드세요! ^___^

- 이유미 영양사 -

좋은 아침입니다. 쭈욱 좋은 하루 되기를 바랍니다! ^___^

- 이유미 영양사 -

그런데 이번 메모는 예전에 비해 내용이 많은지 빽빽한 글씨가 노란 포스트잇을 가득 채우고 있었다.

오늘은 불고기 덮밥입니다.

색다르게 즐기시려면 김에 밥과 불고기를 싸서 '불고기 김밥'처럼 드셔도 됩니다. 담백하게 구운 김도 넉넉하게 넣어두었습니다.

그럼 점심 맛있게 드세요. ^___^

- 이유미 영양사 -

메모를 뚫어지게 보던 진욱은 도시락을 열어보았다. 밥과 불고기, 반찬, 구운 김 등이 아기자기하게 담겨 있었다.

"불고기 김밥이라……."

순간 진욱의 머릿속에 한입 가득 삼각 김밥을 베어 물고 주먹으로 가슴을 통통 내려치던 유미의 모습이 떠올랐다.

생생히 기억난다.

그녀 손에 있던 '불고기 맛' 삼각 김밥!

다 먹은 뒤 포장지를 손에 쥐고 차 안에 버릴 데 없나 두리번거리다 진욱과 시선이 부딪치자 무안해서 후다닥 가방에 집어넣던 그녀.

후, 우습군. 진욱은 조소를 띠며 한 손으로 얼굴을 쓸어내렸다.

되씹을 거리가 거의 없으니, 이젠 별의별 걸 다 기억해내고 난리다. 그녀와 비슷한 여자를 봤다고 기절하지 않나. 이러다 정말 미치는 건 아닌지 모르겠다.

그녀를 떠올리는 것만으로도 입 안이 껄끔거리고 목구멍에서 신물이 넘어오기 시작했다. 이런 기분으론 아무것도 먹을 수 없을 것 같았다. 이젠 음식 냄새마저 거슬렸다.

도시락을 한참 노려보던 진욱은 손가락으로 인터폰을 꾹 눌렀다.

"나영 씨, 잠깐 들어와봐요. 장 비서 몰래."

"이게 다예요?"

"네. 오늘 주문하신 물량입니다. 여기에 사인해주시면 됩니다."

또박또박 정성스럽게 사인을 한 유미는 퀵 서비스로 받은 바나나 상자를 낑낑거리며 들고 돌아섰다. 그런 그녀의 눈에 본부장의 또 다른 비서 나영이 들어왔다.

나영은 방금 유미가 우진에게 건넸던 것과 똑같은 도시락을 들고 있었다. 그녀는 도시락에 담긴 음식을 통째로 음식물 쓰레기 봉투에 털어 넣고 봉지를 묶더니 뒤쪽 쓰레기 처리장으로 사라졌다. 잠시 후 돌아온 나영은 빈 도시락을 들고 건물 안으로 들어갔다.

여자에겐 육감이란 게 있다! 유미는 나영이 들고 있던 도시락이 자신이 우진에게 준 도시락이라고 확신했다. 낑낑대며 바나나 상자를 들고 쓰레기 처리장에 간 그녀는 상자를 바닥에 내려놓고 방금 나영이 버리고 간 음식물 쓰레기 봉투를 찾기 시작했다.

얼마 지나지 않아 구석에 놓은 봉투를 발견할 수 있었다.

"설마……."

희박한 소망을 중얼거리며 쓰레기 봉투의 매듭을 풀어, 봉투 안을 들여다보았다. 역시나! 그녀가 고생해서 만든 불고기 덮밥이 봉투 안에 고이 들어 있었다. 이건 절대로 먹다가 남긴 양이 아니다. 왜 이래, 나 이래 봬도 영양사야. 한 번만 봐도 정량이 나온다고. 이건 한 입도 안 먹고 그냥 버린 거다!

유미는 기가 막힌다는 눈으로 쓰레기봉투를 노려보았다.

신제품을 둘러보고 쇼룸을 나서는 진욱 앞으로 김 비서를 대동한 차 회장이 다가왔다. 진욱과 우진이 고개를 숙여 인사하자 차 회장은 뜬금없는 질문을 던졌다.

"혜리한테서 아직 연락 없어?"

'혜리'라는 이름에 진욱이 미간을 찌푸렸다. 주혜리는 며느릿감 1위로 손꼽히는 인기 한창인 아나운서로, 그녀의 아버지가 진욱의 고교 시절 은사라는 이유로 어릴 때부터 인연이 닿아 있었다.

"녀석 참, 기특하게도 네가 쓰러졌다고 하니까 전화기 붙잡고 엉엉 울더구나. 혜리가 내 며느리가 된다면 소원이 없겠다."

혜리는 미래 며느릿감으로 차 회장의 애정을 독차지하고 있었다. 하지만 어디까지 차 회장에게만 그렇고, 진욱은 아니었다. 열다섯 중학생이었던 그녀를 처음 만난 이후로 진욱에게 혜리는 그저 어린 동생일 뿐이었다.

"저는 싫습니다. 혜리는 제 타입이 아니에요."

"타입 같은 소리 한다!"

꾹꾹 참던 차 회장이 버럭 언성을 높였다.

"이젠 옆에서 챙겨줄 아내가 있어야지! 네가 영양실조로 쓰러진다는 게 말이 되냐? 말이 돼?"

"걱정하지 마세요. 제 옆에는 아내보다 더 잘 챙겨주는 장 비서가 있으니까요."

"네, 회장님. 제가 옆에서 본부장님을 잘……."

"됐네! 둘이 결혼이라도 할 거야?"

차 회장이 우진의 말을 도중에 끊으며 크게 손을 휘저었다.

"허구한 날 여자와 스캔들을 일으키던 녀석이 왜 갑자기……."

문득 차 회장은 진욱이 이렇게까지 여자를 피하는 건, 뭔가 이유가 있을 거라는 생각이 들었다. 이 녀석, 정말 실연이라도 당한 건가?

"너 혹시, 여자가 너 싫다고 도망가기라도 했냐?"

차 회장의 단도직입적인 물음에 진욱이 살짝 인상을 굳혔다. 하지만 아주 미세한 변화였기 때문에 차 회장은 미처 눈치채지 못했다.

"전 그럼 이만 바빠서 가보겠습니다."

말을 마친 진욱은 가볍게 묵례하고는 우진과 함께 빠르게 엘리베이터로 걸어갔다.

"본부장님 진짜 안 계세요?"

복도 모퉁이를 돌려는데 어디선가 익숙한 목소리가 들려왔다. 진욱은 본능적으로 한쪽 팔을 들어 우진을 막으며 우뚝 제자리에 멈춰 섰다. 뒤를 따르던 우진이 의아한 표정으로 진욱을 바라보았다.

진욱은 조심스럽게 고개만 내밀어 모퉁이 너머, 본부장실 앞을 바라보았다. 나영과 흰 가운을 입은 여자가 문 앞에 마주 보고 서 있었다. 흰 가운을 입은 여자라면 새로 온 이유미 영양사? 긴 머리가 여자의 옆얼굴을 가려 자세한 윤곽은 확인할 수 없었다. 하지만 이상하게도 진욱의 심장이 미친 듯이 뛰기 시작했다.

"그럼, 대신 제 말 좀 전해주실래요?"

긴장하게 되면 말꼬리가 살며시 떨리던 그녀만의 특유한 음색. 설마……? 진욱은 눈을 가늘게 뜨고 여자를 빤히 바라보았다.

"아까운 음식 버리지 마시고 뭘 드시고 싶은지, 어떻게 요리하면 좋을지."

그녀가 한 손으로 머리카락을 쓸어 올리며 살며시 진욱 쪽으로 얼굴을 틀었다.

쿵! 유미의 얼굴을 확인한 진욱은 한 손으로 가슴을 움켜쥐며 비틀거렸다. 심장이 저 아래로 굴러떨어진 것처럼 통증이 밀려왔다.

"알려주시면 감사하겠다고 전해주세요. 그럼 부탁드립니다."

유미는 나영에게 꾸벅 인사한 후, 반대 반향으로 걸어갔다. 그녀가 탄 엘리베이터 문이 닫히자, 이내 반대편 모퉁이에서 진욱이 모습을 드러냈다. 그녀였다! 메모 한 장 없이 매정하게 가버렸던 그녀!

진욱은 넋이 반쯤 나간 듯한 표정으로 그녀가 사라진 쪽을 뚫어지게 노려보았다. 마치 어제 일처럼 그때 그 순간이 눈앞에 펼쳐졌다. 3년 전 그날 아침이…….

머핀과 커피 세트를 사서 다시 차로 돌아오자, 어찌 된 일인지 차 안에 잠들어 있어야 할 그녀가 보이지 않았다. 그녀를 덮어준 코트 역시 사라지고 없었다.

진욱은 의아한 얼굴로 주위를 둘러보았다. 산책이라도 하러 갔나? 근처 바닷가를 샅샅이 뒤져도 찾을 수 없자, 멀리 절벽까지 가보았다. 하지만 어디에도 그녀는 없었다.

"도대체 어딜 간 거지?"

걸음을 빨리하며 그녀의 이름을 부르려던 진욱은 문득 무언가를 깨닫고 제자리에 멈춰 섰다. 이제 보니 그는 그녀의 이름을 알지 못했다. 그녀의 보디 샴푸의 향이 바닐라와 코코넛이라는 건 알면서도 정작 그녀의 전화번호도, 그녀가 어디에 사는지도 몰랐다. 텅 빈 바닷가를 바라보는 진욱의 눈빛이 당혹감으로 흔들렸다.

쏴아아—.

저 멀리서부터 파도가 하얗게 부서지며 빠르게 모래사장으로 밀려들었다. 차에 기대어 그녀를 기다렸지만, 한참이 지나도 돌아오지 않았다.

"혹시?"

어쩌면 그녀는 막 잠에서 깨어난 푸석푸석한 모습을 보이기 싫어 먼저 리조트에 돌아갔을지도 모른다. 진욱은 재빨리 차에 올라타 시동을 걸었다. 어차피 화장하지 않은 민낯이라 그 얼굴이 그 얼굴일 텐데…….

리조트에 도착한 진욱은 급한 마음에 엘리베이터를 기다리는 시간조차 아까워 한 번에 두 계단씩 뛰어 위로 올라갔다. 지금 당장 그녀를 껴안고 싶어 견딜 수가 없었다.

"헉, 헉."

5층까지 단번에 뛰어오느라 숨이 턱까지 차올랐다. 벅찬 숨을 고르며 벨을 누르려는데 객실 문이 스르르 저절로 열렸다.

"……!"

이상한 기분에 조심스레 안으로 들어서니 한창 청소 중이던 영석이 인기척을 느끼고 뒤를 돌아보았다. 영석은 진욱의 복장이 유니폼이 아니라는 걸 미처 깨닫지 못한 채 순진한 표정으로 물었다.

"객실 청소하시려고요?"

"여기 묵던 손님 어디 갔어?"

진욱은 영석의 질문을 무시하고 텅 빈 객실 안을 둘러보았다. 불안하게도 그녀의 캐리어가 보이지 않았다. 욕실 안에 놓였던 화장품도, 옷장 안에 걸렸던 옷들도 하나도 보이지 않았다.

"네?"

진욱의 질문이 이해되지 않는 듯 영석이 미간을 찌푸렸다.

"못 알아들어? 이 방에 머물던 여자, 어디 갔느냐고?"

진욱이 버럭 소리를 지르자, 깜짝 놀란 영석이 손에 들고 있던 걸레를 바닥에 떨어뜨렸다. 영석은 화난 것 같은 진욱의 눈치를 살피며 조심스럽게 대답했다.

"이 방에 묵는 손님이라면, 한참 전에 체크아웃하고 떠나셨는데요."

"뭐? 체크아웃했다고?"

진욱은 영석의 입에서 나온 말이 도저히 믿어지지 않았다.

떠났다고……? 어떻게 그럴 수 있지? 한 마디도 없이, 메모도 남기지 않고 그냥 사라졌어?

진욱의 얼굴이 애처로울 정도로 험상궂게 일그러졌다.

"이유미……라고?"

회상에서 깨어난 진욱의 얼굴이 3년 전 그날처럼 애처로울 정도로 험상궂게 일그러졌다. 진욱은 책상 위에 놓인 파스타와 샐러드가 담긴 저녁 도시락을 바라보았다. 도시락 뚜껑 위로 유미가 남긴 포스트잇 메모가 눈에 들어왔다.

잘 먹는 기술은 결코 하찮은 기술이 아니며,

그로 인한 기쁨은 작은 기쁨이 아니다.

- 미셸 드 몽테뉴 -

그때 '딩동' 새 이메일이 도착했다는 알림이 떴다. 진욱은 재빨리 컴퓨터 화면으로 시선을 돌려 마우스를 클릭했다. 잠시 후, 유미의 이력서가 화면에 떠올랐다.

그녀가 맞다! 그때와 다른 점이 있다면 투박한 안경을 벗었다는 거. 그 외에는 헤어스타일이나 옷차림이나 모든 게 변함없었다.

3년 전, 그녀가 이미 체크아웃하고 떠났다는 말에 진욱은 그녀의 연락처를 알아내려 프런트 데스크로 달려갔었다. 그러나 투숙객 정보를 함부로 알려줄 수 없다는 총지배인 때문에 어쩔 수 없이 그냥 돌아서야만 했다.

만약에 그가 진심으로 알아내고자 했다면, 나중에라도 알아낼 수 있었지만 말도 없이 떠나버린 그녀에게 자존심이 상하여 더 이상은 알아보고 싶지 않았다.

진욱은 한 손으로 턱을 괴며 이력서에 딸린 사진을 한참 동안 바라보았다. 사진 한 장이 그녀의 지나간 3년을 말해주지는 않겠지만, 이력서 사진 속의 그녀는 평온해 보였다. 보일 듯 말 듯 입가에 머금은 잔잔한 미소. 그녀는 행복해 보였다.

—남자 친구가 스쿠터로 바래다주나 보네요. 자상도 하지.

오늘 아침, 로비에서 중얼거리던 우진의 목소리가 귓가에 맴돌았다.

"그래, 그쪽은 그동안 아주 잘 살았나 보네."

내가 이렇게 괴로워하는 동안 남자 친구도 사귀고 말이야. 난 아직도 그날 아침만 생각하면 숨이 막히고 가슴이 답답한데…….

유미의 사진을 무섭게 노려보던 진욱은 포스트잇을 와락 구기며 한

자, 한 자, 힘주어 말했다.

"……이, 유, 미. 넌 나에게 모욕감을 줬어."

"어제 참고할 자료가 필요하다고 하시기에, 준비해봤습니다."

유미는 의아한 얼굴로 우진이 내미는 종이 상자를 받아 들었다. 종이 상자 위에는 '차진욱 본부장의 영양 및 식성 보고서'라고 쓰여 있었다.

"이게 다 뭐죠?"

꽤 묵직한 종이 상자의 무게에 유미는 중심을 잡기 위해 휘청거렸다.

"이건 '일급비밀'이니까 '반드시' 혼자만 보셔야 합니다."

상자를 열어본 유미의 얼굴에 경악이 번져갔다. 종이 상자 안에 가득 찬 서류!

유미는 멍한 표정으로 서류를 한 장, 한 장 꺼내보았다. 깨알 같은 글씨로 촘촘히 인쇄된 보고서. 이건 마치 두꺼운 백과사전을 보는 느낌이었다.

"앞으로는 이 내용을 반영해서 식단을 짜라는 본부장님의 전언입니다."

"이걸, 다요?"

"그리고 앞으로는 용건 있으면 무작정 찾아오지 말고, 이리로 연락하라고 하셨습니다."

우진이 주머니에서 진욱의 명함을 꺼내 유미에게 건네었다. 유미는 두 손으로 명함을 받으며 어색한 미소를 떠올렸다.

아무래도 차진욱 본부장은 대박 사이코인 거 같다.

1시간 후…….

정정한다. 사이코인 거 같다가 아니라 그는 진정 사이코였다! 유미는 씩씩거리며 휴대폰 화면을 노려보았다.

> 보고서에 분명히 미디움 레어도 싫고 웰던도 싫으니 딱 미디움으로 구우라고 했습니다.

스테이크를 좋아한다고 보고서에 쓰여 있기에 오늘 아침 메뉴는 푸짐한 스테이크 샐러드로 올려 보냈었다. 그런데 손도 대지 않은 채, 우진을 통해 돌려보냈다. 그리고 곧바로 날아온 문자 한 통.

미디움 레어도 싫고 웰던도 싫어? 딱 미디움으로 하라고? 그게 어디 말처럼 쉬워?

아침부터 시작된 트집은 저녁까지 계속되었다. 점심으로 올린 생선구이는 냄새가 나서 안 되고, 저녁은 딱 1분 늦었다고 지각이라며 거절했다.

> 시간 절대 엄수!! 일 분이라도 지각하면 안 먹습니다.

—여기 본부장, 성격이 장난 아니거든요. 조리실에서 쓰는 타이머 있잖아요? 그거 켜놓고 회의한대요. 시한폭탄이라나 뭐라나?

유미는 예전에 제니가 해준 이야기를 떠올리며 애써 화를 참았다. 그래, '시한폭탄'이라고 불리는 사람이니까 뭐 그렇다 치자.

하지만 그 후에도…….

싱싱한 굴이 들어왔기에 굴전과 굴밥을 했습니다.

콜레스테롤 높아서 안 됩니다.

보고서 어디에도 콜레스테롤 높다는 말은 없었는데……. 터무니없는 퇴짜가 계속되자 유미는 휴대폰을 잡아먹을 것처럼 노려보았다.

"에잇!"

홧김에 연락처 명을 '본부장님'에서 '삼시 새끼'로 수정했다.

자판을 꾹꾹 누르던 유미는 문득 뭔가를 발견하고 미간을 좁혔다. 톡톡 화면을 두드리자 진욱의 프로필 사진이 크게 떠올랐다. 사무실에 앉아 서류를 검토하는 옆모습으로 석양에 반사돼 윤곽은 제대로 보이지 않았다. 하지만 유미는 자석에 이끌리듯 프로필 사진에서 눈을 뗄 수 없었다. 어째서일까? 사진 위로 바닷가에 앉아서 붉은 노을 쳐다보던 그 남자의 옆모습이 오버랩되기 시작했다. 순간 눈물이 핑 돌며 숨이 막힐 듯 가슴이 먹먹해졌다.

"하, 말도 안 돼."

유미는 빠르게 손바닥으로 눈물을 닦아냈다. 사이코 삼시 새끼와 그 남자를 비교하다니! 그 남자도 좀 까칠하긴 했지만, 삼시 새끼와는 상대가 안 되게 자상했는데……. 도리질하며 재빨리 프로필 사진을 닫는 순간, 상태 메시지가 눈에 띄었다.

삼시 새끼 넌 나에게 모욕감을 줬어.

"누가 사이코 아니랄까 봐. 모욕감? 모욕감은 당신이 나한테 줬지!"

메시지를 노려보던 유미는 '흥!' 코웃음 치며 휴대폰을 내려놓았다.

"연근 들깨 영양밥 역시 실패하셨습니다."

우진이 침통한 얼굴로 도시락을 건네었다. 동시에 '띠링' 문자 알림 신호가 울렸다. 문자를 확인한 유미는 기가 막힌다는 듯 인상을 찌푸렸다.

나, 들깨 알레르기 있습니다.

이 남자, 뭐라는 거야? 수백 장에 달하는 그 말도 안 되는 보고서를 낱낱이 훑어보고 또 훑어보았지만, 그 어디에도 들깨 알레르기라는 말은 없었다. 도저히 참을 수 없어 유미는 휴대폰 자판을 꾹꾹 눌렀다.

보고서엔 없었는데요? 언제부터요?

오늘부터

뭐? 이 망할 자식, 정말 삼시 '새끼'잖아! 유미는 터져 나오려는 욕설을 속으로 꾹꾹 내리누르며 두 손으로 머리카락을 헝클어뜨렸다. '참을 인' 자가 세 번이면 살인도 막는다는 조상님의 말을 떠올리며 사무실로 터덜터덜 돌아갔다. 그리고 의자에 앉자마자 그대로 책상 위에 엎어졌다. 정말 침울하다! 남의 돈 벌어먹기가 힘들다는 건 알았지만, 이 정도로 극심한 스트레스를 동반할 줄은 정녕 몰랐다.

왜 손도 대지 않고 도시락을 돌려보내느냐고! 내 음식이 그렇게 맛없어? 나, 이래 봬도 한식, 양식 조리사 자격증 있는 사람이야! 자존감이 팍팍 떨어지다 못해 비참하게 느껴졌다.

띠링—.

문자 알림에 유미는 힘없이 몸을 일으켜 문자를 확인했다. 현태로부터 온 문자였다.

수라간 나인 씨, 오늘도 실패?

이 녀석이 지금 불난 데 부채질하나? 때리는 시어머니보다 말리는 시누이가 더 밉다고! 유미는 부글부글 몸을 떨며 빠르게 문자를 찍기 시작했다.

나 지금 미쳐 돌아가시겠다.

이 악마 같은 삼시 새끼!

중간에 '띠링' 하고 문자 알림이 왔지만, 눈이 뒤집힌 유미는 아랑곳하지 않고 자판을 꾹꾹 눌렀다.

그 도시락 너 혼자 다 처먹어라, 이 삼시 '새끼'야!!!

"하아, 이제 좀 살 것 같다!"

유미는 붉어진 얼굴로 숨을 크게 내쉬며 휴대폰을 책상 위로 탁 내려놓았다.

그런데…… 잠깐! 뭔가 찜찜한 이 기분은?

그녀는 '설마' 하는 마음에 다시 휴대폰을 들어 올렸다. 화면을 들여다보던 그녀의 얼굴이 경악스럽게 일그러지며 눈이 튀어나올 것처럼 커다래졌다.

악! 이게 어떻게 된 거야?

채팅창 상대가 어느새 현태에서 '삼시 새끼'로 바뀌어 있었다. 현태에게 문자를 보내는 도중에 진욱의 문자를 받아 저절로 채팅창이 바뀌었나 보다.

유미는 서둘러 화면을 위로 올리며 진욱이 보낸 문자를 확인했다.

저녁엔 제대로 된 밥 먹을 수 있는 겁니까?

그 밑으로 그녀의 문자가 보였다.

그 도시락 너 혼자 다 처먹어라, 이 삼시 '새끼'야!!!

왜 하필 절묘하게!

"헐!"

유미는 비명을 지르며 자리에서 벌떡 일어섰다.

"이게 왜, 왜 하필 왜냐고!"

유미는 휴대폰을 부여잡고 처절하게 외쳤다. 재수 없으면 뒤로 넘어져도 코가 깨진다더니. 이건 그냥 코가 깨진 정도가 아니라 아래턱도 나가면서 윗니까지 몽땅 부러진 꼴이다.

"어떡해! 어떡해!"

유미는 두 손으로 머리를 헝클어뜨리며 발을 동동 굴렀다. 회사 출근하고 한 달도 안 돼서 잘리면 다른 곳으로 발령받기도 쉽지 않다. 그뿐인가? 이런 문자를 상사에게 보냈다가 잘렸다는 게 소문이라도 나면……!

"안 돼!"

수습해야 한다. 무슨 수를 써서라도 이 빌어먹을 사태를 수습해야만 한다! 유미는 넋이 나간 얼굴로 헐레벌떡 밖으로 뛰쳐나갔다.

노크도 없이 왈칵 문이 열리며 얼굴이 빨갛게 상기된 유미가 본부장실 안으로 뛰어 들어왔다.

"헉, 헉, 헉!"

집무실 앞쪽에 놓인 책상에 앉아 대기 중이던 우진과 나영이 놀란 얼굴로 유미에게로 고개를 돌렸다. 우진이 숨도 제대로 쉬지 못하고 헉헉거리는 유미에게 다가갔다.

"무슨 일이십니까?"

"제가 죽을죄를…… 아니, 그게 아니라, 본부장님한테 아주 긴히 드릴 말씀이 있는데……. 잠깐이면 됩니다."

"안 됩니다."

유미는 눈물이 글썽거리는 눈으로 사정했지만, 우진에게선 매몰찬 거절만이 돌아왔다.

"본부장님은 사전에 약속을 잡지 않은 이상은 절대……."

그때였다. 인터폰이 켜지며 진욱의 목소리가 흘러나왔다.

"들어오라고 해."

우진은 인상을 찌푸리며 집무실 쪽을 바라보다 할 수 없이 뒤로 물러섰다.

"들어가세요."

"네, 감사합니다. 정말 감사합니다."

유미는 나영과 우진에게 고개를 숙여 인사한 후, 떨리는 손으로 집무실 문 손잡이에 손을 대었다. 정신 차려, 이유미! 호랑이 굴에 끌려가도 정신만 바짝 차리면 살아남는다고 했어. 저 안에 있는 남자가 아무리 고약해도 호랑이를 상대하는 것보다야 덜하겠지!

조심스럽게 문을 열고 집무실 안으로 들어가자, 삼시 새끼는 바지에 한 손을 꽂고 등을 보인 채 책상에 걸터앉아 있었다. 그다음으로 그녀의 눈에 들어온 건 그의 다른 손에 쥐어진 휴대폰이었다.

아, 벌써 문자를 확인한 건가?

유미는 두 손을 앞으로 모으고 허리를 굽혀 배꼽 인사를 했다.

"본부장님, 이유미 영양사입니다."

그러나 그는 아무런 반응도 보이지 않고 계속해서 등을 돌린 채 휴대폰 화면을 들여다보았다.

봤구나! 흑, 분명히 본 거야.

"혹시나 오해하실까 봐, 방금 제가 보낸 그 문자는 본부장님이 아니라 제 친구한테 보낸 거거든요."

"그래요? 친구한테도 도시락을 해주나 보죠?"

어딘지 모르게 익숙한 목소리가 흘러나왔다.

나직하면서도 진…… 아, 아니지. 내가 지금 목소리 어쩌고저쩌고 하면서 감상에 빠질 때가 아니다.

"잘못했습니다!"

유미는 재빨리 90도 각도로 허리를 숙였다.

"딱 한 번만 봐주신다면 이 한 몸 다 바쳐서……."

이윽고 그가 천천히 책상에서 몸을 일으키며 고개를 돌렸다. 유미는 부스럭거리는 소리에 바닥을 향하던 고개를 살며시 들고 앞을 바라보았다.

"……열정을 다해…… 도시락을…… 만들……어……!"

목소리가 도로 꾸물꾸물 목구멍 안으로 기어들어갔다.

말도 안 돼!

흐릿한 기억 속에 이제는 꿈속에서만 얼굴을 보여주던 남자가, 사람 홀리게 멋있던 그 남자가, 눈앞에서 그녀를 빤히 바라보고 있었다. 충격이 컸나 봐! 이젠 막 헛것이 보이네……. 하하하, 왜 그 남자가 본부장 집무실에 있는 거지? 나, 드디어 미친 건가?

유미는 금붕어처럼 눈만 깜빡거리며 멍한 얼굴로 바라보았고, 진욱은 아무 말도 하지 않고 무심한 눈빛으로 유미를 빤히 쳐다보았다.

두 사람 사이에 무서운 정적이 흘렀다.

얼마나 어색한 침묵이 지났을까?

"실례했습니다."

유미는 허리를 숙여 꾸벅 인사한 후, 뒤도 안 돌아보고 부리나케 집무실을 걸어나갔다.

Episode 6

난 더 멋있어졌는데

시간이 어떻게 흘렀는지 모르겠다. 유미는 넋이 나간 표정으로 퇴근 준비를 하며 기계적으로 눈을 깜빡거렸다. 요즘 너무 시달려서 허상이 보이는 거야. 나야말로 끼니 제때 챙겨 먹으며 건강 챙겨야 할까 봐. 그래, 그래. 잘못 본 거야! 유미는 세차게 도리질을 하며 두 손으로 머리를 감쌌다.

그 남자가 너무 그리워서, 그 남자에게 괜찮으냐는 위로를 받고 싶어서, 그래서 '삼시 새끼'를 그 남자로 착각한 거야. 차진욱 본부장은 대복 그룹 회장의 외아들, 대복 그룹의 후계자라며……. 어떻게 리조트 말단 직원인 그 남자일 수가 있느냐고!

"그래, 내가 요즘 잠이 모자랐어."

중노동과 스트레스로 그동안 잠을 설쳤더니 뇌의 기능에 약간 문제가 생겼나 보다. 오늘 일찍 들어가서 한숨 푹 자고 나면 모든 건 다시 정상으로 돌아올 거다.

유미는 고개를 푹 숙인 채 힘없이 로비의 회전문을 열고 건물 밖으로 걸어 나왔다. 버스 정류장으로 가기 위해 왼쪽으로 몸을 트는데 건물 앞에 세워진 검은 세단이 눈에 들어왔다. 무심코 차를 바라보던 유미의 눈동자가 갑자기 튀어나올 것처럼 커다래졌다.

바지 주머니에 손을 꽂은 채 차에 비스듬히 기대어 있던 남자가 천천히 등을 돌려 그녀를 바라본 것이다. 또 헛것이 보인다. 절대로 그 남자일 리가 없는데……. 유미는 후들후들 떨리는 다리에 힘을 주며 그대로 반대 방향으로 몸을 틀었다. 하지만 몇 발짝 떼기도 전에 강인한 손길에 의해 뒤로 돌려세워졌다.

"3년 만인가?"

바로 코앞에 그 남자가 서 있었다. 헛것을 본 게 아닌가 봐! 그 남자가 맞다! 남자는 아까 차 본부장이 입고 있던 슈트 차림 그대로였다. 그러니까 그 남자가 바로 차진욱 본부장이라는 것이며 결론은 리조트 말단 직원과 대복 그룹 총괄 본부장이 동일 인물이라는 거다! 사태를 파악한 유미의 눈동자가 지진 난 것처럼 흔들리기 시작했다.

진욱은 그녀의 그런 반응을 즐기는 것처럼 허리를 숙이며 얼굴이 닿을 정도로 그녀에게 바짝 다가갔다.

"그대로네. 당신, 머리끝부터 발끝까지 모두 그대로야."

그가 입꼬리를 비틀며 느긋하게 다음 말을 내뱉었다.

"난 더 멋있어졌는데……."

정말 눈을 멀게 할 만큼, 전보다 훨씬 더 멋있어진 진욱이 그녀 앞에서 웃고 있었다. 수만 가지 생각이 그녀의 머릿속을 복잡하게 흔들었다. 어떻게 말을 꺼내야 하지? 어떤 표정으로 그를 바라봐야 할까?

"저는 무, 무슨 말씀이신지 잘…… 모르……."

유미는 옆을 바라보며 슬그머니 그의 시선을 외면했다. 말을 더듬거리는 것도 모자라서 뺨은 둘째 치고 목까지 빨갛게 물들기 시작했다. 젠장, 역시 거짓말엔 서툴렀다.

"날 몰라?"

진욱은 믿을 수 없다는 눈으로 유미를 뚫어지게 바라보았다.

"보……보, 본부장님이시잖아요. 딸꾹!"

너무 당황해서인지 딸꾹질이 터져버렸다. 유미는 두 손으로 입을 가리며 황급히 밑으로 고개를 숙였다.

"그거 말고!"

그녀의 정수리를 쏘아보며 진욱이 재차 물었다.

"사적으로 말이야. 내가 누군지, 정말 날 모르겠어?"

자신과의 재회에 당황해할 거라고 생각했지만, 이런 반응은 전혀 예상하지 못했다. 설마, 모른 척하는 거겠지? 정말로 날 기억 못 하는 건 아닐 거야. 그럴 리가 없다!

"글쎄요……. 전 잘…… 모르겠……."

그녀는 계속해서 고개를 숙인 채 모기만 한 소리로 중얼거렸다. 기가 막힌 진욱은 크게 숨을 내쉬며 한 손으로 앞머리를 쓸어 올렸다. 혹시 스타일이 너무 변해서 못 알아보나? 솔직히 말해서 3년 전과 비교하면 180도 달라지긴 했다.

"좋아, 일단 타. 어디 조용한 곳에 가서 이야기하지."

그가 차에 태우기 위해 그녀의 팔을 잡아당기자 유미는 소스라치게 놀라며 진욱의 손을 뿌리치고 후다닥 뒤로 물러섰다.

"죄송합니다. 저는 아무 남자 차나 타는 그런 여자 아니라서요!"

"뭐?"

"그럼 내일 뵙겠습니다."

유미는 허리를 숙여 꾸벅 인사한 후, 진욱이 뭐라고 한마디 꺼내기도 전에 그대로 뒤를 돌아 전속력으로 달려갔다. 하지만 얼마 가지 못해 구두 굽이 삐끗했는지 앞으로 꼬꾸라지고 말았다. 마치 자신이 넘어진 것처럼 진욱이 인상을 굳히는 순간, 다시 벌떡 일어난 유미는 걸음아 나 살려라 앞으로 뛰어갔다.

"하, 뛰는 모습도 완전 그대로네."

진욱은 허탈한 기분에 실소밖에 나오지 않았다. 그녀가 반갑게 그를 대할 거라곤 기대하지 않았지만, 이런 식의 재회일 줄은 전혀 몰랐다.

"분명히 모르는 척하는 걸 거야."

진욱은 그녀가 사라진 곳을 노려보며 혼잣말을 중얼거렸다. 못 알아볼 리가 없다. 하, 그건 말도 안 돼. 하지만 그녀는 이미 3년 전, 리조트에서 그를 못 알아본 전력이 있다. 만에 하나라도 저번처럼 나를 못 알아본 거였다면……?

쩌억—.

진욱의 자존심에 커다란 금이 가기 시작했다.

"으헝."

문을 열고 안으로 들어선 유미는 다리가 풀린 것처럼 풀썩 현관에 주저앉았다.

"내가 정말…… 아니…… 개구리가 '펑'하고 왕자로 변신한 것도 아니고, 갑자기…… 어떻게 당신……? 이제, 나 어떡하지? 흐응."

충격을 너무 크게 받으면 온몸에 힘이 빠지고 아무것도 할 수 없다더니……. 그 말이 맞는가 보다! 그 앞에서 눈 뜨고 기절하지 않은 게 다행이었다.

유미는 신발을 벗을 생각도 없이 현관문에 기대어 멍하게 천장을 바라보았다.

—이봐요. 그쪽이 지금 나에 대해서 잘 모르는 것 같아서 하는 말인
데……. 잘 들어요. 나, 보통 사람 아닙니다.

진욱의 목소리가 바로 옆에서 들리는 것만 같았다.

—이런 말까진 안 하려고 했는데, 내가 그 리조트 회장 아들…….
—설마, 회장 아들 차 훔친 거예요?

"으아아아!"

유미는 자신의 황당한 실수를 떠올리며 두 손으로 머리카락을 헝클어뜨렸다.

"그러니까 그게 다 사실이었어? 진짜 회장 아들이었단 말이야?"

키스 한 번 해줬다고 개구리가 왕자로 변하는 사기성 동화도 아니고! 3년 만에 리조트 말단 직원에서 대기업 총괄 본부장으로 변신하다니. 왜 하필, 하고많은 회사 중에 왜! 정말 대박이 아니라 쪽박이다.

"망했어! 완전 망했다고!"

유미는 양손으로 얼굴을 감싸며 울먹거렸다. 그런데 더욱더 속상한 건, 그 와중에도 그 남자는 사람 홀리게 멋있다는 사실!

—그대로네. 당신, 머리끝부터 발끝까지 모두 그대로야. 난 더 멋있어
졌는데…….

유미는 차에 기대어 뇌쇄적인 눈빛으로 자신을 위아래로 훑어보던 진욱을 떠올렸다. 그런 남자에게 뜨겁게 안긴 채 하룻밤을 보냈다

니……. 그녀의 심장이 쿵쾅쿵쾅 밖으로 튀어나올 것처럼 날뛰었다. 가슴이 압박당한 것처럼 뻐근하며 숨이 가빠졌다.

유미의 두 눈이 힘없이 스르르 감기며, 3년 전 그날 아침이 또렷하게 떠오르기 시작했다. 어디선가 파도 소리가 들리는 것만 같았다.

쏴아아—.

아, 따뜻해! 음…… 귀를 간질이는 숨결도 너무 좋다. 유미는 말로 표현할 수 없는 포근함에 긴 숨을 내쉬었다. 서서히 눈꺼풀이 떠지며 눈앞에 흐릿한 영상이 맺혔다. 제일 먼저 눈에 들어오는 건 널찍한 남자의 가슴이었다.

잠이 덜 깬 얼굴로 천천히 눈을 깜빡이던 유미는 자신이 남자의 품에 안겨 있다는 사실을 깨달았다.

응? 여기가 어디지? 멀리서 '쏴아' 하고 파도 소리와 함께 '끼룩끼룩' 갈매기의 울음소리가 들려온다.

아, 그러니까 여기는…… 바닷가?

순간 유미는 머리를 한 대 맞은 것처럼 벌떡 몸을 일으켰다.

"헉."

눈앞에는 맨가슴 위에 코트를 덮은 진욱이 곤히 잠들어 있었다. 그녀 자신도 그와 크게 다르지 않은 모습이었다. 유미는 두 손으로 벗은 가슴을 가리며 앞좌석 위에 놓인 검은 재킷과 셔츠를 집어 들었다. 다행히도 흠뻑 젖었던 옷은 어느새 말라 있었다.

도대체 무슨 짓을 한 거지?

어젯밤 일을 떠올리던 그녀의 얼굴이 서서히 일그러졌다. 웬만하면 필름 좀 끊기지. 무슨 놈의 기억력이 이리도 좋을까! 너무나도 생생히, 모든 일이 또렷한 총천연색 영상으로 머릿속에서 휘휘 지나갔다. 그러니까 내가 이 남자와 《저급한 그대》에 나오는 뜨거운 장면을 그대로 재현한 거? 미쳤어! 미쳤어! 에로 배우였던 엄마 때문에라도 남자를 돌처럼 멀리하며 정숙하게 살았는데……. 얌전한 고양이가 부뚜막에 먼저 오른다더니, 어쩌면 이럴 수 있을까! 첫 경험이 '원나잇'이라니!

유미는 당장에라도 울음을 터트릴 것 같은 얼굴로 잠든 진욱을 내려다보았다.

아마도 그렇고 그런 여자라고 생각할 거야. 왜 아니겠어? '원나잇 스탠드'인데! 이름도 모르는 사이끼리 어떻게 이리 쉽게……. '이런 경험은 처음이었어요.'라고 해도 믿어줄 리가 없다. 아니다. 이 남자는 그런 거 신경 쓰지도 않을 거야. 항상 주위에 여자가 들끓던데 뭘.

유미는 클럽 안에서 진욱이 연출하던 진한 애정 장면을 떠올렸다. 멀리서 힐끔 보았는데도 불구하고 '헉' 소리가 날 정도로 아름다운 여자였던 걸로 기억한다. 그와 아주 잘 어울렸던 여자. 피부가 까무잡잡하던데……. 어쩌면 그 여자가 바로 이 남자가 아낀다는 깜순이일지도 모른다. 유미는 미동도 없이 두 눈을 감은 진욱을 찬찬히 뜯어보았다.

영화 속에서 튀어나온 남자 주인공처럼 멋진 남자. 이런 남자와 황홀한 밤을 보냈다는 거, 그냥 추억으로 간직하자.

"으음."

잠에서 깨어나려는지 진욱이 미간을 좁히며 감은 눈을 꿈틀거렸다. 헉! 유미는 잽싸게 고개를 숙이며 두 눈을 꼭 감고 자는 시늉을 했다. 잠시 후, 잠에서 깨어난 그가 천천히 몸을 일으켰다. 진욱이 고개를 숙여 입술을 살며시 포개자 유미의 입에서는 자신도 모르게 한숨이 흘러나왔다.

두근, 두근, 두근. 그에게 제멋대로 날뛰는 심장 소리가 들릴까 봐 겁이 난다. 미치겠다. 어쩌면 눈을 감았는데 그의 시선이 고스란히 느껴지는 걸까?

부스럭거리던 그가 차 문을 열고 밖으로 나가는 소리가 들렸다.

한참이 지난 후, 조심조심 몸을 일으켜 창밖을 내다보니 저 멀리 도로 쪽으로 멀어지는 진욱의 뒷모습이 보였다.

어떡해! 어떡해! 유미는 헐레벌떡 일어나 빛의 속도로 옷을 챙겨 입었다. 지금 이 상태론 절대로 얼굴을 마주칠 수 없었다. 조금 더 생각을 정리한 다음 마주해도 늦진 않을 거다.

유미는 대충 기본적인 옷만 걸친 다음, 나머지 옷들은 손에 쥔 채 튕기듯 차 밖으로 뛰어나갔다.

자신이 무엇을 입었는지도 제대로 알아차리지 못한 채, 유미는 진욱이 걸어간 도로의 반대 방향으로 달려갔다.

운 좋게도 버스 정류장에 당도하는 순간, 한 시간에 딱 한 대만 온다는 버스가 그녀 앞으로 '끼익' 멈춰 섰다.

띠링―. 띠링―.

부리나케 버스에 올라 안도의 한숨을 내쉬는데, 먹통이었던 그녀의 휴대폰이 울리기 시작했다.

"여보세요?"

[아니, 이봐요.]

저편에서 날카로운 주인아주머니의 목소리가 흘러나왔다.

[아직까지 안 나가면 어떡해요? 오늘 새로운 세입자가 온다고요.]

"내일이라고 하지 않으셨어요? 제가 지금 지방이거든요. 오늘 밤에 올라가서 내일 아침에 짐……."

[내가 언제 내일이라고 했어요. 오늘이에요, 오늘!]

주인아주머니는 유미의 말을 끊으며 속사포처럼 자신이 할 말만 쏟아냈다.

[그쪽에서 이미 이삿짐센터에 다 연락해놨다니까, 오늘 오후 3시까지 짐 다 치워요. 안 그러면 그냥 모두 밖에 내놓을 거니까 그리 알아요.]

"아니, 아주머니. 아……."

용건을 끝낸 주인아주머니는 유미의 말도 듣지 않고 일방적으로 전화를 끊어버렸다. 유미는 서둘러 휴대폰으로 시간을 확인했다. 지금 당장 서울에 올라가야 오후 3시 전에 도착할 수 있었다.

리조트에 도착한 유미는 샤워할 겨를도 없이 허겁지겁 짐을 챙겼다. 그런데 이대로 떠나도 되는 걸까? 객실을 나서던 유미는 잠시 제자리에 선 채, 고민에 빠졌다. 아무리 '원나잇'이라지만, 다시 볼 일은 없다고 하더라도 작별 인사쯤은 하려고 했는데…….

유미는 다시 안으로 들어가 책상 위에 놓인 호텔 메모지를 집어 들었다. 연락처를 적어놓고 가긴 우습고……. 유미는 볼펜을 꾹꾹 눌러 한 자 한 자 정성 들여 적었다.

고마웠어요!

더 할 말은 많았지만, 이걸로 조금이나마 마음을 표현할 수 있겠지.

괜찮으냐고 물어봐줘서 고마웠어요.

좋은 추억 가지게 해줘서 고마웠어요.

잠시 메모를 내려다보던 유미는 서둘러 객실을 걸어나갔다.

"흐응."

3년 전, 회상에서 깨어난 유미의 얼굴이 금방이라도 울음을 터뜨릴 듯 일그러졌다.

나름 좋은 추억이었다고! 힘들 때마다 '괜찮아요?' 그 말을 떠올리며 힘을 얻곤 했다고! 그대로 쭈욱 영원히 다시 만나지 않았더라면 멋진 추억거리로 남았을 텐데……. 그를 회사 상사로 떠억 재회하게 되다니! 이건, 추억이 아니라 호러다! 로맨스 영화가 아니라 공포 영화라고!

유미는 두 손으로 얼굴을 감싸며 어깨를 들썩거렸다. 내일 당장, 지구가 멸망한다고 해도 지금으로선 두 팔 벌려 열렬히 환영하고 싶다.

진욱은 컴퓨터 화면을 들여다보며 바쁘게 마우스를 움직였다. 하지만 얼마 안 가 손으로 이마를 문지르며 의자 등받이에 몸을 기대었다.

—저는 무, 무슨 말씀이신지 잘…… 모르…….

자신을 외면하며 고개를 숙이던 유미의 모습이 자꾸만 떠올라 일에 집중할 수가 없었다. 너무 긴장해서 바르르 떨리던 그녀의 손끝이 지금도 눈에 선하다. 그와 처음 키스했을 때도 그녀의 손은 아까처럼 떨렸었다. 그런 그녀의 손을 꼭 잡아주며 다시 입을 맞추었는데…….

그날 밤을 떠올리는 진욱의 눈빛이 서서히 진해졌다. 입 안을 가득 채우던 달콤한 숨결과, 온몸에 느껴지는 숨이 막힐 것만 같은 그녀의 매끄러운 살결. 다음 날 매정하게 버림을 받긴 했지만 그래도 바다처럼 넓은 마음으로 왜 아무 말도 없이 떠났느냐고 힐책하는 대신 허심탄회하게 대화나 좀 해보려고 했다. 그런데…….

—내가 누군지, 정말 날 모르겠어?

—글쎄요……. 전 잘…… 모르겠…….

사람이 어쩌면 그럴 수가 있지? 비겁하게 '안면 몰수'라니! 남자 친구가 있어서 그런 거라고 이해하려 해도 괘씸했다. 너무 괘씸해서 도저히 참을 수가 없다.

"두고 보자. 언제까지 모른 척할 수 있나."

진욱은 경고하듯 나직이 중얼거리며 주먹을 힘껏 움켜쥐었다. 모욕감을 준 것도 모자라서 이젠 모른 척 사기를 치려고? 어림없는 소리!

"앞으로는 여기에 도시락을 담아 오라고 하셨습니다."

구내식당까지 찾아온 우진이 원목 소재의 커다란 피크닉 바구니를 유미에게 건넸다. 그리고 한마디 덧붙였다.

"앞으로는 집무실로 직접 도시락을 가져오세요."

"꼭 그렇게까지 해야 하나요? 전 지금 화장실 갈 시간도 없이 엄청나게 바쁩니다. 장 비서님 눈에는 안 보이세요?"

진욱의 속셈이 무엇인지 너무나 잘 알기에, 유미는 조금 과장해서 우는 소리를 냈다. 그리고 사실 점심 준비를 앞두고 조리 팀 모두 우왕좌왕 바쁘게 뛰어다니는 중이었다.

"본부장님 지시 사항입니다."

우진은 매정하게도 구내식당을 쓰윽 둘러볼 뿐, 그녀의 간청에 귀 기울이지 않았다.

"끼니마다 오르락내리락하라니, 인간적으로 너무하는 거 아닌가요?"

"그렇다면 직접 본부장님께 건의하세요. 저는 지시 사항을 전달할 뿐입니다."

그래, 비서가 무슨 힘이 있겠어. 윗사람이 하라면 하는 거지.

"알겠습니다."

유미는 기운 빠진 얼굴로 우진이 남기고 간 피크닉 바구니에 차곡차곡 도시락을 담기 시작했다. 좋아, 피할 수 없다면 부딪쳐야 한다. 본부장실 앞에 도착한 유미는 옷매무새를 정돈하고 흘러내린 머리카락을 한 손으로 쓸어 올렸다.

똑똑—.

노크를 하고 문을 열자, 비서 나영이 환한 미소로 그녀를 맞이했다. 붙임성이 좋은 나영은 그새 몇 번 봤다고 살갑게 유미를 대했다.

"어서 들어가보세요. 기다리고 계십니다."

"네."

유미는 호랑이 굴에 들어가는 토끼 같은 기분으로 집무실로 향했다.

똑똑—.

노크 소리에 서류를 훑어보던 진욱이 천천히 고개를 들었다. 어딘지 모르게 달라진 그의 모습에 유미는 콧등에 주름을 잡았다. 잠시 후, 그녀는 오늘 그가 3년 전 그때와 똑같은 차림이라는 걸 깨달았다. 비즈니스맨처럼 이마를 드러내던 헤어스타일에서 약간 웨이브를 주며 앞머리를 내렸고, 잿빛 슈트 대신 리조트 유니폼을 입고 있었다.

유미는 흠칫 놀라며 재빨리 시선을 돌렸다. 그러다 무심코 책상 옆, 투명 칠판에 걸린 자료의 이미지를 보고 '헉' 숨을 들이켰다. 그녀의 눈동자가 몹시도 불안하게 흔들렸다. 뭐야, 이게! 왜 이게 여기에! 대복 리조트 설계도와 함께 '대복 리조트 리모델링'이라는 제목 아래, 그녀가 묵었던 객실과 똑같은 객실 내부의 인테리어 사진이 걸려 있었다.

"표정이 왜 그렇습니까?"

느긋하게 자리에서 일어난 진욱이 천천히 그녀에게 다가왔다. 유미는 잔뜩 긴장한 채, 손에 들고 있는 피크닉 바구니를 꼭 움켜쥐었다.

"못 볼 거라도 본 거 같은데?"

진욱이 얄미울 정도로 태연한 얼굴로 물었다.

"아무것도 아닙니다."

유미는 피크닉 바구니를 책상 위에 내려놓으며 애써 침착하게 웃어 보였다. 진욱은 그녀를 빤히 쳐다보며 책상 모서리에 걸터앉았다. 아주 섹시한 동작으로 모델이 화보를 찍는 것처럼……. 보지 않으려고 했지만, 자꾸만 힐끗힐끗 눈이 옆으로 돌아갔다. 유미는 볼살을 꼭 깨물며 덜덜 떨리는 손으로 도시락을 하나하나 꺼내기 시작했다.

"오늘 메뉴는 뭐죠?"

"여러 종류의 쌈밥입니다. 우선 이건 증기로 찐 깻잎을 말아서 만든 쌈밥인데……."

진욱은 음식에는 전혀 관심이 없는 듯 유미의 얼굴만 뚫어지게 바라보았다. 너무 빤히 쳐다봐서 가만히 있어도 뜨끈뜨끈 열기가 느껴질 정도로……. 유미는 달아오른 뺨을 손등으로 꾹 누르며 설명을 이어 나갔다.

"먹기 간편한 음식으로 준비해봤습니다."

설명을 마치고 살며시 고개를 들던 그녀의 시선이 진욱의 시선과 맞부딪쳤다. 유미는 꿀꺽 마른침을 삼키며 다시 살포시 고개를 숙였다. 그 모습에 진욱이 씨익 한쪽 입꼬리를 올렸다. 예전에는 자신의 눈길을 아무렇지 않게 맞받아치던 그녀가 이제는 다소곳하게 눈을 내리깐다. 이런 모습도 은근 귀엽군.

"기대되는군요."

진욱은 유미가 내려놓은 도시락 통을 집어 이리저리 살펴보았다.

"네. 본부장님 기대에 부응할 수 있도록. 여, 열심히 하겠습니다."

"그거 듣던 중 매우 반가운 소리군요."

도시락 뚜껑을 열고 흐뭇한 얼굴로 유부 초밥을 내려다보던 그가 그녀를 향해 찡긋 윙크를 날렸다.

"우리 앞으로 이렇게 '매일매일', 봅시다."

'쿵' 하고 심장이 떨어진 이유는 매일매일 보자는 말 때문일까? 아니면 그가 윙크했기 때문일까?

"그럼 맛있게 드세요. 딸꾹!"

으아, 또 딸꾹질이 터졌다!

유미는 꾸벅 빠르게 인사한 후, 뒤도 돌아보지 않고 뛰듯이 집무실을 빠져나왔다. 그러고는 밖에서 대기 중인 나영과 눈도 마주치지 못

하고 대충 인사한 후 부리나케 본부장실을 나왔다. 종종걸음으로 엘리베이터로 달려가며 그녀가 도리도리 고개를 흔들었다. 목까지 빨개지고 딸꾹질은 계속 나오고, 심장은 쿵쾅거리고……. 이 짓을 하루에 세 번, 삼시 세끼 꼬박꼬박 해야 된다고?

"하아!"

유미는 땅이 꺼져라 깊은 한숨을 내쉬었다. 이러다 제명에 못 사는 건 아닌지 모르겠다.

태블릿 PC로 자료를 검토하던 진욱이 대뜸 운전 중인 우진을 향해 고개를 들었다.

"형."

'형'이란 호칭에 우진은 호기심 어린 눈으로 백미러를 통해 진욱을 쳐다보았다.

"솔직히 말해봐. 내 얼굴이 그렇게 흔한 얼굴은 아니잖아? 그렇지?"

"그게 갑자기 무슨……."

아닌 밤중에 홍두깨도 아니고 이 무슨 귀신 씻나락 까먹는 소리?

"내 얼굴이 한 번 보고 쉽게 잊힐 얼굴은 아니지?"

"그렇죠. 본부장님 정도의 얼굴이라면, 뭐."

우진의 맞장구에 진욱의 얼굴이 환하게 밝아졌다.

"그렇지? 하, 그런데 어디서 아닌 척, 서툰 연기나 하고 말이지."

"누구 말입니까?"

"있어. 아주 수가 뻔히 보이는 여자."

그런데 그런 모습이 귀여운 여자. 하지만 그래서 더 괘씸한 여자. 지금은 다른 남자의 여자 친구가 돼버린 여자. 묘사할 말이 너무 많아서 골치 아프게 하는 여자. 하여간 결론은 감히 날 버리고 떠난 나! 쁜! 여자! 진욱은 확 밀려오는 짜증에 아랫입술을 깨물며 다시 태블릿 PC로 시선을 돌렸다.

띠링—.

화면 가득 진욱이 보낸 사진이 떠올랐다. 그 밑으로 보이는 진욱의 메시지.

오늘 저녁은 이 와인과 어울리는 메뉴로.

와인 사진을 들여다보던 유미의 입이 쩍 벌어졌다. 3년 전, 그때 그 와인이었다. 일부러 이걸 고른 건 아니겠지? 그날을 기억하라고? 아냐, 아냐. 아닐 거야. 유미는 빠르게 고개를 내저었다.

후다닥 해치우고 집에 가자! 아침, 점심 잘 넘겼으니까 마지막으로 저녁만 살아남으면 된다!

"와인에 어울리려면 뭘 준비해야 하지?"

무사히 빠져나가려면 책잡히지 않게 정성을 다해 저녁을 준비해야 한다.

"우선은 바게트를 굽고 브리(brie) 치즈랑 파떼(pâté) 그리고……."

바쁘게 음식을 준비하는 그녀의 손놀림이 점차 빨라졌다.

똑똑—.

노크를 하고 본부장실로 들어서자 이미 모두 퇴근했는지 아무도 보이지 않았다. 이럴 때 나영 씨가 있어주면 얼마나 좋아! 앞에 놓인 집무실 문이 서바이벌 게임의 마지막 관문처럼 무시무시해 보였다.

"후우."

유미는 심호흡을 한 후, 노크하기 위해 조심스럽게 손을 들어 올렸다.

똑똑—.

"들어와요."

문 너머로 진욱의 나직한 목소리가 흘러나왔다.

10분! 10분만 잘 견디면 집에 갈 수 있다. 유미는 각오를 다지며 문손잡이를 돌렸다. 천천히 문을 열고 떨리는 마음으로 집무실 안으로 한 걸음 들어섰다.

"……!"

유미는 평소와는 다른 분위기에 흠칫 제자리에 얼어버렸다. 어두운 조명에 사무실 여기저기에 촛불이 켜 있고 책상 위에 놓인 소형 스피커에서는 로맨틱하다 못해 끈적끈적한 재즈가 은은하게 흘러나오고 있었다. 이건 또 무슨 분위기래?

유미는 당황한 얼굴로 전혀 다른 분위기로 변해버린 집무실 안을 둘러보았다. 책상 모서리에 비스듬히 앉아 있던 진욱이 기다렸다는 듯이 그녀를 향해 와인을 들어 보였다.

"이 와인에는 이런 재즈가 어울리죠."

3년 전 그날, 바닷가에서 그랬던 것처럼 진욱이 옆으로 고개를 까닥이며 말했다.

"같이 한잔할래요?"

같이 한잔하자니, 이 무슨 뜬금없는 소리?

유미는 잠시 넋이 나간 표정으로 진욱을 바라보았다. 그는 정말 어느 방향으로 튈지 모르는 럭비공 같다. 그날도 그랬다. 리조트로 가는 줄 알았는데 전혀 예상하지 못한 바닷가로 끌고 가더니, 저런 얼굴로 같이 한잔하겠느냐고 물었었다. 어쩌면 그때나 지금이나 사람 홀리게 하는 눈빛으로 바라보는 걸까?

꿀꺽―.

마른침을 삼키는 소리가 메아리가 된 것처럼 그녀의 귓가에 울려 퍼졌다. 긴장으로 입 안이 바짝바짝 타들어간다. 단번에 거절해야 하는데 혀가 굳었는지 제대로 움직이지 않았다. 진욱은 그녀가 아무 말도 하지 않자, 무언의 승낙으로 받아들였는지 와인을 따기 위해 오프너를 집어 올렸다.

안 돼!

퍼뜩 정신을 차린 유미가 큰 소리로 외쳤다.

"근무 시간에 음주는 바람직하지 않습니다."

"어차피 퇴근 시간도 지났는데 그 정도는 융통성 있게 넘어가죠."

진욱이 힐끗 손목시계를 들여다보며 그녀의 말을 되받아쳤다.

아니, 퇴근 시간이 아니라 휴일, 휴가 중이라고 해도 절대로 안 된다!

"전 술을 마시지 않습니다."

그녀의 말에 그가 비웃는 듯 피식 입매를 비틀었다.

"술을 안 마신다? 흠, 난 그 반대로 아는데……. '나, 술 엄청 세거든요.'라고 하지 않았나?"

"그때 그건……."

뭐라고 한마디 하려던 유미는 재빨리 혀끝을 물었다. 이런! 유도 질문에 넘어갈 뻔했다. 눈을 부릅뜬 유미는 배꼽 위로 두 손을 모으고 꾸벅 허리를 굽혔다.

"그럼 내일 뵙겠습니다."

유미는 깍듯하게 인사를 마치고, 도망치듯 사무실을 뛰어나갔다. 다행히도 진욱은 그녀를 잡지 않았다. 하지만 혹시라도 마음이 변한 그가 쫓아올까 봐 유미는 엘리베이터까지 전속력으로 달려갔다. 하늘이 도왔는지 도착하는 동시에 '띵' 하며 엘리베이터 문이 열렸다.

"후우."

무사히 조리실까지 돌아온 유미는 깊은숨을 내쉬며 가슴을 쓸어내렸다.

"와인 같은 소리 하네."

다시 생각해보니까 은근히 열 받는다. 와인 마시자고 하면 누가 로맨틱하다고 넘어가기라도 할까 봐?

"내가 누구 때문에 술을 끊었는데……."

유미는 툴툴거리며 난장판이 된 조리실 뒷정리에 들어갔다. 그에게뿐만 아니라 그녀 자신에게도 슬슬 짜증이 밀려왔다. 아주 찰나였지만 그의 유혹에 넘어갈 뻔하다니!

"유미야, 너 대체 왜 그러니? 그렇게 당하고도 정신 못 차릴래? 어?"

후다닥 설거지하고 조리 기구를 제자리에 놓으니 벌써 밤 8시가 훌쩍 넘어 있었다. 지금이라도 빨리 집에 가서 쉬어야지 생각하며 막 건물을 나서려는데 밖에는 추적추적 비가 내리고 있었다.

유미는 원망스러운 눈으로 검은 하늘을 바라보았다. 일주일 내내 맑음이라더니, 요새 일기예보는 믿을 수가 없다니까! 우산 안 가지고 왔는데…….

버스 정류장까지 뛰어갈 생각으로 유미는 머리 위에 가방을 얹었다. '하나, 둘, 셋!'을 속으로 외친 후, 건물 밖으로 뛰어나가려는데…….

끼익—.

동시에 눈에 익은 컨버터블이 그녀의 앞에 멈춰 섰다. 깜짝 놀란 유미가 제자리에 멈춰 서자, 운전석 창문이 스르륵 밑으로 내려가고, 비스듬히 고개를 숙인 진욱이 모습을 드러냈다.

"타요. 바래다줄 테니까."

"괜찮습니다."

"아무 남자 차나 타는 여자 아닌 거 아니까 타요."

"전 정말 괜찮……."

그녀의 말이 채 끝나기도 전에 진욱은 차에서 내려 그녀의 팔을 잡아끌었다. 그리고 미처 반항할 사이도 없이 그녀를 조수석에 태웠다.

"그냥 순순히 타면 좋잖아."

다시 운전석에 오른 진욱이 글러브 컴파트먼트에서 수건을 꺼내며 투덜거렸다. 아주 짧은 순간이었지만, 그의 머리가 흠뻑 젖을 만큼 빗줄기는 제법 거셌다. 유미는 괜히 미안한 마음에 찍소리도 못하고 슬그머니 창밖으로 시선을 피했다.

"그러면 버스 정류장까지만 태워주세요."

진욱은 아무런 대꾸도 하지 않고 시동 버튼을 꾹 눌렀다. '우웅' 하는 소리와 함께 컨버터블이 미끄러지듯 앞으로 나아가고 차 안에는 어색한 침묵만이 감돌았다. 젖은 아스팔트 위를 스치는 타이어 소리와 간간이 '지잉' 하는 와이퍼의 소리만 정적을 채웠다. 유미는 무릎 위에 놓인 가방을 꼭 움켜잡은 채 앞에 보이는 도로를 주시했다. 곧 버스 정류장이니까 조금만 참으면 된다.

얼마 안 있어 드센 빗줄기 속으로 저 멀리 버스 정류장이 보이기 시작했다. 그런데 어라? 진욱은 조금도 속도를 줄이지 않고 그대로 버스 정류장을 지나갔다. 유미가 황당한 얼굴로 고개를 돌려 진욱을 바라보았다.

"저, 지금 정류장 지나쳤는데요."

"압니다. 집에까지 바래다줄 테니까 걱정하지 말아요."

"제가 어디에 사는지도 모르잖아요."

"하!"

진욱이 어처구니없다는 얼굴로 실소를 터뜨렸다.

"이봐요, 이유미 씨. 나, 그리 호락호락한 사람 아닙니다. 내 삼시 세끼를 책임져주는 사람이 어디 사는지도 모를까요."

어째 그 말이 협박처럼 들렸다. 유미는 뾰로통한 얼굴로 다시 비에 젖은 바깥 풍경을 향해 시선을 돌렸다. 도착할 때까지 아무 말도 하지 않을 생각이었다.

지잉―. 지잉―.

와이퍼가 작동하는 소리와 세차게 쏟아지는 빗소리만이 두 사람 사이에 끼어들었다. 진욱은 침묵을 지키는 유미를 힐끔 훔쳐본 후, 다시 황급히 앞으로 시선을 돌렸다. 젠장! 진욱은 한 손으로 운전대를 잡은 채, 다른 한 손으로 목을 조이는 것 같은 넥타이를 느슨하게 풀었다.

유미가 후다닥 도망가듯 집무실을 빠져나간 후, 입맛이 사라진 진욱은 말없이 도시락을 바라보다 결국 도시락엔 손도 대지 않은 채, 사무실을 나섰다.

차를 끌고 지하 주차장을 나서는데 건물 앞에서 망설이는 유미가 눈에 들어왔다. 물론 그녀가 우산이 없어 비에 맞든 말든 그가 상관할 바는 아니었다. 억지로 차에 태운 이유는 분명 그녀를 불안하게 만들기 위해서였다. 그런데…… 왜 그녀보다 그 자신이 더 안절부절못하는지 모르겠다.

외면하려고 해도 자꾸만 그녀에게 눈길이 가고 덩달아 심장박동도 빨라졌다. 그뿐인가? 좁은 공간을 가득 채우는 그녀의 달콤한 향기에 숨이 탁 막혔다. 예전과는 조금 다른 향기였지만 입 안이 바짝 마를 정도로 달콤한 것만은 같았다. 진욱은 도로에 시선을 고정하며 슬쩍 지나가는 투로 물었다.

"보디 샴푸 바꿨어요?"

"네?"

"바닐라랑 코코넛 향이 아닌 것 같은데……."

"아, 그거요. 네, 신제품인데 장미 향이 좋길래 이걸로 바꿔……."

아무렇지 않게 대답하던 유미는 뭔가 잘못된 점을 느끼고 서둘러 입을 다물었다. 잠깐, 내가 뭐라고 한 거지? 예전에 쓰던 보디 샴푸 향이 '바닐라&코코넛'이라는 그의 말을 자연스럽게 받아들이면서, 그러니까 3년 전, 그날 있었던 일에 관해…….

헉! 나 방금 유도 질문에 넘어간 거지? 그녀의 눈이 당장에라도 튀어나올 것처럼 커다래졌다.

진욱은 서서히 하얗게 질려가는 유미의 옆모습을 힐끔 바라다보며 터져 나오려는 웃음을 간신히 참았다. 가만 보면 아닌 척 연기하는 거나, 거짓말을 하는 거나 눈에 빤히 보일 정도로 너무 서툴다. 가만히 놔두어도 결국 그녀는 혼자 무너지고 말 것이다. 아무것도 아니면서 센 척하기는…….

가방 위에 놓인 그녀의 손이 바들바들 떨리고 있었다. 그 손을 확 잡아버리고 싶은 충동을 애써 누르며 진욱은 크게 숨을 들이마셨다. 토끼를 잡겠다고 토끼 굴에 연기를 핀 주제에 토끼가 연기라도 마실까 봐 걱정이라니……. 그냥 느긋하게 토끼가 뛰어나올 때까지 기다리면 되는 것을.

"감사합니다."

차가 맥&북 카페 앞에 멈추자 유미는 허겁지겁 가방을 챙기며 손잡이에 손을 뻗었다.

"내일 뵙겠습니다."

유미는 고개를 꾸벅 숙여 인사한 후, 빛의 속도로 차 문을 열고 뛰어나갔다. 진욱이 뒷좌석에 놓은 우산을 전해주려 등을 돌렸지만, 그녀는 이미 카페 건물 뒤로 사라진 후였다. 진욱은 황당하다는 얼굴로 고개를 내저으며 웃음을 터뜨렸다.

"후, 넘어지지 않은 게 어디야."

다시 시동을 걸고 차를 출발하려는데 진욱의 눈에 카페 건물 앞에 세워진 스쿠터가 들어왔다.

—남자 친구가 스쿠터로 바래다주나 보네요. 자상도 하지.

우진의 목소리와 함께 헬멧을 쓴 남녀가 스쿠터에서 내리는 모습이 머릿속에 떠올랐다. 왜 그 남자의 스쿠터가 저기 세워져 있는 거지? 놀러 왔나? 아니면 아예 같이 사는……? 혹시 이미 동거하는 사이?

진욱은 두 손으로 운전대를 꼭 움켜쥔 채 이글거리는 눈으로 스쿠터를 노려보았다. 차로 확 밀어버릴까?

꽤 심각하게 갈등하는데 카페 문이 열리며 우비를 입은 중년의 남자가 걸어 나왔다. 남자는 헬멧을 쓰자마자 곧바로 스쿠터를 출발시켰다.

"하아."

앞에 세워진 스쿠터가 그녀의 남자 친구 것이 아니라는 사실에 저절로 한숨이 흘러나왔다. 뭐지, 이 안도감은……? 진욱은 가슴에 손을 올린 채 혼란스러운 표정으로 오랫동안 창밖을 응시했다.

"뭐어? 원나잇?"

현태가 놀란 눈으로 마시던 맥주를 테이블 위에 탁, 내려놓았다. 그의 큰 목소리에 유미는 화들짝 놀라며 카페 안을 둘러보았다. 다행히 음악 소리가 커서 아무도 두 사람의 대화를 듣지 못한 것 같았다.

"야, 조용히 말해!"

유미는 현태를 째려보며 조용히 하라는 시늉으로 입술에 손가락을 대었다. 그러나 현태는 유미의 곤란한 표정은 안중에도 없는 듯 다시 목소리를 높였다.

"회사 직원이랑 삼시 새끼랑?"

유미가 진지한 표정으로 빠르게 끄덕거렸다.

"와, 대박! 진짜 재밌다."

"뭐? 야! 넌 그게 재밌어?"

유미는 흥분한 듯 현태를 노려보며 다다다 말을 퍼부었다.

"네가 그 직원이라고 생각해봐. '원나잇' 상대를 회사에서 다시 만났는데, 그것도 상관으로 딱악 부딪쳤다고. 너 같으면 마음 편히 회사 다닐 수 있겠어!"

현태는 어깨를 으쓱거리며 소파 등받이에 몸을 기댔다.

"그래서 어떡하겠냐. 이미 벌어진 일인 걸……. 그냥 서로 모르는 척, 없던 일로 해야지."

"야! 어떻게 있던 일이 없던 일이 돼! 30년 전 일이라도, 있던 일은 있던 일이라고!"

현태는 자기 일도 아닌데 정도 이상으로 흥분하는 유미를 이해할 수 없었다. 그는 눈물까지 글썽거리며 두 손으로 뺨을 감싸는 유미를 수상쩍다는 눈빛으로 바라보았다.

"그런데 왜 네가 흥분하는 거야?"

"응?"

그녀의 얼굴에 아차, 하는 표정이 떠올랐다.

"네 일도 아닌데 왜 네가 안절부절못하느냐고? 이상하잖아. 아니야?"

"내, 내……가…… 아, 피곤하다. 나 그만 올라갈게."

유미는 서둘러 가방을 챙기더니 도망치듯 카페를 빠져나갔다. 허둥지둥 달려가는 유미의 뒷모습을 바라보던 현태는 이상하다는 듯 고개를 갸우뚱거렸다. 그리고 잠시 후, '설마?' 하는 표정으로 바뀌었다.

"흡."

현태는 자신의 상상이 어이가 없다는 듯 실소를 터뜨렸다.

"에이, 설마."

뭐, 설마가 사람 잡긴 하지만…….

"우선 이거 마케팅 부서에 가져다주고……."

빠르게 자료를 건네주던 진욱은 자신을 빤히 바라보는 우진에게 눈살을 찌푸렸다.

"뭘 그렇게 봐? 내 얼굴에 뭐라도 묻었어?"

우진은 그제야 자신이 진욱을 빤히 쳐다보았다는 걸 깨달았는지 어깨를 으쓱거렸다.

"죄송합니다. 요즘 들어 안색이 좋아진 것 같아서요."

"그래?"

진욱의 눈치를 살피며 우진이 넌지시 물었다.

"혹시 이유미 영양사 때문입니까?"

난데없는 우진의 질문에 진욱은 그대로 굳어버렸다. 불덩이를 삼킨 것처럼 속이 화끈거렸다. 뭐라고 대답해야 하나 머리를 굴리는데 우진이 대신 대답을 찾아냈다.

"영양사가 해주는 도시락이 효과가 있는 모양입니다."

"……뭐, 그렇지. 흠, 흠."

말을 얼버무리며 헛기침을 내뱉는데 책상 위에 놓인 휴대폰이 울리기 시작했다. 진욱은 상대방도 확인하지 않고 서둘러 통화 버튼을 눌렀다.

"여보세요?"

[오빠!]

수화기 저편에서 흘러나오는 혜리의 낭랑한 목소리에 진욱은 질끈 눈을 감아버렸다.

혜리인 줄 알았으면 받지 않는 건데…….

그런 진욱의 속도 모르고 혜리는 그가 자신의 전화를 받았다는 사실에 흥분한 것 같았다. 그녀는 속사포처럼 해맑은 목소리로 종알거렸다.

[나 지금 운동 끝나고 가는 길이야. 오빠 회사 근처거든. 어때? 시간 괜찮으면 점심 같이할래?]

"바빠, 외근 나가는 길이야."

외근 일정은 없었지만, 만들어버리면 그만이다. 그렇다고 순순히 물러날 혜리도 아니었다.

[그럼 저녁은 어때? 나 근처에 해물 파스타 잘하는 데 알아.]

"나 오늘 야근한다."

[오빠 일 끝날 때까지 기다리지 뭐. 회사 근처로 가서 기다릴까?]

절대로 포기란 걸 모르는 주혜리, 끈질기다 할 정도로 끈기가 있었다. 하지만 그런 끈기 따위에 넘어갈 차진욱 또한 아니었다.

"안 돼. 언제 끝날지 모르니까."

진욱은 최대한 싸늘한 목소리로 한 자 한 자 힘주어 강조했다.

"절, 대, 로, 기다리지 마. 끊는다."

가차 없이 전화를 끊은 진욱은 굳은 표정으로 휴대폰 벨 소리를 무음 모드로 바꿔버렸다.

"오늘 야근하십니까?"

우진이 의아한 얼굴로 고개를 갸우뚱거렸다.

"응."

"급한 일, 다 끝내신 것으로 아는데……."

"급한 일 끝냈다고 쌩하고 집에 가나? 장 비서보고 야근하란 소리 안 할 테니까 걱정하지 마."

진욱은 최대한 무뚝뚝한 목소리로 빠르게 말했다. 우진은 뭔가 심상치 않다는 표정으로 진욱을 바라보았지만, 이내 아무 말도 하지 않고 조용히 집무실을 걸어나갔다.

"유미 선생님 여기 온 지 벌써 2주일이나 지났어요. 우리 회식해야 하는 거 아니에요?"

퇴근준비에 한창이던 은비가 모두를 둘러보며 말했다.

"맞다. 그러고 보니 우리 아직 회식 안 했구나."

평범한 조리복에서 가슴골이 훤히 파인 블랙 드레스로 갈아입은 제니도 동의의 뜻으로 고개를 끄덕였다.

"다 같이 치맥이나 할까요? 요 앞에 치킨 집 새로 문 열었는데. 단체 손님일 경우 10% 할인이래요."

"그거 좋네."

신화의 제안에 뚱한 표정이던 복자도 가볍게 고개를 끄덕거렸다. 치느님을 영접하면서 맥주를 마시자는데 싫을 이유가 없지. 복자도 찬성하자 모두의 시선이 회식의 주인공인 유미에게로 몰렸다.

"그럴까요?"

나영이 몰래 귀띔해준 정보에 의하면 오늘 진욱은 외근을 나갔다가 그대로 퇴근할 것 같다고 했다. 그러니까 오늘은 저녁 도시락에서 해방된다는 말이다. 이 기회에 서먹서먹한 조리사 팀과 같이 회식하면서 더욱 친밀하고 끈끈한 관계로 발전…….

띠링—.

혼자 희망찬 상상에 빠진 유미의 귀에 불길한 문자 알림 소리가 들렸다. 문자를 확인한 유미의 얼굴은 순식간에 싸늘하게 굳어버렸다.

야근 예정. 저녁 10시까지 야식 준비 바람.

"이런 오늘은 안 되겠네요. 방금 일이 생겨서……."

유미는 두 손으로 휴대폰을 꼭 움켜쥐며 모두를 향해 우울한 미소를 던졌다.

"회식은 다음에 하는 걸로. 하하."

내가 지금 웃어도 웃는 게 아니야!

유미는 고개를 푹 숙이며 벗어두었던 흰 가운을 다시 걸쳤다.

야식은 해물 파스타. 홍합과 새우, 랍스터가 들어간.

유미는 어이가 없다는 얼굴로 휴대폰 화면을 노려보았다. 해물 파스타 같은 소리 한다.

지금 이 시각에 어디서 홍합이랑 랍스터를 구해? 수산 시장이 바로 옆에 있는 것도 아니고…….

해물이 없는데요.

1초도 안 지나, 그에게 다시 문자가 날아왔다.

해, 물, 파, 스, 타! 부탁합니다.

헉! 뭐야, 이 남자. 해물 파스타 못 먹어서 죽은 귀신이라도 붙었나? 오늘 아침, 점심을 얌전하게 넘어가서 이상하다 싶었다. 저녁에 한 방 먹이려고 벼르고 있었던 거군! 자꾸만 이렇게 나오면 오기가 나서라도 하고 본다!

유미는 분한 얼굴로 씩씩거리며 가운의 소매를 걷어붙였다.

진욱은 넥타이를 끄르고 셔츠 단추를 두어 개 연 다음, 팔뚝까지 소매를 걷어 올린 채 컴퓨터 화면을 뚫어지게 바라보았다. 우진에게 할 일이 있다고 큰소리를 떵떵 치긴 했지만, 사실 오늘 그는 별로 할 일이 없었다.

이럴 줄 알았으면 9시까지 야식을 가져오라고 할 걸 그랬나?

진욱은 손끝으로 책상 위를 톡톡 내리치며 컴퓨터 화면 위에 떠 있는 시계를 들여다보았다.

P.M. 09:55

1분이라도 늦으면 안 된다고 했으니까 곧 올 테지. 진욱의 얼굴에 짓궂은 미소가 떠올랐다. 예상한 것보다 제법 오래 버티는 그녀가 가상하긴 했지만, 아마도 오늘로 그만 항복해야 할 거다.

똑똑—.

노크 소리에 진욱은 옷걸이에 걸어둔 재킷 안주머니에서 지갑을 꺼낸 후, 책상 모서리에 걸터앉았다.

"들어와요."

문이 열리고 피크닉 바구니를 든 유미가 집무실 안으로 들어왔다. 그녀는 진욱에게 시선을 주지 않은 채 앞만 바라보며 책상으로 다가왔다.

"지시하신 대로 해물 파스타 가져왔습니다."

유미는 피크닉 바구니에서 파스타 접시를 꺼내 조심스럽게 책상 위에 내려놓았다.

"그럼 맛있게 드세요."

"잠깐만……."

가볍게 묵례하고 돌아서 나가려는데 진욱이 나직한 목소리로 그녀를 불렀다. 우뚝 제자리에 멈춰 선 그녀가 고개를 돌렸다.

"무슨 하실 말씀이라도……."

진욱은 책상에서 몸을 일으켜 그녀에게 저벅저벅 걸어왔다. 오늘따라 더 심각해 보이는 표정에 유미는 살짝 긴장하며 뒤로 한 걸음 물러섰다. 느낌이 예사롭지 않다. 뭐지?

진욱은 지갑에서 5만 원짜리 지폐 두 장을 꺼내더니 그녀 앞으로 불쑥 내밀었다.

"자, 받아요."

"이게 뭐죠?"

파스타 값을 주는 것도 아니고, 갑자기 웬 돈이래?

"그때 빌린 기름 값. 이자까지 쳐서 갚는 겁니다."

"……!"

뭐야, 뭐야! 이거 받으면 3년 전 일을 시인하는 거나 마찬가지잖아!

안 돼! 유미는 당황한 얼굴로 빠르게 도리질을 하며 뒤로 물러섰다. 그러자 진욱은 심각한 표정으로 쏘아보며 한 발 다가왔다.

"저, 지금 무슨 말씀이신지……. 기름 값이라니요?"

진욱이 대답 대신 그녀의 손을 확 잡아당기더니 억지로 돈을 쥐여주었다. 유미가 받지 않으려 하자 두 손으로 그녀의 손을 주먹 쥐게 만들고는 그대로 자신 쪽으로 잡아당겨 시선을 마주했다.

그의 이글거리는 눈빛에 유미는 꿀꺽 마른침을 삼켰다.

"그러니까 그쪽도 이젠 그만 내놔요."

그녀의 손을 꼭 잡은 채, 그가 나직한 목소리로 속삭였다.

"네……?"

"내 코트 말이야. 블랙 라벨 핸드메이드 캐시미어 코트! 그날 아침에 그쪽이 내 옷 들고 가버렸잖아. 아닌가?"

"무, 무슨 소릴 하시는 건지…… 딸꾹!"

너무 놀란 나머지 또 딸꾹질이 터져버렸다. 유미는 부들부들 떨리는 아랫입술을 꼭 깨물었다. 그날 아침의 광경이 눈앞에 떠올라 다리마저 후들거렸다. 유미는 제자리에 주저앉고 싶은 걸 꾹 참으며 난처한 얼굴로 진욱을 바라보았다. 경멸하듯 차갑게 바라보는 그의 시선에 온몸이 얼어버리는 것만 같았다.

"끝까지 모른 척하시겠다? 좋아!"

그녀의 손을 꼭 잡은 채, 그가 얼굴을 들이밀었다. 조금만 움직여도 서로 코끝이 닿을 정도로 가까운 거리에서 그의 얼굴이 멈췄다. 얼굴 위로 훅 쏟아지는 그의 뜨거운 숨결에 심장이 쪼그라들었다.

"그러면 왜 뒤늦게 내 앞에 다시 나타난 거지? 여기까지 날 찾아온 이유가 도대체 뭡니까? 기름 값을 받아내려고 온 건 아닐 테고……

응?"

"……저는……."

진욱에게 잡힌 손을 빼내려 몸을 비틀며 그녀가 웅얼거리듯 작게 말했다.

"무슨 말씀이신지 도통 모르겠네요. 전 그냥 발령 받아 온 거예요. ……딸꾹!"

"나보고 지금 그 말을 믿으라고."

뭐가 그리도 화가 났는지 진욱은 그녀를 무섭게 노려보며 얼굴을 험상궂게 찡그렸다.

"난 말이지, 그쪽이 하는 말 하나도 못 믿겠어. 그쪽이 만든 음식도 못 믿겠고. 모르는 척, 아닌 척, 입만 열면 거짓말인데 내가 어떻게 당신을 믿고 당신이 해주는 음식을 먹느냐고? 음식에 무슨 짓을 했을지 어떻게 알아? 안 그래?"

보자 보자 하니까, 이 남자가 정말! 발끈한 유미는 있는 힘을 다해 그에게 잡힌 손을 빼냈다. 겨우 자유롭게 풀려난 그녀가 원망스러운 눈으로 진욱을 노려보았다.

"저 영양사예요. 음식 갖고 장난 안 쳐요!"

"그래? 그럼 먼저 먹어봐요."

"네?"

"먹어보라고. 당신이 먼저!"

"꼭 이렇게까지 해야겠어요?"

"물론."

진욱이 진지한 얼굴로 고개를 끄덕거렸다. 도대체 왜 이렇게까지 외면하는 건지 진욱은 도저히 이해되지 않았다. 이 정도까지 밀어붙였는데도 끝까지 모르는 척 일관하는 그녀가 이제는 분노를 떠나 허탈해질 정도였다.

유미는 비장한 얼굴로 그를 째려보더니 포크로 스파게티를 돌돌 말아 한입에 쏙 넣었다. 그리고 그와 시선을 마주한 채, 묵묵히 스파게티 면을 씹었다.

"한 입 더!"

흥, 한 입 더 먹으라고 하면 못 먹을 줄 알고!

유미는 이번에는 포크에 말지 않고 그대로 포크로 찍어 호로록 빨아들였다. 오물거리는 도톰한 입술 안으로 스파게티의 면이 부드럽게 말려 들어갔다. 이렇게 맛있는 요리를 가지고 뭐라고 하다니, 흥!

유미는 혀를 쑥 내밀어 입술에 묻은 토마토 소스까지 날름 핥아 먹었다. 핑크빛 혀를 위아래로 부드럽게 천천히 움직이며……. 그런 행동이 그에게 어떻게 보이는지 전혀 모르는 채.

진욱은 저도 모르게 꿀꺽 마른침을 삼켰다. 이 여자, 그때도 그러더니. 이제 보니까 완전 고수잖아! 진욱은 유미의 어깨를 꽉 움켜쥐며 잔뜩 쉰 목소리로 말했다.

"당신, 지금 날 유혹하는 거야?"

뭐? 내가 당신을 유혹한다고? 유미의 눈이 동그랗게 커다래졌다.

"캑!"

진욱의 말도 안 되는 황당한 말에 그만 사레가 들리고 말았다. 유미는 얼굴을 빨갛게 물들이며 손으로 가슴을 팡팡 내리쳤다. 이 남자, 필시 나를 숨 막혀 죽이려고 하는 거다! 그렇지 않고서야……. 유미는 괴로운 얼굴로 허리를 숙이며 심각하게 캑캑거렸다. 잠시 후에야 겨우 진정된 듯 굽혔던 허리를 곧게 펼 수 있었다. 고개를 들자 싸늘한 진욱의 시선과 마주쳤다. 어째 표정이 또 퇴짜를 놓을 것 같은데?

유미는 진욱의 눈치를 살피며 최대한 상냥하게 물었다.

"저, 이제 퇴근해도 될까요?"

새로 스파게티를 만들어 오라고 하면 정말 이판사판으로 다 뒤집어 버릴 작정이었다……가 아니고…… 별수 있나? 다시 만들어 와야지.

아주 찰나, 진욱의 얼굴에 복잡한 감정이 떠올랐지만, 이내 원래의 무표정으로 돌아왔다. 진욱은 책상 모서리에 걸터앉으며 그녀의 시선을 피해 창밖으로 고개를 돌렸다.

"마음대로."

그의 허락이 떨어지자 유미는 피크닉 바구니를 열어 주섬주섬 무언가를 찾기 시작했다. 잠시 후, 바구니에서 커다란 나무 후추 통을 꺼내더니 책상 위에 다소곳이 내려놓았다.

"후추는 직접 갈아서 쳐 드세요."

쳐 드세요? 야릇한 어감에 진욱이 미간을 찌푸리며 휙 고개를 돌렸다. 그의 살벌한 눈초리에 유미는 깜짝 놀라 혀끝을 깨물었다. '쳐 드세요.'란 말이 어감은 좀 이상야릇하긴 했지만, 그럼 후추를 쳐서 먹지 후루룩 마시겠어?

"그럼 전 이만."

유미는 서둘러 고개를 숙여 인사하고 그대로 문 쪽을 향해 걸어갔다. 그러고는 진욱이 자신의 뒷모습을 빤히 노려본다는 걸 전혀 모른 채, 빠르게 집무실을 나섰다.

탁—.

문이 닫히고 방 안에는 조용한 정적만이 감돌았다.

"후."

진욱은 씁쓸한 조소를 띠며 그녀가 남긴 스파게티로 시선을 돌렸다. 동그랗게 말린 면 위로 바질 잎과 함께 먹음직스러운 해물이 듬뿍 올려져 있던 스파게티는 그녀의 포크질 몇 번에 모양이 흐트러져 있었다. 그녀의 등장으로 인해 마구 헤집어진 자신의 마음속을 들여다보는 것 같았다.

진욱은 표정을 굳히며 마른세수를 하듯 손으로 얼굴을 쓸어내렸다. 그녀를 구석으로 몰며 다그치는 건 다름 아닌 그 자신인데도 왜 뒷맛이 씁쓸한 건지 모르겠다. 조금만 더 닦달하면 항복을 받아낼 수 있었는데 왜 그냥 가게 했을까. 결승선을 바로 코앞에 두고 넘어진 기분이랄까. 어떤 결과가 나올지 두려워 본능적으로 주춤한 거였나?

―후추는 직접 갈아서 쳐 드세요.

진욱은 그녀가 마지막으로 내뱉은 말을 떠올리며 피식, 마른 웃음을 흘렸다. 그 와중에도 후추를 챙기다니……. 그때나 지금이나 재밌는 여자였다. 진욱은 스파게티 면을 포크에 돌돌 감아 천천히 입으로 가져갔다. 한입에 넣으니 마늘을 곁들인 토마토 소스와 함께 풍부한 해물 맛이 입 안에 가득 퍼졌다. 나쁘지 않은 맛이었다. 아니, 파스타 전문 레스토랑 수준만큼 꽤 괜찮았다.

진욱은 책상에서 내려와 의자에 바로 앉은 후, 그녀가 만든 스파게티를 묵묵히 먹기 시작했다.

Episode 7

늘 이런 식으로 도망치나?

"어디 있더라?"

유미는 집에 돌아오자마자 허겁지겁 방 안을 뒤졌다. 별로 없는 살림살이였지만, 그래도 뭐 하나 찾으려면 여기저기 뒤집어봐야 했다.

"아, 맞다!"

구석구석 살피던 그녀는 뭔가 기억난 듯 서둘러 옷장으로 달려갔다.

"분명 여기에 두었는데……."

잠시 후, 유미는 옷장 구석에 숨겨두었던 종이 상자를 꺼내 방바닥에 내려놓았다. 꽉 묶어둔 매듭을 풀고 종이 상자를 열자 캐시미어 코트가 모습을 드러냈다.

"찾았다!"

지금까지 그의 코트를 간직하고 있다는 걸 까맣게 잊고 있었다. 아니, 솔직히 털어놓자면, 생각하지 않으려고 안 보이는 곳에 꼭꼭 숨겨놓았다.

—블랙 라벨 핸드메이드 캐시미어 코트! 그날 아침에 그쪽이 내 옷 들고 가버렸잖아.

유미는 이글거리는 눈으로 노려보던 진욱을 떠올리며 살짝 미간을 찌푸렸다. 이거 때문에 그랬나? 솔직히 차진욱이란 남자가 하룻밤 인연 따위에 연연할 리가 없었다. '원나잇' 상대가 한둘이었겠느냐고. 그런 남자가 날 모르겠냐며, 기억나지 않느냐고 귀찮을 정도로 달라붙다니. 결코, 정상적인 상황은 아니었다.

유미는 한 손으로 조심스럽게 코트를 쓰다듬어보았다. 좌르르 윤기가 도는 게 좀 비싸 보이긴 하다. 혹시 '억' 소리 나는 명품인가? 그렇지 않고서야 남자가 쪼잔하게 코트 하나 돌려받겠다고 그 난리를 부렸겠어?

"어휴."

유미는 크게 한숨을 내쉬며 설레설레 고개를 흔들었다. 왜 이걸 들고 와서 이 사달을 만들었나, 몰라! 3년 전 그날, 유미는 손이 부들부들 떨려 옷을 제대로 입을 수 없는 상태였고, 여기저기 삐뚤게 잠근 단추 등등, 흉한 모습을 감추려 아무 생각 없이 코트를 몸에 걸쳤다.

주인아줌마가 짐을 빼버리기 전에 허둥지둥 서울에 올라가느라 본인이 무슨 옷을 입고 있는지도 알아차리지 못할 만큼 정신이 없었다. 고속버스가 서울에 거의 다 도착할 때쯤에서야 자신이 진욱의 코트를 입고 있다는 사실을 깨달았다. 어쩐지 사람들이 이상한 눈길로 힐끔힐끔 쳐다보더라.

우선 급한 대로 현태의 건물로 이삿짐을 옮기고 난 후, 우편으로 코트를 부치려고 했었다. 하지만 그의 이름도 모르는데 수신자를 그냥 '리조트 말단 직원'으로 해서 보낼 수는 없는 일이고, 그렇다고 리조트까지 찾아가서 그에게 직접 돌려주기도 그렇고…….

그렇게 차일피일 미루다 그만 돌려줄 시기를 놓쳐버렸다. 하지만 모두 변명일 뿐, 남의 코트를 들고 와서 지금까지 모른 척한 건 잘못한 일이다. 이것만 보내주면 모르는 척하고 자유롭게 놓아줄까?

"어떡하지?"

유미는 코트를 손에 쥔 채 고민에 빠졌다.

지금이라도 몰래 택배로 보내버릴까? 아, 아니지. 그러면 내가 보낸 거 뻔히 알 텐데……. 모른다고 시치미 뗄 때는 언제고, 웃긴 여자라고 생각할 거야.

"아이 씨."

유미는 당장에라도 울 것 같은 얼굴로 진욱의 코트에 얼굴을 묻었다. 맹수에 쫓겨 토끼 굴로 도망간 토끼 신세나 다름없었다. 그래도 토끼 굴은 입구는 하나지만, 도망갈 출구라도 여러 개 있다는데, 나는 뭐냐고! 입구와 출구, 둘 다 꽉꽉 막혔잖아. 왜 하필 첫 근무지가 대복 그룹인 거야, 왜! 저기 저 외딴 산골짜기라도 좋으니까 그런 곳에 발령받았으면 얼마나 좋아……. 잠깐!

유미는 코트에서 얼굴을 들며 눈동자를 빠르게 위아래로 굴렸다.

—유미, 넌 대기업 급식이라며? 어딘데?

영양사 동기 모임 도중, 누군가 그녀에게 어디에 발령받았냐고 물었었다.

—대복 그룹.

—어머, 대박! 와, 유미야, 좋겠다!

모두 그녀를 엄청 부러워했었다.

—오피스가 최고지! 코흘리개 상대할 일도 없고, 식수 인원도 항상 비슷하고.

—무엇보다…… 일하면서 썸 타기도 좋잖아!

동기 중, 몇 명은 크게 한숨을 내쉬며 자신들의 처지를 비관하기도 했었다.

—좋겠다, 유미야. 난 지방으로 가게 됐는데.

—난 지방에다가 하나 더 얹어서 병원.

혹시 그중 한 명과 근무지를 바꾸자고 한다면? 아마도 반색을 하며 그러자고 할 거다. 유미는 갑자기 떠오른 아이디어에 환한 미소를 떠올렸다.

그래, 어디 먼 곳으로 발령을 받아 떠나는 거다! 지방으로 옮긴 후에 택배로 코트를 보내주는 거야! 그러면 아마 그도 더는 뭐라고 하지 않을 거야!

"하아."

자유로워진 자신의 모습을 상상만 해도 묵은 체증이 쏴악 내려가는 것만 같았다. 모두 잘될 거야! 유미는 한결 가벼워진 마음으로 다시 종이 상자 안에 코트를 집어넣었다.

오늘은 무슨 바람이 불었는지 진욱이 온종일 외부 근무란다. 덕분

에 아침과 점심, 저녁 모두 도시락에서 해방된 유미는 가뿐한 마음으로 식단 작성 및 식자재 관리에 몰두했다. 지금까지 도시락을 챙기느라 제대로 짚고 가지 못한 세세한 부분까지 점검하며 시간을 보냈다.

전쟁과도 같은 사내 점심 배식을 마치고 모두 휴식을 취하는 동안, 유미는 슬그머니 옥상으로 올라갔다. 단체 급식 운영 관리자인 정 팀장에게 전화하기 위해서였다.

유미는 '흠, 흠' 목소리를 가다듬고 떨리는 마음으로 통화 버튼을 눌렀다.

뚜—. 뚜—.

신호가 가기 시작했다. 그녀 말고 아무도 없었지만, 그래도 혹시나 하는 마음에 유미는 조심스럽게 주위를 둘러보며 통화가 연결되길 기다렸다.

[여보세요?]

수화기 너머에서 부드러운 정 팀장의 목소리가 흘러나왔다. 오랜만에 은사와 통화하는 것 같은 반가움에 눈물이 핑 돌았다.

"팀장님, 저 유미예요."

[어머, 유미 씨? 그동안 잘 지냈어?]

"네, 그럭저럭."

흐흑, 사실은 죽지 못해서 겨우 목숨만 연명하고 있습니다.

[어때? 거기 조리 팀은 텃세 부리지 않아?]

"아뇨. 아니에요. 모두 잘해주세요."

[다행이네. 보통은 처음에 좀 빽빽하게 구는데……."

"저…… 그런데, 팀장님. 음…… 근무지 로테이션은 언제쯤 하나요?"

[응? 로테이션? 유미 씨, 출근한 지 3주도 안 됐잖아? 지금 있는 곳, 대복 그룹이지? 다들 거기 못 가서 안달인데…….]

의외라는 듯 정 팀장의 목소리 톤이 약간 올라갔다.

그렇죠. 다들 여기 못 와서 안달이죠. 하지만 전 아니에요! 유미는 마치 그녀의 생명줄이라도 되는 것처럼 휴대폰을 두 손으로 꼭 붙들었다.

"네, 그게…… 미래를 대비해서 미리 계획을 세워놓으면 좋을 것 같아서요. 제가 또 계획성 하난 끝내주잖아요, 하하. 그래서 그런데…… 근무지 로테이션 언제쯤 하죠?"

[첫 로테이션은 6개월 후에 있을 거야. 하지만 대부분은 기간을 연장해서 1년에서 2년은 채우고 다른 곳으로 옮겨. 처음 로테이션을 6개월로 잡은 건 혹시라도 발령받은 곳이 마음에 들지 않을 수도 있어서 그런 거고.]

6개월만 버티면 되는구나, 6개월!

"그럼 로테이션 할 때, 저 좀 아주 먼 지방으로 보내주세요."

[먼 지방? 왜? 무슨 일 있어?]

"아, 아뇨. 그냥 공기 좋은 곳에 살아보고 싶어서요. ……헉!"

아무 생각 없이 옆으로 고개를 돌리던 유미는 옥상 입구에 선 우진을 발견하고는 화들짝 놀라 휴대폰을 바닥에 떨어뜨렸다.

[……여보세요? 유미 씨?]

"아, 죄송해요, 팀장님. 제가 휴대폰을 떨어뜨려서."

허겁지겁 휴대폰을 줍고 다시 뒤를 돌아보니 우진의 모습은 바람과 함께 사라진 후였다.

너무 긴장해서 헛것을 봤나? 유미는 가슴을 쓸어내리며 안도의 숨을 내쉬었다.

6개월 동안만 잘 버텨야지, 안 그러면 미쳐버릴 수도 있겠다.

"회사로 안 들어가시고 바로 퇴근하실 겁니까?"

운전대를 잡은 우진이 백미러로 진욱을 힐끗 바라보며 물었다.

"응. 오늘은 그러지 뭐."

태블릿 PC를 내려다보던 진욱이 건성으로 대답했다. 그러자 우진이 혼잣말처럼 투덜거렸다.

"……그래. 사람이 좀 쉬기도 해야지. 오죽하면 지방으로 보내달라고……."

"무슨 말이야? 지방이라니?"

태블릿 PC에서 고개를 들며 진욱이 백미러를 통해 우진을 바라보았다.

"이유미 영양사 말입니다."

우진은 잠시 진욱과 눈을 맞춘 후, 다시 앞으로 시선을 돌렸다.

"일이 너무 고됐는지 지방으로 보내달라고 업체 팀장에게 애원하더라고요. 아무래도 도시락 담당 쉐프는 따로 뽑아야겠습니다. 그래서 말인데……."

"누구 마음대로!"

갑자기 진욱이 빽 소리를 지르자, 우진이 움찔하며 뒤를 돌아다보았다. 진욱은 붉으락푸르락한 얼굴로 부들부들 떨고 있었다. 지금까지 진욱의 저런 표정을 본 적이 없기에 우진은 마른침을 꿀꺽 삼키며 재빨리 앞으로 시선을 피했다.

가만히 있을걸. 괜히 오지랖 떨다가 벼락 맞을 뻔했네.

"장 비서, 회사로 차 돌려."

진욱이 어금니를 꽉 물고 낮고 위협적인 목소리로 지시했다.

외부 근무라고 하더니 저녁 7시가 다 돼가는 시각에 진욱이 본사로 들어왔다. '오늘은 정시에 퇴근할 수 있겠구나!' 하며 콧노래를 부르던 유미는 한숨을 푹 내쉬며 저녁 도시락을 준비했다.

참자! 6개월만 참으면 되는데, 뭘. 더 오래 참았던 적도 있잖아. 그래. 그때에 비하면……. 강판에 생강을 갈던 유미는 잠시 동작을 멈추고 악몽 같았던 중학교 시절을 떠올렸다.

—어쩐지. 쟤, 좀 야하게 생기지 않았니?

—치마 짧은 것 좀 봐.

아이들의 웅성거리는 소리가 바로 옆에서 들리는 것 같아 유미는 저도 모르게 어금니를 꽉 깨물었다.

—야, 너 그거 알아? 쟤네 엄마 에로 배우래.

중학교 2학년, 여름방학이 끝나고 유미를 기다리는 건 아이들의 손가락질과 수군거림이었다. 같은 반 학생 중 한 명이 추억의 성인 영화 시리즈를 몰래 훔쳐보다 '조미희'가 주연한 〈터질 거예요!〉를 보았기 때문이다. 유미 역시 그때까지 엄마가 현역에서 은퇴한 평범한 배우라고만 알고 있었기에 충격이 컸다. 정작 미희는 '그게 어때서?'라며 무심히 받아들였다.

소문이 학교 전체에 퍼져나가는 데에는 3일밖에 걸리지 않았다. 그 이후로 유미의 중학교 시절은 고난의 연속이었다. 짓궂은 남학생은 "터질 거예요!"를 외치며 유미의 머리 위에 물풍선을 터뜨렸고, 아이들은 물벼락을 맞은 유미를 쳐다보며 깔깔거렸다. 하지만 유미는 아무런 반항도 할 수 없었다. '에로 배우의 딸'이란 것 자체가 죄인이 된 것 같아 힘없이 고개만 떨궜다. 그러다 중학교 3학년이 되는 해, 사건이 터지고 말았다.

—재수 없어. 누가 에로 배우 딸 아니랄까 봐!

그 일은 세월이 지난 지금도 큰 상처로 남아 그녀를 괴롭혔다. 옆에서 보면 그냥 철없는 아이들의 다툼이라고 할 수도 있겠지만, 당한 사람에겐 견딜 수 없는 고통으로 남아 있었다. 중학교를 졸업할 때까지, 유미는 아이들의 손가락질 속에서 보내야 했다. 중학교 동창을 피해 멀리 떨어진 고등학교로 진학한 후에야 끔찍했던 악몽은 사라졌다. 하지만 그때 받았던 상처는 정신적 트라우마가 되어 유미를 따라다녔다.

혹시라도 '에로 배우의 딸'이란 놀림을 받지 않기 위해 교복 치마는 단을 늘여서라도 길게 입었고, 단추는 항상 목 끝까지 채웠으며, 입술이 틀 경우를 제외하고는 그 흔한 '립밤'조차 바르지 않았다.

대학에 가서도 별반 다르지 않았다. 언제나 긴 바지에 헐렁한 셔츠를 걸치고 미팅이나 소개팅은 근처에도 가지 않았다. 그녀의 그런 고리타분한 모습에 친구들은 그녀를 'B 사감'이라고 부르기 시작했다. 그랬는데…….

"후."

유미는 작게 한숨을 내쉬며 상념에서 깨어났다.

남자를 돌같이 보며 피해 다녔으면서……. 미팅 한 번 안 한 주제에, 첫 경험이 '원나잇'이라니, 한마디로 미친 짓을 한 거다. 절대로 일어나선 안 될 일이었어! 여기서 잘 견디고, 저 남자 앞에서 사라진다면 다시 예전처럼 편히 지낼 수 있을 거야.

"6개월만 참으면 돼."

강판에 생강을 가는 그녀의 손놀림이 빨라졌다.

피크닉 바구니를 들고 본부장실로 들어서자, 나영과 우진은 이미 퇴근했는지 책상이 텅 비어 있었다. 좋겠다. 누구는 허구한 날 야근인데, 누구는 정시에 퇴근하고……. 하지만 조금만 참자. 나에게도 곧 그런 날이 올 테니까! 해피엔딩을 꿈꾸며!

유미는 속으로 크게 구호를 외치며 '똑똑' 노크했다. 빠끔히 집무실 문을 열자 창밖을 내다보던 진욱이 천천히 뒤를 돌아보았다.

유미는 꾸벅 고개를 숙인 후, 피크닉 바구니를 테이블 위에 다소곳하게 내려놓았다.

"오늘 저녁은 생강즙에 재운 돼지고기를 간장 꿀 소스를 발라서 구운……."

"이유미 씨, 그렇게 안 봤는데 사람 참 무책임하더군요."

도시락 반찬 통을 꺼내던 유미가 움칫 놀라 동작을 멈추었다. 어? 뭐지? 이 남자, 생강즙 알레르기라도 있나? 분명히 보고서에는 그런 이야기 없었는데……. 유미가 의아한 눈으로 바라보자 진욱이 성큼 그녀 앞으로 걸어왔다. 왠지 화난 것 같은 그의 표정이 묘하게 사람을 긴장하게 만들었다.

"당신 원래 그래? 감당이 안 되면 늘 이런 식으로 도망치나?"

3년 전 일을 말하는 건가? 기름 값으로 안 되니까 이젠 또 다른 유도 질문? 유미가 아무 말도 하지 않고 쳐다만 보자, 진욱은 그녀의 손에서 반찬 통을 빼앗아 '쾅' 소리 나게 테이블에 내려놓았다. 조금은 거칠다 싶은 행동에 유미는 반사적으로 한 걸음 뒤로 물러섰다.

"사람 뒤통수치고 도망가면 그만이야?"

"도망이라뇨? 무슨 말씀인지……."

"도망이 아니면 뭐야? 말 못 할 사정이라도 있나?"

다짜고짜 윽박지르는 진욱의 말투에 유미는 어찌할 바를 몰랐다. 궁지에 몰린 쥐도 지금의 그녀만큼 속이 바짝바짝 타진 않을 거다.

"저는 도대체 무슨……."

"지방으로 발령 나게 해달라고 했다면서!"

헉! 그러면 그때 헛것을 본 게 아니라, 진짜 장 비서였단 말? 정 팀장님과 통화한 내용을 들었나 보다.

"아, 그게 저…… 지금 간다는 게 아니라 나중에."

유미는 기어들어가는 목소리로 말하며 슬그머니 진욱의 시선을 피했다. 코트 가지고 도망가려고 한 게 아니라, 지방으로 발령 나면 바로 택배로 보내려 했다고요! 지금이라도 진실을 털어놓을까? 근데 과연 믿어줄까?

입만 열면 거짓말이라고 다그치는 사람에게 진실을 말한다고 해도 믿어줄 리가 없었다. 누가 코트 때문에 그러는 줄 알았나! 이럴 줄 알았으면 모르는 척하지 말걸. 그러나 후회해도 이미 늦어버렸다. 유미는 아무 말도 하지 못하고 고개를 푹 숙였다.

꼬여버린 인연, 미련 없이 싹둑 잘라버리고 떠나려 했건만, 생각보다 쉽지 않네. 그녀가 묵묵히 침묵을 지키자, 진욱은 더욱 바짝 그녀에게 다가섰다.

"좋아. 갈 테면 가봐. 대신 이 기회에 업체도 바꿔버릴 테니까. 어차피 다음 달이면 재계약해야 하고 지금 업체 말고도 우리와 단체 급식 계약하고 싶어 하는 회사는 많아."

"네?"

이 무슨 날벼락이다 못해 하늘이 와르르 무너지는 소리?

"지금 그게 무슨 말씀……."

"못 알아들었나? 들어온 지 3주도 안 돼서 무책임하게 도망가려는 사람과 어떻게 일을 하지?"

"도망이라뇨. 저는 그냥 6개월 후에 첫 로테이션 들어가니까 그때……."

"당신을 고용한 업체 역시, 우리는 신뢰하기 힘들어."

진욱은 유미의 말을 도중에 자르며 자신의 말을 이어나갔다.

"그러니까 급식 업체를 바꾸겠다는 소리야."

—신입들은 꼭 처음에 한 번씩은 사고 치던데, 이번엔 어쩌려나?

제니의 비아냥거리던 목소리가 귓가에 울려 퍼졌다. 이건 그냥 사고

가 아니었다. 메가톤급 사고였다! 나야 그렇다 치고 다른 조리사들은 어쩌라고! 나 때문에 멀쩡한 직장에서 잘리게 할 순 없어. 6개월만 잘 견디면 될 줄 알았는데, 왜 갑자기…….

"저 한 명만 자르면 되잖아요. 다른 분들에겐 피해 주지 마세요."

유미는 두 손을 꼭 모아 쥐며 떨리는 목소리로 말했다.

"내 마음이야."

"너무해요. 갑질이 지나친 거 아닌가요?"

유미는 울음이 터질 것 같은 얼굴로 진욱을 원망스럽게 노려보았다.

"뭐, 갑질?"

"네. 갑, 질. 총괄 본부장이라고 막 그러시면 안 되죠."

"아니, 갑질은 누가 했는데……. 생각 안 나? 그쪽이 나에게 어떻게 갑질했는지?"

지금 무슨 말을 하는 거야? 갑질이라니? 내가 무슨 갑질을 했다고.

"그게 무슨 갑질이에요?"

유미는 억울하다는 듯 눈살을 찌푸렸다.

"사과하겠다고 막무가내로 카트 밀고 객실로 들어온 사람이 누군데 그래요? 누가 와인 가져다달…… 흡!"

순간 자신이 한 말을 깨달은 유미는 튀어나올 것처럼 눈을 크게 뜨며 두 손으로 입을 틀어막았다. 헉, 너무 흥분한 탓에 말이 헛나갔다.

"하, 이제야 실토하네."

드디어 자백을 이끌어낸 진욱의 얼굴에 승리의 미소가 떠올랐다.

어떡해! 지금까지 오리발 내밀고 잘 버텼는데 결국 자백하고 말았다. 유미는 상황 판단을 못 하고 제멋대로 발설한 자신의 혀를 콱 깨물고 싶었다. 하지만 어쩌랴. 이미 엎질러진 물을 도로 담을 수 없듯이 한

번 나간 말을 입속에 도로 넣을 순 없다.

"그러면 그렇지. 내가 그렇게 쉽게 잊을 수 있는 사람은 아니거든."

진욱은 의기양양한 미소를 지으며 가슴 앞으로 팔짱을 끼었다. 그녀 때문에 쫘악 금 가고 부서졌던 자존심이 조금이나마 회복되는 느낌이었다.

유미는 두 손으로 입을 틀어막은 채 눈물이 그렁그렁한 눈으로 그를 올려다보았다.

아슬아슬하게 버티던 그녀가 결국 제 풀에 무너졌다. 기분이 진정되자 진욱은 유미가 조금 안쓰러워지기 시작했다. 아무리 그녀가 괘씸하다곤 하지만, 일 잘하고 있는 멀쩡한 급식 업체를 바꿀 생각은 전혀 없었다. 그냥 해본 소리일 뿐이다. 그런데 그녀는 꽤 큰 충격을 받은 모양이다. 그렇다고 눈물까지 글썽거릴 필요는 없잖아!

"흠, 흠."

진욱은 괜히 마른기침을 두어 번 하며 고개를 돌려 유미의 시선을 피했다. 유미는 물기를 머금은 눈으로 진욱의 옆모습을 뚫어지게 바라보다 갑자기 그를 향해 90도로 허리를 숙였다.

"정말 죄송합니다, 본부장님."

진욱은 갑작스러운 태도 변화에 놀라 다시 그녀에게로 시선을 돌렸다. 유미는 깊이 허리를 숙인 채 계속해서 말을 이어나갔다.

"그때는 너무 당황해서 코트를 가져간 것도 몰랐습니다. 변명처럼 들리겠지만, 정말 그랬습니다."

목소리가 흔들리긴 했지만, 어느새 그녀의 말투는 지극히 사무적으로 변해 있었다. 상관에게 잘못을 시인하는 부하처럼 유미는 진욱의 앞에서 몸을 움츠렸다. 그녀의 이런 반응을 전혀 기대하지 않았기에 진욱은 곤혹스러운 듯 미간에 주름을 잡았다.

"업체를 바꾸는 건 다시 한 번 생각해주시기 바랍니다. 저 한 사람의 잘못으로 다른 분들이 피해를 입게 할 순 없습니다. 제발 부탁입니다."

그녀의 말투는 정중하다 못해 얼음장처럼 차갑게 느껴졌다.

"좋아. 업체 바꾸는 건 없던 일로 할 테니까……."

"감사합니다. 코트는 곧 돌려드릴게요."

난 지금 그깟 코트 때문에 이러는 게 아니야! 난 당신이…….

하지만 입속에서만 맴돌 뿐 말이 되어 밖으로 나가지 못했다. 너무나도 깍듯한 태도가 오히려 그녀에게 선뜻 다가설 수 없게 만들었다. 진욱이 아무 말도 하지 않고 침묵을 지키자, 유미는 다시 공손하게 허리를 숙였다.

"다시 한 번, 진심으로 사과드립니다. 그럼 전 이만."

말을 마친 그녀는 천천히 등을 돌려 문을 향해 걸어갔다.

이러려던 게 아니었는데……. 그녀에게 사과를 받으려 한 게 아니었다. 코트를 받아내려고 한 것도 아니었다. 난 다만……. 유미를 잡으려 한 발 앞으로 나서던 진욱은 혼란스러운 얼굴로 제자리에 얼어붙고 말았다. ……난 다만 뭘 어쩌려고 한 걸까? 그 자신 역시 정확한 답을 알지 못했다. 결국 진욱은 그녀가 걸어나가는 모습을 지켜볼 수밖에 없었다.

"후우."

본부장실을 나온 유미는 후들거리는 다리를 주체하지 못하고 문에 등을 기댄 채 그대로 주저앉았다. 망했다! 허무하게 유도 질문에 넘어가 꼬리를 잡히다니!

"잘 버티고 있었는데……. 흐응."

유미는 손으로 한쪽 가슴을 움켜쥐며 울음 섞인 신음을 내뱉었다. 그래도……. 막상 자백하고 나니까 마음은 편했다. 내일부로 잘릴지도 모르지만 말이다.

띠띠띠띠—.

집 앞에 차를 세운 진욱은 빠르게 비밀번호를 누른 후, 철로 만들어진 대문을 열었다. 2층 저택의 넓은 정원을 가로질러 통유리로 된 현관문을 여니, 적막한 실내가 그를 맞이했다. 실내는 인테리어 잡지에 실릴 만큼 세련되게 꾸몄음에도 별로 사용하지 않은 듯 깨끗하다 못해 썰렁하고 황량하기까지 했다.

진욱은 불도 켜지 않은 채, 입은 옷 그대로 소파에 털썩 몸을 눕혔다. 우수에 젖은 눈빛으로 천장을 올려다보자, 거실 창문을 통해 스며든 하얀 달빛에 천장 구조물이 희미하게 윤곽을 드러냈다.

"후우."

천장을 응시하던 진욱의 입에서 긴 한숨이 흘러나왔다.

—정말 죄송합니다.

—그때는 너무 당황해서 코트를 가져간 것도 몰랐습니다. 변명처럼 들리겠지만, 정말 그랬습니다.

그녀로부터 항복을 받아냈는데 기분은 왜 오히려 더 밑으로 가라앉는지 모르겠다. 제길! 진욱은 위로 손을 뻗어 머리맡에 돌돌 말려 있는 담요를 끌어당겼다. 유럽식 모던 스타일 소파와는 전혀 어울리지 않는 보풀투성이 낡은 담요를 바라보는 진욱의 얼굴에 씁쓸한 미소가 내려앉았다.

"흐음."

진욱은 담요에 얼굴을 묻으며 크게 숨을 들이마셨다. 가슴에 맺힌 한 마디가 목구멍을 타고 올라올 것 같은데 끝내 입 밖으론 나오지 못했다. 아프다. 가슴에 담으면 담을수록 칼에 찔리는 것처럼 쓰리고 아프다. 진욱은 두 손으로 담요를 꼭 끌어안으며 배 속에 있는 태아처럼 몸을 둥글게 구부렸다. 오늘 밤도 쉽게 잠들기는 그른 것 같다.

'자백하고 나니까 마음은 편하네!'라고 스스로 위로했지만, 막상 집에 돌아오니 현실적인 문제가 양어깨를 무겁게 내리눌렀다. 지금까지 얼굴을 빤히 쳐다보면서 모른다고 했으니까, 그의 입장에선 몹시 괘씸하긴 할 거다.

변명의 여지가 없었다. 완전히 거짓말쟁이로 찍혀버렸다. 신뢰가 밑바닥으로 떨어진 영양사가 해주는 음식을 차진욱이란 남자가 먹을 리가 없다. 잘릴 게 분명해!

"흐응, 이제야 겨우 제대로 된 직장을 잡았는데……."

결국 한숨도 자지 못하고 밤을 꼬박 새운 유미는 턱밑까지 다크서클이 내린 얼굴로 비실비실 출근 준비에 나섰다. 출근하자마자 잘리겠지? 이미 소지품 다 정리해놓고 기다리는 건 아닐까? 어쩌면 아예 건물 밖에서 쫓아낼지도 몰라.

억울했지만, 지금 여기서 할 수 있는 건 아무것도 없었다. 그저 불똥이 다른 곳으로 튀지 않고 혼자 희생하는 것으로 일단락됐다는 거에 감사해야겠지. 그래도 업체 바꾸는 건 없던 일로 한다니까, 내 한 몸 바쳐서 다른 사람들을 구한 걸로 만족하자.

유미는 고개를 숙이며 나오려는 울음을 애써 삼켰다. 한식 조리사 시험에 3번 연속으로 떨어졌을 때보다 어째 더 우울한 것 같다. 당분간 현태의 카페에서 주방 일이라도 해야 하나?

유미는 회사를 향해 무거운 발걸음을 옮겼다.

"오늘은 여기까지입니다. 그동안 모두 정말 고마웠습니다."

"유미 쌤, 그동안이라니요?"

은비의 질문에 유미는 대답 대신 힘없이 웃으며 어깨를 늘어뜨렸다. 하지만 대부분 점심 준비에 바빴으므로 축 처진 유미의 상태를 그리 심각하게 받아들이지 않았다.

조회를 마치고 조리 팀 모두 조리실로 향하자, 유미는 터덜터덜 영양사 사무실로 걸음을 옮겼다. 경비 아저씨가 로비에서 막지 않은 게 어디야. 황송하게도 찬찬히 짐 정리할 시간까지 줬는데…….

유미는 챙겨갈 소지품을 정리하기 위해 조리실에서 가져온 종이 상자를 테이블 위에 올려놓았다. 3주도 채 근무하지 않은 터라 가져갈 건 그리 많지 않았다. 우선 틈틈이 사내 배식에 관한 특별 사항을 적은 노트부터 챙겨야 한다. 다닥다닥 컴퓨터에 붙여놓은 포스트잇을 떼려는데 '똑똑' 누군가 문을 두드렸다.

뒤를 돌아보자, 문이 열리며 현란한 체크무늬 슈트를 입은 우진이 피크닉 바구니를 들고 안으로 들어섰다.

"좋은 아침입니다."

우진은 꾸벅 고개를 숙이더니 그녀에게 피크닉 바구니를 내밀었다. 도시락 뚜껑을 열어보니 도시락 안은 말끔하게 비어 있었다.

"……또 손도 안 대고 모두 버리셨나 봐요."

"본부장님께서 아주 맛있게 먹었다고 꼭 전해달라고 하셨습니다. 특히 생강즙에 재웠다가 간장과 벌꿀을 발라 구운 돼지고기가 일품이라고 하시더군요."

"네?"

유미가 황당하다는 표정으로 우진을 바라보았다.

그럴 리가 없는데?

"정말 본부장님이 그러셨다고요?"

"물론입니다."

도대체 무슨 속셈이지? 거짓말하는 사람이 해주는 음식을 어떻게 먹느냐고 막 소리치던 사람이. 마지막이라서 비워준 걸까? 유종의 미?

"또 다른 말씀은 없으셨나요?"

"네. 오늘은 조찬 회의가 있고 점심 약속도 잡혀 있어서 저녁만 해주시면 된답니다. 그럼 전 이만."

사무실을 나가는 우진을 바라보며 유미는 불안한 마음을 힘겹게 내리눌렀다.

이 남자, 또 갑자기 예상할 수 없는 방향으로 튄 거야?

"……뭐지? 왜 가만히 있지?"

긴장이 풀린 유미는 의자에 주저앉으며 혼잣말처럼 중얼거렸다.

"그냥 이렇게 넘어갈 리가 없는데……. 지금 안 자르고 직접 얼굴 보면서 자르려고 그러나? 아니면…… 방심하고 있을 때 확 자르려고?"

아, 그 속을 누가 알아! 그녀의 머릿속은 혼란으로 뒤죽박죽 엉켜버렸다.

"뭐라고 그래?"

"네?"

조찬 회의에서 돌아온 진욱이 다짜고짜 질문을 던지자, 우진은 황당하다는 표정으로 자리에서 일어섰다. 주어가 빠진 채, 저렇게 불쑥 물어오면 정말 답이 없었다.

진욱은 비서가 그런 거 하나 째깍 못 알아듣느냐는 눈빛으로 우진을 노려보다 고개를 뒤로 젖히며 짧게 한숨을 내쉬었다.

"빈 도시락 통 보내면서 아주 맛있게 먹었다고 하니까 뭐라고 그러더냐고?"

"아, 그거요……. 별말 없었습니다. 다만……."

"다만?"

"'왜 이러지?' 하며 의심하는 것 같은 표정, 약간 겁먹은 표정을 짓더군요."

"그래? 그랬단 말이지."

진욱은 우진의 대답이 마음에 드는 듯 고개를 끄덕거렸다. 그녀의 어두운 표정이 마음에 걸려 빈 도시락 통을 보내고 맛있게 먹었다는 말을 전하긴 했지만, 그렇다고 그녀에게 면죄부를 주고 싶진 않았다. 조금은 마음을 놓이게 하면서도 다른 한편으론 바짝 긴장하게 만들어야지.

"참, 그나저나……."

진욱이 등을 돌려 집무실로 향하자 우진이 빠르게 그를 붙잡았다.

"맹 이사가 지금 있는 급식 업체를 빼내고 본인이 미는 업체에 자리를 주려고 물밑 작업 중이랍니다."

"뭐? 업체를 바꿔? 누구 마음대로!"

진욱의 얼굴이 험상궂게 일그러졌다.

참 신기한 게 무슨 일이 있어도, 하늘이 무너져도 시간은 언제나처럼 째깍째깍 흘러갔다. 유미는 비정한 시계를 노려보며 초조한 마음을 달랬다. 저녁 도시락을 들고 진욱을 찾아가야 할 시간이 가까워질수록 입술이 마르며 속이 바짝바짝 타들어갔다.

"후우."

유미는 긴 한숨을 내쉬며 도시락 상태를 다시 한 번 차근차근 점검했다. 그래도 아침과 점심을 피한 게 어디야. 어차피 한 번은 넘고 지나야 할 관문이니까 정신 바짝 차리자!

그녀가 집무실 문을 열고 책상 앞으로 다가올 때까지도 진욱은 일절 시선을 주지 않았다. 꽤 심각한 얼굴로 컴퓨터 화면을 노려보며 업무에만 열중했다. 그의 일을 방해할 수도, 그렇다고 도시락만 내려놓고 나갈 수도 없기에 유미는 가만히 부동자세로 진욱이 자신을 바라봐주기만을 기다렸다. 한참 후에야 진욱은 컴퓨터 화면에서 그녀에게로 눈길을 돌렸다. 그러고는 아무런 감정이 드러나지 않은 표정으로 그녀를 무심히 바라보았다.

"……코트는?"

아, 맞다!

"죄송합니다."

유미는 서둘러 고개를 숙이며 사죄했다.

"코트는 나중에 드라이클리닝 해서 가져올게요. 어제 늦게 퇴근하는 바람에 세탁소가 문을 닫아서 맡기지 못했거든요. 그러니까……."

"그러면 코트는 주말에나 맡길 수 있겠네요."

"네?"

"내가 이번 주 내내 야근을 해서 말이죠. 내가 야근하면 이유미 씨도 같이 남아 야식을 만들어줘야 하니까."

"아…… 네."

이건 당분간은 자르지 않겠다는 말인가? 그 대신 죽도록 일을 시키겠다는 말?

진욱은 느긋한 동작으로 자리에서 몸을 일으키더니 책상을 돌아 그녀 앞으로 다가왔다.

"어제 업체 바꾸는 건 없던 일로 한다는 말."

뭐지? 그사이 마음이 바뀐 건가? 유미는 창백해진 얼굴로 그 자리에 굳어버렸다. 진욱은 그녀의 앞에 멈춰 서더니 그녀를 향해 천천히 허리를 굽혔다.

"유효합니다. 대신……."

그녀와 코가 맞닿을 거리까지 얼굴을 가까이 가져가며 그가 나직한 목소리로 말을 이었다.

"조건이 있습니다, 이유미 씨."

"조건이라면……?"

유미는 희미하게 떨리는 목소리로 물었다. 얼굴 위로 느껴지는 그의 숨결에 신경이 찌릿찌릿 곤두서 더 이상은 말을 잇기가 어려웠다. 한 걸음 뒤로 물러서고 싶었지만, 그의 눈빛이 너무 강렬한 탓에 몸이 말을 듣지 않았다.

한동안 그녀를 뚫어질 듯이 바라보던 진욱이 이윽고 허리를 꼿꼿하게 펴며 입을 열었다.

"당신 도시락으로 나를 감동시켜 봐요."

"감동이요?"

"지금까지 그쪽이 나에게 한 짓이 감동의 눈물로 다 씻겨 내려갈 수 있게 정성을 다해서 도시락을 만들어달라는 말입니다."

이젠 대놓고 못살게 군다는 소리? 여기에서 뭘 더 해야 감동할 만한 도시락을 만들 수 있는데? 유미는 눈앞이 캄캄해지는 것만 같았다.

"한 달이란 시간을 주죠. 그 기간 동안 내가 감동할 만한 도시락을 만들어 와요. 그러면 6개월 후에 이유미 씨가 로테이션 하든 말든 상관하지 않을 테니까."

감동을 준다는 것 자체가 얼마나 주관적인 건데……. 그건 완전히 자기 마음대로 하겠다는 소리잖아.

"……만들지 못하면요?"

"물론 업체와는 그대로 재계약할 겁니다. 원래는 3년이지만, 5년 장기 연장으로 하죠."

진욱은 허리를 굽혀 그녀에게 바짝 얼굴을 가져가며 말했다.

"이유미 씨가 계속 대복에 남는다는 조건을 걸고."

전혀 예상하지 못했던 폭탄 같은 진욱의 선언에 유미의 눈이 커다래졌다.

"그 말은 6개월 후가 됐든 1년 후가 됐든 로테이션은 없을 거라는 거."

그러니까 그 말은 옆에 잡아놓고 두고두고 괴롭히겠다는 말? 한마디로 스티븐 킹의 '미저리(Misery)'?

"왜죠? 제가 다른 곳으로 발령 나든 말든 무슨 상관이에요. 본부장님과 아무 상관없잖아요."

"이유미 씨가 꿈의 직장을 떠나는 게 너무 안타까워서."

"꿈의 직장이요?"

이 남자, 지금 누굴 놀리나?

"하루 300명 넘게 직원이 오가는 구내식당을 관리하면서, 삼시 세끼 다른 메뉴로 도시락 만들어 올리는 거, 절대 쉬운 일 아닙니다."

"노동량보다 보수가 적다는 말인가? 장 비서가 알아서 섭섭하지 않게 업무 외 수당 챙겨줄 텐데……. 더 바라는 게 있다니, 보기보다 계산적인데?"

섭섭하지 않게 챙겨준다고? 보기보다 계산적? 이 남자가 정말!

지금까지 힘겹게 참고 있는 분노가 홍수에 댐이 터지듯 한꺼번에 터져버렸다. 너무나도 억울하고 참담해서 지렁이도 밟으면 꿈틀한다는 걸 증명해야겠다.

"처음부터 계획적이셨나요? 다 알면서 모르는 척하는 게 괘씸해서, 어디 한번 당해봐라?"

유미의 허를 찌르는 질문에 진욱은 살짝 당황하고 말았다. 모르는 척하는 게 괘씸해서 일부러 못살 게 군 건 맞으니까.

"30년 전의 일도 아니고 고작 3년 전 일인데, 청문회에 불려간 것도 아니면서 갑자기 기억이 하나도 안 난다고 한 건 정말 미안한데요."

그녀는 떨리는 목소리로 그를 향한 원망을 쏟아내기 시작했다.

"어쩌다 값비싼 코트를 가져간 것도 정말 미안해요. 하지만 그렇다고 남자가 치사하게시리 옷 하나 가지고 사람을 그렇게까지 몰아붙이면 안 되죠. 그깟 코트가 한 인간의 존엄성보다 더 중요한 건 아니잖아요?"

"이봐요, 이유미 씨. 지금 뭔가 착각하고 있는 것 같은데, 난 코트가 중요해서 그런 게 아니라……."

진욱이 오해를 바로잡으려고 했지만, 흥분한 그녀의 귀에는 아무 소리도 들리지 않았다. 자신의 신세가 하도 처량해서 가만히 있어도 두 눈에 눈물이 차올랐다. 유미는 손등으로 아무렇게나 눈물을 훔쳐내며 계속해서 마음에 있는 말을 쏟아냈다.

"그러는 본부장님은 달걀 프라이 하나라도 할 줄 아세요? 라면은 제대로 끓일 줄 아시냐고요? 내가 영양사지, 요리사는 아니잖아요. …… 요리사라도 그렇지. 누가 아침, 점심, 저녁, 야식까지 갖다 바쳐요?"

"이유미 씨, 좀 진정하고……."

흥분한 그녀를 진정시키려 진욱이 두 손으로 그녀의 어깨를 붙잡았다. 그의 억센 손길에 유미는 퍼뜩 정신을 차리고 멍하니 그를 올려다보았다. 그제야 유미는 방금 자신이 한 행동을 깨달으며 흠칫 몸을 움츠렸다.

내가 미쳤나 봐! 애원해도 될까 말까 한 상황에서 오히려 다다다 불만을 쏟아내다니. 솔직히 다 맞는 말이긴 하지만……. 이놈의 불공평한 세상, 맞는 말도 마음대로 할 수 없다니.

유미는 아랫입술을 꽉 깨물며 그의 시선을 피했다. 진욱은 속을 전혀 알 수 없는 무표정으로 그녀를 바라보았다.

두 사람 사이에 무거운 정적이 내려앉았다. 잠시 후, 유미는 슬그머니 진욱을 비켜 지나쳐 방 중앙에 놓인 테이블로 걸어갔다. 피크닉 바구니에서 도시락을 꺼내 테이블에 올려놓은 후, 진욱을 향해 허리를 굽혔다. 사태를 정리하고 되도록 빨리 그의 눈앞에서 사라지는 게 최선책일 테니까.

"감동 드릴 수 있는 도시락, 열심히 만들어보겠습니다. 그만 가보겠습니다."

사무적인 태도로 말을 마친 유미는 비틀거리는 걸음으로 문을 향해 다가갔다.

"잠깐! 거기 서."

진욱의 나직하면서도 강압적인 목소리에 유미는 순간 제자리에 멈칫 섰다. 뒤로 고개를 돌리자, 진욱의 굳은 얼굴이 그녀의 시야를 가득 채웠다.

"하나만 묻자. 그날 그렇게 가버린 이유가 뭐지?"

유미는 갑작스러운 질문에 어이없다는 표정을 지었다.

"그게 지금 그렇게도 궁금하세요?"

진욱은 그녀를 뚫어지게 응시하며 높낮이 없는 목소리로 말했다.

"말해. 이유가 뭔지……."

유미는 입을 꾹 다문 채 그를 빤히 바라보았다.

무언가 말을 꺼내려는 듯 몇 번이나 입술을 달싹거리더니, 이윽고 긴 한숨을 내쉬었다.

"솔직히 전, 왜 그게 궁금한지 모르겠어요. 우리가……."

그녀는 진욱의 시선을 피하며 조심스럽게 말을 이었다.

"……사귀는 사이기라도 했나요?"

그 말에 충격받은 듯 진욱의 눈초리가 미묘하게 꿈틀거렸다. 그러나 그뿐이었다. 진욱은 더는 감정을 내보이지 않았다.

"그럼 전 이만 가보겠습니다."

제자리에 얼어붙은 듯 서 있던 유미는 한참 후에야 서서히 등을 돌려 방을 걸어나갔다.

"그러니까 그 말은…… 나는 그저 하룻밤 상대였다?"

진욱은 허탈한 표정으로 그녀의 뒷모습을 노려보았다.

"후아."

다리가 멋대로 후들거려서 제대로 서 있을 수조차 없었다. 유미는 한 손으로 벽을 짚으며 조심조심 앞으로 나아갔다. 방금 자신이 무슨 말을 쏟아냈는지 잘 기억나지 않았다. 그냥 눈앞이 컴컴하고, 숨이 막힌 듯 가슴이 너무 답답해서 뭔가 팡 터뜨린 것 같긴 한데…….

유미는 넋을 잃은 얼굴로 천장을 향해 고개를 젖혔다. 이럴 거면 아예 잘리는 게 더 나을지도 모르겠다. 재계약을 빌미로 협박에 가까운 조건을 내걸다니. 도대체 어떤 도시락을 만들어야 감동할 거냐고! 입맛 까다로운 걸로 따지자면 진시황 저리 가라면서…….

"흐응."

하룻밤의 로맨스가 이리도 사람 발목을 잡아당기게 될 줄이야. 앞으로 다시는 남자와 썸 타나 봐라! 아니, 썸은 둘째 치고 모르는 남자 근처에도 가지 않을 거야. 다시는……. 너무 늦어버린 것 같지만 말이다.

유미는 고개를 푹 숙이고 터덜터덜 구내식당으로 걸음을 옮겼다.

"차진욱, 네가 여기엔 웬일이냐? 한동안 코빼기도 안 보이더니……."

혼자 위스키를 들이켜는 진욱을 본 철민이 놀란 얼굴로 다가왔다. 진욱은 철민에게 인사하는 대신 반쯤 남은 위스키 잔을 단숨에 비우고 술병을 들어 빈 잔을 채웠다.

"무슨 일이야? 너 표정이 왜 그래?"

"형……."

한 손으로 위스키 잔을 흔들며 진욱이 중얼거리듯 입을 열었다.

"……나…… 사실은 그런 놈 아니라는 거, 형은 잘 알잖아."

"아닌 밤중에 홍두깨도 아니고 갑자기 뭔 소리야?"

"후우."

진욱은 대답 대신 길게 한숨을 내쉬었다.

—우리가…… 사귀는 사이기라도 했나요?

아직도 유미의 목소리가 귓가에 쩌렁쩌렁 울리는 것만 같다. 위스키 잔을 뚫어지게 바라보던 진욱은 잔을 들어 올려 단숨에 비워버렸다. '탁' 소리 나게 빈 잔을 테이블 위에 내려놓으며 진욱은 입꼬리를 비틀었다.

"기분 한번 진짜 더럽네."

"뭔데? 진욱이 네가 여자 때문에 이럴 리는 없고. 회사 일이야? 맹 이사가 또 귀찮게 굴어?"

"……형."

"어?"

"내가, 이 차진욱이 고작 '하룻밤 상대'였다는 게 말이 돼?"

무슨 귀신 씻나락 까먹는 소리를 하느냐는 듯 철민이 눈살을 찌푸렸다. 진욱은 혼자 씁쓸한 미소를 지으며 한 잔 가득 위스키를 따랐다.

"……감히 누구더러."

위스키 잔을 노려보는 진욱의 눈빛이 무겁게 가라앉았다. 원나잇이었다 이거지? 고작 그런 존재였다는 걸, 확인 사살까지 했으니 이쯤 되면 미워져야 하는데……. 남아 있던 정도 뚝 떨어져야 하는데……. 속마음은 전혀 그렇지 않다는 것에 더 화가 났다.

"형, 난 말이지, 나에게 아무 말 없이 그냥 떠나버린 거…… 후우."

진욱은 더 이상 말을 잇지 못하고 긴 한숨을 내쉬며 위스키 잔을 입에 가져갔다. 독한 위스키가 목구멍을 타고 흘러내리며 묵직하고 진한 향을 퍼뜨렸다.

"나에게 그런 사람은……."

단숨에 잔을 비운 진욱은 쓴웃음을 지으며 혼잣말처럼 속삭였다.

"이미 한 명으로 충분해."

Episode 8

전 제 여자 속만 챙깁니다

이럴 줄 알았다! 감동은커녕 그에게 퇴짜만 안 맞아도 감지덕지였다.

유미는 일주일 내내, 삼시 세끼는 물론 야식까지 포함해 진욱에게 가져다 바쳤으나 그의 반응은 며느리가 차려준 밥상을 받는 시어머니처럼 시큰둥했다. 물론 착한 시어머니가 아니라 못된 시어머니.

"보고서를 철저하게 읽어보았다면 어떤 음식이 날 감동시킬지 짐작이 갈 텐데……."

도시락 뚜껑을 열자마자 진욱은 싸늘하게 식은 눈빛으로 유미를 바라보았다.

"죄송합니다. 어디가 부족한지 지적해주신다면 제가 잘 새겨듣겠습니다."

"우선 정성이 없잖습니까? 이 떡갈비, 이거 냉동식품이죠? 생고기를 다져서 만든 거 아니죠?"

엄선된 최고급 유기농 및 천연 재료로 만들어 급속 냉동한 제품이라며 은비가 슬쩍 건네주었던 떡갈비. 제니와 신화도 한 번 먹어보고는 '와, 이거 방금 만든 것 같아요. 완전 짱!'이라고 엄지손가락을 척 올렸더랬다. 하지만 진욱에게는 통하지 않았다. 귀신같이 냉동식품인지 한 번에 알아차리다니.

"그리고 보기에 좋은 떡이 맛도 좋다던데……. 좀 신경 써서 담아야

하지 않겠어요? 힘들면 고급 레스토랑에 가서 현장 실습을 하든지."

새벽에 출근해서 별 보고 퇴근하는 사람에게 고급 레스토랑에 가서 외식해보라니. 돈이 있어도 시간이 없는데…….

그러나 그는 지금 저 꼭대기 '갑'이고 그녀는 지금 저 밑바닥 '을'의 신세였다. 무슨 수를 써서라도 그를 감동하게 할 도시락을 만들어서 6개월 후에는 자유의 몸이 되어야 했다. 그래, 아무리 그래도 중학교 때만큼이야 하겠어. 그때를 떠올리면서 지금의 상황을 감사하게 받아들여야 한다. 여긴 그래도 고생한 만큼 월급은 나오잖아.

"죄송합니다. 더욱더 노력하겠습니다."

유미는 최대한 상냥하게 웃으며 두 손을 모아 배꼽 인사를 했다.

"아주머니, 캐시미어 드라이클리닝 되죠?"

지옥 같은 나날을 보낸 유미는 황금 같은 토요일을 맞아, 진욱의 코트를 들고 부랴부랴 세탁소로 향했다. 우선 코트라도 서둘러 돌려줘야 조금이나마 숨통이 트일 것 같았기 때문이다.

"네에?"

하지만 캐시미어 코트는 숨통을 트이게 하는 게 아니라, 그녀의 목을 더욱더 콱 조였다.

"좀이요?"

유미는 튀어나올 듯 눈을 크게 뜨며 빽 소리를 질렀다. 뒤로 넘어져도 코가 깨지고, 아래턱도 나가면서 윗니까지 몽땅 부러지더니…… 이젠 이마까지 깨졌다!

"응. 좀이 생겼네, 이거."

유미는 자신의 귀를 믿을 수 없다는 듯 세탁소 주인아주머니를 황망한 눈으로 쳐다보았다. 50대 초반인 주인아주머니는 '쯧쯧' 혀를 차며 유미가 건네준 진욱의 코트를 이리저리 살펴보았다.

"이거 완전 최고급 캐시미어 코트네. 좀벌레가 좋은 건 또 귀신같이 알아요. 싸구려 합성섬유는 쳐다보지도 않으면서 이런 천연 소재 제품은 엄청 찾는다니까. 여기 봐요. 구성이 숭숭 났잖아."

헉! 정말! 주인아주머니 말대로 코트 앞부분에 여기저기 자잘한 구멍이 나 있었다.

"아가씨, 좀약 안 넣고 그냥 옷장에 보관했지?"

유미는 서글픈 얼굴로 빠르게 고개를 끄덕거렸다. 캐시미어는 둘째 치고 울로 만든 옷도 거의 없는데……. 좀벌레가 뭔지도 잘 모르는데 좀 약이라니? 화장실 소독약 냄새나는 거?

"어떻게 수선 안 될까요?"

유미는 울음을 터뜨릴 것 같은 얼굴로 주인아주머니에게 간절하게 매달렸다.

"이게 제 옷이 아니라, 남의 옷 보관하다 돌려주는 거라서요."

"글쎄……. 아주 솜씨 좋은 곳에 맡기면 되긴 한데. 그래도 티는 날 거야. 근데 아가씨, 이거 진짜 '키넬'이야? 짝퉁 아니고?"

유미가 바로 대답을 못하고 눈꺼풀만 빼끔거리자, 주인아주머니가 안됐다는 듯 다시 '쯧쯧' 혀를 찼다.

"에고, 어떡하나? 이거 무지 비쌀 텐데. 이 정도 롱코트면……. 아휴, 적어도 한 장은 넘을 텐데……."

"한 장이요? 백만 원?"

그 정도면 눈물 나게 아깝긴 하지만, 그래도 변상할 수 있는 수준이었다. 그런데 이 아주머니, 왜 안타깝다는 얼굴로 고개를 절레절레 흔드는 건데?

"아가씨, 그건 짝퉁일 때 가격이고 이거 만약에 진짜 '키넬'이면 거기다 동그라미 하나 더 붙여야 해."

"네에에?"

유미의 단마디 비명이 좁은 세탁소 안에 울려 퍼졌다.

"천, 천만 원이요? 밍크코트도 아니고 무슨 캐시미어 코트 가격이 그 정도나 해요?"

"이거 '키넬'이잖아. 돈 싸 들고 가도 구하기 어려운 명품 중의 명품."

'키넬'이든 '코넬'이든, 나 이제 어쩌라고!

유미는 자리에 주저앉아 펑펑 소리 내어 울고만 싶었다.

월요일 이른 새벽, 아직 동도 트지 않은 컴컴한 어둠 속에서 유미는 참담한 심정으로 대복 그룹 본사 건물을 올려다보았다.

"하아."

땅이 꺼져라 한숨만 푹푹 나온다. 마음 같아선 이대로 다 때려치우고 강원도 어디 산골짜기로 숨어버리고만 싶었다. 하지만 그렇다고 코트 한 벌과 실수 한 번 때문에 앞으로 펼쳐진 창창한 미래를 내던지고 도망갈 순 없었다. 어떻게 해서 영양사 면허증을 따고, 또 어떻게 해서 조리사 자격증을 땄는데!

유미는 실기 시험과 취업 면접에서 연거푸 떨어지고, 세 들었던 집에서 쫓겨났던 험난한 과거를 떠올렸다.

이제야 뭔가 좀 풀리는가 싶은데 쉽게 포기해선 안 돼! 세탁소 아주머니가 최대한으로 공들여서 수선해본다고 했으니까 우선은 그분을 믿어야 한다. 정 안 되면…… 흑, 열심히 벌어서 갚아야지 어쩌겠어? 장 비서가 따로 계산해주는 업무 외 수당을 차곡차곡 잘 모으면…… 후우, 그렇게 해서 모으면 몇 년이 걸리려나?

유미는 자꾸만 비관적으로 빠지려는 자신을 탓하며 세차게 고개를 흔들었다. 지금은 신중하게 계획을 세워 앞에 놓인 고난을 극복해야 할 때였다. 우선은 코트를 수선해 올 때까지 최대한으로 차진욱 본부장을 피할 것! 거짓말에 서툴기 때문에 지나가는 투라도 코트에 관해서 물으면 그 자리에 주저앉아 잘못을 빌지도 모른다.

—죄송해요. 그 코트 좀이 생겼대요.

물론 감쪽같이 수선한다 해도 진욱에게 돌려주며 사실을 털어놓을 작정이었다. 그러나 완벽하게 수선된 코트를 건네주며 설명하는 것과 그냥 말로만 처참한 코트 상태를 설명하는 건, 하늘과 땅 차이였다. 우선은 그와 부딪치지 않게 피하는 게 상책이었다. 유미는 의지를 불태우며 어둠 속에 우뚝 선 대복 그룹 건물을 올려다보았다.

"나영 씨, 테이블 위에 있는 거 뭡니까?"

출근하자마자 집무실로 들어갔던 진욱이 다시 나오며 나영에게 물었다. 책상 정리를 하던 나영은 왜 그런 걸 묻느냐는 얼굴로 진욱을 바라보았다.

"본부장님을 위한 아침 도시락인데요. 왜요?"

"이유미 영양사가 벌써 다녀갔습니까?"

"네. 오늘은 저보다도 먼저 와서 복도에서 기다리더라고요."

"그래요?"

진욱은 탐탁지 않다는 표정을 지으며 다시 집무실 안으로 들어갔다. 도시락 뚜껑을 열자, 달걀 물을 입혀 구워낸 프렌치토스트와 바짝 구운 베이컨, 한입 크기로 자른 과일 등이 눈에 들어왔다.

진욱은 토끼 모양으로 자른 사과를 빤히 바라보다 아삭 한 입 베어 물었다. 감동할 만한 도시락을 만들어 오랬지 누가 자기처럼 생긴 토끼를 만들어 오랬나? 그래도 과도로 조몰락거리며 열심히 모양을 냈을 걸 생각하니 조금 귀엽긴 했다.

아침이라 별 생각 없이 넘겼는데 어찌 된 일인지 점심도 비슷한 상황이 연출됐다. 중역 회의에서 돌아오자, 그의 책상 위에 점심이 담긴 도시락이 올려져 있었다.

"이유미 영양사가 가져왔나?"

"네. 본부장님 돌아오시기 바로 직전에 놓고 갔습니다."

"그래."

그날 저녁 역시 잠시 화장실에 갔다 돌아오니, 테이블 위에 저녁이 차려 있었다.

오늘 저녁은 구운 새송이 버섯을 곁들인 산나물 비빔밥입니다.
맛있게 드세요! ^___^ - 이유미 영양사 -

……라고 쓰인 포스트잇 메모와 함께.

월요일에 이어서 화요일, 수요일까지 같은 일이 반복되자, 진욱은 이게 결코 우연이 아니라는 걸 깨달았다. 분명 그와 얼굴을 마주치기 싫어서 꾀를 내고 있는 거다. 흠, 아주 눈에 훤히 보이게 도망 다니시겠다! 보일 듯 말 듯 보이는 토끼의 동그란 꼬리는 언제나 맹수의 사냥 본능을 자극하는 법. 진욱의 얼굴에 짓궂은 미소가 떠올랐다.

목요일 오후, 모두가 퇴근한 시간. 유미는 늦게까지 사무실에 남아 다음 주 식단 작성에 몰두했다. 모든 작업을 마치고 컴퓨터에 저장하려는데 '띠링' 문자 알림이 울렸다. 보지 않아도 누구인지 짐작이 갔다. 유미는 저장을 마친 컴퓨터를 끄며 옆에 놓은 휴대폰을 힐끗 내려다보았다.

9시 30분까지 야식 준비 바람.

이번 주는 야식이 없어서 숨 좀 돌린다 싶었는데……. 하지만 어쩌겠어. 만들어 오라면 만들어 가야지.

유미는 감동을 줄 순 없지만, 퇴짜는 맞지 말자는 마음으로 야식을 준비했다. 한입에 쏙 들어갈 수 있는 새우 꼬마 만두를 빚고 튀긴 후, 깻잎과 상추, 파프리카를 채 썰어 튀김 만두와 곁들여 먹을 수 있는 샐러드를 만들었다.

띠링―. 띠링―.

막 요리를 끝내고 도시락 통에 담으려는데 휴대폰이 울렸다. 어떻게 하면 예쁘게 담을까 하는 생각에 정신이 팔린 그녀는 발신자를 확인할 생각도 없이 통화 버튼을 눌렀다.

"여보세요."

[유미야, 내 사랑스러운 딸.]

수화기 너머로 호들갑스럽게 해맑은 미희의 목소리가 흘러나왔다. 유미는 눈살을 찌푸리며 섣불리 전화를 받은 자신을 원망했다. 미희가 그저 간단히 안부를 전하려 전화했을 리가 없기 때문이다. 미희가 그녀에게 전화할 때는 남편 영한과 다툰 후가 아니면 늦둥이 동구의 육아에 지쳐 스트레스 만빵일 때, 그것도 아니면 술에 취했을 때뿐이었다.

"무슨 일이야, 엄마? 나 지금 바빠. 급한 일 아니면 나중에 전화해."

[매정한 계집애, 어쩌면 너는 항상 첫마디가 나 지금 바빠야?]

"진짜 바쁘거든!"

도시락 통에 튀긴 만두를 담으며 유미가 투덜거렸다.

[유미야아.]

말끝이 살짝 말리는 것 보니까 아무래도 이미 술을 몇 잔 마신 모양이었다. 유미는 끝도 없이 펼쳐질 미희의 술주정을 예상하며 위아래로 눈동자를 굴렸다. 엄마가 아니라, 사춘기 딸을 가진 느낌이라니까!

[나 있잖아, 한 며칠만 니네 집 가 있음 안 될까앙? 깡촌에만 있으려니까 답답해서 미치겠어. 그러니까 나, 며칠 서울 바람 좀…… .]

"무슨 소리야? 동구는 어쩌고?"

[동구도 데리고 가지, 뭐.]

엄마가 오는 것도 벅찬데 세 살배기 동구까지 데리고 온다니! 가뜩이나 이것저것 머리가 터질 것 같은데…….

"안 돼!"

유미는 매몰차게 거절하고 미희가 뭐라고 하기 전에 얼른 전화를 끊어버렸다. 다시 전화벨이 울렸지만, 유미는 무시해버리고 나머지 음식을 도시락 통에 담았다. 벽에 걸린 시계를 보니 9시가 막 넘어가고 있었다. 늦지 않으려면 서둘러야 한다. 유미는 피크닉 바구니를 한 손에 들고 부랴부랴 본부장실로 향했다.

띠링—. 띠링—.

전화벨은 그녀가 조리실을 나설 때까지 계속해서 이어졌다.

엘리베이터에서 내린 유미는 본부장실을 지나쳐 옆에 있는 비상계단으로 쏙 들어갔다. 잠시 후, 비상계단의 문이 빠끔히 열리며 유미의 얼굴이 쏙 빠져나왔다. 유미는 아주 심각한 얼굴로 본부장실 앞 복도를 뚫어지게 주시했다.

식사하기 전, 진욱은 꼭 화장실에서 손을 깨끗이 씻는다고 나영이 살짝 귀띔해주었다. 그러니까 도시락을 가져오기 전, 항상 화장실에 다녀온다는 소리였다. 진욱이 화장실에 가는 사이에 후다닥 뛰어가서 도시락을 놓고 올 계획이었다. 요 며칠간은 원하는 대로 착착 시간이 맞아떨어졌다.

째깍—. 째깍—.

시간은 자꾸만 흘러가는데 아무리 기다려도 진욱은 본부장실에서 나올 생각이 없는 듯했다.

아무래도 이번엔 틀린 것 같지?

유미는 초조하게 손목시계를 들여다보았다. 시곗바늘은 어느새 9시 25분을 가리키고 있었다.

어떡하지? 유미는 손톱을 잘근잘근 씹으며 잠시 고민에 빠졌다. 이번엔 그냥 얼굴에 철판 깔고 직접 도시락을 들고 갈까? 눈만 마주치지 말고 빠르게 도시락만 전달해주고 오면 되잖아. 괜히 지각해서 날벼락을 맞는 것보단 그게 나을지도 모른다.

할 수 없이 비장한 각오를 하고 비상계단에서 나오려는데…… 앗! 본부장실 문이 열리더니 한 손에 서류 파일을 든 진욱이 밖으로 성큼성큼 걸어 나왔다. 다행이다! 어쩌면 화장실에 가서 손을 씻고 오는 것보다 시간이 더 걸릴지도 모르겠다.

유미는 진욱이 오른 엘리베이터의 문이 닫히자마자, 후다닥 비상계단에서 튀어나와 본부장실까지 전속력으로 달려갔다. 헉헉, 벅찬 숨을 몰아쉬며 집무실 안까지 단숨에 달려 들어간 그녀는 서둘러 도시락을 테이블에 내려놓기 시작했다. 그가 다시 집무실로 돌아올 때까지 시간이 걸릴 테지만, 그래도 혹시 모르니까 서둘러야 한다.

달칵—.

유미는 도시락 세팅에 너무 열중한 나머지, 등 뒤로 문이 열리고 있다는 사실을 깨닫지 못했다. 진욱이 집무실로 들어와 그녀 뒤로 다가오고 있다는 것도 전혀 눈치채지 못했다. 마지막으로 냅킨을 곱게 접어 도시락 옆에 내려놓고 황급히 몸을 돌리는 순간……!

"오늘 야식은 뭡니까?"

"꺄아악!"

유미는 팔짱을 낀 채 뒤에 선 진욱을 발견하곤 소스라치게 비명을 질렀다. 너무 놀라면 눈앞에 별이 번쩍 보인다더니……. 정말로 유미는 눈앞에 펼쳐진 찬란한 별을 보았다. 심장이 쿵, 밑으로 떨어지는 것처럼 목구멍이 콱 막히고 두 다리에서 순식간에 힘이 빠져나갔다. 바닥이 물컹하고 위로 팍 치고 올라온다는 느낌을 받는 찰나, 그녀는 그대로 제자리에 쓰러지고 말았다.

"이봐!"

유미가 맥없이 쓰러지자 진욱은 재빨리 손을 뻗어 그녀를 품으로 끌어당겼다. 화들짝 놀라며 비명을 지를 거라는 건 예상했지만, 기절까지 할 줄은 몰랐다. 실제로 토끼가 잘 놀라고 잘 기절하는 동물이라지만, 토끼를 닮은 그녀까지 이리 쉽게 정신을 잃을 줄이야. 잠시 골려주려고 했는데……. 자꾸만 피하는 것 같아 조금 심술이 났을 뿐이라고!

"정신 차려봐, 이유미 씨!"

진욱은 유미를 번쩍 안아 올려 소파 위에 내려놓고 손등으로 그녀의 뺨을 톡톡 두드렸다. 핏기라고는 하나도 없는 창백한 얼굴을 보는 순간, 진욱은 가슴이 철렁 내려앉았다. 지금 이 순간, 진욱은 아무것도 생각할 수 없었다. 그녀에게 향했던 분노가 한순간에 내려가는 느낌이었다. 제발 눈 좀 떠, 제발! 이제부턴 못살게 안 굴 테니까! 이럴 때가 아니지. 우선 구급차를 불러야 한다. 진욱은 재빨리 재킷 주머니에 손을 넣어 휴대폰을 꺼내 들었다.

"조금만 참아. 내가 119에 전화할 테니까."

"으음……."

그때 유미의 눈꺼풀이 천천히 열리기 시작했다.

"정신이 좀 들어?"

진욱은 유미의 앞에 무릎을 꿇고 걱정스러운 얼굴로 그녀의 머리카락을 조심스럽게 쓰다듬었다. 5분도 채 안 되는 시간이었지만, 진욱은 천국과 지옥을 모두 다녀온 기분이었다.

"……아."

눈을 뜬 유미가 몸을 일으키려 하자 진욱은 그녀의 어깨를 밀어 소파에 눕게 했다. 그리고 서둘러 재킷을 벗어 그녀에게 덮어주었다.

"움직이지 마. 가만히 누워 있어."

유미는 무슨 일이 있었는지 기억나지 않는 듯 멍한 눈으로 진욱을 바라보았다. 이 남자, 얼굴이 왜 이러지? 뭔가 몹시도 당황스러운 표정이네? 진욱은 입을 꽉 다문 채 긴장한 눈빛으로 그녀를 내려다보고 있었다. 아, 맞다! 그제야 유미는 갑자기 등장한 진욱에 너무 놀란 나머지, 자신이 잠시 혼절했었다는 걸 깨달았다. 그녀는 정신을 차리기 위해 천천히 눈꺼풀을 깜빡거렸다.

두 사람은 아무 말도 하지 않은 채, 서로를 바라보았다.

"저, 본부장님."

한참 후, 유미가 머뭇거리듯 조심스럽게 입을 열었다.

"……할 말이 있는데요."

중대한 고백이라도 할 듯 심각해 보이는 얼굴에 진욱은 급히 숨을 들이마셨다. 혹시 이 여자, 드디어 진심을 털어놓으려고 이러나?

사실, 저에게 본부장님은 그저 가벼운 하룻밤 상대가 아니었어요. 그날부터 지금까지 오로지 당신 생각뿐이었어요. 제가 다 잘못했으니까 제발 저에게 다시 한 번만 기회를…….

"……코트 말인데."

예상한 거와는 다르게 유미가 불쑥 코트 이야기를 꺼내자 진욱은 살짝 인상을 굳혔다. 여기서 코트 이야기가 왜 나오는 거야? 그깟 코트 누가 신경 쓴다고. 어차피 이젠 오래돼서 유행도 지났는데…….

"그게…… 좀이 생겨서…… 그래서."

"좀?"

잘 이해가 안 된다는 듯 진욱의 얼굴에 의아한 표정이 떠올랐다.

"좀벌레……라고 아시는지……."

유미는 진욱의 눈치를 살피며 웅얼거리듯 조그마한 목소리로 설명했다.

"좀벌레?"

진욱은 별거 아닌 일로 쩔쩔매는 유미가 어이가 없어 미간에 주름을 잡았다. 하지만 유미는 코트에 좀이 생기게 했다는 사실에 진욱이 화가 나서 인상을 찡그린다고 해석했다.

"정말 죄송해요."

유미는 한껏 겁먹은 표정으로 몸을 움츠렸다. 그녀가 어쩔 줄 몰라 할수록 진욱의 얼굴은 점점 더 싸늘하게 변해갔다.

"이유미 씨. 그래서 요 며칠, 날 피해 다닌 겁니까?"

이윽고 진욱이 깊게 잠긴 목소리로 물었다.

"음, 피해 다녔다기보다는…… 될 수 있으면 안 마주치는 게……."

그게 바로 피해 다녔다는 소리잖아!

진욱이 말없이 자신을 쏘아보기만 하자, 유미는 안절부절못하며 소파에서 몸을 일으키려 했다. 그러자 진욱은 손으로 그녀의 어깨를 눌러 소파에 꼼짝없이 누워 있게 했다. 누워서 그를 올려다보려니 더 큰 위압감이 그녀를 내리눌렀다. 유미는 거의 울먹이는 목소리로 간절하게 용서를 빌었다.

"정말 죄송합니다. 천연 제품이 그렇게 쉽게 좀이 생기는지 몰랐어요. 하지만 완벽하게 수선해 올게요. 명품 수선 기가 막히게 하는 곳에 부탁했으니……."

"됐습니다. 그 이야긴 코트를 받아보고 이야기하도록 하죠."

진욱은 매몰차게 유미의 말을 끊어버렸다.

"네에."

유미는 무겁게 가라앉은 진욱의 눈치를 살피며 조심스럽게 고개를 끄덕였다.

이 여자, 도대체 나, 차진욱을 어떻게 생각하고 있는 거야? 그깟 코트에 좀이 좀 생겼다고 내가 쪼잔하게 뭐라고 할까 봐? 그게 두려워서 날 피해 다녔다고? 나를 좀벌레 같은 놈으로 취급하다니……!

진욱의 자존심이 또다시 쩌억 금이 가며 산산조각 부서졌다.

"그래도 요새는 전보다 덜 힘든 것 같다? 어제도 그제도 정시에 퇴근했잖아."

손에 든 리스트와 판매대에 진열된 와인을 꼼꼼히 비교하던 현태가 툭 지나가는 투로 말했다.

"응. 그렇긴 한데……."

유미는 건성으로 고개를 까닥거리며 손가락으로 와인 병 레벨을 톡톡 건드렸다.

"삼시 새끼가 요새 계속 외근이라며."

"응. 다행히도."

현태는 잠시 와인을 고르던 동작을 멈추고 옆에 선 유미에게로 고개를 돌렸다.

답답하게 목 끝까지 채운 셔츠 단추, 하나로 질끈 묶은 머리, 유행과는 아무 상관없는 시꺼먼 색 위주의 패션 등등. 고등학교 때나 지금이나 어쩌면 이리도 한결같은지 모르겠다. 얼마 전부터 안경을 끼지 않고 렌즈를 착용한다는 것만 빼면 하나도 달라진 게 없었다.

"정 사장님, 오셨군요."

단골손님인 현태를 발견한 주류 매장의 매니저가 반갑게 웃으며 그들에게 다가왔다.

"새로 들어온 와인이 있다기에 들렀습니다."

"네. 어제 막 도착했습니다. 이쪽으로 오시죠."

매니저를 따라 매장 안쪽으로 들어가던 유미는 벽 진열장을 보곤 우뚝 걸음을 멈추었다. 진열장 속에는 한눈에 보기에도 아주 고급스러운 와인이 금빛 조명을 받으며 놓여 있었다. 유미는 자석에 이끌리듯 와인 진열장 앞으로 가까이 다가갔다. 어디서 본 것 같은데……? 혹시?

"뭘 그렇게 봐?"

와인을 뚫어지게 보는 유미에게 현태가 의아한 얼굴로 다가왔다.

"아, '샤또 르 팽(Chateau Le Pin)'을 보고 계셨군요."

그녀의 시선을 좇던 매니저는 뭔지 알겠다는 듯 고개를 끄덕거렸다.

"일반 고객 중에서도 저 와인을 알아보는 분이 꽤 계시더라고요. 와인에 대해 조예가 깊으시군요."

그 말에 현태가 의외라는 표정을 지었다.

"유미, 네가 저 와인을 어떻게 알아?"

"어, 그……그냥…… 잡지에서 본 거 같아서."

유미는 괜히 뜨끔해서 자신도 모르게 말을 더듬거렸다.

"저게요, 사실은……."

매니저는 쓰윽 주위를 둘러보더니 유미와 현태에게 상체를 기울이며 작게 귓속말을 속삭였다.

"빈 병이에요. 그냥 전시용이죠. 가격도 가격이지만 워낙 소량만 생산하는 와인이라서 구할 수도 없어요. 그러니까 저 한 병이 소비자 가격으로…….”

매니저로부터 가격을 전해 들은 유미의 눈이 튀어나올 것처럼 커다래졌다.

“얼마라고요?”

말도 안 돼! 저 가격이면 소주를 이천 병도 넘게 살 수 있다! 무슨 와인 한 병 가격이 그렇게나 비싸? 순간 진욱의 목소리가 옆에서 들리는 것 같았다.

—이 와인이 얼만지 알면 그런 말 못 할 텐데…….

그래서 그랬구나. 코트도 그렇고 와인도 그렇고 진욱은 자신과는 전혀 다른 세상의 사람이라는 것을 또 한 번 확인하며 유미는 살며시 아랫입술을 깨물었다. 아무리 하루뿐이었지만, 그런 남자와 얽혔다니 지금도 믿어지지 않았다.

3년 전 일이라지만, 그날 일은 아직도 어제 일처럼 생생했다. 그러기에 회사에서 진욱과 부딪칠 때마다 얼마나 곤혹스러운지 모른다.

그날 밤, 연신 귓가에 다정히 속삭이던 나직한 목소리. 아늑하면서 진한 눈빛으로 바라보며 부드럽게 훑어 내리던 손길. 그리고 거칠면서 뜨겁고 강렬하게 파고들던…….

“꼭 프랑스산만 고집하실 필욘 없습니다.”

매니저의 말에 유미는 화들짝 놀라며 추억에서 깨어났다. 괜스레 혼자만의 상상을 들킨 것 같아 귓불이 빨갛게 달아올랐다. 유미는 마른 침을 삼키며 매니저의 설명에 귀 기울이는 시늉을 했다.

"가격 대비 품질이 우수한 칠레산 와인도 인기가 좋답니다. 새로 들어온 와인과 함께 칠레산 와인도 보여드릴게요. 이리로 오세요."

현태와 매니저를 따라가던 유미는 슬그머니 한 발 뒤로 물러나며 다시금 진열장의 와인으로 고개를 돌렸다.

나 홀로 금빛 조명을 받으며 서 있는 와인 병이 마치 그 남자처럼 당당하게 느껴졌다. 다시 만나지 않았더라면 좋은 추억으로 남을 수 있었을 텐데……. 유미는 씁쓸한 표정을 지으며 다시 현태를 따라갔다.

"너는 도대체 내 말을 듣는 거냐, 마는 거냐?"

오랜만에 함께 아침이나 하자는 전화에 본가에 들렀건만, 차 회장은 진욱이 자리에 앉기도 전에 불만을 터뜨렸다. 차 회장이 왜 저리도 저기압인지 알고 있었지만, 진욱은 짐짓 모른 척 딴청을 부렸다.

"제가 아버지 말 안 듣는 게 어디 한두 가지입니까? 꼭 집어서 말씀해 주셔야 제가 알아듣죠."

알면서도 모르는 척하는 진욱이 괘씸한 차 회장은 인상을 찌푸렸다.

"내가 혜리 보라고 했냐? 안 했냐?"

"거의 매일 보고 있는데요, 왜?"

"네가 언제 혜리를 봤다는 거야? 이 녀석이 지금 어디서 거짓말을……."

"혜리 나오는 저녁 7시 뉴스, 매일 꼬박꼬박 챙겨보고 있거든요."

"뭐야?"

말도 안 되는 진욱의 대답에 차 회장이 버럭 언성을 높였다.

"내가 지금 너랑 농담 따먹으려고 부른 줄 알아?"

"물론 아니죠. 함께 아침 식사 하자고 부르셨잖아요. 왜요? 그냥 갈까요?"

언제부터인가 진욱은 어떻게 차 회장을 다루어야 하는지를 깨달은 것 같았다. 그는 예전처럼 차 회장에게 무조건 반항하는 방법은 쓰지 않았다. 한발 물러선 느긋한 태도로 차 회장의 불호령을 무심하게 들을 뿐이었다.

차 회장도 이젠 아들을 혼자 상대하기에 벅차다는 걸 알고 있었다. 그래서 더욱더 화가 나기도 했다.

두 남자의 날카로운 시선이 허공에서 맞붙었다. 먼저 눈길을 피한 건 차 회장이었다. 진욱에겐 강하게 밀고 나가는 방법보다는 살살 달래는 방법이 나을 거라는 생각이 들었기 때문이다.

"하여간 시간 내서 혜리 좀 만나고 그래라."

차 회장은 애써 성질을 죽이며 나긋나긋한 말투로 진욱을 설득했다.

"맛있는 것도 같이 먹고. 선물도 사주고. 걔가 때만 되면 선물 들고 와서 챙기는데 넌 미안하지도 않아?"

"혜리가 아버지를 챙겼지 저를 챙겼습니까? 받으신 분이 베푸세요."

하여간 이 녀석, 절대로 쉽게 안 넘어간다!

"야, 이놈아! 혜리가 너 때문에 날 챙긴 거지, 넌 그렇게 여자 속을 모르겠어?"

그 말에 진욱은 비웃는 것처럼 피식 한쪽 입꼬리를 올렸다.

"전 제 여자 속만 챙깁니다. 딴 여자 속은 타들어가든지, 뭉개지든지 제 소관이 아니죠."

"뭐가 어쩌고 어째? 그래서 속 챙겨줄 여잔 있고?"

"……여자요?"

잠시 차 회장을 빤히 쳐다보던 진욱은 이윽고 고개를 내저었다.

"아뇨."

"에휴, 내가 말을 말아야지. 그래, 얼른 아침이나 먹자. 국 식겠다."

차 회장은 불만 가득한 얼굴로 긴 한숨을 내쉬며 숟가락을 들었다.

이번엔 또 뭘까? 도대체 무슨 꿍꿍이지? 언제는 불쑥 나타나서 사람 놀라게 하더니 이젠 또 자유 시간을 팍팍 주다니……. 유미는 점심 배식이 끝난 한가한 구내식당 안을 둘러보며 곰곰이 생각에 잠겼다.

기절 소동이 있고 난 후, 벌써 일주일이나 지났다. 코트는 아직 그녀에게 돌아오지 않았다. 세탁소 주인아주머니는 수선에 조금 더 시간이 걸린다며 며칠 더 있다가 찾으러 오란다. 어차피 진욱에게도 좀이 생겼다고 자백했으니까 이젠 그리 급할 건 없는데…….

문제는 일주일 동안 진욱을 코빼기도 볼 수 없다는 거다. 그는 이런저런 이유를 대며 도시락을 사양했다. 덕분에 몸은 편하긴 한데, 속은 완전 바늘방석에 앉은 것처럼 안절부절못했다. 도시락으로 감동을 주라고 할 때는 언제고 이렇게 피하기만 하면 어쩌라는 건지. 약속한 기간, 한 달까지 이제 2주밖에 남지 않았는데……. 혹시 코트에 좀먹어서 화가 나서 그러나? 왜 아니겠어? 무려 한 장짜리 명품인데…….

"흠."

마음이 어수선한 유미는 두 손으로 턱을 괴며 아랫입술을 내밀었다. 얼굴을 봐야 눈치를 살피든지 말든지 하지! 그렇다고 본부장실에 쳐들어갈 수도 없고…….

잘근잘근 손톱을 깨물며 이리저리 궁리하고 있는데 어디선가 고소한 냄새가 솔솔 풍겨왔다.

어? 벌써 저녁 준비에 들어갔나?

부리나케 조리실로 들어가 보니 복자가 김치를 담고 남은 배추로 능숙하게 부침개를 부치고 있었다. 제니, 신화와 함께 테이블에 앉아 부침개를 먹던 은비는 유미를 보자마자 옆자리를 가리키며 앉으라고 손짓했다.

"유미 쌤, 여기 앉으세요."

"지금 막 부쳐서. 바삭할 때 먹어."

따끈따끈한 부침개를 접시에 담으며 복자가 무뚝뚝하게 말했다.

평소 표정이 화난 것처럼 뚱해 보여서 그렇지, 조리장인 복자는 이것저것 세세한 것까지 조리 팀원들을 챙겼다. 겉으로는 툴툴거리고 구박했지만 이제는 유미도 자신의 조리 팀원처럼 살뜰하게 챙겨주었다.

"출출할 때 배추 부침개만큼 맛있는 간식도 없어."

"배추로도 부침개를 만드네요?"

"응, 서울 사람들은 잘 모르더라. 이 맛있는 걸."

복자가 잘게 잘라 입에 넣어준 부침개를 먹어본 유미의 눈이 동그래졌다. 완전 신세계의 맛이었다.

"맛있지?"

복자는 당연하다는 듯 씨익 미소를 날렸다.

"와, 정말 맛있어요. 고소하면서도 달콤하고……."

"처음 먹어본 사람들, 다 그렇게 놀라더라고."

순간 유미의 머리에 번뜩이는 아이디어가 떠올랐다.

똑똑—.

"네."

진욱은 서류에서 눈을 떼지 않은 채 무심코 대답했다. 그러자 문이 벌컥 열리며 당장 파티에 나간다고 해도 이상하지 않을 정도로 차려입은 혜리가 집무실 안으로 뛰어 들어왔다.

"오빠!"

순간 진욱의 미간에 팔자가 새겨졌다.

혜리가 찾아오면 절대로 들여보내지 말라고 했거늘. 도대체, 나영 씨와 장 비서는 어딜 간 거야!

"밖에 아무도 없어?"

"어. 아저씨가 중요한 일이 있다고 회장실로 호출하시던데?"

아버지!

진욱은 속으로 소리를 지르며 마우스를 쥔 손에 힘을 주었다. 자꾸만 피하니까 억지로라도 혜리를 만나게 하려고 차 회장이 계략을 짠 모양이다.

아, 정말 아버지, 왜 그러십니까! 그러면 그럴수록 더 마음이 멀어진다는 걸 왜 모르시는지. 진욱은 밀려드는 짜증을 꾹 내리누르며 코앞에 바짝 다가온 혜리를 무덤덤한 눈으로 바라보았다.

"어쩐 일이야? 연락도 없이."

"오빠, 몸은 어때? 아우, 속상하다 정말. 얼굴 핼쑥해진 것 좀 봐!"

혜리가 호들갑을 떨며 두 손으로 뺨을 감싸려 하자, 진욱이 빛의 속도로 의자를 빼며 뒤로 물러났다.

"그 손 못 치워? 얼굴에 함부로 손대지 말랬지!"

진욱은 불쾌하다는 듯 버럭 언성을 높였다. 하지만 혜리는 그런 진욱의 반응에는 전혀 아랑곳하지 않고 의자에 엉덩이를 기대며 생글거렸다. 이런 반응이 어디 하루 이틀인가! 미남을 잡으려면 가끔은 막무가내로 매달려야 해!

"오빠 정말 너무해. 내가 오빠 보려고 얼마나 힘들게 나왔는데……. 또 연차 쓰냐고 선배가 막 쫑크 날리는 거, 다 씽까고 나왔단 말이야."

"너, 아나운서 맞아? 어떻게 된 게 애들보다 더 은어를 남발해?"

"어머, 오빠! 이게 왜 은어야? 대한민국 국민이면 모두가 다 아는 단어인데. 조금만 지나봐. '쫑크 날린다', '씽깐다'…… 이런 거 다 국립국어원 표준국어대사전에 오를 거라고. 예전에는 '짜장면'이 아니라 '자장면'만 사전에 올랐었다, 뭐!"

15살 여중생 때 처음 만난 이후, 성인이 된 지금까지 하나도 변하지 않은 혜리를 보고 진욱은 크게 한숨을 내쉬었다.

이 아이는 과연 철이 들기는 할까?

이건 다 어려서부터 예쁘다 예쁘다 하며 주위 어른들이 너무 오냐오냐 받아준 탓이다. 게다가 사춘기를 지나 몸매까지 완벽해지자, 주위 남자들은 대놓고 여신이라 부르며 혜리를 떠받들었다. 하지만 진욱에게 혜리는 그저 아는 동생일 뿐, 그 이상도, 그 이하도 아니었다.

"그만 가라. 나 오늘 안에 끝내야 할 일 많아."

진욱은 제법 심각한 표정을 지으며 다시 서류로 시선을 돌렸다.

"그러지 말고, 오빠아."

혜리는 사무실을 나가는 대신 진욱의 의자에 덥석 걸터앉더니 그에게 매달려 코맹맹이 소리로 조르기 시작했다.

"우리 정말 오랜만이잖아. 혜리, 배고빠요. 여너 덮빱 사쭈세요. 여너, 여너."

그녀는 요즘 유행하는 다섯 살짜리 꼬마 흉내를 내며 진욱의 목을 와락 끌어안았다.

"야, 이거 못 놔. 네가 깜순이야? 연어를 달라고 하게!"

진욱이 빽 소리를 지르며 혜리의 팔을 풀려 했지만, 그녀는 인형을 빼앗기지 않으려는 아이처럼 더욱더 세게 진욱을 꽉 끌어안았다.

"후우."

유미는 배추 부침개가 담긴 소쿠리를 끌어안은 채, 크게 숨을 내쉬었다. 진욱의 눈치를 살피기 위해 머리를 굴리고 또 굴려서 짜낸 묘책은 다름 아닌 배추 부침개.

—혹시 배추 부침개라고 아세요? 좀 드셔보실래요?

황당하게 무슨 부침개냐고 짝 째려보면 그는 아직도 저기압 상태인 거고, '알았으니까 거기 두고 나가요.' 하면 조금은 기분이 풀린 상태인 거고, 한 입 먹어보고 '맛있네요.'라고 해주면 화가 다 풀렸다는 거다.

유미는 긴장으로 바짝 마른 입술을 혀로 축이며 '똑똑' 노크하고 문을 열었다. 그러나…….

"어맛!"

한 발 안으로 들어서던 유미는 제자리에 동상처럼 얼어버렸다. 웬 여자가 뒤에서 진욱을 두 팔로 꼭 끌어안은 채 얼굴을 비비고 있었던 것이다. 금방이라도 열렬하게 키스할 것처럼…….

유미는 아무 말도 못 하고 그저 멍하니 두 사람을 바라보았다.

"죄송합니다!"

잠시 후, 유미는 정신을 차리며 그대로 등을 홱 돌려버렸다. 충격으로 소쿠리를 든 두 손이 부들부들 떨렸다.

"잠깐!"

그녀가 황급하게 집무실을 나가려 하자 진욱이 벌떡 의자에서 일어나며 혜리를 옆으로 힘껏 밀어냈다.

"어, 어, 어!"

갑작스러운 진욱의 행동에 혜리가 중심을 잡기 위해 두 팔을 내저었지만 진욱은 그런 혜리를 잡아줄 생각은 전혀 하지 않은 채, 유미를 향해 바삐 걸어갔다.

"무슨 일입니까?"

진욱의 얼굴을 볼 용기가 나지 않아 유미는 고개를 숙이며 옆으로 몸을 틀었다. 그리고 마치 소쿠리가 보물단지라도 되는 듯이 품에 꼭 끌어안았다.

"급한 일 아닙니다. 나중에 다시 오겠습니다."

"무슨 일이냐고 묻잖습니까?"

진욱이 짜증스럽다는 재차 묻자, 유미는 어쩔 수 없이 그를 바라보았다. 방금 러브신을 들킨 사람치고는 뻔뻔하다고 할 정도로 진욱은 아무런 표정도 없었다. 유미는 슬그머니 진욱의 옆에서 투덜거리며 옷매무시를 정리하는 여자에게 시선을 돌렸다. 여자는 스크린에서 막 튀어나온 배우처럼 눈이 부시게 아름다웠다. 인형 같은 깜찍한 외모에 몸매까지 풍만하다니……. 정말 다 가진 여자였다. 게다가 머리끝에서 발끝까지 세련되고 고급스러운 패션 감각에 감탄사가 절로 튀어나왔다.

유미는 순간 그녀와 정반대되는 자신의 초라한 차림을 떠올렸다. 위생모 때문에 머리는 눌리고 바쁘게 뛰어다니느라 여기저기 구겨진 하얀 가운하며……. 갑자기 까마득하게 저 밑으로 가라앉는 기분이었다.

"이유미 씨?"

진욱이 그녀의 이름을 부르자, 유미는 화들짝 상념에서 깨어나며 품에 안고 있던 소쿠리를 조심스럽게 앞으로 내밀었다.

"혹시 배추 부침개라고 아세요? 맛 좀 보시라고 가져왔습니다."

진욱은 무덤덤한 표정으로 유미를 보더니 턱짓으로 테이블을 가리켰다.

"거기에 두고 나가요."

"네. 여기에 놓고 가겠습니다. 그럼."

테이블 위에 소쿠리를 내려놓은 유미는 도망치듯 집무실을 빠져나왔다. 문을 닫자마자 등을 기대며 놀란 가슴을 쓸어내렸다. 그런데 저 여자, 어디서 많이 본 얼굴이다. 어디서 봤더라? 그렇다고 아는 사람 같진 않은데……. 순간 뭔가 번개처럼 그녀의 머릿속을 스치고 지나갔다.

—시청자 여러분. 7시 뉴스의 '주혜리'입니다.

맞다. 7시 '땡' 치면 TV에 나오는…….

"주혜리 아나운서?"

동시에 집무실 안으로부터 뉴스 시작 멘트에서 듣던 혜리의 꾀꼬리 같은 청아한 목소리가 흘러나왔다.

"헐! 이게 웬 배추 쪼가리야?"

아나운서와는 거리가 먼 말투였다.

"오빠, 이렇게 허접한 것도 먹어?"

"주혜리, 조용히 못 해."

"레알 짱나서 그러지. 도대체 오빠를 뭐로 보고, 급 떨어지게 이런 걸 가져와! 그러지 말고 우리 나가자, 응?"

뭐? 배추 쪼가리? 기름 냄새 맡아가면서 부침개 한 장, 한 장 아주 정성스럽게 부쳤거든? 유미는 부아가 치밀어 오르는 걸 억지로 참으며 본부장실을 걸어나갔다.

"아, 정말……."

진욱을 만나 그의 눈치를 살피는 데 성공했으면서 왜 이리도 기분이 찜찜한지 모르겠다. 분명 진욱은 부침개를 거절하는 대신 거기에 두고 나가라고 했다. 그 말은 조금이라도 기분이 풀렸다는 소리였다. 그게 사실이라면 아주 기뻐해야 하는데 왜 이리도 가슴이 답답할까.

"하, 무슨 기대를 한 거야? 조금이라도 화가 풀렸으면 됐지, 뭐."

사람의 욕심은 끝이 없다더니……. 유미는 어깨를 축 늘어뜨리고 힘없는 걸음으로 엘리베이터로 향했다.

"나, 배고파. 나가자니까? 오빠, 내 말 듣는 거야?"

유미가 걸어나간 문을 뚫어지게 쳐다볼 뿐, 진욱이 자신의 말에 아무런 반응이 없자, 혜리는 애교 부리듯 진욱의 팔에 매달렸다. 진욱은 귀찮은 듯 그녀를 노려보며 매몰차게 팔을 빼버렸다. 그 탓에 혜리는 앞으로 휘청 몸이 쏠리고 말았다.

"앗!"

진욱은 아까와 마찬가지로 혜리를 잡아주기는커녕 한심하다는 눈으로 쳐다만 보았다.

"학교 다닐 때 체육 시험 항상 빵점만 맞았어? 왜 중심을 못 잡아."

진짜 너무했다. 방송국에선 살짝 재채기만 해도 휴지를 들고 달려오는 남자가 쌔고 쌨는데……. 어찌하여 '차진욱'이란 남자는 그녀가 바닥에 대자로 뻗어도 눈길 한 번 주지 않는단 말인가! 까칠하기에 더 멋있었지만, 한편으론 조금 섭섭했다.

"내가 좀 연약하잖아. 그러니까 오빠아."

자존심 다 내던지고 코맹맹이 소리로 아양을 부렸건만 찬바람이 쌩부는 진욱에겐 통하지 않았다.

"됐고. 빨리 가. 나 회의 들어가야 해."

무뚝뚝한 목소리로 혜리의 말을 중간에 끊은 진욱은 테이블 위에 놓인 소쿠리를 힐끗 쳐다본 후, 자신의 책상으로 돌아갔다. '탁' 소리 나게 서류 파일을 다시 펼쳤지만, 머릿속이 복잡해서 아무것도 눈에 들어오지 않았다. 방금 유미의 눈에 두 사람이 어떻게 보였을지, 어렵지 않게 상상이 갔다.

유미를 붙잡고 오해라고 말하고 싶었지만, 그러자니 자신의 꼴이 우스웠다. 서로 해명이 필요한 특별한 사이도 아닌데 굳이 그럴 필요가 있을까? 어차피 유미는 자신을 좀벌레처럼 속 좁은 남자로 여기는데 말이다. 어떤 말을 해도 곧이곧대로 들으려 하지 않을 거니까. 예전에도 컨버터블을 가리키며 훔친 차 아니냐고 물어봤던 그녀다.

"그까짓 회의 뒤로 미루면 안 돼? 나, 오빠 보려고 정말 어렵게 시간

냈단 말이야."

"좋은 말로 할 때 가."

혜리가 순순히 물러서지 않자, 진욱이 낮은 목소리로 경고했다.

"……오빠앙."

"제발 그만 방해하고 가라니까, 좀!"

"배추 쪼가리 가지고 불쑥 들어오는 직원한테는 암말 안 하더니, 왜 나에게……. 어맛!"

진욱은 더는 참을 수 없다는 듯, 혜리의 팔을 잡아 문밖으로 내몰았다. 그리고 그녀 코앞으로 문을 쾅! 닫아버리고 단숨에 잠가버렸다.

유미는 엘리베이터가 도착하기를 기다리며 멍하니 버튼의 불빛을 바라보았다.

그에게 여자 친구가 있다는 건 놀랄 일도 아니었다. 회사에까지 와서 저러는 건 좀 아니지 않나 싶지만, 그래도 저렇게 예쁜 여자 친구라면 장소 구분하지 않고 끌어안고 싶어서 손이 근질근질하겠지.

이해해. 당근 이해해.

"후우."

그런데…….

왜 이리도 눈이 따끔거리고 아픈지 모르겠다.

"눈에 티가 들어갔나?"

유미는 눈물이 맺힌 눈을 손바닥으로 꾹 눌렀다.

왜 하필 두 눈에 다 들어가서는…….

Episode 9

우린…… 원나잇이니까

차진욱 총괄 본부장이 소회의실 안으로 들어오자 팀원 일동이 벌떡 자리에서 일어났다. 그런 팀원들을 향해 진욱이 손을 내저었다.

"됐습니다. 그냥 앉아 있어요."

모두 어정쩡하게 도로 자리에 앉자, 진욱은 서류 파일을 '탁' 내려놓으며 거두절미하고 본론으로 들어갔다.

"이번 F/W 디자인 콘셉트 아이디어, 누구 머리에서 나온 겁니까?"

진욱의 싸늘한 목소리에 일동 모두 얼어버린 것처럼 동작을 멈추었다. 그중에서도 아이디어를 낸 양 대리는 너무 놀라 그만 사레에 걸리고 말았다.

"큽! 크헉……. 캑."

진욱은 두 손으로 목을 감싸며 캑캑거리는 양 대리를 한심하다는 듯 바라보았다.

"이렇게 허술한 디자인 콘셉트가 소비자들에게 먹힐 거라고 생각했습니까? 양 대리뿐만 아니라 다른 사람 모두 다음 주까지 새로운 콘셉트 아이디어 들고 와요. '브레인스토밍' 해서 결정할 테니까."

진욱이 진행하는 '브레인스토밍'은 자유로운 토론이라기보다는 타이머를 올려놓고 진행하는 공포의 시한폭탄 회의였다. 한동안 뜸하다 싶어 잠시 긴장을 풀고 있었는데…….

팀원들은 잠시 겁에 질린 얼굴로 서로 시선을 주고받았다. 갑자기 저번 주부터 차 본부장의 심기가 극히 나빠졌다. 실적도 좋은 편인데 왜 그러는 걸까?

"내일 예정된 해외 마케팅 전략 회의 취소할 거니까 모두 전면 재검토하세요."

진욱의 질책은 계속해서 이어졌다.

"국내 마케팅 전략이 해외에서도 통할 것 같습니까? 그렇게 안일하게 일하면서 도대체 무슨 큰 성과를 기대합니까?"

"넵! 알겠습니다."

팀원 모두 바짝 군기가 든 목소리로 크게 외쳤다.

'미친 워커홀릭'이란 별명에 걸맞게 진욱은 한시도 쉬지 않고 일에 매달렸다. 하지만 진욱이야 일에 중독돼서 그런다 치고, 밑의 사람들은 어쩌라고! 진욱이 뿜어내는 강렬한 아우라 때문에 모두 숨이 막힐 것만 같았다.

"팀별로 마케팅 전략 싹 수정해서 다시 올려요. 구태의연하지 않고 획기적인 전략으로! 알겠습니까?"

"넵, 본부장님!"

"자, 그럼 모두 돌아가서 일 시작하세요. 이런 디자인 콘셉트를 가지고 회의한다는 것 자체가 시간 낭비니까."

말을 마친 진욱은 자리에서 일어나 뚜벅뚜벅 회의실을 걸어나갔다. 정말 '시한폭탄'이란 별명에 걸맞게 차진욱 본부장은 언제 어디서 터질지 모르는 상관이었다. 팀원들은 참았던 숨을 길게 내쉬며 의자 등받이에 몸을 기대었다.

"그런데 말입니다."

뒤도 돌아보지 않고 앞만 보며 빠르게 걷는 진욱을 쫓던 우진이 말을 건넸다.

"저번에 말씀드렸던 급식 업체 교체 건 말입니다. 그냥 맹 이사가 아는 회사를 밀어주는 정도가 아니라 급식 업체를 교체해주는 조건으로 뒷돈을 챙길 모양입니다. 벌써 중역들 회유에 들어갔더라고요."

업체 결정은 한 사람이 아닌 여러 중역의 의견을 모아서 민주주의 방식으로 진행한다는 것을 염두에 두고 벌이는 작전일 것이다.

"그래?"

진욱은 크게 신경 안 쓰는 표정으로 우진의 말에 가만히 고개를 끄덕거렸다.

어제도 진욱은 수원 공장을 둘러본 후, 본사로 돌아오지 않고 그대로 퇴근했다. 배추 부침개를 거절하지 않고 받기에 저녁 도시락을 준비하라고 지시할 줄 알았는데…….

승객으로 꽉 찬 출근 버스에서 내린 유미는 속으로 구시렁거리며 회사로 향했다. 아직도 화가 많이 난 건가? 도저히 그 속을 모르겠다. 기회도 주지 않으면 어떻게 도시락으로 감동시킬 수 있느냔 말이지. 이렇게 어영부영하다가 주어진 시간을 넘겨버리면 그녀 스스로 그만두기 전에는 이대로 로테이션 없이 쭉 대복에서 일해야 한다는 소리인데…….

솔직히 진욱이 도시락을 해 오라고 괴롭히지만 않는다면 그리 끔찍한 결론은 아니었다. 사람 마음이 간사하다고 요 며칠 도시락을 따로 만들 필요도 없고, 진욱과 단둘이 부딪치는 일도 없으니까 뭐 이대로 견딜 만하다는 유혹도 슬슬 들기 시작했다.

우선 직원 대우도 좋고 처음엔 서먹하고 텃세 부리던 조리 팀과도 이젠 제법 가까워지기도 했고. 그리고 멀리서라도 그를…….

"저기요?"

자신을 부르는 소리에 유미는 퍼뜩 상념에서 깨어나 뒤를 돌아보았다. 어제 보았던 인형 같은 외모의 혜리가 하이힐을 신고 그녀를 향해 또각또각 걸어오고 있었다. 그런 혜리 뒤로 커다란 박스를 든 택배 기사가 따라오고 있었다.

"맞네, 배추 부침개."

"네? 배추 부침개요?"

이 여자, 지금 나보고 배추 부침개라고 부른 거야? 기분이 상해버린 유미가 미간에 주름을 잡았지만, 혜리는 개의치 않는다는 듯 뒤따라오는 택배 기사에게 고개를 돌렸다.

"수고하셨어요. 여기서부터는 이분한테 주시면 돼요."

"자, 이거 받아요."

택배 기사는 혜리의 지시에 따라 커다란 박스를 다짜고짜 유미에게 안겨주었다. 엄청난 무게에 유미는 몸을 휘청거려 뒤로 한발 물러섰다.

혜리는 팔짱을 낀 채 비틀거리는 유미를 태연하게 쳐다보더니 구내식당 쪽으로 획 등을 돌렸다.

"저기가 구내식당 맞죠?"

"네, 그런데 무슨 일로……."

"그거 들고 따라와요."

혜리는 하녀를 부려먹는 양반집 안방마님 포스로 유미를 향해 손가락을 까닥거렸다. 졸지에 짐꾼이 되어버린 유미는 낑낑거리며 혜리의 뒤를 따랐다.

구내식당에 도착하자 점심 준비에 한창 바쁘던 조리사 팀원들의 시선이 일제히 두 사람에게 쏠렸다. 혜리는 쓰윽 주위를 둘러보더니 유미에게 명령조로 말했다.

"그 상자, 거기 테이블에 올려놔요."

유미는 그제야 어깨가 빠질 듯 무거운 박스를 테이블 위에 간신히 내려놓았다. 혜리는 너무나도 당연하다는 듯 고맙다는 말 한마디도 없이 식당과 조리실을 훑어보기에 바빴다.

유미가 사무실에서 조리사 가운을 입고 돌아올 때까지도 혜리는 위생 점검을 나온 주무관처럼 여기저기를 구석구석 살펴보고 있었다. 그러고는 도통 마음에 들지 않는다는 듯 고개를 좌우로 흔들었다.

"이런 허접한 곳에서 오빠가 먹을 음식을 요리하다니. 아우, 짱나."

혼잣말처럼 투덜거리던 혜리는 유미를 보자 손가락을 까닥거리며 박스를 여는 시늉을 해 보였다.

"안에 든 내용물 확인해보세요."

유미는 혜리의 지시대로 박스를 열고 안에 든 내용물을 꺼내기 시작했다. 랍스터, 조개관자, 캐비어, 트러플(truffle), 사프란(saffron) 등 고급 재료는 물론 생 치즈와 각종 유기농 채소 등이 줄줄이 뒤를 이었다.

"이, 이게 다 뭐……죠?"

유미가 어리둥절한 표정으로 테이블 위에 나열된 재료를 둘러보자, 혜리가 턱을 추켜올리며 설명에 들어갔다.

"오늘부터 그 재료를 사용해서 도시락 만들어요. 우리 오빠가 먹을 건데 내가 안 챙기면 누가 챙기겠어요. 그래서 모두 유기농 최고급으로

만 골라 왔어요."

"네?"

"기왕 할 거면 제대로 하라고요."

어떻게 된 게, 삼시 새끼나 이 여자나 둘이 똑같이 제멋대로일까?

"이렇게 따로 준비하지 않으셔도 되는데요."

유미는 애써 표정을 관리하며 차분하게 혜리의 말을 반박했다. 여기서 흥분하면 그녀만 손해일 테니까.

"본부장님 식사는 제가 영양 균형 맞춰서 잘 챙겨드리고 있습니다."

"챙기긴 뭘 챙겨요? 배추 쪼가리요?"

혜리는 비웃는 듯 입술을 비틀며 가슴 앞으로 팔짱을 꼈다.

"들리는 소리에 의하면 거의 맨날 도시락 빠꾸 당한다면서요? 오빠 입맛이 얼마나 까다로운 줄 알아요? 어떻게 그런 허접한 음식을 우리 오빠에게……."

말하면서도 신경질이 나는지 혜리는 예쁜 얼굴을 찡그리며 한숨을 내쉬었다.

"아휴, 다 필요 없고. 앞으로는 식사 때마다 나한테 먼저 사진으로 검사받고 오빠에게 보내도록 하세요."

가뜩이나 머리가 아픈데, 왜 이 여자까지 참견하고 난리래?

진욱이 때리는 시어머니라면 혜리는 말리는 시누이 같았다. 그리고 원래 시누이가 더 얄미운 법이다.

"제가 꼭 그래야 하는 이유라도 있나요?"

유미는 억지로 화를 참으며 차분한 목소리로 물었다.

"물론이죠. 난 미래의 사모님이니까. 나, 진욱 오빠랑 결혼하거든요."

혜리가 폭탄을 터뜨리듯 선언하자 조리실 안의 모든 사람들이 헉!

숨을 들이켰다. 차 본부장 별명이 시한폭탄인 건 알고 있었지만 결혼도 이렇게 폭탄 터지듯 할 줄은 몰랐다! 며느릿감 1위 후보, 엄친딸 주혜리 아나운서와 열애 중이었다니! 헐, 대박! 본부장님이 주혜리랑? 진짜로? 조리사 팀 모두 입을 꾹 다문 채 바쁘게 눈동자를 굴리며 서로 시선을 교환했다.

혜리는 입꼬리를 살며시 말아 올리며 유미를 향해 승리의 미소를 지었다.

"그러니까 토 달지 말고 내 지시에 따라줘요."

유미는 넋이 나간 듯 멍한 표정으로 혜리를 마주 보았다.

어차피 특별한 이들의 딴 세상이라는 건 알겠는데, 잘난 재벌 2세가 한창 잘나가는 미모의 아나운서와 결혼한다는 게 그리 놀랄 일도 아닌데……. 그런데 왜 이렇게도 가슴이 답답할까?

"……알겠습니다. 앞으로 그렇게 하죠."

혜리에게서 시선을 거두며 유미가 담담한 목소리로 말했다.

"누구 맘대로?"

그때 뒤에서 들려오는 나직한 남자의 목소리에 모두의 고개가 자동으로 홱 돌아갔다. 한 손에 소쿠리를 든 진욱이 구내식당으로 성큼성큼 걸어 들어오고 있었다. 전혀 예상하지 못한 진욱의 등장에 유미와 혜리는 물론 조리 팀원들도 깜짝 놀랐다. 차진욱 본부장은 지금까지 한 번도 구내식당에 들른 적이 없기 때문이었다.

차진욱 본부장의 구내식당 방문은 주혜리의 결혼 선언만큼이나 서프라이즈한 사건이었다!

"결혼은 너 혼자 해?"

진욱이 싸늘한 눈빛으로 혜리를 쏘아보며 말했다.

"오빠!"

혜리의 얼굴이 당혹스러움으로 일그러졌다.

어렵게 손에 넣은 진욱의 일정에 따르면 오늘 아침에 그는 분명 해외 마케팅 전략 회의가 있다고 했다. 그래서 몰래 일을 꾸민 건데…….

망했다.

"소꿉장난하려면 너 혼자 해. 바쁜 사람 끌어들이지 말고."

진욱이 귀찮다는 표정으로 말하자, 혜리의 빨간 입술이 심술궂게 일그러졌다. 갑자기 등장한 것도 모자라, 사람들 앞에서 무안을 주다니……. 어떻게 나한테 이럴 수가 있어! 아무리 철없이 굴어도 지금까지 진욱은 그녀의 체면을 생각해서 사람들 앞에선 침묵을 지켜주었다. 그런데 지금 그는 뭐가 그리도 마음에 들지 않는지 얼음장처럼 차가운 얼굴이었다.

"그리고……."

진욱은 갑자기 손을 뻗어 유미의 어깨를 와락 끌어당겼다. 전혀 무방비한 상태였던 유미는 안기듯 진욱의 품으로 쓰러졌다.

"난 이 여자가 해주는 밥만 먹어. 내 전담 영양사거든."

진욱의 행동에 당황스러운 나머지 유미는 살짝 입을 벌린 채, 그대로 딱딱하게 얼어버렸다.

"명심해."

유미를 말없이 내려다보던 진욱은 다시 혜리에게로 고개를 돌리며 힘주어 말했다.

"나 말고는 아무도 이 여자한테 이래라저래라 할 수 없어."

혜리는 적잖이 놀란 듯 휘둥그레 눈을 뜨며 진욱을 바라보았다.

"오빠, 지, 지금 뭐……라고 했어?"

혜리는 도저히 믿을 수 없다는 듯 인상을 찡그리며 말을 더듬었다.

저 촌스러운 여자의 어깨에 팔을 올린 것도 모자라서 뭐가 어쩌고, 어째?

"이 여자 건드리지 말라고 했다. 두 번 말하기 싫으니 잘 기억해둬."

혜리는 애써 화를 누르며 진욱의 품에 안긴 듯이 서 있는 유미를 날카롭게 노려보았다.

내가 아니라 저 여자 편을 들다니, 그것도 타인 앞에서……. 망신도 이런 망신이 없다. 혜리는 너무나 창피해서 얼굴을 들 수 없었다. 하지만 진욱은 그녀의 자존심이 산산조각이 나든 말든 전혀 관심 없다는 표정이었다. 그는 잠시 혜리를 쳐다보더니 곧 유미의 조리사 가운에 손을 뻗었다.

"가운 좀 벗어봐요."

"네? 갑자기 가운은 왜……."

유미가 머뭇거리며 가운을 벗자 진욱은 이번에는 그녀의 손목을 움켜잡았다.

"갑시다."

그는 한 손에는 소쿠리를 들고 다른 손으로는 유미의 손목을 잡은 채 성큼성큼 구내식당을 걸어나갔다.

"오빠, 날 두고 어디 가는 거야?"

졸지에 구내식당에 버려진 신세가 된 혜리는 모멸감으로 얼굴을 빨갛게 물들이며 부들부들 떨기 시작했다.

"뭐지? 두 사람의 밀당에 괜히 유미 쌤이 말려든 거?"

"근데 주혜리 아나운서, TV보다 실물이 훨씬 예쁘다!"

"하여간 진짜 대박!"

혜리의 눈치를 살피던 조리사들이 고개를 기울이며 자기네끼리 소곤소곤 숙덕거렸다.

얼떨결에 진욱에게 손목을 잡힌 채 구내식당에서 끌려 나온 유미는 회사 건물 밖으로 나오고서야 조금이나마 정신을 차릴 수 있었다. 방금 일어났던 일, 아침 막장 드라마에서 일어나던 장면, 그거 맞지? 유미는 그에게 잡힌 손목을 물끄러미 바라보다 진욱에게로 시선을 돌렸다.

"지금 뭐 하시는 거예요?"

"몰라서 물어요?"

진욱이 무뚝뚝한 목소리로 말했다.

"당연히 모르죠. 다짜고짜 제 손목을 잡고 끌어내셨잖아요."

유미는 작게 투덜거리며 진욱의 손목에서 자신의 손을 빼내려 팔을 비틀었다. 그러자 진욱은 그녀의 손목을 움켜쥔 손을 스르륵 풀었다.

"이젠 손목 놓았으니까 괜찮죠?"

"네? 아니, 제 말은 그게 아니라 지금 뭐 하시는 거냐고요."

진욱은 대답 대신 손에 들고 있던 소쿠리를 유미에게 건넸다.

"이걸 돌려주시려고 여기까지 끌고 나온 거예요?"

소쿠리가 무슨 보물이라도 되는 것처럼 품에 소중히 끌어안으며 유미가 물었다. 그러자 진욱은 피식 웃으며 고개를 흔들더니 다시 앞으로 걷기 시작했다.

"본부장님!"

큰 소리로 진욱을 불렀지만, 그는 아무런 반응 없이 계속해서 걸음을 옮겼다. 유미는 초조한 얼굴로 힐끗 고개를 틀어 뒤를 돌아보았다.

저 멀리 가로수 너머로 대복 본사 건물이 보였다. 이미 회사에서 꽤 멀리 걸어 온 상태였다. 다시 회사로 돌아가거나, 아니면 그냥 계속해서 진욱을 따라가야 한다.

잠시 망설이던 유미는 진욱을 향해 발걸음을 돌렸다. 그가 왜 이렇게 나오는지 이유나 알아야겠다.

"하……아, 도대체 어디로 가는 거예요?"

겨우 진욱을 따라잡은 유미가 가쁜 숨을 몰아쉬며 물었다.

"외근 가는 거니까 그냥 따라와요."

"갑자기 무슨 외근이에요? 저, 지금 굉장히 바쁘거든요. 점심 준비하려면……."

그 말에 진욱은 우뚝 걸음을 멈추며 차가운 얼굴로 그녀를 내려다보았다.

"이유미 씨가 나보다 더 바쁩니까?"

"네?"

"가보면 아니까 잔말 말고 따라와요."

말을 마친 진욱은 그대로 등을 돌리고, 어디론가 걸음을 재촉했다.

무작정 진욱에게 끌려간 곳은 적어도 3개월 전에는 예약해야 하는 스테이크 전문점으로, TV에도 자주 소개되는 유명한 고급 레스토랑이었다. 아직 영업 시간이 되려면 멀었건만, 진욱은 아무런 거침없이 통유리 문 감지기에 손을 갖다 대었다.

띠리리리링—.

잠겨 있을 줄 알았던 유리문이 경쾌한 음악 소리를 내며 양쪽으로 벌어졌다. 두 사람이 안으로 들어서자, 마치 두 사람이 올 걸 미리 알고 있었던 것처럼 환한 표정의 매니저가 안쪽에서부터 걸어 나왔다.

"기다리고 있었습니다. 이쪽으로 들어오시죠."

매니저는 진욱에게 공손하게 인사한 후, 홀 안쪽으로 안내했다. 유미는 의아한 얼굴로 조심스럽게 주위를 둘러보았다. 넓은 홀 안에 직원이라곤 매니저와 입구에 서 있는 웨이터 한 명뿐이었다. 절대로 아침 영업을 위해 문을 연 상태로 보이진 않았다.

"여긴…… 왜?"

"아침 먹으러 왔지. 레스토랑 오는 데 다른 이유라도 있나?"

진욱의 대답에 유미는 미간에 옅은 주름을 잡았다.

누가 그걸 몰라서 묻나? 왜 다짜고짜 여기에 데리고 왔느냐는 거지.

"여깁니다."

매니저는 두 사람을 전망이 좋은 창가 자리로 안내했다. 그러고는 두 사람 앞에 놓인 유리잔에 물을 따른 후, 웨이터와 함께 조용히 주방 쪽으로 걸어갔다.

"제가 알기로 여긴 런치와 디너만 하는 곳인데요."

매니저의 모습이 보이지 않게 되자, 유미는 진욱 쪽으로 허리를 숙이며 빠르게 물었다. 진욱은 별거 아니라는 듯 어깨를 으쓱거리더니 물잔을 들었다.

"내가 아침밖에 시간을 낼 수 없다니까 매니저가 특별히 이 시간에 오라고 하더군요."

그렇다고 아침부터 스테이크라니……. 스페셜 이벤트로 아침 메뉴를 선보였다면 모를까.

"잘 생각해봐요."

물을 한 모금 들이켠 진욱이 계속해서 말을 이었다.

"이 회사에서 제일 바쁜 내가, 굳이 아까운 시간을 써가며 여기까지 왜 데려왔는지."

그거야말로 그녀가 묻고 싶은 질문이었다. 일부러 피하는 것처럼 코빼기도 안 보여주더니 왜 뜬금없이 같이 아침을 하자는 거냐고? 어제 가져다준 배추 부침개가 그리도 맛있었나? 혹시 그거에 감동해서? 아닐 텐데……. 그런 거에 감동할 남자가 아닌데…….

좀 더 냉정하게 현실을 직시해야겠지?

유미는 진욱의 눈치를 살살 봐가며 조심스럽게 말을 꺼냈다.

"……미운 아이, 떡 하나 더 준다?"

그녀의 대답이 마음에 안 들었는지 진욱은 눈살을 찌푸리며 고개를 내저었다.

"음…… 밥이라도 먹이고 부려먹으면…… 덜 미안할 것 같아서?"

그 대답 역시 마음에 들지 않는지 진욱은 굳은 표정으로 손가락을 좌우로 흔들었다.

"내가 그쪽 잡아먹지 못해서 안달 난 사람으로 보입니까?"

"네!"

진욱의 말이 끝나기가 무섭게 유미가 빠르게 위아래로 고개를 끄덕였다.

아니, 이 여자가! 전에도 그러더니 다짜고짜 나쁜 놈 취급이라니. 진욱은 기분이 상했다는 눈빛으로 유미를 노려보며 울컥 올라오는 짜증을 꾹 내리눌렀다. 유미는 딴청 부리듯 슬그머니 고개를 돌려 그의 시선을 피했다.

"이유미 씨."

한 손으로 물 잔을 만지작거리며 뜸을 들이던 진욱이 심각한 표정으로 입을 열었다.

"오늘부로 확실하게 할 게 하나 있습니다."

전혀 예상하지 못한 진욱의 말에 유미의 눈이 커다래졌다.

뭘 확실하게 하자는 거지? 드라마나 소설에서 보면 이런 상황에선 항상 안 좋은 쪽으로 흘러가던데…….

"그 이야기는 우선 아침부터 먹으면서 천천히 하고, 음식은 내가 알아서 이미 주문했어요. 괜찮겠죠?"

"물론이죠."

아침 도시락을 만들어 오라는 것도 아니고, 밥을 사준다는데 어떤 음식을 시키든 당연히 괜찮지.

확실하게 할 게 있다는 말은 마음에 걸렸지만, 그래도 먹다 죽은 귀신은 때깔도 곱다는데 지금은 먹는 거에 집중하자!

유미는 조금은 들뜬 마음으로 진욱을 향해 밝게 웃어 보였다.

[주혜리 아나운서, 오늘 쉬는 날 아니었어?]

갑자기 걸려온 혜리의 전화에 교양 문화국의 정 국장은 조금 의아해하는 듯했다. 굳이 쉬는 날 상관에게 전화하는 부하 직원은 흔치 않았으니까.

"네, 국장님. 도저히 방송이 걱정돼서 편히 쉴 수가 없어서요."

얼굴만 예쁜 게 아니라 눈웃음을 치며 살살 애교까지 부리는 혜리에게 안 넘어가는 남자는 없었다. 그건 낼모레 예순을 바라보는 정 국장도 마찬가지였다.

[그러면 쓰나. 주혜리 아나운서야말로 우리 방송국의 꽃인걸. 제대로 쉬어야 고운 피부 안 망가지지.]

정 국장의 말에 혜리의 얼굴이 환하게 밝아졌다. 그러면 그렇지! 제대로 된 남자라면 당연히 이런 반응을 보여야 정상이라고!

"국장님, 그때 말씀하신 프로그램이요. 저, 그거 할게요. 무조건!"

[정말이야, 주 아나운서? 그래 주면 우리야 좋지. 그런데 괜찮겠어? 지금도 프로그램 너무 많잖아?]

정 국장의 말대로 주혜리는 NBN 방송국의 꽃이었다. 그녀가 프로그램을 맡겠다는데 마다할 책임자는 없었다.

"아니에요, 국장님. 이렇게 좋은 프로그램을 놓칠 순 없어요. 저, 꼭 그거 하고 싶어요."

[알았어. 그럼 내가 담당자에게 이야기해놓지.]

"네, 감사합니다. 국장님. 그럼 들어가세요."

정 국장과 통화를 끝낸 혜리의 입가에서 미소가 싹 사라졌다.

"흥!"

혜리는 싸늘하게 굳은 얼굴로 휴대폰을 핸드백에 집어넣었다. 아무리 잊어버리려 해도 진욱이 유미의 어깨를 끌어안는 모습이 자꾸만 떠올랐다.

"차진욱, 그런 취향이었어?"

두고 보자. 누가 이기나! 그녀는 혼자 씩씩거리며 빨간 입술을 잘근잘근 깨물었다. 얼굴 예쁜 사람이 끈기까지 있으면 그건 이미 끝장난

싸움이란 말이지!

"치이!"

한 손으로 머리카락을 쓰윽 쓸어 올린 혜리는 미래의 시아버지인 차 회장을 만나기 위해 또각또각 하이힐 소리를 내며 엘리베이터를 향해 걸어갔다.

자리에 앉은 지 얼마 지나지 않아, 웨이터가 요리를 담은 카트를 끌고 다가왔다. 시간을 단축해달라는 진욱의 요구에 모든 코스는 한꺼번에 나왔다.

웨이터는 맨 먼저 프렌치 어니언 스프를 내려놓고, 그다음으로 시저 샐러드를 각각 두 사람 앞에 내려놓았다. 마지막으로 내려놓은 접시에는 한입 크기의 스테이크 조각과 각종 야채를 스페셜 소스에 볶아낸 찹 스테이크가 담겨 있었다.

"여기 찹 스테이크, 맛 괜찮아요."

고이 접힌 냅킨을 풀어 무릎에 얹으며 진욱이 먼저 말을 꺼냈다.

"사실 찹 스테이크라는 게 언제 어디서 시작했는지도 모르는 정체불명의 요리이긴 한데…… 적은 양의 고기에 채소를 넣어 풍성하게 먹을 수 있다는 점에선 나쁘진 않죠."

누가 뭐랬나? 거들먹거리긴……. 유미는 속으로 투덜거리며 접시에 놓인 스테이크를 포크로 찍었다. 아무 생각 없이 스테이크를 입으로 가져간 그녀의 눈이 동그랗게 커졌다. 와, 맛있네! 역시 특급 셰프는 달라도 뭔가 다른가 봐!

유미가 어떤 반응을 보일지 이미 알고 있었다는 듯 진욱이 씨익 한쪽 입꼬리를 올렸다.

유미는 입 안에 스테이크 조각을 넣고 오물오물 움직이면서도 '이 요린 단가가 어떻게 될까?' 생각하며 영양사로서 음식을 분석하기 시작했다. 진욱의 말대로 적은 양으로 스테이크를 먹는 기분을 낼 수 있으니까, 가끔은 급식 메뉴에 찹 스테이크를 포함해도 괜찮겠다는 생각이 들었다. 쇠고기는 너무 비싸니까 돼지고기나 닭고기로 해도 되고 말이다.

언젠가부터 뭘 하나 먹어도 항상 급식 메뉴를 떠올리게 된다. 한마디로 철저한 프로가 되고 있다는 거지. 유미는 그런 자신이 대견스러워 입꼬리가 스르륵 위로 말려 올라갔다. 그러다 자신을 빤히 쳐다보고 있는 진욱과 눈길이 마주쳤다. 유미는 괜히 어색해진 기분에 재빨리 접시에 놓인 스테이크로 시선을 떨궜다.

지금 보니까, 나 지금 이 남자와 단둘이 밥을 먹는 거네! 같이 와인 마신 적은 있지만, 같이 밥 먹는 건 지금이 처음이었다. 유미는 괜히 두근거리는 가슴에 손을 얹었다. 남자와 데이트하는 느낌이란 게 이런 걸까? 아, 아니야. 꿈 깨자. 결혼할 여자가 있는 남자와 데이트는 무슨.

"저…… 그런데……."

그래도 확실하게 확인하고 싶어 유미는 지나가는 말투로 물었다.

"주혜리 아나운서, 그분과는…… 언제 결혼하세요?"

진욱은 그녀의 질문에 기분 나쁜 듯 눈살을 찌푸렸다.

"아까 못 들었어요? 내가 분명히 누구 마음대로, 결혼은 혼자 하느냐고 했을 텐데."

"아, 그럼 그냥 지금은 사귀기만 하는 사이?"

"누가 그래요? 내가 걔랑 사귄다고."

"아니 뭐……. 어제 두 분이…… 그렇잖아요. 사귀지도 않는데 서로 막 껴안……. 흠."

유미가 말을 끝까지 잇지 못하고 얼굴을 붉히자, 진욱은 조용히 포크를 테이블에 내려놓았다. 그냥 넘어가려고 했는데 도저히 안 되겠다. 진욱은 혜리와의 관계를 해명하는 것보다 유미와 자신과의 관계를 짚고 넘어가야겠다고 결심했다.

"그럼 우리는 뭐였죠?"

쿵! 별안간 날아온 진욱의 단도직입적인 질문에 유미는 멍하니 할 말을 잃어버렸다.

"우린 사귀는 사이도 아닌데, 꽤 친밀한 관계까지 가지 않았었나?"

그녀를 바라보는 진욱의 눈빛이 강렬하게 반짝거렸다. 상대를 빨아들일 것 같은 진한 눈빛. 진욱은 그때도 저런 눈빛으로 그녀를 바라보았었다. 손을 들어 그녀의 몸을 때론 부드럽고 때론 거칠게 훑어 내리며……. 자꾸만 그날의 기억이 떠오르자, 유미는 아무 말도 하지 못하고 그의 시선을 피해 고개를 숙였다.

진욱은 가만히 테이블 위에 놓인 포크를 집어 들었다. 누가 잡아먹기라도 하나? 목까지 새빨갛게 변해서 저리도 안절부절못하다니……. 또 마음이 약해진다. 자신이 나쁜 사람이 된 것 같아 입 안이 씁쓸했다. 진욱은 짧게 한숨을 내쉰 후, 포크로 스테이크 조각을 꾹 눌렀다.

"혜리는 내 고등학교 은사님 딸입니다. 꼬맹이일 때부터 알던 사이예요. 나에게는 철부지 동생일 뿐이니까 괜히 이상한 오해하지 말아요."

"……저, 그런데…… 오빠, 오빠 하다가 아빠가 되는 거거든요."

진욱이 살벌한 눈으로 노려보자 유미는 얼른 입을 다물었다. 그러나

도저히 궁금해서 참을 수 없었는지 슬슬 눈치를 보며 두 번째 질문을 던졌다.

"그러면…… 그 말은 무슨 뜻인지 물어봐도 되나요? 제가 해준 밥만 먹겠다는 말이, 음…… 그러니까……."

이번에도 유미는 말을 끝내지 못했다. 그녀가 생각하기에도 좀 우스운 질문이었으니까.

진욱은 표정 하나 바꾸지 않고 무덤덤하게 그녀의 물음에 답했다.

"말 그대로 이유미 씨는 내 전담 영양사니까, 그쪽이 해준 밥만 먹겠다는 겁니다. 헤리 같은 아마추어가 아니라 국가시험을 통과한 영양사 면허증이 있는 프로만 상대하겠다, 무슨 말인지 알겠죠?"

"아…… 네."

정확히 상황 파악이 된 것 같으면서도 어딘지 모르게 뭔가 찝찝했다. 유미는 이상야릇한 표정을 지으며 천천히 고개를 끄덕거렸다.

"왜? 다른 뜻이라도 있는 줄 알았어요?"

"네? 아뇨. 그런 건 아니고……."

"사귀는 사이는 아니었지만, 친밀한 관계까지 갔던 건 사실이니까 팔이 안으로 굽은 줄 알고?"

"그런 건 아니지만."

다시 유미의 얼굴이 목덜미까지 불타는 것처럼 빨갛게 물들었다.

아니, 남자 친구도 있는 여자가 왜 저리도 어쩔 줄 모르고 당황하는 거야! 남자 친구 있는 거 맞아?

"이유미 씨."

의혹의 눈길로 유미를 뚫어지게 보던 진욱이 천천히 입을 열었다.

"우리 오늘부로 확실하게 정리하죠."

'정리'라는 단어가 유미의 머리를 강하게 강타했다. 정리하자고? 확실하게 하자고 했던 게 바로 이거였나? 그러니까 자르겠다고?

순간 유미의 커다란 눈에 눈물이 그렁그렁 맺혔다. 밥 사주며 어르다가 잠깐 방심한 사이, 한 방 먹이다니! 지금까지 이리 뛰고 저리 뛰며 사태를 해결하려고 했던 자신이 너무나도 불쌍하고 서럽게 느껴졌다. 어차피 이렇게 잘릴 줄 알았으면 마음 편히 '배 째라!' 모드로 나갈걸.

"너무하잖아요."

또르륵 눈물 한 방울이 뺨을 타고 내려갔다. 전혀 예상하지 못한 반응이었기에 진욱은 적잖이 당황한 얼굴로 그녀를 바라보았다.

"왜 웁니까?"

"……제가 잘못한 건 잘 알겠는데요. 코트를 들고 가버린 것도, 모른 척한 것도, 비싼 코트에 좀 생기게 한 것도 다 잘못한 거 맞는데요. 그래서 저를 자른다고 해도 할 말 없다는 거, 잘 아는데요…… 그래도 자르려면 각오하고 있을 때 자르시지. 일주일이나 지나서 마음 놓고 안심하고 있을 때…… 이렇게 밥을 사주면서 자르시는 건 너무한 거…… 아닌가요?"

손등으로 닦아도 닭똥 같은 눈물은 계속해서 뚝뚝 떨어졌다.

이 여자, 전에도 그러더니 사람 마음 아프게 왜 자꾸만 울고 그래. 진욱은 난감한 표정으로 빠르게 주위를 둘러보았다. 아직 영업할 시간이 아니기에 홀 안에는 매니저와 두 사람을 서빙하던 웨이터 한 명밖에 없었다. 진욱은 고갯짓으로 두 사람에게 잠시 자리를 비워달라는 신호를 보냈다. 매니저와 웨이터가 홀을 나가자, 진욱은 서둘러 유미의 옆자리로 옮겨갔다.

"이봐요, 이유미 씨."

유미는 해고당한 사람처럼 뭐가 그리도 서러운지 냅킨으로 눈물을 꾹꾹 찍었다.

"후, 뭔가 오해가 있는 것 같은데."

진욱은 작게 한숨을 내쉬고는 두 손으로 부드럽게 그녀의 어깨를 감싸 자신을 바라보게 했다.

"내가 언제 그쪽 자른다고 했어요? 확실하게 정리하자고 했지."

"누구 약 올려요? ……흐흑, 그게 그거지!"

유미는 눈물이 글썽이는 눈으로 진욱을 흘겨보았다.

"내 말은 우리의 관계를 정리하자는 겁니다. 공적인 일에 사적인 일을 끌어들이지 말라는 뜻이에요, 알겠어요?"

"아……."

유미의 얼굴이 서서히 밝아지며 입꼬리가 사르르 위로 올라가기 시작했다.

"그럼 저 안 잘리는 거예요?"

"물론."

그녀는 잘 울다가도 금세 잘 웃는다. 울다가 웃으면, 꽤 난처한 일이 일어난다고 하던데…… 그녀는 그저 보기에 귀여울 뿐이다. 하지만 귀여운 건 귀여운 거고, 확실하게 할 건 확실하게 해야 하니까! 며칠 동안 곰곰이 고민하던 진욱은 당분간이라도 그녀와 확실하게 선을 그어야 한다는 결정을 내렸다. 그녀에게 자꾸만 흔들리는 자신에게 짜증이 나다 못해 아예 속이 터질 지경이었으니까.

진욱은 벌떡 일어나 자신의 자리로 돌아갔다. 다시 한 번 마음을 굳게 다지며 지그시 어금니를 꽉 깨물었다. 지금 입장 정리를 제대로 하지 않으면 언제 어떻게 그녀에게 넘어갈지 모른다. 멍청한 실수는 한 번으로 충분했다.

"공은 공이고 사는 사, 과거는 과거일 뿐입니다. 혹시나 해서 하는 말인데, 나에게 아무런 감정도 품지 말아요. ……이유미 씨 말대로 우린, 사귄 사이가 아닌…… '원나잇'이니까."

유미를 응시하던 진욱이 차갑게 웃으며 나직이 속삭였다.

"큭."

갑자기 터져 나온 딸꾹질을 멈추려 유미는 앞에 놓인 물 잔을 들고 벌컥벌컥 물을 들이켰다. 너무 당황한 나머지 발끝에서 머리끝까지 화르르 불타오르는 것 같았다. 유미와는 반대로 진욱은 아무 일 없었다는 듯 태연한 얼굴로 스테이크를 포크로 꾹 찍었다. 그리고 우아한 몸짓으로 스테이크 조각을 천천히 입에 가져갔다. 유미는 딸꾹질이 흘러나오는 입을 한 손으로 막으며 그런 진욱을 얄밉다는 듯 노려보았다.

맥&북 건물 앞에 스쿠터를 세운 현태는 시동을 끈 후, 스쿠터에서 내려서며 천천히 헬멧을 벗었다. 아직 영업 시간 전이라 'CLOSED'란 팻말이 내걸린 유리문 앞에는 중년의 여인과 그녀의 손을 꼭 잡은 꼬마가 서 있었다. 두 사람의 옆에는 각각 크고 작은 슈트케이스가 한 개씩 놓여 있었다. '어디서 많이 보던 사람인데……?'라고 속으로 중얼거리는데 중년의 여인이 뒤를 돌아보았다.

"현태야!"

여인은 현태를 보자마자 환하게 웃으며 재빨리 선글라스를 머리 위로 올렸다.

"어머니?"

미희는 두 팔을 활짝 벌리며 달려와 단숨에 그를 끌어안았다.

"아우, 이게 얼마 만이니? 넌 안 본 사이 더 멋있어졌다!"

호들갑스러운 인사를 받은 게 어디 한두 번인가?

현태는 이젠 그러려니 하는 심정으로 미희의 손에 자신을 맡겼다. 미희는 '호호호' 웃으며 커다란 강아지를 쓰다듬는 것처럼 현태의 머리카락을 마구 헝클어뜨렸다.

동구는 쭈쭈바를 빨며 그런 두 사람을 멀뚱멀뚱 쳐다보았다.

"동구, 진짜 많이 컸구나."

지금까지 사진으로만 봤지 동구를 실물로 보는 건 오늘이 처음이었다. 누가 유미의 동생이 아니랄까 봐, 녀석은 크면서 부쩍 유미를 닮아갔다. 모르는 사람이 보면 아들로 착각할 만큼 동구의 얼굴에선 유미의 얼굴이 보였다. 현태는 만면에 미소를 떠올리며 동구의 통통한 뺨을 손가락으로 꾹 눌렀다. 그러자 동구는 불만스러운 듯 눈살을 살짝 찌푸렸다. 어쩌면 그런 작은 행동까지 유미와 똑같은지…….

"유미 어릴 때 딱 저랬다. 역시 피는 못 속여."

"정말 그러네요."

현태는 고개를 끄덕이며 미희와 동구의 슈트케이스를 들어 올렸다.

"밖에서 많이 기다리셨어요?"

"아냐, 아냐. 우리 지금 막 도착했어."

"유미가 어머니 오신다는 말 안 했거든요. 이럴 줄 알았으면 제가 좀 더 일찍 와서 문 열고 기다리는 건데……."

"그게 어째서 네 잘못이니?"

슈트케이스를 양손에 들고 안으로 들어가며 현태가 미안한 얼굴로 말하자 미희는 과장된 몸짓으로 손을 내저었다.

"유미 잘못이지. 호호호, 계집애가 좀 덜렁대서⋯⋯ 깜빡했나 봐."

"깜빡할 게 따로 있죠. 잠시만요. 제가 유미에게 전화해서 한마디 해야겠어요."

그가 주머니에서 휴대폰을 꺼내 통화 버튼을 누르려고 하자, 활짝 웃던 미희의 얼굴이 심각하게 일그러졌다. 그녀는 재빠르게 두 손을 올리더니 현태의 어깨를 와락 움켜쥐었다.

"정현태, 내 사랑하는 딸의 친구야!"

"네에? 어머니, 갑자기 왜 이러세요?"

미희는 깜짝 놀란 현태에게 설명을 해주는 대신 동구에게로 고개를 숙였다.

"똥구, 뭐 해! 잡아!"

미희의 말에 동구는 먹던 쭈쭈바를 냉큼 버리고 고사리 같은 손으로 현태의 바짓가랑이를 꽉 움켜쥐었다. 그러고는 간절한 눈빛으로 현태를 올려다보았다.

"영아(형아)."

갑자기 변해버린 분위기에 현태는 어리둥절한 얼굴로 미희와 동구를 번갈아 바라보았다.

"맛있게 잘 먹었습니다."

식사를 마친 유미는 테이블에서 일어서며 진욱을 향해 깍듯이 인사했다. 그러나 진욱의 반응은 영 시원치 않았다.

“아침부터 잘 먹였으니까 오늘 하루, 얼마나 맛있는 도시락을 만들어줄까, 깊이 연구해봐요. 얻어먹은 만큼 값은 해줘야지 내가 손해를 덜 보니까.”

“네. 명심하겠습니다.”

유미는 떨떠름한 표정을 지으며 고개를 까닥거렸다.

말이라도 좀 예쁘게 하면……! 사주고도 욕먹는다는 게 바로 이런 경우를 두고 하는 거다. 속으로 투덜거리며 앞으로 발을 내딛는데 진욱이 불쑥 손을 뻗어 그녀의 어깨를 끌어당겼다. 갑작스러운 그의 행동에 유미는 발이 꼬여 엉겁결에 진욱의 품으로 넘어졌다.

“눈은 장식입니까? 앞에 문 있잖아요!”

“아…… 딸꾹.”

그와 몸이 밀착되었다는 걸 느끼자마자, 그놈의 딸꾹질이 또다시 흘러나왔다. 유미는 후다닥 진욱의 품에서 벗어났다.

“딸…… 큽.”

눈치 없는 딸꾹질이 계속해서 흘러나오자 유미는 두 손으로 입을 막으며 다른 쪽으로 얼굴을 돌렸다.

“딸꾹질을 자주 하네.”

진욱은 무심한 듯 중얼거리고 유미를 지나쳐 문 앞에 달린 감지기에 손을 댔다. 들어왔을 때와 마찬가지로 경쾌한 음악 소리와 함께 유리문이 양쪽으로 벌어졌다.

지나치게 남자를 경계하는 거나, 별거 아닌 말에 목덜미까지 얼굴이 발개지는 거, 당황할 때마다 딸꾹질하는 거며……. 혹시, 이 여자?

앞으로 뚜벅뚜벅 걸어가던 진욱은 눈덩이처럼 커지는 의혹에 한쪽 입꼬리를 끌어올렸다.

Episode 10

과거는 과거일 뿐

“네에? 그게 정말이에요?”

점심 자율 배식을 마치고 한숨 좀 돌릴까 하는 순간에 청천벽력 같은 일이 벌어졌다.

“임원진이 구내식당에서 저녁을 드신다고요?”

유미는 방금 자신이 들은 말을 도저히 믿을 수 없다는 듯 빠르게 되물었다.

“그렇다니까요. 유미 쌤, 잠깐 화장실 갔다 온 동안 이사실에서 비서가 내려왔었어요.”

직접 지시를 받은 은비도 유미처럼 꽤 당황한 얼굴이었다.

“아니, 임원진이 왜 갑자기 구내식당에 와?”

“그 속을 낸들 아나. 서민 코스프레 하고 싶으신가 보지.”

신화의 물음에 복자가 심드렁한 표정으로 대답했다. 그러자 은비는 심각한 얼굴로 고개를 내저었다.

“서민 코스프레는 아닐 거예요. 아예 대놓고 특별 메뉴 준비하라고 지시가 떨어졌잖아요.”

“아니 그런 걸, 몇 시간 남겨놓고 알려주면 어떡해?”

복자가 버럭 언성을 높이려는데 조리실 문이 ‘쾅’ 열리며 제니가 안으로 뛰어들었다.

"대박! 대박! 아니, 대박이 아니라 쪽박! 쪽박!"

제니가 복자 앞으로 뛰어오며 사색이 된 얼굴로 외쳤다.

"이거 몰래 심사하는 거래요. 우리 밀어내고 여기 들어오려는 업체가 특별 메뉴에 강하다나, 어쨌다나. 구내식당 메뉴가 다 그게 그거지, 하면서 자신들은 차별화해서 이벤트 메뉴를 한다고 어필했대요."

"우리 다음 달에 재계약하잖아!"

무슨 사태인지 깨달은 듯 복자의 안색이 창백하게 변해버렸다. 두 사람의 대화를 듣고 있던 유미의 얼굴도 함께 새하얗게 질렸다.

그럴 리가……. 진욱이 분명 재계약을 할 거라고 했는데. 그것도 3년이 아니라 5년으로…….

"무슨 착오가 있는 거 아닐까요? 우리 재계약하는 거, 아무 문제 없는 걸로 알고 있는데요."

"그게 말이죠."

제니가 손을 들어 올리며 장황하게 설명을 늘어놨다.

"원래는 그런데, 이번에 중역 중 한 명이 대복에 신선한 바람이 필요하다면서 끈질기게 물고 늘어지나 봐요. 하여간 결정은 한 사람이 아닌 여러 의견을 모으는 거라서 좀 복잡하게 됐어요."

"아니, 제니 누난. 그런 정보는 어디서 얻은 거야?"

"내가 한 인물 하잖아. 혹시 재계약 안 되면 나를 못 보게 될까 봐 안달 난 남자가 한둘이 아니거든. 호호호. 걱정됐는지 몰래 불러내서 알려주더라고."

"지금 그게 문제가 아니잖아!"

복자가 버럭 언성을 높이자, 시시덕거리던 제니와 신화가 '깨갱' 어깨를 움츠렸다.

"뭘 하지? 괜히 허술하게 대접했다가 트집 잡히면 우리 재계약이고 뭐고 없는 거야."

모두의 시선이 유미에게 몰렸다. 그녀가 올바른 결정을 내려야만 이 위기를 극복할 수 있으니까 말이다. 유미는 초조한 얼굴로 손톱을 깨물었다. 어쩌면 좋지? 시간도 별로 없는데……. 지금 있는 재료로 무엇을 할 수 있을까!

—사실 찹 스테이크라는 게 언제 어디서 시작했는지도 모르는 정체 불명의 요리이긴 한데…… 적은 양의 고기에 채소를 넣어 풍성하게 먹을 수 있다는 점에선 나쁘진 않죠.

순간 유미의 머릿속에 진욱의 나직한 음성이 울려 퍼졌다.

그래, 고급스러우면서도 여럿이 풍성하게 먹을 수 있는 요리!

"찹 스테이크! 찹 스테이크로 해요."

유미의 결정에 복자가 눈살을 찌푸렸다.

"지금 소 등심을 어디서 구해? 그리고 그건 단가가 너무 높다고 뭐라고 할 거야."

"고기는 돼지고기로 하면 돼요."

"고기야 그렇다 쳐도 맛이 호불호가 강하잖아요. 소스 맛이 시큼하거나 달다고 임원들 중 나이 드신 분들은 싫어할 수도 있어요."

이번엔 제니가 반대 의견을 던졌다. 유미는 문제없다는 듯 고개를 내저으며 테이블 위에 올려놓은 레시피 공책에 적어놓은 특별한 레시피를 모두에게 보여주었다.

"우선 소금과 후추 등 기본 양념으로 고기와 야채를 볶아서 덜어내요. 그다음에 스테이크 소스를 넣고 남은 육즙에 야채를 넣어서 볶은 후, 따로 내놓으면 돼요. 새콤달콤한 소스가 좋은 젊은 세대는 스테이크와 야채 소스를 섞어서 먹으면 되고. 그게 싫은 사람들은 야채 소스 없이 먹으면 되고."

"우와, 유미 쌤, 그거 좋은 아이디어예요!"

은비를 비롯한 모두의 얼굴이 환하게 밝아졌다.

"자, 시간 없어요. 빨리 시작해요."

유미의 지시가 떨어지자마자, 조리 팀 모두 우왕좌왕 바쁘게 조리실을 뛰어다니기 시작했다.

"갑자기 웬 구내식당입니까? 그것도 점심이 아닌 저녁 시간에……."

맹 이사의 꿍꿍이속을 잘 알면서도 진욱은 짐짓 모르는 척 중역들을 둘러보며 물었다. 맹 이사의 측근인 엄 상무가 진욱에게 한 발 가까이 다가가며 나긋나긋한 목소리로 설명에 들어갔다.

"구내식당 운영이 잘되고 있는지 알아볼 겸, 늦게까지 남아서 일하는 임원진의 소박한 이미지도 직원들에게 어필할 겸, 겸사겸사입니다."

"그렇습니까?"

맹 이사가 은근히 속내를 드러내며 두 사람의 대화에 끼어들었다.

"듣자 하니까, 영양사가 올려 보내는 도시락이 영 시원찮다던데……. 식당 책임자가 너무 능력 부족인 거 아닙니까?"

그러니까 배식 업체를 바꾸자는 말을 하고 싶으신 거겠지.

"능력 부족이란 말은 오버인 거 같은데요."

진욱은 차갑게 맹 이사를 바라보며 무뚝뚝하게 말했다.

"워낙 제 입맛이 까다로워서요. 아무나 쉽게 맞추겠습니까?"

"입맛 까다로운 게 자랑은 아니죠."

"그렇죠. 절대 자랑은 아니죠."

맹 이사의 공격에 진욱은 피식 짧게 웃었다.

"뭐, 다 그런 건 아니지만…… 가족과 행복한 식사를 못 하는 아이들이 나중에 커서 입맛이 까다로워진답니다. 특히 제가 그랬죠. 음…… 우리 아버지는 사업하느라 바빠서 가정을 참 많이 소홀히 하셨네요. 그래서 제 입맛도 이 모양이 됐고. 자식 교육도 영……."

비난의 화살이 교묘히 차 회장에게로 돌아가자, 맹 이사의 얼굴이 창백하게 변했다. 이러다 까딱 잘못해서 차 회장이 아들 교육을 엉망으로 했다는 말로 와전된다면? 한술 더 떠서 그가 한 이야기라고 차 회장의 귀에 들어간다면? 마지막 남은 방어의 벽이 우르르 무너지는 꼴이 되고 만다. 제기랄, 이 불여우 같은 녀석! 맹 이사는 마른침을 꿀꺽 삼키며 슬그머니 진욱의 뒤로 물러섰다.

중역들이 구내식당으로 들어오자, 조리 팀 모두 긴장한 눈빛으로 그들을 맞이했다.

"찹 스테이크?"

나이 지긋한 중역 한 명이 살짝 미간을 찌푸렸다.

"네. 오늘 저녁 메뉴는 돼지고기 찹 스테이크입니다."

유미는 활짝 웃으며 중역에게 음식이 담긴 식판을 건네었다. 그러나 그는 식판을 받아 들며 께름칙한 표정을 지었다.

"돼지고기라서 좋긴 한데…… 난 이거, 소스가 너무 시큼해서 좀 그렇더라고."

“신맛이 싫으시면 야채 소스와 섞지 말고 그냥 드시면 됩니다.”

“오, 그래요? 그거 좋네! 누구나 입맛에 따라 다르게……. 영양사님, 세세한 것까지 신경 써주고 수고 많아요.”

“감사합니다.”

중역을 향해 살짝 고개를 숙인 유미는 옆으로 시선을 돌리다 진욱이 옆에 서 있다는 사실을 깨달았다. 너무 긴장한 나머지 그가 중역들과 함께 구내식당에 들어왔다는 것도 깨닫지 못하고 있었다.

아주 짧은 순간, 두 사람의 시선이 마주쳤다.

오늘 아침에 같이 식사를 하고 헤어졌건만, 꽤 오랜만에 그를 보는 느낌이었다. 그만큼 그녀는 눈코 뜰 새 없이 바쁜 하루를 보냈다.

그래서일까? 그와 눈길이 부딪친 순간 눈물이 핑 돌 만큼 반가웠다. 공은 공, 사는 사, 과거는 과거일 뿐이지만 아직도 차진욱이란 남자는 그녀에게 주춧돌처럼 든든한 존재인가 보다. 지금에라도 당장 그가 부드러운 목소리로 ‘괜찮아요?’라고 물어줄 것만 같았다.

하지만 그건 그녀의 상상일 뿐, 진욱은 아무런 감정 없는 눈으로 유미를 바라보다 식판을 받자 그대로 그녀에게서 등을 돌렸다.

그래, 그러면 그렇지. 유미는 재빨리 상념에서 벗어나 다른 중역을 향해 활짝 웃어 보였다.

“안녕하세요. 오늘 저녁 메뉴는 찹 스테이크입니다. 입맛에 맞게 야채 소스는 따로 담아가시면 됩니다.”

중역들은 식판을 손에 들고 배식대 바로 앞에 놓인 테이블에 모여

앉았다.

"맛이 꽤 괜찮네요."

"네, 레스토랑에서 먹는 것과 크게 다르지 않습니다."

중역 대부분은 참 스테이크에 흡족한 반응을 나타냈다.

"난 이렇게 소스를 따로 주는 게 아주 마음에 들어요. 그냥 먹다가, 소스를 섞어서 먹다가."

"제 말이요. 저는 시큼 달큼한 맛을 좋아하는 편은 아닌데, 이렇게 먹으니까 괜찮네요."

중역들의 칭찬을 묵묵히 듣던 진욱은 맞은편에 앉은 맹 이사에게로 시선을 옮겼다. 맹 이사는 뭐 하나 꼬투리를 잡으려는지, 심각한 얼굴로 포크에 스테이크 조각을 찍어 입에 막 넣으려던 참이었다.

"맹 이사님? 어떻게, 입맛에 맞으십니까?"

"지금 먹으려는 참입니다."

무뚝뚝하게 대답한 맹 이사가 막 한 입 먹으려는데 진욱이 불쑥 말을 꺼냈다.

"그런데 말입니다, 맹 이사님."

맹 이사는 한 입 먹으려다 말고 진욱에게로 고개를 돌렸다.

"맹 이사님이 일개 급식 업체에까지 신경을 쓰실 줄은 미처 몰랐네요? 일 년에 한두 번 현장 방문하느라, 참 바쁘실 텐데……."

그게 무슨 말이냐는 듯 맹 이사가 눈을 가늘게 모았다.

"멀쩡하게 잘하는 배식 업체를 대복에 신선한 바람이 필요하다며 다른 업체로 갈아치우자고 하셨죠? 그렇다면 오래된 임원 역시 바꾸지 말란 법은 없죠. 창립 공신이라도 말이죠. 맹 이사님의 재계약이 다음 달이라고 알고 있습니다만……."

순식간에 맹 이사의 안색이 검게 변해버렸다. 그는 불쾌한 표정으로 진욱을 쏘아보더니 자리에서 벌떡 일어났다.

"내 재계약까지 이러쿵저러쿵 간섭할 위치는 아직 아닐 텐데요. 차 본부장."

"과연 그럴까요? 정 궁금하시면 한번 시험해보시죠, 맹 이사님."

차 회장이 절대로 자신을 내치지 않을 거란 확신은 있었지만, 진욱의 태도는 등골이 오싹할 정도로 도전적이었다.

"좋소. 어디 한번 두고 봅시다."

맹 이사는 무섭게 진욱을 노려보더니 그대로 등을 돌려 성큼성큼 구내식당을 걸어나갔다.

갑자기 냉랭해진 분위기에 중역들은 슬슬 진욱의 눈치를 보며 서로 시선을 교환했다. 맹 이사 뒤에 섰다가는 자신들의 재계약 여부도 불투명할지 모른다는 두려움이 엄습하기 시작했다.

맹 이사의 측근인 엄 상무가 제일 먼저 노선을 갈아탔다.

"그렇죠. 신선한 것도 좋지만, 역시 구관이 명관이란 말도 있지 않습니까? 하하하."

"그럼요. 입맛이 얼마나 중요한 건데, 자주 바뀌면 안 되죠."

"와, 이 '찹 스테이크' 정말 환상적인 맛입니다."

부족한 음식은 없는지 배식대를 점검하던 유미의 귀에 그들의 대화가 자연스럽게 흘러들었다. 유미는 자신이 들었다는 것을 티 내지 않으며 중역들이 모인 테이블로 시선을 돌렸다.

진욱은 나이가 지긋한 중역이 하는 말에 가끔 고개를 끄덕거리며 묵묵히 음식을 입으로 가져가고 있었다. 그의 까다로운 입맛을 만족하게 할 요리가 아님에도 그는 식판을 모두 비울 생각인 것 같았다.

유미는 문득 오늘 아침의 일을 떠올렸다.

—이유미 씨가 나보다 더 바쁩니까?
—가보면 아니까 잔말 말고 따라와요.
—잘 생각해봐요. 이 회사에서 제일 바쁜 내가, 굳이 아까운 시간을 써가며 여기까지 왜 데려왔는지.

외근이라며 레스토랑으로 데려간 이유가 이런 일이 있을 줄 알고 진욱 나름대로 그녀를 준비시킨 것이었을까? 고마운 마음에 저절로 희미한 미소가 떠올랐다.

하지만 어째서인지 진욱은 식사를 마치고 구내식당을 나갈 때까지, 그녀의 존재를 무시하듯 눈길조차 주지 않았다.

"공은 공, 사는 사."

유미는 진욱의 말을 조그맣게 중얼거려 보았다.

"……과거는 과거일 뿐."

모두 맞는 말인데, 그거야말로 그녀 자신이 절실히 원하는 것임에도 왠지 가슴 한쪽에 구멍이 뻥 뚫린 듯 쑤시고 아팠다.

유미는 진욱이 나간 쪽을 잠시 바라보다 천천히 등을 돌려 배식대를 정리하기 시작했다.

진욱은 빠른 걸음으로 구내식당을 나온 후에야 슬쩍 뒤를 돌아보았다. 유미는 그에게 등을 보인 채 배식대 주위를 서성거리고 있었다. 아무런 언질도 주지 않은 상황에서 유미가 과연 찹 스테이크를 내놓을지, 아니면 원래 메뉴였던 마파두부를 내놓을지, 전혀 알 수 없었다.

일종의 도박이었다. 조금 걱정이 되는 것도 사실이었다. 하지만 그녀는 보란 듯이 그의 기우를 떨쳐냈다. 하나를 가르치면 둘을 깨우친다더니……. 유능한 제자를 둔 스승의 기분이란 바로 이런 걸까?

"제법이야."

무표정하던 진욱의 얼굴에 서서히 작은 미소가 떠올랐다.

유미는 자신의 앞에서 벌어지는 광경을 도저히 믿을 수가 없었다.

"아니, 도대체! 여기서 지금 뭐 하는……?"

그녀의 입에서 비명 같은 외침이 흘러나오고 주먹 쥔 두 손은 부들부들 떨리기 시작했다.

카페 중앙 소파에 앉아 현태와 생맥주를 벌컥벌컥 들이켜는 미희와 그 옆에서 초콜릿 우유를 빨대로 쪽쪽 빨아 먹는 동구. 그리고 두 사람 옆에 놓인 커다랗고 조그마한 슈트케이스 두 개.

하나는 통가죽 제품으로 미희의 사치스러움을 보여주듯 여기저기 명품 로고가 새겨져 있었고, 다른 하나는 아동 제품이란 걸 보여주듯 알록달록한 토끼 캐릭터 인형 그림이 그려져 있었다.

저건 그냥 하루 이틀 들르려고 싸 온 짐이 아니다. 유미는 저승사자처럼 싸늘한 얼굴로 미희의 앞으로 걸어갔다. 미희는 현태와 웃고 떠드느라 유미의 존재를 알아차리지 못하고 있었다.

"엄마, 여기서 뭐 해?"

"어머, 내 사랑하는 딸 왔구나!"

미희가 자리에서 벌떡 일어나 두 팔을 벌려 끌어안으려 하자, 유미는 재빨리 뒤로 물러섰다.

"여기서 뭐 하느냐고 묻잖아!"

"얘, 너 오랜만에 보는 엄마에게 태도가 그게 뭐니?"

두 사람의 분위기가 묘하게 돌아가자, 현태는 조심스럽게 자리에서 일어나 출입문 쪽으로 향했다.

모녀간의 살벌한 드라마를 한두 번 겪은 것이 아니기에 현태는 'OPEN'이라고 걸린 팻말을 'CLOSED'라고 돌린 후, 슬그머니 밖으로 피신했다.

"반갑다고 안아주진 못할망정. 어휴, 얘는 겉보기만 딸이지, 완전 아들처럼 무뚝뚝해."

미희의 투정에도 불구하고 유미는 아무런 반응도 보이지 않았다. 그저 팔짱을 끼고 싸늘히 노려볼 뿐이었다. 하도 써먹어서 이제는 통하지 않는 수법이란 걸 깨달았는지 미희는 도로 소파에 털썩 주저앉았다.

"나, 여기서 조금만 있다 갈게."

"내가 분명히 안 된다고 했지. 나, 지금 엄마랑 동구 뒤치다꺼리할 정신 없다고."

"계집애, 뒤치다꺼리는 무슨 뒤치다꺼리니. 누구는 나랑 못 살아서 난리인데."

"그러니까 엄마랑 살고 싶어 하는 아저씨에게 가라고. 제발!"

그 말에 미희는 갑자기 표정을 굳히더니 한동안 입을 다물고 유미를 빤히 바라보았다. 그녀의 눈가에 눈물이 그렁그렁 맺히자, 유미는 어림도 없다는 듯 손을 들어 올렸다.

"엄마, 내 앞에서 우는 연기하지 마. 안 통해."

누가 과거에 배우 아니랬다고, 미희는 툭하면 눈물을 글썽이는 연기로 위기에서 빠져나가곤 했다. 하지만 이것도 역시 유미에게는 통하지 않는다.

"후우."

미희는 땅이 꺼져라 한숨을 내쉬며 슬그머니 유미의 시선을 피했다. 그리고 혼잣말처럼 작게 웅얼거렸다.

"……못 가."

"못 가다니, 뭘?"

"나, 집에 못 돌아간다고."

"왜? 아저씨에게 또 막 해댔어?"

미희의 성질이라면 곰처럼 순한 영한을 수십 번은 들었다 놓았다 못 살 게 굴었을 거다. 자세하게 설명해주지 않아도 눈에 훤했다.

"엄마도 그만 좀 해. 아저씨같이 착한 사람이 또 어디에 있다고."

"착하면 뭐해?"

갑자기 미희는 유미의 말을 도중에 끊으며 버럭 소리를 질렀다.

"그 깡촌에서 절대로 못 벗어나겠다는데! 서울로 오자고 그렇게 졸라도 꿈쩍도 안 해. 고향이 최고라고 거기서 뼈를 묻겠단다. 그런 남자를 내가 어떻게 끝까지 책임지니! 나도 할 만큼 했어. 사방이 바다인 곳에서 더는 못 살아. 밤늦게 문 여는 술집 하나 없고. 나한텐 완전 유배지나 다름없단 말이야."

어째 늘어놓는 푸념이 평소와는 조금 달랐다. 유미는 자꾸만 밀려드는 불안한 느낌에 눈을 가늘게 떴다.

"엄마, 그게 무슨 말이야? 할 만큼 했다니……?"

"……"

미희는 선뜻 대답하지 못하고 입을 꾹 다물었다. 이럴 땐 침묵이 너무나도 무섭다. 대부분은 회복이 어려운 사고를 쳤을 때 묵비권을 행사하기 때문이다.

"엄마, 혹시……?"

아니겠지? 내가 너무 안 좋은 쪽으로만 상상하려는 걸 거야.

유미는 미희에게 다가가 얼굴을 숙여 그녀와 시선을 맞추려 노력했다. 그러나 미희는 고개를 이리저리 돌리며 유미의 시선을 피하느라 바빴다.

"엄마!"

결국 유미가 빽 소리를 지르자, 미희는 시끄럽다는 듯 두 손으로 자신의 귀를 틀어막았다.

"아휴, 그래. 끝냈어. 끝내고 왔다고. 영한 씨랑 나랑 이제 완전 남남이야. 됐어?"

마른하늘에 날벼락도 유분수지! 유미는 방금 자신이 들은 말을 도저히 믿을 수 없었다. 남남이 되었다고? 그렇다면 이혼?

"엄마……?"

"그러니까 당분간 신세 좀 질게."

잠깐, 이혼은 이혼이고, 엄마가 지금 어디에 있겠다고? 여기? 내 집에? 삼시 새끼 때문에 가뜩이나 골치 아픈데 엄마와 동구까지 떠맡으라고? 안 돼, 절대로 안 돼!

"누구 마음대로?"

"현태에게는 이미 말해놨어."

"현태 건물에 세 들어 살긴 하지만 여긴 엄연히 내 집이야. 현태가 아니라 나에게 먼저 물어봤어야지."

"그래서 지금 물어보잖아."

"안 돼, 엄마."

"얘가 인정머리 없이 왜 이래?"

"나, 엄마랑 같이 못살아."

"그러면 내가 동구 데리고 어딜 가니? 내가 여기 말고 갈 데가 어디 있어?"

"엄만, 맨날 자기 마음대로지. 그러게 누가 재혼하랬어? 반대하는 거, 다 물리치고 사랑 찾아 떠난 사람은 엄마잖아!"

"야, 넌 지금 위로는 못 해줄망정 속을 박박 긁어야겠어? 딸이라고 하나 있는 게, 어휴."

미희는 옆에 앉아 멀뚱멀뚱 두 사람의 싸움을 구경하던 동구를 와락 품에 끌어안았다. 그리고 동구의 포동포동한 뺨에 자신의 뺨을 문질렀다.

"똥구야, 넌 나중에 엄마한테 저러면 안 된다, 알았지?"

"엉, 어마(응, 엄마)."

아무것도 모르는 천진난만한 동구는 미희의 품에 안겨 고개를 위아래로 끄덕거렸다. 그러다 유미와 눈이 마주치자 까르르거리며 해맑게 웃기까지 했다. 쟤는 도대체 누굴 닮아서 눈만 마주치면 저리도 생글생글 웃나 몰라!

저렇게 천사 같은 미소를 보내면 도저히 화를 낼 수가 없다.

어느새 유미는 미희와 싸움 중이었다는 것도 잊은 채, 동구를 따라 배시시 웃고 말았다. 앗, 내가 지금 뭐 하는 거야? 자신의 실수를 깨달은 유미는 재빨리 표정을 바꿨지만, 이미 미희에게 웃는 얼굴을 들킨 후였다. 미희는 동구의 머리를 쓰다듬으며 이제 어쩔 거냐는 눈빛으로 유미를 바라보았다.

"아휴, 진짜 내가!"

이렇게 사랑스러운 동생을 쫓아내면 그녀는 세상에서 제일 나쁜 사람이 될 것만 같다. 그래서 더 분통이 터졌다. 유미는 이러지도 저러지도 못하는 자신의 신세를 한탄하다, 그대로 등을 돌려 문을 '쾅' 닫고 밖으로 걸어나갔다.

진욱은 컴퓨터 화면과 책상에 널린 서류를 훑으며 다음 주 출장에 필요한 사항을 점검했다. 다음 주, 진욱은 일주일 동안 전국을 돌며 거래처와 공장을 방문해야 한다. 급식 업체 교체 건을 처리하느라, 유미에게 일주일간 출장을 떠난다는 이야기를 깜빡 잊고 하지 못했다.

월요일에 출근하면 우진이나 나영이를 통해 그의 일정을 알게 되겠지만, 그래도 왠지 마음에 걸렸다. 그렇다고 문자를 보내기도 그렇고…….

진욱은 한 손으로 턱을 짚은 채, 다른 손으로 책상 위를 톡톡 두드렸다. 문득 그는 언젠가부터 자신이 그녀에게 문자를 보내지 않고 있다는 사실을 깨달았다. 정확히 그녀의 기절 소동이 있고 나서부터이다.

답답한 마음에 진욱은 한 손으로 마른세수하듯 얼굴을 쓸어내렸다. 공과 사를 분명히 하자고 큰소리 떵떵 친 사람이 누구인데, 이리도 갈팡질팡 못 하고 있다니……. 쓴 미소를 지우며 다시 컴퓨터 화면으로 고개를 돌리던 진욱의 눈에 책상 모서리에 놓인 보석함이 들어왔다. 순간 진욱의 표정이 딱딱하게 굳어졌다. 책상 위에 올려놓았지만, 항상 바쁘게 지나치느라 보석함의 존재를 별로 느끼지 못하고 있었는데……. 그랬던 보석함이 오늘은 그의 시야를 가득 채웠다.

"하, 왜 아직도 이걸 간직하고 있는지."

진욱은 손을 뻗쳐 두 손으로 보석함을 집어 들었다.

딸깍—.

진욱은 잠금쇠를 젖히고 천천히 보석함의 뚜껑을 열기 시작했다. 그러나 반도 채 열지 못하고 보석함을 도로 '탁' 닫아버렸다.

"……버릴 수도 없고. 딱 변태로 오해받기에 십상인데."

진욱은 복잡 미묘한 표정으로 보석함을 뚫어지게 노려보았다.

씩씩거리며 카페 밖으로 나가자, 초조한 얼굴로 건물 앞을 서성거리는 현태가 눈에 들어왔다.

"정현태!"

유미가 다가가자 현태는 미안한 표정으로 머리를 긁적거렸다.

"유미야, 사실은 그게 아니라…… 저기, 나는 너에게 전화하려고 했는데 말이지……."

착해빠진 정현태가 먼저 사과하려고 하자, 유미는 번쩍 손을 들어 올려 현태의 말을 막았다.

"아니야. 왜 네가 미안하니? 내가 미안해야지. 내가 너에게 면목이 없다. 갑자기 들이닥쳐서 2층에 세 들어 사는 것도 그런데 이젠 혹까지 달고 들어오고."

“무슨 소리야? 공짜로 있는 것도 아니고. 꼬박꼬박 월세 잘 내면서.”

월세야, 잘 내고 있지. 다른 곳에 비하면 거의 반값도 안 되는 과분하게 좋은 조건으로.

“우리 때문에 일찍 문 닫았지? 미안해.”

“어차피 문 닫는 시간은 내 마음대로인 걸 뭘. 상관없어.”

“그래도.”

“너야말로 안 피곤해? 빨리 들어가서 쉬어야지.”

“……하아, 지금 같아선 집에 들어가기 싫다.”

유미는 힐끗 고개를 돌려 카페 건물을 바라보았다. 오늘 아침만 해도 그녀에게 아늑한 보금자리였던 저곳이 지금은 마치 유황이 불타오르는 지옥처럼 느껴졌다.

“그럼 당분간 우리 집에 가 있을래? 침대 하나 놔줄까?”

언제나 착하디착한 남자 사람 친구, 정현태. 그냥 하는 말이겠지만, 그래도 코끝이 찡하도록 감동적이다.

“녀석, 착하긴. 착한 김에 조금만 더 착할래? 네가 울 엄마 데려가라. 덤으로 동구도 얹어줄게.”

“하하하, 야, 야! 농담이래도 너무 살벌하다!”

아무리 착하다지만, 그래도 한계는 있는 거니까. 현태는 파랗게 질린 얼굴로 훠이훠이 손을 내저었다.

“유미야, 농담이라도 우리 우정에 금 가는 이야기는 하지 말자.”

“그렇지? 농담이라도 너무 끔찍하지?”

유미는 힘없이 땅으로 고개를 숙였다.

너에게는 농담이라도 끔찍한 이야기가 나에게는 현실이란다. 가뜩이나 작은 방에서 앞으로는 엄마와 동구까지 함께 살아야 한다니, 눈앞이 컴컴했다.

따르릉—.

그때 갑자기 현태의 휴대폰이 울리기 시작했다. 현태는 휴대폰 화면으로 상대를 확인하고 통화 버튼을 꾹 눌렀다.

"어, 소영아! ……응. 지금 옆에 같이 있어. 왜? ……그래. 알았어."

전화를 끊은 현태는 유미를 향해 밝게 웃어 보였다.

"방금 소영이. 오늘 너에게 연락이 닿지 않는다고 하더라."

"아, 맞다. 오늘 하도 정신이 없어서 전화기를 가방 안에 넣어두고 깜빡했어."

그리고 휴대폰을 넣은 가방을 카페 소파 위에 내려놓고 나왔다.

"근데 무슨 일이래? 급한 일이야?"

"어, 소영이가 번개 한다고 좋은 데로 오란다."

"응? 좋은 데?"

현태의 아리송한 대답에 유미는 눈을 동그랗게 뜨며 한쪽으로 고개를 기울였다.

띠링—. 띠링—.

앞에 놓아둔 휴대폰이 울리기 시작했다. 진욱은 컴퓨터 화면에 시선을 고정한 채, 옆으로 손을 뻗쳐 통화 버튼을 눌렀다.

"여보세요?"

[야, 차진욱.]

철민의 흥분한 목소리가 수화기 너머에서 흘러나왔다.

"어, 형."

[아무리 바빠도 그렇지, 어째 코빼기도 볼 수 없냐. 나, 다음 달에 유부남 되는 거 몰라?]

그러고 보니, 노총각 철민의 결혼식이 어느새 다음 달로 다가왔다.

진욱은 컴퓨터 화면 하단에 놓인 버튼을 눌러 캘린더 창을 띄웠다. 다음 달, 철민의 결혼식 날짜에 표시해둔 빨간 동그라미가 깜빡거렸다.

[유부남 되기 전에 자주 좀 보자. 내 독신의 마지막을 화려하게 장식해줄 사람은 너밖에 없잖아. 지금 '프리덤'으로 와라.]

"지금?"

진욱은 곤혹스러운 눈길로 손목시계를 들여다보았다. 아무리 불타는 금요일이라지만, 지금 시각은 밤 10시를 막 넘기고 있었다.

[그래, 지금! 너 저번 주에도 야근한다고 약속 펑크 냈잖아. 오늘 그거 갚아!]

"알았어. 지금 하던 일 끝나고 들를게."

[지금 밤 10시가 넘었는데 뭔 일 끝나고야! 안 돼, 지금 당장 와!]

진욱은 피식 웃으며 할 수 없다는 듯이 고개를 내저었다.

"알았어. 다음 달이면 유부남 되니까 내가 봐준다."

통화를 끊은 진욱은 컴퓨터를 끄고 서둘러 자리에서 일어났다.

"여기야!"

유미와 현태가 클럽 안으로 들어가자, 바에 죽 둘러앉아 있던 소영과 친구들이 두 사람을 향해 손을 흔들었다. 모두 이미 한잔했는지 발

그래한 얼굴이었다. 한껏 섹시하게 차려입은 그녀들은 유미의 정장 차림에 호들갑을 떨었다.

"얘 좀 봐. 너 또 이러고 온 거야?"

"어쩜 너는 그 스타일이 변하질 않니?"

소영과 친구들은 유미를 둘러싼 채, 고리타분하고 지루하기 짝이 없는 차림에 관해 저마다 한마디씩 하기 시작했다. 이런 식의 구박이 어디 하루 이틀 일인가? 유미는 별거 아니라는 듯 어깨를 으쓱거렸다.

"회사 끝나고 바로 오느라 옷 갈아입을 시간이 없었어."

게다가 엄마 때문에 다시 들어가서 옷 갈아입고 올 기분도 아니었고. 하지만 그 말은 속으로만 생각할 뿐 입 밖으론 하지 않았다. 현태가 그녀 대신 카페 안에서 가방을 가지고 나오자, 소영의 말대로 휴대폰에 만날 장소가 문자로 날아와 있었다. 어디인 줄도 모르고 소영이 찍어준 주소대로 택시 타고 달려왔더니, 하필 이태원 클럽 '프리덤'이었다. 3년 전에 면접을 마치고 우울한 그녀를 달래준다며 만나자고 했던 그곳. 우연히 진욱을 처음으로 보게 되었던 바로 그곳 말이다. 우연도 참……. 유미의 얼굴에 씁쓸한 미소가 떠올랐다.

"너 정식 영양사로 취직했는데 축하도 못 했잖아. 자, 축하주 들자!"

소영이 활짝 웃으며 유미에게 샴페인 잔을 내밀었다. 그걸 신호로 친구들 모두 샴페인 잔을 높이 치켜들었다.

"그래, 유미야. 우리 건배해야지."

"난 그냥 콜라 마시면 안 될까? 나, 술 끊었잖아."

"그러지 말고 한 입만 마셔. 마신다고 어떻게 되는 것도 아니잖아."

정말 물리치기 어려운 유혹이었다. 아예 술을 안 마실 순 있어도 딱 한 입만 마실 순 없다는 걸 아는지 모르겠네?

"그만해. 내가 흑기사 해줄 테니까!"

현태가 유미의 어깨를 한쪽 팔로 감싸더니 대신 샴페인 잔을 받으려 손을 내밀었다.

"됐어. 현태, 넌 빠져. 분위기를 위해서 한 입 정도는 괜찮다고."

"그럴까? 그럼 딱 한 입만?"

유미는 소영이 내미는 샴페인 잔을 뚫어지게 바라보았다. 내가 이리도 사랑스러운 애를 안 예뻐해준 지 얼마나 됐더라? 결국 유미가 조심스럽게 샴페인 잔을 받아 들자, 현태가 걱정스러운 표정으로 유미를 바라보았다. 유미는 괜찮다는 듯 작게 고개를 끄덕거렸다.

"처음 뵙겠습니다. 차진욱이라고 합니다."

"말씀 많이 들었어요."

훤칠한 키에 시원시원한 이목구비를 가진 철민의 약혼녀가 진욱을 향해 활짝 웃어 보였다.

"그런데 왜 혼자 오셨어요? 여자 친구와 같이 오지."

"이 녀석, 여자 없어."

진욱이 대답하기도 전, 철민이 옆에서 재빨리 끼어들었다.

"정말요?"

약혼녀가 의외라는 얼굴로 진욱과 철민을 번갈아 쳐다보았다.

"전 당연히 여자 친구가 있을 거라고……. 진욱 씨처럼 멋진 분이 아직 애인이 없다는 게 솔직히 믿기 어렵네요."

"그렇습니까?"

진욱은 씁쓸하게 웃으며 칵테일 잔을 입으로 가져갔다.

"이 녀석, 나름대로 사연이 있거든."

철민은 이유를 말하고 싶어 입이 근질근질한지, 진욱이 매섭게 노려보는데도 불구하고 약혼녀에게 귓속말로 속닥거렸다. 사실보다 과장되게 말했는지 약혼녀의 눈이 커다래졌다.

진욱은 못 말린다는 듯 철민을 잠시 흘기고는 댄스 플로어로 시선을 돌렸다. 춤추는 무리 너머로 바(Bar)에 둘러선 사람들이 눈에 들어왔다. 아무 생각 없이 칵테일을 들이켜던 진욱은 검은 정장을 입은 여자를 발견하고 잔뜩 미간을 좁혔다. 이상하게 어디선가 본 것 같은 느낌이 들었기 때문이다.

"설마……?"

어두운 조명 탓에 얼굴 윤곽이 또렷이 보이진 않았지만, 분위기만은 영락없는 그녀였다. 클럽 분위기와는 전혀 어울리지 않는 사무 정장에 자연스럽게 어깨를 덮고 있는 풍성한 머리카락, 토끼처럼 커다랗고 동그란 눈과 통통한 뺨 등등…… 클럽에 저런 스타일로 오는 여자가 흔한 건 아닌데, 이젠 헛것이 다 보이는군. 진욱은 바보 같은 자신에게 실소를 내뱉었다. 시선을 돌리려던 진욱은 마음을 바꿔 좀 더 여자를 지켜보았다. 남자 친구가 함께 왔는지 꽤 반반하게 생긴 남자가 그녀의 어깨를 감싸고 있었다. 축하할 일이라도 있는지 그녀와 남자를 둘러싼 일행이 샴페인 잔을 위로 치켜들었다. 이상한 힘에 이끌린 듯 진욱은 무리에서 시선을 뗄 수 없었다.

그때 비트 강한 댄스 뮤직에서 잔잔한 스위트 재즈로 음악이 바뀌더니 어두웠던 조명이 아주 환하게 밝아졌다. 여자의 얼굴을 쉽게 알아볼 수 있을 정도로. 순식간에 진욱의 얼굴이 딱딱하게 굳어졌다.

친구들 모두 오랜만에 만나서인지 떠들썩하게 수다를 떠느라 정신이 없었다. 특히 얼마 전, 현태가 다녀왔던 동유럽 여행기를 듣느라 모두 귀를 쫑긋 세웠다.

지금도 그렇지만, 현태는 고등학교 시절부터 여학생에게 인기가 많았다. 키 크고 잘생긴 외모뿐만 아니라, 누나만 4명을 둔 딸 부잣집 막내아들인 덕분에 여성의 심리에 빠삭했기 때문이었다.

학창 시절에는 쉬는 시간마다 여학생들과 우르르 몰려다녔고, 지금은 맥&북 카페에서 여성 단골손님들의 연애 상담까지 해주는 현태라서 그런지, 친구들은 현태를 남자가 아닌 사람 친구로 대했다. 남자라면 무조건 멀리하는 유미조차도 현태에겐 방어벽을 허물 정도였으니까. 그 이유에서인지 유미는 현태의 팔이 자신의 어깨를 끌어안고 있다는 사실에 큰 불편함을 느끼지 못했다. 소영이나 현태나 그녀에겐 똑같은 친구였다.

"어머, 저 남자 좀 봐. 진짜 잘생겼다!"

샴페인을 홀짝거리며 클럽 안을 둘러보던 소영이 무대 옆을 손가락으로 가리켰다.

"나보다 더 멋있어?"

"현태, 넌 좀 빠져."

유미는 호기심에 소영이 가리키는 뒤쪽으로 고개를 틀었다.

"옆에 여잔 애인인가? 치, 여자도 모델 저리 가라 예쁘네!"

소영의 말대로 선남선녀 한 쌍이 무대 옆에 서 있었다. 그런데 두 사람을 유심히 바라보던 유미의 눈이 점점 가늘어졌다. 설마? 멀리 무대 옆에 선 남자는 모델처럼 완벽한 슈트 핏을 자랑하며 옆에 선 애인을 부드러운 눈길로 바라보고 있었다. 어두워서 남자의 이목구비를 뚜렷하게 볼 순 없었지만, 남자는 분위기나 모든 게 진욱을 연상시켰다. 클럽 안 여자들 모두, 아닌 척하면서도 힐끔힐끔 훔쳐볼 만큼 잘생긴 건 사실이었다. 제대로 보이진 않았지만, 멀리 떨어져 있어도 여자를 바라보는 남자의 시선은 너무나도 다정했다. 괜스레 질투가 날 정도로.

남자는 굉장한 소유욕을 가졌는지 자신의 애인 옆에 서 있는 남자 일행을 무섭게 노려보는 중이었다. 애인이 엄청나게 좋은가 보네……. 마치 그 남자가 진욱인 것처럼 느껴져 유미는 입 안이 씁쓸했다. 남자가 고개를 돌려 그녀 쪽을 바라보는 것 같았지만, 어두운 탓에 정확히 어디를 보고 있는지는 알 수 없었다.

"그럼 10분 후에 다시 뵙죠."

10분 브레이크 타임이라는 DJ의 안내 멘트와 함께 강렬한 댄스 뮤직에서 느릿한 스위트 재즈로 바뀌며 클럽 안의 조명이 밝아졌다. 동시에 남자의 얼굴이 뚜렷하게 그녀의 시야에 각인됐다.

"……헉!"

닮은 사람이 아니다. 남자는 차진욱 본부장이었다. 진욱 역시 그녀를 뚫어지게 바라보고 있었다.

한순간 서로를 바라보는 시선이 허공에서 얽혀들었다.

진욱은 그녀에게 시선을 고정한 채로 손에 들고 있던 칵테일 잔을 입으로 가져갔다. 단숨에 잔을 비운 그는 옆에 있는 동행에게 잔을 맡기더니 그녀를 향해 뚜벅뚜벅 걸어오기 시작했다.

두근, 두근, 두근.

동시에 그녀의 심장이 미친 듯이 빨라졌다.

Episode 11

나에게 할 말 없습니까?

진욱은 바닥을 드러낸 잔을 잠시 내려다보았다.

"후."

이유 없이 가슴 부위가 먹먹하면서 신물이 목구멍을 넘어오는 것처럼 입 안이 씁쓸했다. 남자 친구와 함께 있는 그녀에게 다가가 아는 척을 하고 싶진 않았다. 그들의 즐거운 시간을 방해하는 것이니까.

진욱은 회사 건물 앞에서 보았던 남자의 모습을 머릿속에 떠올렸다. 그녀의 어깨를 껴안고 있는 녀석은 분명 스쿠터를 태워줬던 남자와 동일 인물일 것이다. 비슷한 체격에 헤어스타일, 여자를 홀릴 정도는 아니지만 한 번쯤은 뒤돌아보게 하는 반반한 얼굴하며, 이렇게 보니까 약간 기생오라비같이 생긴 것 같기도 하고…….

유미는 뭐가 그리도 좋다고 남자에게 안긴 채, 생글거리며 연신 샴페인 잔을 홀짝이고 있었다. 그 앞에선 웃는 모습도 잘 안 보여주던 그녀가 저놈 앞에선 눈웃음을 살살 친다. 그렇게도 좋은가? 함께 와인 한잔하자니까 자신은 술 마시지 않는다며 완강하게 거절하더니, 지금은 남자 친구와 함께라고 태연하게 술을 마시는 그녀…….

젠장, 누굴 가지고 노는 것도 아니고. 속으로 욕설을 내뱉으며 잔을 내려다보던 진욱은 갑자기 고개를 번쩍 들어 올렸다.

문득 도대체 얼마나 대단한 녀석인지, 직접 눈으로 확인해야겠다는 생각이 들었다. 얼마나 잘난 남자 친구이기에 천하의 차진욱을 쳐다보지도 않는지 알아야겠다! 물론, 이건 단순한 호기심일 뿐, 그 이상도, 그 이하도 아니었다. 궁금한 건 어떻게 해서든 풀어야 직성이 풀리니까, 그래서 그런 거다.

"형, 잠시만."

진욱은 철민에게 잔을 건네고는 성급히 바를 향해 몸을 틀었다.

유미는 자신의 눈을 의심했다.

"헉!"

진욱이 자신을 똑바로 바라보며 걸어오고 있었다. 이곳에서 보게 된 것도 기가 막힌데 왜 이쪽으로 걸어오는 거지? 아는 척하려고? 아닌데, 그럴 리가 없는데……. 유미는 안절부절못하며 자신의 주위를 둘러보았다. 소영과 친구들은 화장을 고친다며 우르르 화장실에 몰려간 직후였고, 현태만이 소위 보디가드라며 그녀 곁에 남아 있었다. 다시 뒤로 고개를 돌리자, 클럽 안을 가득 메운 사람들을 헤치며 진욱이 점점 더 가까이 다가오고 있었다.

—회사 직원이랑 삼시 새끼랑?

순간 유미는 자신이 현태에게 털어놓은 삼시 새끼와 회사 직원과의 '원나잇' 스캔들을 떠올렸다. 만약에 그와 현태가 통성명이라도 하게 된다면? 두 남자가 초면에 만나서 그런 사적인 이야기를 나눌 리야 없겠지만, 그래도 피하는 게 상책이었다. 유미는 허겁지겁 의자에 걸어놓은 핸드백을 집으며 현태의 팔을 잡아당겼다.

"현태야, 나 먼저 갈게."

"응? 왜 벌써 가?"

"아무래도 엄마랑 동구가 걱정돼서 가봐야겠어."

완전한 거짓은 아니었다. 깔끔한 성격의 미희는 자기 전에 꼭 샤워를 해야만 한다. 처음 사용하는 샤워기 트는 법을 몰라서 억지로 사용하다 고장 낼 확률이 80% 내지는 90%였다.

"내가 바래다줄까?"

현태가 따라나서려고 하자, 유미가 재빨리 손을 내저었다.

"아냐, 됐어. 넌 여기 남아서 소영이랑 애들에게 말 좀 잘해줘. 계집애들, 나 먼저 갔다고 삐치지 않게. 알았지?"

"그래, 그럼. 얘들에게는 내가 잘 말해줄게."

"고맙다, 친구! 너밖에 없다. 하여간 내일 보자."

말을 마친 유미는 그대로 출입문을 향해 달려갔다.

어쩐 일인지 그녀는 남자 친구와 무슨 말을 나누더니 핸드백을 메고 자리에서 일어섰다. 동시에 남자 친구로 보이는 녀석은 유미와 반대 방향인 클럽 뒤쪽으로 걸어갔다.

진욱은 잠시 누구를 쫓아가야 할까 고민에 빠졌다. 남자 친구가 과연 어떤 녀석인지 알고 싶어서 오긴 했지만, 그녀가 떠나버린 지금 호기심은 연기처럼 사라져버렸다.

잠시 망설이는 사이, 유미는 이미 출입구 바로 앞까지 다다르고 있었다. 진욱의 발걸음은 다시 자동으로 유미를 향했다. 진욱은 유미를 따라가기 위해 걸음을 빨리했지만, 발 디딜 틈도 없이 꽉 들어찬 사람들을 피해 앞으로 나아가기는 쉽지 않았다.

"잠시만요."

누군가 그의 어깨를 살며시 밀며 지나가는 탓에 진욱의 몸이 옆으로 돌아갔다. 진욱이 잠깐 한눈판 사이, 클럽을 빠져나갔는지 그녀의 모습은 이미 사라지고 없었다.

"택시!"

불타는 금요일. 자정이 넘은 시각의 복잡한 이태원 거리에서 택시를 잡기란 하늘의 별 따기였다.

유미는 '예약'이란 불을 켠 채, 쌩쌩 그녀 앞을 지나치는 택시를 안타까운 눈으로 바라보았다. 택시를 부르는 휴대폰 서비스를 사용하려 해도 계속 기다리라는 신호만 뜰 뿐 아무런 연락도 오지 않았다.

지하철을 타면 가는 도중에 끊길 텐데……. 우선 지하철을 타고 가다가 택시가 잡힐 만한 곳에서 내려야 할까? 지하철을 향해 걸어가는 와중에도 혹시라도 택시가 잡히지 않을까 연신 도로를 바라보는 그녀의 앞을 누군가가 막아섰다. 온 신경을 도로에 집중한 탓에 유미는 미처 앞을 못 보고 상대의 가슴에 얼굴을 콩 박고 말았다. 깜짝 놀라 뒤로 한 발 물러서니 싸늘한 표정의 진욱이 그녀를 내려다보고 있었다.

"본부장님……?"

그녀의 눈이 휘둥그레졌다. 허겁지겁 도망간 걸 눈치챈 건 아니겠지? 유미는 애써 표정 관리를 하며 진욱을 향해 조심스럽게 웃어 보였다. 그러자 진욱이 아무 감정 없는 목소리로 물었다.

"여기서 뭐 하는 겁니까?"

"……보시다시피 집에 가는 중인데요. 그러는 본부장님은 여기서 뭐…… 하세요?"

확 까놓고 물어보자면, 저 안에 예쁜 여자 친구를 놔두고 여기서 뭐 하세요? 진욱은 그녀의 물음에 대답하는 대신 그대로 등을 돌리며 지나가는 투로 가볍게 말했다.

"바래다줄게요. 오늘 같은 날은 택시 잡기 어려우니까."

왜 갑자기? 여자 친구랑 싸웠나? 유미가 자신을 따라올 생각을 하지 않고 멀뚱멀뚱 바라만 보자, 진욱은 가던 걸음을 멈추고 다시 그녀에게로 돌아왔다.

"안 가요?"

유미는 자신이 그를 클럽에서 봤다는 걸 모른 척해야 하나, 아니면 솔직하게 실토해야 하나, 잠시 고민에 빠졌다. 그래도 서로 시선이 뻔히 마주쳤는데 모르는 척하면 안 되겠지? 이미 거짓말쟁이로 찍혔는데 여기서 이미지를 더 나쁘게 할 순 없었다.

"대리운전 부르게요? 아까 보니까 본부장님 술 마시는 것 같던데."

"칵테일 한 잔입니다."

유미는 진욱을 살짝 흘겨보며 콧등에 주름을 잡았다.

"칵테일은 술 아닌가요?"

"버진으로 마셨습니다. 버, 진."

진욱이 '버진'이란 단어에 힘을 주어 다시 한 번 강조했다.

'버진'이 그 '버진'이 아니라 '무알코올'의 '버진'이란 건 알겠는데 괜히 힘주어 말하니까 그 의미가 묘하게 이상하게 들렸다. 유미는 살짝 얼굴을 붉히며 고개를 밑으로 숙였다.

"그러는 이유미 씨는 술 안 마신다고 하지 않았나요?"

이번에는 진욱이 무뚝뚝한 목소리로 물었다.

"아까 보니까 아주 잘 마시던데……."

"아뇨. 그냥 한 입만 마신 거예요."

"뭐, 다들 그러죠. 그냥 한 입만 마셨다고."

"정말 한 입만 마셨거든요! 그리고 그다음은 그냥 분위기에 맞춰서 입술만 축이고 있었……!"

그녀의 말이 채 끝나기도 전에 진욱이 불쑥 얼굴을 들이밀었다. 너무나 빠른 그의 행동에 유미는 뒤로 물러서지도 못한 채, 그대로 제자리에 얼어붙고 말았다. 진욱의 얼굴은 거의 코가 맞닿을 정도로 가까이 다가와 있었다.

"크읍, 딸꾹."

역시나……. 화들짝 놀란 그녀의 입에서 딸꾹질이 흘러나왔다. 당황한 그녀와 달리 진욱은 허리를 숙인 채 무표정한 얼굴로 그녀와 시선을 마주했다. 그녀의 입술에서 술 냄새가 거의 나지 않는다는 걸 확인하자, 진욱은 다시 허리를 펴며 건조한 목소리로 중얼거렸다.

"좋아요. 그 말은 믿도록 하죠. 그런데…… 기분이 좀 그러네?"

"딸꾹. 뭐, 뭐가요?"

자꾸만 딸꾹질이 나와 그녀도 모르게 말을 더듬게 된다. 유미는 딸꾹질을 멈추게 하려고 한 손으로 가슴을 팡팡 내리쳤다.

"내가 마시자고 했을 때도 분위기에 맞춰서 입술만 축이고 있으면 됐는데 왜 거절했습니까?"

"그건…… 크읍, 딸꾹."

난 남자 친구가 아니라서? 그 녀석은 믿을 수 있고, 난 믿을 수 없어서? 그래서 그런 건가? 딸꾹질을 멈추려고 혼자 열심히 노력 중인 유미를 바라보던 진욱은 괜히 이유 없이 심술이 났다.

"클럽 주변에 차 세울 곳이 없어서, 좀 멀리 떨어진 주차장에 세웠어요. 좀 걸어야 합니다."

진욱은 다시 등을 돌리고 앞서 뚜벅뚜벅 걷기 시작했다.

"……흐읍."

유미는 한동안 숨을 멈추며 딸꾹질이 잦아지기를 기다렸다. 하지만 진욱은 매정하게도 그녀를 기다리지 않고 계속 앞으로만 걸어갔다. 그런 그가 유미는 조금은 야속하게 느껴졌다.

분위기가 어째, 좋은 의미로 집에 바래다주겠다는 게 아니라, 오빠가 노는 여동생을 단속하느라 억지로 집에 보내려는 것 같았다.

"뭐 합니까, 지금?"

유미가 자신을 따라오지 않고 우두커니 서 있자, 진욱은 짜증 난다는 표정으로 뒤를 돌아보았다.

"지금 이 시각이면 지하철 막차도 떠났을 텐데……. 걸어서 집에 갈 생각인가?"

손목시계를 들여다보며 진욱이 고개를 좌우로 흔들었다. 그러나 유미는 한 걸음도 떼지 않고 가만히 서 있었다. 왜 갑자기 나타나서 신경질인지 모르겠다. 여자 친구와 클럽에나 있을 것이지…….

유미는 클럽에서 보았던 진욱의 여자 친구를 떠올렸다. 주혜리 아나운서가 인형처럼 깜찍한 외모라면 클럽에서 보았던 여자는 우아하면서 아름다웠다. 그 여자가 진짜 여자 친구이고 주혜리 아나운서는 그냥 아는 동생일까? 아, 몰라. 몰라. 복잡한 여자관계, 내가 알 게 뭐람! 집에 바래다준다면 그냥 '고맙습니다.' 하면서 따라가면 그만이다.

유미가 걸음을 옮기기 시작하자, 진욱이 다시 등을 돌려 앞으로 걸어갔다.

"그런데 왜 먼저 가요? 일행은 아직 클럽에 남았던데……."

그녀가 따라잡을 때까지 걸음을 늦춘 진욱이 불쑥 질문을 던졌다.

"아……. 제가 오늘 좀 피곤해서요."

그렇기도 했겠지. 갑자기 임원진이 구내식당에 들이닥쳐 온종일 정신없었을 테니까. 진욱은 피곤해서 그런지 조금은 어두워 보이는 유미를 흘낏 바라보다 클럽에 남아 있는 그녀의 남자 친구를 떠올렸다.

여자 친구가 먼저 간다는데도 녀석은 그냥 클럽에 남아서 다른 여자들과 놀고 있다? 몹시 나쁜 놈이군, 그래. 그런 남자에게 마음을 빼앗기다니……. 이 여자, 남자 보는 눈이 없는 게 분명하다.

"기생오라비처럼 생겼던데."

결국 진욱의 입에서 그도 모르게 싫은 말이 흘러나왔다.

"네?"

"같이 온 일행이요."

"아, 현태요. 음, 좀 곱상하게 생기긴 했죠. 그래도 기생오라비까진 아니에요."

갑자기 거짓말처럼 유미의 얼굴에 봄처럼 환한 미소가 내려앉았다.

녀석을 생각하는 것만으로도 행복해서 미치겠다는 건가? 현태라고? 어디서 그런 촌스러운 이름을 가지고. 진욱은 까닭 없이 목이 조이는 것 같아 한 손으로 넥타이를 느슨하게 풀었다.

"뭐랄까."

혼자 곰곰이 생각하던 유미는 손가락으로 허공에 무언가를 그리기 시작했다.

한 사람을 표현하는 데 저리도 정성을 들이다니. 더욱더 답답해진 마음에 진욱은 신경질적으로 와이셔츠 맨 위의 단추마저 풀어버렸다. 그래도 누군가 그의 목을 꽉 누르는 것처럼 불편하기만 했다.

"현태는 등에 날개 그림을 그려주면 바로 날아갈 것 같은 친구예요."

"아, 날라리?"

"아뇨."

유미는 진욱의 말에 도끼눈을 뜨며 그를 노려보았다.

자기가 날라리라고 남들도 다 날라리인 줄 아나?

진욱은 표정 하나 바꾸지 않은 채, 진지한 얼굴로 다시 물었다.

"비행 청소년?"

"아뇨!"

지금 이 남자가 한번 해보자는 거야, 뭐야?

"천사요, 천사! 천사같이 착하다고요."

유미가 조금은 큰 목소리로 정정했다.

자기 남자 친구라고 막 버럭버럭하는 것 좀 봐! 은근히 열 받게! 완전 눈에 콩깍지가 씌었군.

"현태는 고등학교 때 저에게 제일 먼저 말을 걸어준 친구예요."

"그럼 고등학교 때부터?"

진욱은 남자 친구였느냐는 의미로 물었고, 유미는 고등학교 때부터 알고 지낸 사이인지 묻는 걸로 해석했다.

"네."

그러면 그녀는 이미 남자 친구가 있는 상태에서 나와……? 그래서 도망간 거? 난 졸지에 남의 여자 건드린 나쁜 놈? 진욱의 미간이 살짝 찌푸려졌다. 하지만 그때는 남자 친구가 있는 것 같진 않았는데……. 그랬다면 왜 괜찮으냐는 말 한마디에 감격해하며 눈물을 펑펑 쏟았을까? 여자 친구가 어떤 상황에 처했는지도 모르는 남자라면 그건 남자 친구로서 실격이다.

진욱은 이것저것 잡념으로 머릿속이 복잡해 두통이 날 지경이었다. 골똘히 생각에 빠진 탓에 진욱은 그도 모르게 혼자 앞으로 빠르게 나아가기 시작했다.

"저기요. 좀 천천히 걷지……."

아무리 빨리 따라가려 해도 그녀보다 훨씬 긴 다리로 성큼성큼 걸어가는 진욱을 따라가기란 무리였다.

어느새 그는 저만치 앞서가고 있었다. 유미는 점점 멀어져가는 진욱의 널찍한 등을 바라보며 오늘 아침에 그에게 손목을 잡힌 채 걸었던 일을 떠올렸다. 그때는 어디 도망이라도 갈까, 손목을 꽉 움켜잡더니 왜 지금은……. 뭐 그렇다고 그에게 손목을 잡히고 싶다는 건 절대로 아니다. 기분이 좀 그렇다는 거지.

역시 클럽에서 본 여자가 여자 친구가 맞나 보다. 그녀와 싸워서 기분이 별로인 건가? 잠깐, 그러면 멀쩡히 여자 친구 있는 남자가 왜 주혜리 아나운서와 야리꾸리한 러브신을 연출한 거지? 아무리 친동생 같은 사이라도 너무한 거 아닌가? 잘생겼다고 완전 얼굴값 제대로 하시네! 저 남자는 과거나 지금이나 주위에 여자가 끊이지 않나 보다.

카사노바, 차진욱! 마치 자신이 그의 여자 친구라도 된 것처럼 질투심이 뭉글뭉글 솟아올랐다. 유미는 복잡한 마음에 자신도 모르게 인상을 찌푸렸다.

그때 앞서가던 진욱이 우뚝 자리에 멈춰 섰다. 그는 허리를 굽혀 땅에서 무언가를 줍더니 손바닥에 올려놓고 이리저리 살펴보았다. 유미가 다가올 때까지 제자리에 멈춰 섰던 진욱은 그녀가 옆으로 오자, 불쑥 주먹을 내밀었다.

"자요. 받아요."

"이게 뭔데요?"

"받아보면 알 것 아닙니까? 손 내밀어봐요."

속는 셈 치고 손을 내밀자, 진욱이 그녀의 손바닥 위에 오백 원짜리 동전 하나를 내려놓았다.

"이걸 왜 저에게 주세요?"

유미는 의아한 표정으로 오백 원과 진욱을 번갈아 바라보았다.

"행운을 주는 겁니다. 이거 내가 태어난 해에 만들어진 동전이에요. 훗, 나 오늘 운 되게 좋은 건가?"

유미는 멍한 표정으로 천천히 눈을 깜빡거렸다. 방금 진욱의 입에서 나온 말이 믿어지지 않았기 때문이다.

—이거 내가 태어난 해에 만들어진 동전이에요. 오늘 운 되게 좋다.

—자요, 선물.

—행운을 주는 거예요.

진욱은 그때 그녀가 해준 이야기를 모두 정확히 기억하고 있었다. 카사노바라서 꼴 보기 싫을 땐 언제고, 지금은 그의 작은 마음 씀씀이에 왠지 모르게 코끝이 찡해졌다. 인간 대 인간으로서 조금 감동 받았다고나 할까? 유미는 살며시 미소 지으며 그가 건네준 동전을 조심스럽게 손으로 쓰다듬었다.

"고마워요."

유미가 주머니에 동전을 넣자, 진욱이 무심한 말투로 말했다.

"피곤해서 그런지 조금 우울해 보여요. 엄마를 잃어버려 귀가 축 처진 토끼 같다고 할까?"

글쎄, 그와는 정반대일걸?

"엄마를 잃어버리긴요. 오히려 갑자기 뛰어들어 골치가 아픈걸요."

"네?"

"아, 아니에요."

혼잣말로 중얼거린 건데…….

진욱의 질문에 퍼뜩 정신을 차린 유미는 아무것도 아니라는 듯 배시시 웃어 보였다. 그녀의 웃는 얼굴을 바라보던 진욱은 다시 무표정한 얼굴로 뚜벅뚜벅 앞장서 걸어가기 시작했다.

그녀의 집 앞까지 가는 동안 진욱은 한 마디도 꺼내지 않고 침묵을 유지했다. 유미 역시 창밖으로 고개를 돌린 채, 빠르게 지나가는 풍경을 물끄러미 바라보았다.

자정이 넘은 시각이라 교통이 원활했기에 집까지는 30분도 걸리지 않았다. 진욱은 맥&북 앞에 차를 세우고 가만히 차의 시동을 껐다.

"깜빡 잊고 말 못 했는데, 다음 주 일주일 동안 지방 출장 갑니다."

"아, 네."

"지방 출장 간 일주일은 기간에서 빼는 것으로 하죠."

그러니까 아직도 그녀에게는 그를 감동하게 할 도시락을 만들어낼 기간이 2주일 남아 있다는 뜻이었다.

"네, 알겠습니다. 바래다주셔서 감사해요."

고개를 숙여 공손하게 인사한 유미는 재빨리 손잡이를 잡아당겨 차 문을 열었다. 막 차에서 내려서는데 운전석 문이 열리며 진욱도 그녀를 따라 차에서 내렸다.

"이유미 씨."

맥&북 건물을 향해 걸어가는 그녀를 진욱이 낮은 목소리로 불러 세웠다. 유미는 멈칫 걸음을 멈추고 뒤를 돌아보았다.

"네?"

"나에게 할 말 없습니까?"

"……할 말이라뇨?"

유미는 전혀 감이 잡히지 않는다는 듯 의아한 얼굴로 진욱를 바라보았다. 그녀가 모르겠다는 표정으로 빤히 바라만 보자, 진욱이 슬쩍 힌트를 던졌다.

"내가 일주일 동안 출장을 간다는 거에 관해서……?"

"아…… 네."

난 또 뭐라고. 괜히 쫄았네!

유미는 긴장한 얼굴 근육을 풀며 진욱을 향해 활짝 웃어 보였다.

"출장 잘 다녀오세요."

"뭡니까, 그 표정은?"

출장 잘 다녀오라고 상냥히 인사했건만, 진욱은 눈살을 찌푸렸다.

"네? 제 표정이 어때서요?"

"너무 밝잖습니까!"

표정이 밝은 것도 문제인가? 이 남자, 왜 이리도 뚱한 표정이래? 유미는 왜 진욱이 기분 나쁜 얼굴로 자신을 노려보는지 도통 이해할 수 없었다. 일 중독으로 유명한 그가 고작 일주일 지방 출장을 떠난다고 불평하진 않을 테고.

"표정이 밝은 건 좋은 거 아닌가요?"

"아까까지만 해도 안 그랬으니까 하는 말 아닙니까."

"다음 주 내내 도시락을 만들지 않아도 되니까 신나서 그렇죠."

가뜩이나 미희와 동구 때문에 골치가 아팠던 유미는 진욱의 출장 소식이 가뭄에 내리는 단비처럼 반가웠다.

"……신나서?"

활짝 웃는 유미와는 반대로 진욱의 얼굴은 잔뜩 굳어졌다.

아차! 너무 솔직했나? 그제야 유미는 자신의 말실수를 깨달았다. 아무리 그래도 윗사람인데 필요 이상으로 속마음을 털어놓은 것이다. 유미는 사태를 수습하기 위해 재빨리 손을 앞으로 모으고 진욱을 향해 정중하게 허리를 숙였다.

"어떻게 하면 감동의 도시락을 만들지 열심히 연구하겠습니다."

그녀가 다시 고개를 들 때까지도 진욱은 표정을 풀지 않았다.

"아주 열심히 최선을 다해서 연구에 연구를 할 예정입니다만……."

유미는 어색하게 눈웃음을 띠며 진욱의 눈치를 살폈다. 이 남자, 한번 삐치면 은근히 오래가긴 하더라. 지금은 그냥 찌그러져 있는 게 상책이었다. 유미는 그의 시선을 피해 밑으로 고개를 푹 숙였다. 진욱은 팔짱을 끼고 입을 꽉 다문 채, 유미를 노려보았다.

"호랑이에게 덤비는 간 큰 토끼가 있다더니, 진짜 존재하긴 하네."

이윽고 진욱이 투덜거리듯 중얼거렸다. 그 말에 유미가 슬그머니 고개를 들어 그를 마주 보았다.

"간 큰 토끼요?"

"후, 됐습니다."

그녀에게 뭐라고 한마디 쏘아주고 싶었지만, 그렇다고 엉켜버린 마음이 풀릴 것 같지 않았다. 진욱은 그대로 차에 올라타 거친 소리를 내며 차를 출발시켰다.

부아앙—.

차는 굉음을 내며 순식간에 어둠 속으로 사라졌다.

"왜 저러지?"

유미는 진욱의 차가 사라진 어둠 속을 혼란스러운 표정으로 바라보았다. 저렇게까지 화낼 만한 말은 아니었는데…….

"어마, 배고빠(누나, 배고파)."

일요일 아침, 오랜만에 늦잠을 자려던 유미의 어깨를 동구가 마구 흔들어댔다.

"……으으응……."

유미는 천근만근 무거운 눈꺼풀을 떼며 동구를 바라보았다.

"……똥구야. ……누나, 10분만 더 자자. 밥은 엄마보고 달라고 해."

"어마 어쩌, 어마(엄마 없어, 누나)."

"……응?"

그 한 마디에 잠이 화들짝 달아났다.

"뭐? 엄마가 없어?"

자리에서 발딱 일어난 유미는 우선 옷장으로 후다닥 달려가보았다. 동구를 떠맡기고 몰래 도망간 건 아니겠지? 그럴 리야 없겠지만 그래도 만에 하나 마음의 안정을 찾는다고 여행을 떠나기라도 했다면! 옷장을 열자, 미희의 화려한 옷이 한가득 눈에 들어왔다. 미희의 값비싼 명품 슈트케이스는 고고한 자태를 뽐내며 옷장 옆에 세워져 있었다.

"후우."

유미는 놀란 가슴을 쓸어내리며 자리에 풀썩 주저앉았다.

놀래서 애 떨어지는 줄 알았다!

"어마(누나)."

그때 옆에 있던 동구가 두 팔을 활짝 벌리더니 유미의 무릎 위를 타고 올랐다. 미희가 없다고 누나인 유미에게 애교를 부릴 모양이었다. 얘는 누굴 닮아 애교가 철철 넘치나 몰라. 엄마를 닮았나? 유미는 말똥말똥 자신을 올려다보는 동구의 머리를 한 손으로 쓱 쓰다듬었다.

"똥구야. 엄마, 어디 갔어?"

"모라, 어마(몰라, 누나)."

웃긴 건, 같은 핏줄이라고 저 외계어를 척척 알아듣는다는 거다!

"엄마가 아무 말 안 했어?"

"아무마 아 해쩌."

토요일 하루 내내, 짐 정리를 한다, 동구를 돌본다, 등등 얌전히 지내려고 노력하더니……. 역시 하루를 못 견디고 일요일 아침 일찍, 미희는 어디 간다는 말도 없이 바람과 함께 사라졌다.

"도대체 어딜 간 거야?"

유미는 툴툴거리며 한 손에 동구를 안은 채, 다른 한 손으로 미희에게 전화를 걸었다. 하지만 전화기를 꺼두었는지 계속해서 음성 사서함으로만 넘어갔다.

"엄마! 어디야? 말도 안 하고 나가버리면 어떡해? 나한테 애 맡기려고 온 거였어?"

자꾸만 음성 사서함으로 넘어가자 유미는 '삐' 소리가 난 후, 볼멘 목소리로 툴툴거리며 메시지를 남겼다.

"어마, 나 배꼬빠(누나, 나 배고파)."

전화를 끊는 동시에 동구가 배고픈 강아지처럼 유미의 목에 얼굴을 문질렀다.

"넌 어떻게 된 게 엄마보고도 '어마', 누나보고도 '어마'라고 하니? 헷갈리잖아!"

3살짜리 막냇동생이라면 가뜩이나 이상한 눈으로 바라보는데 호칭까지 '누나'보다는 '엄마'에 가까운 '어마'라니……. 모르는 사람에게 엄마로 오해받기에 십상이다!

유미는 동구의 작은 어깨를 두 손으로 잡고 자신을 바라보게 했다.

"누나라고 해봐. 누나!"

"어마."

"아니, 어마 말고. 자, 천천히 따라해봐. 누, 나."

동구는 나름 심각한 표정으로 유미를 따라 한 글자씩 발음했다.

"어, 마."

"누나라니까! 누, 나."

"어, 마."

동구는 자신의 발음이 잘못됐다고 전혀 못 느끼는지 당당한 눈으로 그녀를 빤히 바라보았다.

"널 대체 어쩌면 좋니."

그래, 만으로 치면 이제 겨우 두 살인데 아직 발음이 서툴러서 그런 거겠지?

"그럼 아빠는?"

"아바."

"형은 뭐야?"

"엉."

어쭈, 나름대로 다 분리해서 발음하네? 근데 왜 누나만 '어마'냐고!

"야, 똥구! 다 다르게 부르면서 왜 나만 '어마'야?"

"헤헤, 어마(헤헤, 누나)."

동구는 눈웃음을 살살 치며 자신의 뺨을 유미의 뺨에 비벼댔다. 이건 분명히 미희에게 배운 수법일 것이다. 하지만 어떡하랴. 지금 그녀의 품에 안겨 있는 동구는 세상에 하나밖에 없는 동생인 걸. 한두 살도 아니고 엄청 더 많이 나이를 먹은 왕 누나가 참아야지. 유미는 손바닥으로 동구의 엉덩이를 치며 자리에서 몸을 일으켰다.

"똥구, 뭐 먹고 싶어? 누나가 아침 해줄게."

"이거."

동구는 품에 안고 있던 토끼 인형을 불쑥 유미에게 내밀었다.

"뭐? 토끼를 먹고 싶어?"

유미의 눈이 토끼처럼 동그래졌다.

출장을 위해 분주히 짐을 싸던 진욱은 잠시 동작을 멈추고 슈트케

이스를 말없이 내려다보았다. 자꾸만 다른 쪽에 신경이 쓰여 도저히 집중할 수가 없었다.

—다음 주 내내 도시락을 만들지 않아도 되니까 신나서 그렇죠.

너무나 행복한지 눈을 반달로 만들며 생글거리던 유미의 얼굴이 자꾸만 눈앞에 아른거렸다.

"하, 기가 막혀서."

진욱은 실소를 터뜨리며 세차게 고개를 흔들었다. 일주일이나 출장을 떠난다고 하면 조금은 서운해할 줄 알았는데……. 웬걸. 서운하기는커녕 그녀는 등에 날개라도 돋아나 훨훨 날아갈 것처럼 기뻐했다. 확! 열 받는데 출장 일정 다 취소해버려? 일주일 꽉 채워서 아침, 점심, 저녁, 야식까지 빡세게 돌릴까? 진욱은 몽글몽글 피어오르는 검은 유혹을 애써 물리치며 슈트케이스의 뚜껑을 '탁' 소리 나게 닫았다.

참 이상하다. 지금까지는 출장을 앞두고 업무 외엔 아무 생각도 떠오르지 않았는데 왜 지금은 잡생각으로 머리가 복잡한지 모르겠다. 일주일간의 출장 일정이 너무나도 길게 느껴졌다. 게다가 자신만 그렇게 느낀다는 것에 은근히 기분이 나빠졌다.

"젠장."

진욱은 한 손으로 머리칼을 헝클어뜨리며 털썩 침대에 주저앉았다.

[똥구는 토끼 모양으로 주먹밥을 만들어줘야 먹어. 요새 유행하는

캐릭터 모양 알지? 소시지는 밑부분에 칼집을 넣어서 문어 모양을 만들어봐. 계란말이 위에는 케첩으로 스마일이나 하트 모양 그려주는 거 잊지 말고.]

겨우 통화가 연결된 미희에게서 기가 막힌 대답이 돌아왔다.

"엄마, 얼마나 오냐오냐 키웠길래 이렇게 까다로워?"

[어머, 얘 좀 봐? 넌 어릴 때 안 그랬는 줄 아니. 너 때문에 내가 얼마나 고생했는데. 하도 밥을 안 먹어서 김으로 배트맨을 만들었다가, 미키 마우스를 만들었다…….]

유미는 살며시 휴대폰을 귀에서 떼어내며 콧등에 주름을 잡았다. 개구리가 올챙이 적 생각을 못 하는 건 당연한 거 아닌가? 기억 안 난다고! 그러니까 패스!

"그나저나 엄마 거기 어디야? 뭐 하는 거야?"

[알바 왔어. 그냥 얹혀살 순 없잖아. 나도 생활비쯤은 벌어야지.]

다행히 그냥 눌러앉을 생각은 아닌가 보네.

"알았어. 영화만 찍지 않으면 돼."

[뭐?]

순간 미희의 목소리가 한 옥타브 올라갔다.

[아니, 얘가 왜 이래? 네 엄마, 아직도 싱싱해. 지금이라도 마음만 먹으면 어떤 영화라도…….]

"영화 찍기만 해!"

이번엔 유미의 목소리가 두 옥타브 올라갔다.

"곧바로 호적 팔 테니까!"

[어머, 얘가 지금 말이라고 막 하는 것 좀 봐. 야, 네 엄마, 배우거든! 배우가 연기해서 돈 번다는데, 그게 뭐 어때서?]

"에로 배우가 무슨 배우야!"

[배우에 에로 배우, 배우가 어디 있어? 그냥 배역에 따라서 노출 장면이 좀 많이 나올 수도 있고 그런 거지.]

솔직히 틀린 말은 아니다. 하지만 그래도 유미는 쉽게 받아들일 수 없었다. 다른 사람도 아니고 엄마가 대중 앞에서 옷을 벗다니! 어디 옷만 벗나? 이상야릇한 동작도 취하면서……. 싫어! 정말 싫다!

"몰라! 하여간 또다시 이상한 영화 찍기만 해. 그 순간부터 엄마랑 나랑 완전 남남이야!"

유미는 버럭 소리를 지른 후, 통화 종료 버튼을 눌러 일방적으로 전화를 끊었다. 동구는 두 사람의 싸움에 익숙해졌는지 태연히 유미에게 기대앉아 토끼 인형을 만지작거렸다.

"토끼 모양 같은 소리 하고 있네."

유미는 불만스러운 표정으로 입술을 한껏 내밀며 투덜투덜 주방에 들어갔다. 그러나 막상 시작하자, 어느새 만드는 재미에 흠뻑 빠져들었다. 그 덕분에 전혀 의도치 않은 꽤 괜찮은 작품이 탄생했다.

"자, 똥구야. 여기."

"우와앙!"

유미에게서 캐릭터 도시락을 받아 든 동구의 눈이 튀어나올 것처럼 커다래졌다. 마치 도시락에 빨려 들어갈 것처럼 바라보던 동구의 눈에 눈물이 그렁그렁 맺히기 시작했다.

"야, 똥구! 왜 그래?"

예상하지 못한 동구의 반응에 유미는 살짝 당황했다. 문어 소시지가 너무 징그럽나? 리얼하게 한다고 다리 8개에 눈, 코, 입 다 만들었는데.

"어마, 따라해(누나, 사랑해)."

그때 갑자기 동구가 벌떡 자리에서 일어나더니 유미를 와락 끌어안으며 뺨에 입을 맞추었다.

"어머, 얘 뭐야?

아무리 막내라지만 이렇게 심한 애정 표현은 좀 어색하다. 유미는 자신의 목을 꼭 끌어안은 동구의 팔을 살며시 풀었다.

"똥구야, 캐릭터 도시락에 감동해서 그러는 거야?"

"어엉."

동구는 눈물이 그렁그렁한 눈으로 크게 고개를 끄덕거렸다. 솔직히 미희의 솜씨로 어떤 캐릭터 도시락을 만들어줬을지, 보지 않아도 뻔했다. 토끼는 무슨! 동그라미에 막대기 두 개 꽂은 모양이었겠지. 그러다 유미가 만든 도시락을 봤으니 크게 감동할 수밖에…….

"우리 똥구가 보는 눈은 있구나. 누나, 이래 봬도 한식, 양식 조리사 자격증 있는 사람이야."

"어, 어마 쬐고(응, 누나 최고)!"

동구는 엄지손가락을 척 올려 보이더니 세상 다 가진 것 같은 얼굴로 도시락을 먹기 시작했다.

"천천히 먹어, 똥구야. 누나가 또 만들어줄게."

"어, 어마(응, 누나)."

"녀석."

행복한 얼굴로 맛있게 먹는 동구를 바라보던 유미의 머릿속에 순간 '띵' 전깃불이 켜졌다.

"그래, 그거야."

감동을 주는 도시락! 이렇게 준비해간다면 동구처럼 눈물을 글썽거리진 않아도 꽤 높은 보너스 점수를 받을 수 있을 거다!

그날 이후로 유미는 캐릭터 도시락 자료 조사에 들어갔다. 유명한 도시락 전문가가 펴낸 캐릭터 도시락 모음집도 사고, 온라인 검색도 하고. 하지만 출장에서 돌아오는 대로 멋진 캐릭터 도시락으로 진욱을 크게 감동시킬 거라는 부푼 꿈은 고작 3일 후, 무참히 깨지고 말았다.

"이게 뭐예요?"

코트 수선이 다 되었다는 전화에 세탁소로 찾아간 유미는 황당하고도 잔인한 현실과 마주했다.

"아주머니, 이게 도대체……."

진욱의 코트를 움켜쥔 유미의 두 손이 떨렸다. 일이 슬슬 풀려간다고 안심했는데 이게 무슨 마른하늘에 날벼락! 파랗게 질려버린 유미와는 반대로 세탁소 아주머니는 아주 뿌듯한 얼굴로 설명에 들어갔다.

"그게 있잖아. 아무리 감쪽같이 수선하려고 해도 워낙 원단이 고급이라서 실로 메꾼 티가 나더래."

"그렇다고……. 아니, 아무리 그……래도……."

유미는 말을 잇지 못하고 허망한 눈으로 코트를 내려다보았다.

좀이 생겨 구멍 난 부분마다 검은색의 비즈가 촘촘히 박혀 있었다.

"기운 자국보다는 이게 나아. '구짜'랑 '돌쇠 앤 가시나' 신상 컬렉션 봤어? 올해는 이렇게 비즈를 막 박아 넣는 게 유행이래."

"그치만……."

좋게 말하면, 예술적 감각이 물씬 풍기는 고품격 의상. 나쁘게 말하면, 번쩍거리는 카바레 술집 무대 의상. 둘은 매우 아슬아슬, 한 끗발 차이였다.

"친구에게 보여줘 봐. 마음에 안 들어 하면 내가 수선비 돌려줄게."

이건 수선비가 문제가 아니라고요! 까칠한 삼시 새끼 취향이면 절대로 마음에 들어 할 리가 없는데……. 진짜 제대로 망했다!

“흑.”

코트를 찾아 터덜터덜 집으로 돌아오는 길이 너무 멀게 느껴졌다. 할 수만 있다면 당장 이대로 어디론가 도망가고 싶었다. 유미는 제자리에 멈춰 서며 잔뜩 구름이 낀 흐린 하늘을 올려다보았다. 하늘은 마치 그녀의 마음처럼 우중충하기만 했다. 이번 주는 그를 보지 않는다지만, 그 후에는 어쩌라고. 유미는 머릿속으로 얼마 없는 통장의 잔액을 계산해보았다.

“아무래도 적금을 깨야 하나?”

이제 겨우 목돈이 좀 모이나 했는데……. 하, 그래도 어쩌겠어. 남의 옷을 망쳐놓았으니 값을 치러야지.

“아우, 진짜!”

다시는 명품 감고 다니는 남자랑은 썸 타지 말아야지! 아니, 아니! 다시는 어떤 남자와도 썸 타지 말아야지! 그냥 고고한 처녀 귀신으로 살 거다. 주먹을 불끈 쥐며 속으로 크게 외치던 유미의 눈빛이 살짝 흔들렸다. 그런데 이상하게도 자꾸만 그 남자의 모습이 눈앞에 어른거린다.

유미는 한 손으로 흘러내린 머리카락을 쓸어 올리며 거세게 고개를 흔들었다. 이건 분명히 양심에 찔려서 그런 거다. 절대로, Never, 그가 보고 싶어서 그런 게 아니다! ……그렇지?

유미는 허탈한 눈으로 하늘을 바라보았다.

“잠자리가 불편하셨나 봅니다. 어째 안색이 영 아니네요.”

호텔 로비에서 기다리던 우진이 막 엘리베이터에서 내리는 진욱에게 걱정스러운 얼굴로 물었다.

"내가 언제 제대로 잔 적 있어? 집에서도 못 자는데."

진욱은 별거 아니라는 듯 어깨를 으쓱거리고는 우진이 내미는 서류를 건네받았다. 서류를 훑어보는 진욱에게 우진이 넌지시 제안했다.

"병원에 가봐야 하는 거 아닙니까?"

"됐어. 내 불면증이 어디 하루 이틀 일이야?"

"그러니까 더욱더 병원에 가야죠. 잠을 제대로 못 자면 계속 피로가 누적돼서 결국에는……."

"이젠 안 쓰러질 테니까 걱정하지 마."

진욱은 말을 끊으며 안심하라는 듯 우진의 어깨를 툭 내리쳤다.

"형 무서워서라도 이젠 안 쓰러져. 또 쓰러졌다가, 하루 세끼가 아니라 보약까지 먹이려고?"

"아, 보약. 내가 왜 그 생각을 못 했지?"

"아니라니까! 필요 없어."

진욱은 우진을 힐끔 노려본 후, 다시 서류로 시선을 돌렸다.

어린 시절 그날의 사건 이후, 항상 불면증에 시달렸던 진욱이다. 푹 잘 수 있었던 날은 거의 없었다. 증상이 아주 심할 때는 주치의가 처방해준 수면제를 복용하기도 했지만 효과는 그때뿐이었다. 술과 수면제의 도움 없이 푹 잠들었던 적이 언제였더라?

기억을 더듬던 진욱의 얼굴에 씁쓸한 미소가 떠올랐다.

3년 전, 그날이던가? '끼룩끼룩', 어디선가 갈매기의 소리가 들려오는 것만 같았다. 서류 위로 유미의 얼굴이 희미하게 떠오르자, 진욱은 탁 소리 나게 서류철을 닫아버렸다.

“음, 상태 좋고. 바로 조리 들어가면 되겠네.”

점심 자율 배식이 끝나고 잠시 휴식을 가진 유미는 조리실에 돌아오자마자 식재료 검수에 들어갔다. 냉장고 문을 열고 서류에 하나씩 체크해나가는 유미에게 제니가 다가왔다.

“유미 쌤, 오늘은 좀 한가해 보이네?”

냉장고에서 다진 돼지고기를 꺼내며 제니가 먼저 말을 걸었다.

“도시락 배달 안 하나?”

유미와 자신이 동갑이라는 걸 알게 된 제니는 대화 중 반말과 존댓말을 섞었다. 그리고 언제인가부터 반말의 비중이 부쩍 높아졌다.

“본부장님, 지금 지방출장이잖아요.”

“어쩐지 화색이 돌더라.”

유미는 대답 대신 생긋 웃어 보였다. 솔직히 도시락을 준비하지 않아도 되니까 마음의 부담은 덜해졌다. 그러다가도 엉망이 된 코트를 생각하면 다시 눈앞이 컴컴해지긴 했지만.

“쌤, 진짜 너무해요!”

뒤에서 들려오는 볼멘 목소리에 유미와 제니가 동시에 뒤를 돌아보았다. 은비가 뽀로통한 표정으로 두 사람을 노려보고 서 있었다.

“에……? 뭐가?”

“본부장님, 바빠서 식사 거르실지도 모르는데……. 걱정 안 돼요?”

“걱정?”

“잘생긴 얼굴, 더 반쪽 되면 어떡하라고. 그러면 안 되는데…….”

은비는 세상 다 산 사람처럼 한숨을 푸욱 내쉬더니 터덜터덜 구내식당 쪽으로 걸어갔다.

"은비, 쟤도 본부장 빠거든."

의아한 표정을 짓는 유미에게 제니가 작게 귓속말로 속삭였다.

"아……."

"난 본부장 같은 스타일 싫던데. 남자가 말라서 매가리가 없잖아."

"음, 그래도 속은 나름 근육질 아닐까요?"

"그건 벗겨봐야 알지. 기회가 되면 한번 확 벗겨봐야 하는데……."

"네에?"

유미가 소스라치게 놀라자 제니는 의아하다는 듯 미간을 좁혔다.

"왜?"

"아, 아니요."

"유미 쌤 연애 한 번도 못 해본 사람 같아. 정말 경험 없어?"

유미는 아무 말도 못 하고 얼굴을 붉히며 고개를 숙였다. 적당하게 근육이 잡힌 진욱의 매끈한 몸을 본 적이 있다는 말을 어떻게 할 수 있을까? 그렇다고 아닌 척 시치미를 뗄 수도 없는 일이고.

"아우, 됐어요. 대답 안 해도 돼."

제니가 다진 돼지고기를 들고 조리대로 돌아가자, 유미는 식재료 검수를 위해 다시 냉장고 문을 열었다. 그러나 얼마 가지 못해서 도로 냉장고 문을 닫았다. 은비의 말대로 진욱이 조금 걱정되기 시작했다. 그 까다로운 입맛에 식사는 제대로 하고 있으려나?

"한두 살 먹은 어린애도 아니고 자기가 알아서 먹겠지."

한동안 고민하던 유미는 고개를 흔들며 걱정을 털어냈다.

Episode 12

연애라도 하자는 건가?

출장 업무를 마치고 서울로 올라가는 토요일.

진욱은 협력사 실무진과의 점심 식사를 마지막 일정으로 잡았다.

호텔에서 짐을 챙긴 진욱과 우진이 레스토랑에 도착하자, 직원이 예약된 방으로 두 사람을 안내했다.

일분일초도 허투루 낭비하지 않는 진욱의 성격을 잘 아는 듯, 커다란 상에는 이미 밑반찬이 놓여 있었다.

"계시는 동안 식사와 잠자리는 괜찮으셨는지 모르겠습니다."

진욱과 우진이 룸으로 들어오자 협력사 직원인 정 실장이 두 사람을 맞았다.

"신경 써주신 덕분에 편히 지냈습니다."

"다행이군요."

"아무쪼록 물량 공급에 차질 없도록 부탁드립니다."

"물론입니다. 자, 계약도 성공적으로 끝났는데, 일 얘기는 이쯤에서 접고 이제 드시죠. 이 집은 한 달 전부터 예약해야 먹을 수 있는 맛집입니다."

"그렇습니까?"

젓가락을 들어 굴 생채를 맛본 진욱은 나쁘지 않은 듯 고개를 끄덕였다. 그러다 옆에 놓인 쌈밥에 시선이 머물렀다.

—여러 종류의 쌈밥입니다. 우선 이건 증기로 찐 깻잎을 말아서 만든 쌈밥인데…….

모양은 조금 달랐지만, 유미가 만든 도시락 중에도 쌈밥이 있었다. 손도 안 대고 나영에게 알아서 처리하라고 했었지만, 사실은 제법 먹음직스러웠는데…….

솔직히 말하면 그녀의 도시락은 입맛에 맞는 편이었다. 먹지도 않고 그냥 돌려보낸 게 아쉬울 정도로.

진욱은 쌈밥을 보며 곧바로 유미를 떠올리는 자신이 어이가 없어 작게 실소를 터뜨렸다. 그러자 그의 웃음을 오해한 정 실장이 걱정스러운 얼굴로 물었다.

"혹여 음식이 입에 맞지 않으신 건 아닌지……. 간이 너무 센가요?"

"아, 아닙니다. 맛있습니다."

진욱은 빠르게 유미의 생각을 떨치며 한입 크기로 만든 녹두 빈대떡을 젓가락으로 집었다. 그녀가 생각나는 게 아니라 도시락이 생각나는 것일 뿐.

어느새 그녀의 음식에 입맛이 길들었나 보다. 단지 그것뿐이다. 진욱은 묵묵히 음식을 입으로 가져갔다.

"뭔가 허전해……."

점심 식사를 마치고 서울로 향하는 차 안에서 진욱은 한 손으로 눈두덩을 누르며 혼잣말처럼 중얼거렸다.

"네? 뭐가요?"
운전 중이던 우진이 백미러를 통해 진욱을 바라보았다.
"뭐랄까…… 뭔가 속이 채워지지 않은 느낌?"
"아까 우리가 먹은 거, 80첩 한정식인데요."
"그건 나도 알아."
진욱이 허전한 눈빛으로 창밖에 시선을 돌렸다.
"……그래도 뭔가 2퍼센트 부족한 것 같아. 형은 아니야?"
우진은 백미러로 '얘가 도대체 왜 이래?'라는 눈빛으로 진욱을 흘끗 바라보았다. 예전에는 너무 안 먹어서 걱정하게 하더니, 왜 갑자기……? 이 근처에 유명한 맛집이라도 있나?
우진은 근처에 있을 만한 맛집을 머릿속에서 검색해보았다.
"그럼 가는 길에 어디라도 들를까요?"
"아니, 그 정도는 아니고. 그냥 아까 먹었던 쌈밥이 자꾸만 생각나서……. 음, 도시락에도 그게 있었는데."
"이유미 영양사가 만든 도시락이요?"
"아, 그래. 도시락을 만들어 오라고 하면 되겠군."
"저, 그런데 오늘은 주말인데요."
그러나 진욱은 우진의 말을 한 귀로 흘리고 재빨리 전화를 걸기 시작했다. 잠시 신호 음이 들리고 전화가 연결되자, 진욱은 다짜고짜 먼저 말을 꺼냈다.
"난데……."
[어마아……?]
건너편에서 유미의 목소리 대신 어린아이의 목소리가 흘러나왔다.
진욱은 의아한 표정으로 휴대폰을 귀에서 떼어내 전화번호를 확인했다. 전화번호는 맞는데……. 왜 어린아이가 전화를 받는 거지? 여기서 '어마아'라면…… 엄마?

진욱의 이마에 깊은 주름이 새겨졌다.

바닥에서 뒹굴던 동구는 끌어안고 있던 토끼 인형을 내려놓고 머리맡에 놓인 유미의 휴대폰을 집어 들었다.

띠리릭—.

동시에 전화가 울렸다.

깜짝 놀란 동구는 두 손으로 화면을 만지작거리다 얼떨결에 통화 버튼을 눌렀다. 그러자 저편에서 남자의 굵은 목소리가 흘러나왔다.

[난데…….]

"어마아……?"

동구는 호기심 어린 눈으로 휴대폰을 보며 고개를 갸우뚱거렸다.

"어……마?"

젖은 머리를 수건으로 말고 욕실에서 나오던 유미는 동구의 손에 쥐어진 자신의 휴대폰을 보고 눈을 동그랗게 떴다.

"야!"

그녀는 바닥으로 몸을 날려 휴대폰을 낚아챈 후, 재빨리 발신자를 확인했다. 헉! 삼시 새끼!

"여, 여, 여보세요?"

유미가 허겁지겁 전화를 받자, 수화기 너머에서 진욱의 나직한 음성이 흘러나왔다.

[방금 누구지?]

"아…… 그게…… 아마 저였을 거예요!"

역시 거짓말엔 서툴다. 저였을 거라니……. 그게 말이 되느냐고! 유미는 혀끝을 깨물며 빠릿빠릿하게 대처하지 못하는 자신을 원망했다.

[……저였을 거예요?]

역시나 진욱이 의심스럽다는 듯 되물었다.

"자, 자다가 일어나서 엄마인 줄 알고……. 하, 하, 하."

에라, 모르겠다. 빨리 다른 곳으로 화제를 돌리자.

"본부장님이 어쩐 일이세요?"

[출장 가 있는 동안 음식이 입맛에 맞지 않아서 거의 굶다시피 했어. 주소 찍어줄 테니까, 와서 쌈밥 좀 해줘요.]

"지금이요?"

[네, 지금.]

이 무슨 황당한 시추에이션? 황금 같은 주말에 쌈밥이라니? 완전 개념 쌈 싸 먹는 소리잖아!

"저기, 본부장님. 오늘은 주말……인데요."

[나 출장 가 있는 동안 편하게 쉬었을 거 아닙니까? 지금 와서 해주면 제가 아주 감동받을 것 같은데요.]

감동! 유미의 머리에 '파팍' 느낌표가 떠올랐다. 맞아, 주말 특별 봉사를 하며 슬쩍 코트를 가져다주면 화를 덜 낼지도 몰라!

"알겠습니다. 지금 바로 준비해서 갈게요."

[늦지 않게 와요.]

전화를 끊자마자 '삐리릭' 알림과 함께 진욱의 집 주소와 지도가 문자로 날아왔다.

두 시간 후에 서울 도착할 예정.
돌아왔을 때 쌈밥이 되어 있으면 아주 많이 감동할 것 같음.

유미는 젖은 머리를 수건으로 쓱쓱 닦으며 자리에서 몸을 일으켰다. 진욱이 도착하기 전에 준비하려면 서둘러야 한다.

"똥구야, 근데 엄마, 어디 갔어?"

그녀가 욕실에 들어갈 때까지만 해도 이불 속에서 TV를 시청하던 미희가 어디에도 보이지 않았다. 동구는 유미를 물끄러미 올려다보다 손가락으로 현관문을 가리켰다.

"어마, 어디 가쪄(엄마, 어디 갔어)."

그새? 나 샤워하는 동안?

"아이, 진짜! 주말마다 애를 혼자 두고 나가면 어째!"

게다가 하필 오늘은 현태가 작가 모임에 참가하느라 맥&북도 휴업하는 날이었다.

"어떡하지……?"

아무것도 모르는 동구는 '헤헤' 해맑게 웃으며 유미를 올려다보았다.

결국 유미는 동구를 데리고 장을 본 다음 진욱의 집으로 향했다. 지도를 확인하기 위해 한 손에는 휴대폰을 들고, 다른 한 손에는 장 본 비닐봉지를 팔에 건 채, 동구의 손을 꼭 잡았다. 어깨에는 진욱의 코트가 든 커다란 쇼핑백을 둘러멨다. 동구는 토끼 인형을 품에 끌어안고 소풍 가는 것처럼 신난 상태였다.

"이 집이 맞는 것 같은데……."

유미는 거대한 이 층 저택 앞에 멈추며 휴대폰 화면에 뜬 주소와 대문 옆에 붙은 주소를 확인했다. 예상이 맞았다. 진욱에게서 받은 주소와 일치했다. 대문을 열고 들어가기 전, 유미는 무릎을 꿇고 동구와 눈높이를 맞추며 새끼손가락을 들어 보였다.

"똥구야, 누나랑 약속!"

봐줄 사람이 없어서 결국 동구를 데려오긴 했지만, 솔직히 여간 신경 쓰이는 게 아니었다. 아직 동구는 사리 분별이 모자란 어린아이라, 잠시라도 한눈을 팔았다간 사고를 칠지도 모른다. 세 살짜리 꼬마는 걸어다니는 '시한폭탄'이라는 공식이 성립되니까.

"말썽 부리면 절대로 안 돼. 내 옆에만 딱 붙어 있어야 해. 알았지?"

"웅, 어마(응, 누나)."

동구는 한 손에 토끼 인형을 꼭 껴안은 채, 자신의 새끼손가락을 유미의 새끼손가락에 걸었다. 그것이 어떤 의미인지는 알 수 없었지만, 유미가 하자니까 그냥 따라했다.

진욱이 알려준 비밀번호를 누르자 철컹 소리와 함께 육중한 대문이 열렸다. 유미는 다시 한 번 더 동구의 손을 꽉 잡으며 조심스럽게 철문을 앞으로 밀었다.

저택 안으로 한 걸음 들어가자, 넓디넓은 정원이 눈앞에 펼쳐졌다. 정원은 숙련된 정원사의 손질을 받았는지 매우 완벽하게 깔끔했다. 한 치의 빈틈도 없는 모습이 마치 진욱을 보는 것 같았다.

조심스럽게 정원을 가로지르던 유미는 현관 앞에 다리를 벌린 채 누워 있는 풍만한 몸매의 검은 고양이를 발견했다. 사람을 봤으면 놀라거나, 피하거나 아니면 아는 척을 할 법한데 검은 고양이는 고개만 살짝 들더니 묘한 눈빛으로 유미를 바라보았다. 그러고는 유미가 앞으로 다가와 햇볕을 가리자, 눈을 반쯤 감으며 그녀를 노려보았다.

"야옹."

고양이는 마치 햇볕을 가리니까 비켜달라는 듯 고개를 위아래로 까닥거렸다. 왜 고양이에게서 주인마님의 포스가 느껴지는 걸까? 고양이의 기에 눌린 유미와 동구는 살며시 옆으로 비켜섰다.

다시 햇볕이 쏟아지자 검은 고양이는 다시금 바닥에 고개를 뉘이며 두 눈을 감았다. 이 집에 사는 고양이 맞나? 주위를 두리번거리던 유미는 현관문 옆에 놓인 자동 사료 배식기를 발견했다. 삼시 새끼가 고양이를 다 길러? 우와, 대박! 유미는 놀랐다는 듯 입을 벌리며 현관문 잠금 장치 비밀번호를 눌렀다.

띠리릭—.

현관문이 열리며, 운동장처럼 넓지만 휑한 내부가 눈에 들어왔다. 뭐랄까, 너무 깔끔해서 사람이 사는 곳 같지 않다고 해야 할까? 최소한의 가구만 놓인 실내는 찬바람이 불 정도로 싸늘했다. 유미는 우선 거실 한가운데를 덩그러니 차지한 가죽 소파로 다가갔다. 그녀는 어깨에 둘러멨던 쇼핑백은 소파 옆에, 장 본 비닐봉지는 커피 테이블 위에 내려놓았다. 그녀의 시선이 소파 위에 놓인 구겨진 이불과 베개에 머물렀다.

"소파에서 자나?"

그 옆에는 아주 낡아 보이는 작은 담요가 놓여 있었다. 유미는 보풀투성이의 담요를 들어보며 살짝 미간을 찌푸렸다. 아무리 봐도 이건 성인용이 아닌 어린이용 담요인데, 생뚱맞게 왜 이런 게 여기 있지?

유미는 호기심에 여기저기 문을 열고 방 안을 들여다보기 시작했다. 맨 처음 문을 연 곳은 서재였다. 책상 위에는 서류가 한가득 쌓여 있었고 여기저기 커피잔이 놓여 있었다. 출장을 떠난 지가 언제인데…….
도우미 아주머니가 매일 안 오시나? 다른 방도 열어보았는데 놀랍게
도 그 방들은 가구 하나 없이 모두 텅 비어 있었다.

"뭐지? 침실이 없어?"

유미는 어리둥절한 표정으로 주위를 둘러보았다.

"서울이 가까워질수록 좀 막히는데요."

앞을 빡빡하게 채운 차들의 끝없는 행렬을 바라보며 우진이 투덜거렸다. 진욱은 아무 말 없이 손목시계로 시간을 확인했다. 이렇게 교통 체증이 계속된다면 예상보다 한 시간 정도 늦게 도착할 것 같았다.

"안 막히는 길로 가면 안 될까?"

"그러면 멀리 돌아가는 거라서 도착하는 시간은 엇비슷할 겁니다."

"그래?"

진욱은 답답하다는 듯이 한 손으로 넥타이를 느슨하게 풀어 헤쳤다. 어차피 2시간 이내에 모든 걸 마치긴 힘들 테니까, 한 시간쯤 늦는다고 큰 문제는 없겠지. 진욱은 초조한 티를 내지 않으려 애써 무심한 표정으로 창밖을 내다보았다.

"아악! 시간 없는데 얘는 왜 자꾸만 빠져나가!"

유미는 부산스레 쌈밥을 만들며 큰 소리로 투덜거렸다. 정성스럽고

예쁘게 말아야 하는데 자꾸만 삐뚤삐뚤 밥알이 밖으로 비어져 나왔다. 미치겠다, 정말. 말이 두 시간이지, 나갈 준비하고 시장에서 장 보고, 문자로 보낸 주소를 들고 진욱의 집까지 찾아오고 등등 너무나 많은 시간을 다른 데 허비했다. 정작 음식을 만들 수 있는 시간은 30분이 고작이었다.

"내가 정말 영양사야? 요리사야?"

이 정도로 부리나케 쌈밥을 만들 수 있을 정도의 실력이면 정말 진지하게 '요리 경연 대회'에 출전하는 것을 고려해봐야 할 것 같다.

"아, 후추가…… 빠졌네. 얘가 어디 있지?"

주방을 샅샅이 뒤졌지만, 달랑 소금 통만 조리대 위에 놓여 있고 후추는커녕 간장 병도 보이지 않았다. 있는 거라곤 냉장고에 든 생수병 몇 병과 우유, 그리고 에스프레소 커피 머신 옆에 놓인 유기농 설탕이 전부였다. 다행히도 아까 장 보면서 맛 간장을 집어 왔길 망정이지, 정말 큰일 날 뻔했다.

"집만 좋으면 뭐해? 재벌은 공기만 마시고 사나? 밥해주는 사람도 없어?"

툴툴거리며 다시 쌈밥을 말던 유미는 순간 옆에 있어야 할 동구가 보이지 않는다는 사실을 깨달았다.

"어이, 똥구!"

유미는 거실을 향해 고개를 돌리며 큰 소리로 동구를 불렀다. 그러나 아무런 반응도 오지 않았다. 그녀는 다시 목청을 다듬고 이번에는 좀 더 크게 동구를 불러보았다.

"야! 똥구야!"

그때 서재에서 뭔가 '쿵!' 하고 떨어지는 소리가 들려왔다.

"헉! 뭐야?"

유미는 부랴부랴 위생 장갑을 벗으며 주방 밖으로 달려나갔다.

"똥구!"

문을 열고 서재 안으로 뛰어 들어가자 의자에 반쯤 몸을 걸치고 책상 위로 기어오르던 동구가 뒤를 돌아보았다. 바닥에는 동구가 떨어뜨렸는지 보석함이 뒹굴고 있었다. 기겁한 얼굴로 동구에게 달려간 유미는 동구의 허리를 낚아채 바닥에 내려놓았다. 그리고 혹시라도 다친 곳은 없나 두 손으로 여기저기 만져보았다.

"야!"

동구가 아무렇지 않다는 걸 확인하자 유미는 동생을 향해 빽 소리를 질렀다.

"내가 꼼짝하지 말라고 했어, 안 했어!"

"꼬짜하지 마라는 마, 안 해쪄(꼼짝하지 말라는 말, 안 했어)."

"뭐? 아휴, 내가 말을 말자. 그나저나 이를 어째."

바닥에 뒹구는 보석함을 집어 들자 흉하게 찌그러진 모서리가 눈에 들어왔다. 어떡해. 완전 비싸 보이는 보석함인데……. 코트 때문에라도 설설 기어야 할 판에, 이젠 보석함까지 망가뜨리다니!

유미는 황급히 보석함을 책상 위에 올려놓았다. 쓰다듬는다고 찌그러진 모서리가 펴지는 것도 아니면서 유미는 계속해서 보석함을 두 손으로 어루만졌다. 하고많은 것 중에서 왜 하필이면 비싼 보석함을 떨어뜨려서는. 서류도 있고 볼펜도 있고 종이도 있고 떨어뜨려도 되는 것 많은데…….

"하아, 내가 정말 미치겠다."

유미는 동구를 노려보며 한숨을 푸욱 내쉬었다.

고개를 푹 숙인 채 서재를 나서려던 유미는 문득 떠오른 호기심에 다시 책상으로 시선을 돌렸다. 그런데 왜 안 어울리게 서재 안에 보석함이 있는 거지? 유미는 밀려오는 호기심에 조심조심 보석함의 잠금쇠에 손을 뻗었다.

띠리릭—.

현관문이 열리며 테이크아웃 커피 두 잔이 담긴 캐리어를 든 진욱이 집 안으로 성큼 들어섰다.

서울 시내로 들어선 후 그나마 교통 체증이 풀렸지만 그래도 예상했던 시간보다 1시간 반이나 늦고 말았다. 역시나 현관에 있어야 할 그녀의 신발은 어디에도 보이지 않았다.

"이유미 씨!"

거실로 들어서며 주위를 휙 둘러보았지만, 인기척 하나 없는 고요한 실내만이 그를 맞이했다. 커피 테이블 위에 커피 캐리어를 내려놓고 돌아서는데 발아래로 커다란 쇼핑백이 툭 걸렸다.

안을 들여다보니 3년 전 그날, 그녀가 가져갔던 캐시미어 코트가 들어 있었다. 진욱은 코트를 꺼내보지도 않고 옆으로 쓰윽 밀어버렸다.

주방으로 들어서자, 식탁 위에 차려진 쌈밥이 제일 먼저 눈에 들어왔다. 그리고 그 옆에 다소곳하게 놓인 작은 쪽지 한 장.

임무 완수! 볼일이 있어서 먼저 갑니다. 맛있게 드세요. ^___^

– 이유미 영양사 –

쪽지를 읽어 내려가는 그의 얼굴에 씁쓸한 미소가 떠올랐다.

"자기가 무슨 우렁 각시라도 되는 줄 아나?"

진욱은 쪽지를 다시 식탁 위에 내려놓으며 작게 투덜거렸다.

유미는 손톱을 잘근잘근 씹으며 책상 위에 놓은 휴대폰을 주시했다. 아직 진욱에게선 아무런 연락도 없었다. 이 시간이면 집에 도착하고도 남았을 텐데…….

휴대폰을 뚫어지게 노려보던 유미는 이불을 덮고 색색 고른 숨소리를 내는 동구에게로 눈길을 돌렸다. 초조해서 미칠 것 같은 유미의 속을 아는지 모르는지 동구는 집에 돌아오자마자 피곤하다며 그대로 곯아떨어졌다. 유미는 그런 동구를 원망스러운 눈빛으로 쏘아보았다.

"나도 너처럼 속이 편했으면 좋겠다."

조금이라도 불안한 마음을 떨치려 TV를 틀고 최대한으로 볼륨을 높였다. 화면 안에서는 아이돌인지 뭔지 하는 예쁘장한 남자애들이 떼거리로 나와서 유치원 장기자랑을 하듯 팔다리를 허우적대고 있었지만 유미의 눈에는 하나도 들어오지 않았다. 너무나도 초조해서 가만히 있어도 다리가 달달달 떨릴 지경이었다.

"물어내라고 하면 어떡하지? 아니, 그놈의 코트도 한 장짜리라며! 그럼 보석함은 도대체 얼마나 하겠냐고?"

걱정하느라 속이 바짝바짝 타든 말든 동구는 유미 옆에서 세상모르게 잠들어 있었다.

"어휴, 내가 이놈 자식 때문에……."

아니다. 어린애가 뭘 안다고. 서재까지 가게 놔둔 내가 잘못이지. 유미는 땅이 꺼져라 한숨을 내쉬며 TV 화면으로 다시 눈길을 돌렸다.

어느새 아이돌의 공연이 끝나고 한 주의 영화계 소식을 알리는 코너로 넘어가 있었다. 국제 영화제 레드 카펫을 밟는 여배우들의 화려한 이브닝드레스와 번쩍거리는 보석이 화면을 채웠다.

"아무래도 다이아몬드 같던데……."

유미는 콧등에 주름을 잡으며 오늘 낮에 동구가 찌그러뜨린 보석함을 떠올렸다. 양심에 걸려 막상 열어보지는 않았지만, 안 봐도 훤했다. 눈부시게 번쩍거리는 값비싼 보석이 들어 있을 것이다.

보석함 크기로 봐선 적어도 목걸이 정도는 들어 있을 것 같았는데. 클럽에서 보았던 여자나 아니면 주혜리에게 주려고 준비한 걸까?

유미는 클럽 안에서 꿀이 뚝뚝 떨어지는 눈으로 여자를 바라보던 진욱을 떠올렸다. 그뿐인가? 집무실 안에선 혜리를 끌어안고 거의 키스 직전 상황까지 가고 있었다. 3년 전에는 '깜순이'인가 '껌순이'인가 하던 여자도 있었지, 아마?

여자를 거칠게 벽으로 밀어붙이며 입술을 겹치려던 진욱의 모습이 머릿속에 생생하게 그려지자, 유미는 아랫입술을 꽉 깨물었다. 흥! 누가 알겠어? 또 다른 여자가 있는지……. 바람둥이 같으니라고!

헛된 상상이 꼬리에 꼬리를 물고 늘어지다, 결국 유미는 진욱에게 프러포즈할 만큼 아주 진지한 여자가 있다는 확신을 내렸다. 과연 어떤 여자가 행운의 주인공일까? 여배우를 비추던 카메라가 서서히 목에 걸린 다이아몬드 목걸이를 클로즈업하자, 클럽에서의 여자, 주혜리, 깜순이의 모습이 차례로 겹치기 시작했다.

"좋겠다. 누구는……."

왠지 모르게 부아가 팍 치밀어 오른다. 유미는 앞에 놓은 리모컨을 집어 재빨리 채널을 돌려버렸다.

휴식을 마친 은비와 제니가 여유롭게 콧노래를 부르며 조리실로 들어왔다. 그러다 혼신의 힘을 기울여 도시락이 아닌, 하나의 예술 작품을 만드는 유미를 발견하고 우뚝 걸음을 멈추었다.

곰돌이 모양으로 만든 쌀밥에 김으로 만든 눈썹을 붙이고 완두콩으로 동그란 눈을 완성했다. 앙증맞은 코와 활짝 웃는 입은 흰자로 만든 달걀지단에 김을 붙여 표현했다. 곰돌이 옆에는 문어 모양의 비엔나소시지가, 앞에는 작은 나무 모양의 브로콜리가 촘촘히 박혀 있었다.

"유미 쌤? 오늘은 도시락에 엄청 힘을 주시네요?"

은비는 가슴 앞으로 팔짱을 끼며 경계심 어린 눈초리로 유미와 도시락을 번갈아 바라보았다.

"저번엔 본부장님이랑 단둘이 밥 먹으러 나가더니 설마?"

그러자 제니도 심상치 않다는 표정으로 은비를 거들었다.

"진짜, 도시락에 사심이 팍팍 느껴지고 그러네?"

그러자 유미는 근심 가득한 얼굴로 힘없이 고개를 내저었다.

"사심은 무슨…… 일용할 양식에 내 양심을 담는 것뿐이야."

솔직한 마음으로는 꽁보리밥에 커다란 왕 깍두기 하나만 넣어서 도시락을 만들고 싶었다. 하지만 밤무대 의상이 된 코트도 그렇고, 망가진 보석함도 그렇고 지금은 우선 진욱에게 잘 보여야만 했다.

최대한 빨리 도시락으로 그에게 감동을 주어야 한다. 안 그랬다간 주말이고 뭐고, 그의 밑에서 삼시 세끼, 야식까지 포함하면 하루 네 끼를 가져다 바쳐야 할지도 모른다. 안 돼. 생각만 해도 끔찍하다고!

"어때?"

유미는 힘들여 완성한 도시락을 은비와 제니에게 보여주며 심각한 얼굴로 물었다.

"으음……."

은비는 나름 진지한 표정으로 입술에 손가락을 얹고 생각에 빠졌다.

"제가 만약에 차 본부장이라면 말이죠."

"응."

유미가 진지한 표정으로 대답을 기다리자, 은비는 미간을 찌푸리며 어색하게 웃어 보였다.

어쩐지 느낌이 좋지 않다. 왜일까?

궁금증은 오래가지 않아 곧 풀렸다. 도시락 뚜껑을 열어본 진욱의 얼굴이 순식간에 싸늘하게 변해버렸다. 한동안 아무 말 없이 도시락을 내려다보던 진욱이 불쾌한 얼굴로 유미에게로 시선을 돌렸다.

"이유미 씨."

"네?"

감동까진 아니더라도 저렇게 살벌한 눈으로 바라볼 필요는 없잖아?

유미는 예상하지 못한 진욱의 반응에 꿀꺽 마른침을 삼켰다.

"이유미 씨 눈에는 내가 어린애로 보입니까?"

"본부장님…… 아니, 저, 그게 아니고요."

역시 캐릭터 도시락은 동구처럼 어린아이에게만 감동을 주는 건가? 괜히 긁어 부스럼 만든 꼴이 된 것 같아, 유미는 힘없이 고개를 숙였다.

유미가 말을 잇지 못하자 진욱은 자리에서 일어나 유미 앞으로 가까이 다가갔다.

"그게 아니면 뭐, 나랑 연애라도 하자는 건가?"

"네에?"

그 말에 유미의 눈이 튀어나올 것처럼 커다래졌다. 목덜미까지 빨개진 그녀가 머뭇거리듯 물었다.

"그, 그게 갑자기 무슨 말씀이신지……."

"그렇잖습니까. 이유미 씨는 아무한테나 별 뜻 없이 이런 도시락을 만들어줍니까?"

그건 맞는 말이었다. 당연히 별 뜻이 있다! 하지만 얼굴에 철 가면을 뒤집어쓰지도 않고, 어찌 자신의 죄상을 솔직히 털어놓을 수 있을까!

"후우."

유미는 땅이 꺼져라 한숨을 내쉬며 두 손을 꼭 움켜쥐었다.

월요일 아침까지 진욱에게선 아무런 연락도 없었다. 그렇다면 진욱은 캐시미어 코트가 밤무대 의상이 돼버렸고, 보석함의 모서리가 처참하게 찌그러졌다는 사실을 아직은 모르고 있다는 얘기였다. 하지만 너무나 떨려서 유미는 도저히 그 사실을 말할 수 없었다.

"그, 그러니까요, 이게 별 뜻이 없는 건 아닌데……. 그렇다고 뭐 그런 뜻이 있는 건 또 아니고. 그러니까……."

"됐어요."

횡설수설하는 유미를 차갑게 노려보며 진욱은 그녀의 말허리를 매몰차게 잘랐다.

"앞으로 이런 눈, 코, 입 달린 도시락은 절대 금지. 눈속임할 생각하지 말고 진심으로 내가 감동할 도시락을 만들어 오란 말입니다. 알겠습니까?"

"네에."

유미가 시무룩한 얼굴로 고개를 끄덕거렸다.

"더 할 말 없습니까?"

"……죄송합니다."

지금이라도 털어놓을까?

혹시 자백하면 정상참작을 해줄지도 모른다. 하지만 이놈의 입술이 도저히 떨어지질 않는다.

유미는 안절부절못하며 연신 고개만 내저었다.

"정말 죄송…… 아니, 감사합니다."

평소와 조금 다른 태도에 진욱은 유미를 훑어보았다.

"혹시 뭐, 나에게 잘못한 거라도 있습니까?"

으악! 눈치챈 건 아니겠지? 역시 죄짓고는 못 사는 모양이다.

"아뇨! 아니에요."

유미는 과장되게 두 손을 내저었다.

"그러니까 제 말은…… 앞으로 더 열심히 노력해서 꼭 감동할 수 있는 도시락을 만들겠다는……."

주먹을 불끈 쥐며 그녀가 어색하게 웃어 보였다.

"저, 정말 잘하겠습니다."

진욱은 자신을 향해 경직된 미소를 짓는 유미를 경계의 눈초리로 바라보았다.

오늘 그녀는 뭔가 이상했다. 딱히 꼬집어 뭐라고 말할 수는 없지만,

아주 많이 의심스럽다. 일주일 만에 만나니까 너무 반가워서 그런가? 그런 거라면…… 기쁜 마음으로 이해해줄 수도 있고.

"나가봐요."

진욱의 말이 끝나자마자 유미는 꾸벅 허리를 숙이고 도망치듯 방을 빠져나갔다.

"흐음."

도시락을 빤히 노려보던 진욱은 슬그머니 휴대폰을 들어 다양한 각도에서 사진을 찍기 시작했다.

말은 그렇게 했지만, 사실은 마음에 들었다. 그냥 마음에 들다 뿐인가? 너무 감동해서 눈물이 핑 돌 정도였다. 하지만 남자가 너무 쉽게 감동한 모습을 보여줘선 안 된다.

"안 그런 척하면서도 깜찍한 구석이 많단 말이야."

진욱은 자신을 향해 활짝 웃는 곰돌이를 보며 젓가락을 집었다.

"어디부터 먹어줄까. 귀? 코? 으음, 먹기 좀 아깝군."

이 여자, 지금 누구 고문할 일 있나? 이렇게 귀여운 걸 어떻게 먹으라고. 진욱은 젓가락을 도로 내려놓으며 짧게 한숨을 내쉬었다. 그런데 그 녀석에게도 이런 도시락을 만들어줬을까? 순간 이유를 알 수 없는 질투심이 불쑥 솟아올랐다.

진욱은 유미가 현태에게 캐릭터 도시락을 건네주는 장면을 상상하며 아랫입술을 꽉 깨물었다.

"아버님, 식기 전에 어서 드세요."

혜리가 다소곳하게 젓가락을 집어 차 회장에게 건네며 말했다.

"이걸, 혜리, 네가 직접 만들었다고? 모두?"

차 회장은 앞에 차려진 한정식 도시락을 보며 놀랍다는 표정으로 그녀가 건네는 젓가락을 받아 들었다.

고급 찬합에 담긴 화려한 색상의 요리는 보는 이로 하여금 입이 떡 벌어지게 했다. 이건 어디 종갓집 며느리와 견주어도 될 만한 솜씨였다. 혜리는 한 손으로 입을 가려 수줍게 웃으며 고개를 끄덕였다.

"네. 이번에 '청담동 수제자'라는 프로그램에 새로 들어갔거든요. 요리 연구가를 모시고 함께 요리를 배우는 거예요. 옆에서 조금씩 배우는 중입니다."

그 말에 차 회장의 얼굴에 흐뭇한 미소가 떠올랐다.

"이야, 우리 혜리, 정말 대단하구나! 며느릿감으로 최고다, 최고!"

"어머, 아버님. 과찬이세요. 저는 아직 부족한 게 많습니다."

"녀석, 겸손하기까지……. 허, 허, 허."

차 회장은 젓가락으로 고기 산적을 집어 들었다. 그가 한 입 맛보는 걸 기다리던 혜리가 작게 한숨을 내쉬었다.

"그나저나 저는 오빠가 걱정이에요."

"진욱이?"

"네. 오빠 입맛이 여간 까다로운 게 아니잖아요. 그런데 고급 쉐프도 아니고 일개 구내식당 영양사가 오빠 도시락을 책임진다니. 아!"

'아우, 짱나!'라는 말이 나오려는 걸, 혜리는 급하게 혀끝을 깨물어 막았다. 다행히 차 회장은 눈치채지 못한 모양이다. 그는 그보다 진욱이 도시락으로 식사를 해결한다는 사실에 놀란 듯했다.

"뭐? 그 녀석, 도시락으로 끼니를 때운단 말이냐?"

"어머!"

혜리는 흠칫 놀라는 척 과장된 연기를 해 보였다.

"아버님은 모르고 계셨어요?"

그때 똑똑 노크 소리가 들리며 문이 열렸다.

"부르셨습니까?"

진욱은 혜리와 대복이 같이 있는 모습을 보고 살짝 미간을 찌푸렸다. 진욱이 안으로 들어서자 차 회장은 다짜고짜 언성을 높였다.

"너 마침 잘 왔다. 영양사가 만든 도시락을 먹는다니, 그게 무슨 말이냐?"

진욱은 정보 제공자가 분명한 혜리를 잠시 노려본 후, 차 회장의 질문에 대답했다.

"네. 건강상의 이유로 그렇게 하고 있습니다."

"야, 이놈아! 그럴 거면 차라리 결혼해."

그 말에 진욱의 언성도 높아졌다.

"아버지는 밥해줄 여자 얻으려고 결혼하셨어요?"

"뭐야?"

"밥해줄 여자가 필요해서 결혼을 하는 건 아니라는 말입니다."

"그래, 좋다. 그건 그렇다 치고, 떡두꺼비 같은 손주 놈은 언제 안겨줄 거냐!"

부자간의 분위기가 심각해지자, 혜리는 애교로 분위기를 전환하려는 듯 두 손으로 얼굴을 가리며 얼굴을 붉혔다.

"어머, 아버님도……!"

그리고 살며시 고개를 돌려 초롱초롱한 눈으로 진욱을 바라보았다.

또 시작이군! 그녀의 의중이 무엇인지 뻔히 아는 진욱은 황급히 시선을 돌려버렸다.

엘리베이터 앞까지라도 배웅하라는 차 회장의 성화에 못 이겨 진욱은 혜리와 함께 회장실을 나섰다.

"아나운서, 관둬라."

나란히 복도를 걸어가던 중, 진욱이 앞에 시선을 고정한 채 불쑥 내뱉었다.

"정말?"

그 말에 혜리는 반색을 하며 자리에 우뚝 멈춰 섰다.

"오빠, 드디어 결심 선 거야? 나랑 결혼할 거지? 우왕, 오빠, 사랑해!"

혜리가 두 팔을 벌려 와락 끌어안으려 하자, 진욱은 긴 손을 이용해 그녀를 뒤로 밀어냈다.

"결혼은 무슨……."

두 팔만 벌린 채, 허탕을 치고 비틀거리는 혜리를 향해 진욱이 비아냥거리는 투로 말했다.

"너, 연기하면 잘하겠더라. 아나운서 관두고 탤런트 시험 쳐."

"오빠!"

"나, 이제 네가 무서워지려고 그래."

"에이, 말도 안 돼. 내가?"

혜리는 애교를 부리듯 두 손으로 뺨을 감싸며 해맑게 웃어 보였다. 그런데도 진욱은 굳은 표정을 풀지 않았다.

"귀엽게 봐주는 것도 한계가 있어. 불쑥 찾아와서 사람 당황하게 하지 마라. 저번처럼 구내식당까지 찾아가서 진상 부리지도 말고."

"오빠, 그 배추 부침개랑 썸 타?"

"타긴 뭘 타."

"내 눈은 못 속여. 촉이 온다고. 두 사람 확실히 뭔가 있어."

진욱이 무시한 채 다시 앞으로 걸어가려 하자, 혜리가 진욱의 넥타이를 잡아 자신의 앞으로 끌어당겼다. 그가 어이없다는 듯 잠자코 있자, 혜리는 발꿈치를 들어 도전적으로 그의 코앞에 자신의 얼굴을 들이밀었다.

"우리 확실하게 하자. 난 밀당, 이런 거 못 해. 아니, 안 해. 난 무조건 직진이야. 그러니까 나더러 이래라저래라 하지 마. 난 내가 하고 싶은 대로만 할 거니까!"

진욱이 아무 대꾸도 없자, 혜리는 다시 한 번 큰 소리로 선언했다.

"차진욱은 내 남자야. 누구에게도 양보 못 해!"

그녀는 진욱의 넥타이를 놓아주고는 홱 뒤를 돌아 엘리베이터 앞으로 또각또각 걸어갔다.

혜리가 탄 엘리베이터의 문이 사르르 닫히고서야, 진욱은 한 손으로 삐뚤어진 넥타이를 바로잡았다. 오냐오냐 봐줬더니 자꾸만 선을 넘어오려는 혜리가 진욱은 난감하고 귀찮을 뿐이었다.

"후우, 저거, 언제 철들지?"

진욱은 한숨을 내쉬며 고개를 내저었다.

늦은 밤, 진욱은 퇴근 후에도 내일 회의에 필요한 자료를 정리하기

위해 서재로 향했다.

한참 동안 서류를 검토하던 그의 눈에 책상 저쪽에 놓인 보석함이 들어왔다. 항상 책상 모서리와 각이 맞게 반듯하게 놓아두었는데 오늘은 위치가 틀어져 있었다. 게다가 자세히 보니 보석함이 완전히 닫히지 못하고 뚜껑이 옆으로 어긋나 있는 것 같았다.

진욱은 의아한 표정으로 손을 뻗어 보석함을 집어 들었다. 크게 찌그러진 모서리가 한눈에 들어왔다.

"이럴 리가 없는데……."

보석함은 분명히 출장 가기 전날까지도 말짱했다. 문득 진욱의 머릿속에 오늘 낮, 평소와 달랐던 유미의 행동이 떠올랐다.

—그, 그러니까요, 이게 별 뜻이 없는 건 아닌데……. 그렇다고 뭐 그런 뜻이 있는 건 또 아니고. 그러니까…….

—정말 죄송…… 아니, 감사합니다.

—혹시 뭐, 나에게 잘못한 거라도 있습니까?

—아뇨! 아니에요.

일주일 만에 얼굴을 보니 반가워서 그런 거라고 넘겨버렸는데…….

"설마, 설마……!"

혹시 이 안에 든 내용물을 본 거?

쾅—.

진욱은 주먹으로 책상을 내리치며 자리에서 벌떡 일어섰다.

"안 돼!"

그의 얼굴에 말로 표현할 수 없는 경악의 빛이 떠올랐다.

“젊은 세대를 타깃으로 하는 언더웨어 마케팅은 여러 참고 자료를 토대로 했을 때…….”

째깍, 째깍ㅡ.

자리에서 일어난 남 대리는 앞에 둔 타이머를 의식하며 빠르게 서류를 읽어 내려갔다.

“앞서 말씀드렸다시피 요즘 젊은 세대가 원하는 언더웨어는 기능성만 강조된 것이 아닌, 자신만의 개성을 표현할 수 있는 일종의 맞춤형…….”

가만히 듣고만 있던 진욱이 손으로 턱을 괴며 심각한 표정을 짓자, 잔뜩 긴장한 남 대리의 목소리가 살며시 떨리기 시작했다.

“……그, 그러니까 제 말은 젊, 젊은 세대의 까다로운 취향을 잡기 위해서는…….”

진욱은 퀭한 눈으로 천천히 눈꺼풀을 깜빡거렸다.

어젯밤, 그는 거의 뜬눈으로 밤을 지새웠다. 그랬기에 몸은 회의실 안에 있었지만, 정신은 어딘가 허공을 둥둥 떠다니고 있었다.

“못 봤을 거야.”

진욱은 골똘히 생각에 잠긴 채, 혼잣말처럼 중얼거렸다.

그때 그냥 버렸어야 했는데, 그게 뭐라고 그걸 왜 가지고 있다가……. 게다가 그걸 또 보석함에 고이 넣어서까지. 진짜 미친 게 분명하다.

“후우.”

진욱은 한숨을 내쉬며 3년 전 그날을 떠올렸다.

유미가 체크아웃을 하고 떠났다는 말에 진욱은 무작정 시외버스 터미널로 차를 몰았었다. 혹시라도 대기실 의자 어딘가에 앉아 버스를 기다리고 있을지 모른다는 희망을 품고서……. 영화나 드라마를 보면 그런 장면이 자주 나오니까.

그러나 눈앞에 펼쳐진 현실은 180도 달랐다. 터미널을 가득 메운 수많은 사람 중에 그녀는 없었다. 차로 돌아온 진욱은 허탈한 마음을 달래며 힘없이 차체에 등을 기대었다.

잠시 후, 차에 타려던 진욱은 바닥에 떨어진 하얀 무엇인가를 우연히 발견했다. 아무 생각 없이 물건을 집어 올린 진욱은 살짝 미간에 주름을 잡았다.

"이건……?"

이것은 분명히 여성들이 착용하는 바로 그것.

일반 남성들은 모를 수도 있겠지만, 아무리 노느라 바빴다고 해도 그는 엄연히 속옷 회사 오너의 아들이었다. 이 물건의 용도를 모를 리가 없었다!

"볼륨업 패드?"

정식 명칭으로 부르자면 그렇고, 일명 '뽕'이라고 불리는 그것. 지난밤 그녀가 흘리고 간 물건이 분명했다. 이 패드만이 유일하게 남은 그녀의 흔적이었다.

그녀가 건네준 행운의 오백 원은 이렇게 될 줄 모르고 카페에서 커피 사는 데 보태고 말았다. 그렇다고 볼륨업 패드를 소중하게 간직하고 그럴 생각은 전혀 없었다.

어찌어찌하다 보니까 버릴 수 없었고, 또 어쩌다 보니까 짐 속에 넣어 서울까지 가져오게 되었고, 정말 맹세코 그럴 생각은 없었는데 선물로 받은 넥타이핀, 커프스 세트 보석함에 패드를 집어넣게 되었다. 그리고 아주 가끔 보석함을 열고 안을 들여다보았다.

절대로 이상한 생각을 품고 한 행동은 아니었다. 하지만 만약에라도 그녀가 보석함 안에 든 패드를 봤다면……? 순간 그의 등 뒤로 식은땀이 흘렀다. 'M.H'가 무슨 뜻인진 모르겠지만, 하여간 '이니셜'이 새겨져있어 그녀의 패드가 아니라고 발뺌할 수도 없었다. 볼륨업 패드를 발견한 유미의 반응은?

—어머, 뭐야! 이 남자 변태잖아! 아니 이걸 왜 가지고 있어?

—푸, 진짜 대박이다!

—차진욱. 지금까지 소중하게 간직하고 있었던 거야?

—나에게 엄청 반했었나 봐!

—오호호호호.

쾅—.

"안 돼! 절대로 안 돼!"

유미가 깔깔 웃는 장면에까지 상상이 진행되자 진욱은 테이블을 주먹으로 내리치며 자리에서 벌떡 일어섰다. 한창 마케팅 방안에 관해 자신의 의견을 말하던 남 대리가 흠칫 놀라며 발표를 멈추었다. 그리고 파랗게 질린 얼굴로 꾸벅 허리를 숙였다.

"죄송합니다, 본부장님. 다시 해오겠습니다."

남 대리가 울상을 지으며 자리에 앉자, 팀원들 사이에 작은 웅성거림이 퍼져나갔다. 차 본부장, 한동안 괜찮다 싶더니 다시 '시한폭탄' 모드인가? 팀원들은 바짝 긴장한 채, 어떻게 하면 무사히 빠져나갈 수 있을까, 서로 눈치를 살피기 시작했다. 부하 직원들의 초조한 눈빛과 마주친 후에야 진욱은 자신이 한 행동을 깨달았다. 제길, 회의 도중에 딴생각이라니……. 진욱은 입술을 일그러뜨리고 마른세수를 하듯 얼굴을 문지르며 말했다.

"우리 10분만 쉬고 합시다."

"넵!"

말이 끝나기가 무섭게 팀원들이 우르르 회의실을 빠져나갔다.

"하아."

진욱은 허탈한 웃음을 지으며 다시 의자에 털썩 주저앉았다. 정말 꼴이 말이 아니다.

"이 정도면 웰던도 아니고 미디움 레어도 아니고 딱 미디움이겠지?"

유미는 진욱의 까다로운 취향대로 스테이크를 구운 후, 파슬리를 곱게 갈아 뿌렸다. 눈, 코, 입 같은 거 절대로 만들지 말라고 했으니까 소스로 그림 그리는 건 생략하고 동그랗게 모양낸 단호박과 송이버섯, 아스파라거스를 스테이크 옆에 곁들였다.

이 정도면 특급 호텔 수준은 아니더라도 웬만한 스테이크 전문점 수준은 될 거라고 생각했다.

유미는 뿌듯한 미소를 지으며 냅킨으로 접시 모서리에 묻은 소스를 닦아냈다. 그때 주머니에 넣은 휴대폰이 울리기 시작했다.

화면으로 발신자가 우진이라는 걸 확인한 유미는 손가락으로 통화 버튼을 눌렀다.

"네, 저녁 도시락 다 됐습니다."

[이런, 제가 너무 늦게 연락했군요.]

"네, 뭐가요?"

[오늘 저녁 생각이 없으시답니다.]

"아, 네……."

멋진 스테이크 도시락으로 감동을 주려고 했는데…….

유미는 시무룩한 얼굴로 전화를 끊었다.

"삼시 세끼 꼬박꼬박 챙겨 먹더니 오늘은 왜……."

아무 생각 없이 진욱의 문자 창을 열던 유미의 눈이 놀람으로 커다래졌다.

진욱의 프로필 사진이 음산한 해골 마크로 바뀌어 있었다. 그리고 보이는 상태 메시지.

웬 느낌표 작렬이래?

"그것도 하나가 아니라 세 개 연달아. 분명히 어제까지만 해도 '넌 나에게 모욕감을 줬어.' 하고 그냥 점, 점, 점이었는데……."

이 불길한 느낌표는 뭐지?

헉! 비즈 박힌 밤무대 코트를 본 게 분명해! 아니면 모서리가 찌그러진 보석함을 본 걸까?

그것도 아니면 두 개 다 봤을 수도 있다.

"흐응, 어떡해."

유미는 손톱을 씹으며 눈동자를 이리저리 굴리기 시작했다.

진욱은 앞에 내려놓은 도시락을 바라보다 고개를 들어 우진을 바라보았다.

"저녁, 생각 없다고 했잖아."

"네. 그렇게 전달했는데, 이유미 영양사가 한 입이라도 드시라고 가져왔더군요."

언제 그렇게 내 생각을 해줬다고. 우진이 방을 나서자, 진욱은 내키지 않는 마음으로 도시락을 집어 들었다.

"으응?"

도시락 밑에 몰래 숨겨놓은 포스트잇을 발견한 진욱이 눈을 가늘게 모았다.

mistake
1. 실수, 잘못
2. (말·글에서 단어·숫자 등을 잘못 쓰는) 실수
3. 오해하다, 잘못 판단하다

그녀가 왜 이런 쪽지를 보냈는지 알 것 같았다. 아니, 이 여자가! 지금 누굴 놀리는 거야?

진욱은 한 손으로 쪽지를 확 구기며 자리에서 벌떡 일어났다.

영양사 가운을 벗고 정장 차림으로 갈아입은 유미는 풀이 죽은 얼

굴로 스테이크 도시락을 내려다보았다. 뚜껑을 열자, 손도 대지 않은 처량한 모습의 스테이크가 눈에 들어왔다. 도시락을 돌려주던 우진의 위압적인 목소리가 아직도 귓가에 들리는 것만 같았다.

—본부장님께서 오늘은 화를 많이 내시더군요. 대체 쪽지에 뭐라고 쓰신 겁니까?

"스테이크라고 썼는데……."
유미는 눈물을 글썽이며 아랫입술을 삐쭉이 앞으로 내밀었다.
하여간 유머 감각이라곤 하나도 없는 고리타분한 남자 같으니라고.
"마이 미스테이크……. 흐응."

"미스테이크? 하, 제대로 약점 잡았다 이거지?"
집으로 귀가한 진욱은 모서리가 찌부러진 보석함이 놓인 책상 앞을 초조하게 서성거렸다.
"그러게 그걸……!"
갑자기 자리에 우뚝 멈춰 선 진욱은 보석함을 노려보며 자신에게 화가 난 듯 두 손으로 머리를 감쌌다.
"왜 여기다 간직해서는! 이게 도대체 뭐라고!"
거칠게 보석함을 집어 그대로 휴지통에 처박으려다 뭔가를 발견한 진욱이 흠칫 동작을 멈추었다. 휴지통 뒤에서 무언가 그를 올려다보고 있었기 때문이었다.

"헉!"

놀란 진욱이 숨을 들이마시며 한 발 뒤로 물러섰다.

"뭐지 이건?"

진욱은 조심스럽게 허리를 숙여 휴지통과 책상 사이에 떨어져 있는 무언가를 집어 올렸다.

눈에 잘 띄지 않는 사각지대에 떨어져 있어 그동안 보지 못하고 지나간 모양이다.

진욱은 자신의 손에 잡힌 정체불명의 물건을 내려다보았다. 토실토실한 토끼 인형이었다.

"이건 또 뭐지……?"

뭔가 골똘히 궁리하던 진욱의 눈빛이 서서히 싸늘해졌다.

"어, 이제 왔어?"

유미가 어깨를 축 늘어뜨리고 맥&북 안으로 들어서자, 칭얼대는 동구에게 딸기 우유를 물려주던 현태가 자리에서 일어났다.

"엄마는?"

"그게…… 잠깐 나가셨어."

현태는 약간은 어색한 미소를 지으며 테이블에 올려놓은 휴대폰을 슬그머니 집어 들었다.

"약속이 좀 있으시다고 해서……."

솔직히 말하자면 약속이 아니라 촬영 스케줄이다. 미희는 유미 몰래 라이브 TV 쇼핑 프로그램에 출연 중이었다. 현태는 TV 쇼핑이 나오는 휴대폰을 서둘러 바지 주머니에 집어넣었다.

휴대폰 화면 안에서 미희는 아주 맛깔스럽게 양념 게장을 시식하고 있었다. "지금 바로 주문하세요!"라는 멘트와 함께 뇌쇄적인 눈빛으로 카메라를 향해 윙크를 날리며…….

아무것도 모르는 유미는 인상을 쓰며 고개를 내저었다.

"엄만 왜 걸핏하면 너에게 동구를 맡기는지 몰라. 미안해, 현태야."

"아니야. 뭐가 미안해. 이젠 동구 없으면 내가 심심한걸."

"말이라도 그렇게 해주니 고맙다, 친구."

유미는 딸기 우유를 쪽쪽 빨아 먹는 동구를 번쩍 들어 안았다.

"똥구, 이리 와. 올라가서 코 해야지."

"그런데 너, 혹시 동구 토끼 인형 못 봤어? 가게를 다 뒤졌는데도 안 보이네. 동구가 젤 아끼는 거라는데……."

"어마아…… 내 또끼…… 흐응(누나…… 내 토끼…… 흐응)."

유미의 어깨에 기댄 동구가 졸린 눈을 깜빡거리며 칭얼거렸다.

"똥구, 코 자고 일어나면 누나가 찾아놓을게. 그러니까 얼른 자라. 누나가 오늘 아주 힘드시단다. 자장, 자장."

유미는 한숨을 푹 내쉬며 한 손으로 동구의 등을 토닥거렸다.

그때 갑자기 주머니 안에 넣어둔 전화가 울리기 시작했다.

이 벨 소리는…… 삼시 새끼!

순식간에 유미의 안색이 검게 변하자, 현태가 의아한 표정으로 그녀를 바라보았다. 유미는 현태를 향해 어색하게 웃어 보이곤 홱 등을 돌렸다. 그리고 잠시 심호흡한 후, 재빨리 전화를 받았다.

"여보세……"

[어딥니까, 지금?]

그녀가 말을 끝내기도 전에 진욱의 낮은 목소리가 흘러나왔다.

왜 평소보다 분위기가 으스스한 걸까?

유미는 불안한 마음에 마른침을 꿀꺽 삼켰다.

"네? 저, 집인데요……."

[잠깐 나와봐요. 할 말이 있으니까.]

"지, 지금이요……?"

"네. 지금 당장!"

미희도 없는데 동구만 혼자 남겨놓고 나갈 수는 없었다. 조금 있으면 손님들이 몰릴 시간인데 현태에게 동구를 맡기기도 그렇고…….

"지금은 좀 나가기가 곤란한데…… 내일 회사에서 말씀하시면 안 될까요? 제가 지금……."

[나오기 곤란하면 내가 유미 씨 집으로 가죠.]

"네에? 아니, 저기……."

깜짝 놀란 유미가 뭐라고 말하려는데 일방적으로 전화가 끊겼다. 유미는 멍한 표정으로 동구를 품에 안은 채 털썩 의자에 주저앉았다. 뒤에서 통화 내용을 듣던 현태가 걱정스럽다는 듯 물었다.

"유미야, 왜 그래? 누군데 그래?"

"나 잡으러 온 저승사자……."

유미는 넋이 나간 얼굴로 허공을 바라보며 중얼거리듯 대답했다. 아무것도 모르는 동구는 유미에게 안긴 채 애처롭게 울먹거렸다.

"또끼이……. 내 또……끼."

그래, 지금 이 누나가 호랑이 앞에 선 토끼 신세란다.

유미는 동구를 꽉 끌어안으며 한숨을 푹 내쉬었다. 할 수만 있다면 그녀도 동구처럼 울고만 싶었다.

Episode 13

나한테, 떨려?

"빨리 오셨네요."

적어도 한 시간 이상은 걸릴 거라고 생각했는데 시내에서 백 킬로도 넘게 밟았는지 진욱은 딱 40분 후 맥&북 건물 앞에 도착했다. 다행히도 진욱이 도착하기 직전 집에 돌아온 미희가 동구를 데리고 위층으로 올라갔다.

유미는 바짝 긴장한 모습으로 맞은편에서 저벅저벅 걸어오는 진욱을 바라보았다. 그는 집에서 바로 왔는지 편안한 평상복 차림이었다. 지금 이런 상황이 아니었다면 슈트를 입지 않은 그를 보며 귀엽다고 생각했을 텐데……. 아쉽게도 지금 유미는 일촉즉발(一觸卽發)의 상태였다. 귀엽고 뭐고 그녀에게 다가오는 진욱은 무시무시한 저승사자와 다를 바 없이 보였다.

앞에 마주 선 진욱이 무표정한 얼굴로 그녀를 내려다보았다. 어째 아무 감정이 없는 얼굴이 화내는 얼굴보다 더 살벌하다.

"하실 말씀이라는 게 뭐죠?"

유미는 '나, 죽었소.' 하는 심정으로 조심스럽게 말을 꺼냈다. 이렇게 심장이 두근두근할 줄 알았으면 청심환이라도 먹고 나올 걸, 후회막심이다.

진욱은 대답 대신 유미를 뚫어져라 쳐다보다가 허리 뒤에 감추고 있던 것을 내밀었다. 유미는 그가 자신 앞으로 내민 토끼 인형을 보고 눈을 동그랗게 떴다. 이건 똥구가 그렇게 찾아 헤매던 토끼 인형!

유미의 놀란 표정을 놓치지 않고 진욱이 입꼬리를 비틀었다.

"표정 보니까 맞네. 이거, 당신 거지."

아, 진짜 빼도 박도 못하고 들켰구나. 흐엉! 유미는 마지막으로 발악하는 심정으로 필사적으로 어설픈 웃음을 흘렸다.

"하, 하…… 하. 이게 거기 있……었구나. 우리 동……."

아냐, 잠깐. 이 나이에 3살 된 동생이라니, 민망해서 안 된다!

유미는 서둘러 동생에서 똥강아지로 단어를 변경했다.

"우리 집 '똥강아지' 건데, 어디 갔나 했더니 거기 있었네."

그녀가 조심스레 손을 뻗어 토끼 인형을 잡으려 하자, 진욱이 자기 쪽으로 인형을 팍 끌어당겼다. 그리고 이글거리는 눈빛으로 유미를 노려보며 말했다.

"이거, 내 서재에 있던데……."

"……!"

진욱은 어금니를 꽉 깨물며 으르렁거리듯 물었다.

"거기 들어간 겁니까?"

잠시, 둘 사이에 숨 막히는 침묵이 흘렀다. 이젠 더 이상 피할 곳이 없었다.

"저기, 그게……요."

유미는 울상을 지으며 어렵게 입을 떼었다.

역시 그녀가 서재 안에 들어간 게 분명하다. 그렇다면 보석함에 담긴 그것도 보았다는 말인가? 진욱의 얼굴이 보기 흉하게 일그러졌다.

그녀의 패드를 보석함에 고이 간직하고 있었다는 사실을 들켜버렸다는 쪽팔림과 함께 다른 한편으론 분노가 치솟아 올랐다.

당신 그렇게 대단한 여자야? 왜 날 이렇게 비참하게 만드느냐고!

"둘러대지 말고 정확하게 말해. 내 방에서 뭘 본 거지?"

진욱의 속마음을 알 리가 없는 유미는 두 눈을 질끈 감으며 꾸벅 허리를 숙였다.

"죄송합니다! 최대한 비슷하게 생긴 보석함으로 구해 오겠습니다. 물론 제가 망가뜨린 보석함이 엄청 좋은 거란 건 알지만, 그래도 노여움을 푸시고……."

이참에 코트에 관해서도 자진 신고할까? 매는 따로 맞는 것보다 한꺼번에 맞아야 덜 아프다잖아.

"저, 그리고…… 그 코트에 비즈가 박힌 건……."

"당신…… 그거, 열어봤지."

진욱이 유미의 말허리를 자르며 소리쳤다.

"다 본 거지. 안에 들어 있는 게 뭔지."

아직 밤무대 코트는 보지 않았나? 보석함에 든 다이아몬드 목걸이 때문에 그런 건가?

유미는 살아남기 위해 빠르게 머리를 굴렸다. 그거야 직접 눈으로 보지 않아도 대충 알 만하던데……. 얼마나 비싼 거면 저 난리를 치는 거지? 혹시 억 소리가 나는 물건?

"그거 대충…… 사이즈 나오던데……요."

유미는 진욱의 눈치를 보며 우물거리듯 느릿느릿 대답했다. 사이즈란 말에 진욱의 얼굴이 더욱더 일그러졌다. 언더웨어 회사의 총괄 본부장의 눈으로 볼 때 그 볼륨업 패드의 사이즈는 C컵이었다.

봤다! 본 게 분명해! 이 여자, 보석함에 담긴 자신의 패드를 보고 어떤 생각을 했을까? 진욱은 처참함에 그대로 자리에 주저앉을 것만 같았다. 그래도 남자의 남은 자존심은 지켜야 한다.

"하, 그래? 재밌었나? 다…… 알면서 사람…… 갖고 노는…… 게?"

진욱이 허탈한 목소리로 중얼거리듯 물었다. 하지만 유미에게는 화를 참으려 말이 뚝뚝 끊어지는 걸로 느껴졌다.

왜 이리도 화를 내는지 모르겠다. 보석함 모서리를 찌그러뜨린 건 정말 잘못한 거 맞는데, 그건 엄연히 실수였지 그에게 해코지하려고 일부러 한 건 절대 아니었다.

그리고 뭐? 갖고 놀아? 아니, 지금 누가 누굴 가지고 노는데!

"갖고 놀다니요!"

유미 역시 억울한 심정에 눈물이 핑 돌았다.

"본부장님이 무슨 토끼 인형이라도 되나요? 갖고 놀게? 저야말로…… 후우."

갑자기 감정이 복받쳐 목이 메어 말이 제대로 나오지 않았다. 유미는 잠시 심호흡을 한 후 다시 말을 이어나갔다.

"제가 그동안 얼마나 머릿속이 복잡했는데……. 저도 너무 힘들었다고요!"

그러나 이성을 잃어버린 진욱의 귀에는 하나도 들어오지 않았다.

내가 지금 누구 때문에 3년 동안 연애 지수 0%가 되어버렸는데! 자긴 남자 친구와 알콩달콩, 희희낙락하면서, 뭐? 어쩌고 어째? 힘들었어?

"당신, 지금 그걸 말이라고 해?"

움켜쥔 주먹을 부들부들 떨며 진욱이 나직하게 으르렁거리자, 유미 역시 지지 않고 맞받아쳤다.

"제가 실수로 건드리지 말아야 할 걸 건드린 건 맞는데요. 애초에 집으로 부르신 건 본부장님이에요. 황금 같은 주말에 부르시지만 않았으면, 제가 그걸 건드릴 일도 없잖……."

"그만!"

그가 버럭 소리를 지르자, 유미는 입을 다물었다. 잠자는 사자의 코털을 건드렸다가 깜짝 놀란 간 큰 토끼의 예가 바로 눈앞에 있었다.

"그깟 거 봤다고 내가 당황할 거 같아?"

그녀에게 속마음을 들킨 것 같아, 드디어 참고 참았던 인내심이 폭발하고 말았다. 진욱은 붉어진 얼굴로 골목이 쩌렁쩌렁 울리도록 크게 소리쳤다.

"그까짓 게 뭐라고, 그까짓 거…… 그러니까……."

그때였다.

"적당히 좀 하시죠."

뒤에서 굵은 남자의 목소리가 들렸다.

진욱과 유미가 동시에 고개를 돌리자, 현태가 저벅저벅 걸어와 진욱으로부터 보호하려는 듯 유미의 앞에 섰다. 그리고 날카로운 시선으로 진욱을 똑바로 응시했다.

"당신은 뭡니까?"

갑작스러운 현태의 등장에 진욱이 미간에 주름을 잡았다.

"우리 두 사람의 일이니까 비켜요."

"못 비키겠다면 어쩔 겁니까?"

카페 안에까지 두 사람의 대화 내용이 들리자, 현태가 누이동생을 보호하는 오빠의 마음으로 밖으로 나와본 모양이다. 도대체 현태에게 사태를 어떻게 설명해야 하나……. 유미는 난감한 표정을 지으며 현태의 셔츠 자락을 잡아당겼다.

"현태야."

그러자 현태는 자신만 믿으라는 듯 뒤돌아 유미를 향해 윙크를 날렸다. 녀석이 얼굴은 곱상하게 생겼지만, 태권도 5단에 합기도 5단, 게다가 킥복싱까지 배웠다. 그 뛰어난 무술 실력 덕분에 혼자서도 아무렇지 않게 세계 여행을 다닌다. 그랬기에 유미는 현태보다는 진욱이 슬그머니 걱정되었다. 괜히 싸웠다가 저 잘생긴 얼굴에 흠집이라도 생기면 안 되는데…….

"이 남자, 뭡니까?"

진욱이 싸늘한 눈빛으로 유미를 바라보며 물었다. 물론 진욱도 앞에 선 현태의 정체를 누구보다도 잘 알고 있었다. 그래, 대단하신 남자 친구겠지. 밤늦게 클럽에서 노느라 여자 친구를 혼자 집에 보내는 아주 싸가지가 바닥인 놈팡이 녀석. 하지만 진욱은 유미의 입을 통해 두 사람의 관계를 직접 확인하고 싶었다. 유미가 제때 대답하지 못하고 어물거리자, 현태가 진욱을 노려보며 한쪽 팔로 유미의 어깨를 자신 쪽으로 확 끌어당겼다.

엉겁결에 현태의 품에 안긴 유미가 어리둥절한 표정으로 그를 올려다보았다. 현태는 좀 더 가깝게 유미를 끌어당기며 진욱을 향해 당당한 표정으로 선언했다.

"보시다시피."

진욱은 주먹을 쥔 채, 부들부들 떨며 서로 부둥켜안은 유미와 진욱을 노려보았다. 그녀의 입으로 직접 듣고 싶었던 거지, 저 녀석에게 듣고 싶은 말은 아니라고. 당장에라도 현태를 밀쳐버리고 싶었지만, 진욱은 애써 화를 내리눌렀다.

'패드'를 들켜버린 건 엄청 쪽팔린 일이지만 그냥 참아야 했다. 냉철

한 사업가인데 이런 하찮은 일에 흥분해선 안 되지. 게다가 과거는 과거, 공과 사를 구분하자고 선언한 사람은 바로 나라고.

도대체 그녀가 나에게 뭐라고 자꾸만 이성을 상실하는 거지?

진욱은 길게 숨을 내뱉고는 천천히 입을 떼었다.

"이유미 씨, 진짜입니까?"

그런데 이번에도 싸가지 없는 녀석은 유미가 대답하기도 전에 불쑥 끼어들었다.

"유미네 회사, 본부장님이시죠?"

'보면 몰라, 이놈아!'라고 소리치고 싶은 걸 누르며 진욱은 못마땅한 표정으로 고개를 끄덕였다. 그런데 이 녀석, 사람의 성질을 슬슬 건드린다.

"무슨 일인지는 모르겠지만, 회사 일은 회사에서 끝내시죠. 집에까지 찾아와서 이러는 거, 갑질 중에서도 상 갑질입니다. 꼰대 상사라는 말 듣고 싶지 않으면 오늘은 그만 돌아가세요."

뭐? 꼰대? '꼰대'라는 말에 진욱은 너무나 기가 막혀 말이 나오지 않았다. 감히 누구를 '늙은이' 취급하는 거야? 이제 겨우 30대에 들어섰는데! 자기는 아직 20대라 이거지! 하!

"이봐요."

겨우 속을 진정한 진욱이 한마디 꺼내는 순간, 현태가 유미의 어깨를 더욱 바짝 끌어안으며 휙 뒤로 돌았다.

"그만 가자."

유미는 어안이 벙벙한 얼굴로 진욱을 잠시 돌아보았지만, 현태가 앞으로 잡아당기자 그대로 끌려갔다.

현태는 카페의 문을 열기 전, 힐끗 돌아보며 씨익 기분 나쁜 미소를 짓더니 곧장 안으로 들어갔다.

뭐야, 저 녀석! 너무 어이가 없으려니까 사고 회로가 정지됐나 보다. 진욱은 얼얼한 표정으로 제자리에 얼어붙은 채, 한참 동안 숨을 골랐다. 어떻게 차에 올라타고 어떻게 시동을 걸고 운전했는지 기억이 나지 않는다.

끼이익—.

신호가 빨간색으로 변하자, 진욱은 반사적으로 브레이크를 밟고 차를 멈췄다. 진욱은 한 손으로는 운전대를 잡고 다른 팔꿈치는 창틀에 걸치고 죽일 듯이 정면을 노려보았다. 유미의 어깨를 끌어안은 현태의 손이 자꾸만 눈앞에 아른거려서 부아가 치밀었다. 당장에라도 달려가서 그녀를 끌어안았던 녀석의 손을 팍 꺾어버리고 싶었다. 감히 그녀에게 손을 대다니! 아니지. 난 그 여자와는 아무 사이도 아니잖아!

"하, 미친……."

퍼뜩 제정신을 차린 진욱이 자신에게 조소를 흘렸다. 그녀의 남자 친구는 그 놈팡이 녀석인데 왜 내가 흥분하고……. 잠깐! 녀석이 그녀의 남자 친구라면 그녀는 나와 그날 밤 그랬던 것처럼 그 녀석과……? 두 사람이 키스하며 침대 위로 쓰러지는 모습으로 상상이 이어지자, 진욱은 자신도 모르게 주먹으로 클랙슨을 세게 내려쳤다.

빠아앙—.

커다란 경적 소리가 고요한 밤거리에 울려 퍼졌다.

"아, 맞다. 맞다. 마른안주 준비해야 해."

맥&북 안으로 들어오자, 현태는 언제 그랬느냐는 듯 유미의 어깨에서 팔을 내리더니 급하게 주방으로 걸어갔다. 밖에 나가서 오지랖을 떠느라 주문받은 걸 깜빡한 모양이다.

"나도 도와줄게."

유미도 빠른 걸음으로 현태를 따라 주방 안으로 들어갔다. 현태를 도와서 안주도 만들 겸, 손님들 눈을 피해 주방 안에서 이야기도 할 겸, 겸사겸사.

"너, 아까 왜 그랬어?"

현태와 나란히 싱크대에서 손을 씻으며 유미가 물었다.

"왜 그러긴. 당연히 그래야지. 나, 아까 겁나게 멋있지 않았냐?"

현태는 흥분한 표정으로 어깨를 으쓱거리며 말을 이었다.

"드라마 주인공 같았지, 그지?"

"뭐?"

"드라마 보면서 그런 거 따라 하고 싶었거든. 근데…… 와, 해보니까 진짜 죽이더라. 내가 생각해도 정말 멋졌어. 하, 하, 하."

"에라이!"

이럴 땐 말보다 손이 먼저 나가는 게 정답이다. 유미는 있는 힘을 다해서 현태의 어깨를 짝 내려쳤다.

"이 정신 나간 놈아!"

"악!"

갑작스러운 손찌검에 현태는 짧은 비명을 지르며 유미에게 맞은 어깨를 문질렀다.

"야! 곤란한 상황인 것 같아서 구해줬더니 고맙다는 말은 못할망정 폭력을 행사해?"

"한 대 더 맞을래?"

"아니. 아니! 됐습니다. B 사감님, 잘못했습니다!"

현태가 두 손을 내저으며 항복을 선언하고서야 유미는 올렸던 손을 내려놓았다.

"젖은 손으로 때리니까 더 아프잖아."

누가 위생에 철저한 영양사 아니랄까 봐, 유미는 현태를 때렸다고 다시 손을 씻었다. 그런 그녀를 쳐다보며 현태가 툴툴거렸다.

"진짜 물볼기 맞는 줄 알았다니까."

유미가 째려보기만 하고 대응을 하지 않자, 현태는 선심 쓰듯 씨익 웃어 보였다.

"하여간 그 자식 자꾸 괴롭히면, 남친 있다고 해버려."

"내가 남친이 어디 있어서?"

"까짓, 내가 해줄게!"

"됐어!"

하지만 현태는 끈질기게 물고 늘어졌다. 마른안주를 준비하며 옆에서 쉴 새 없이 떠들어댔다.

남자가 너를 바라보는 눈빛이 보통은 아니었다는 둥, 세상 살다 보면 너처럼 고리타분한 여자가 끌리는 남자도 있다는 둥, 그러니까 남자가 마음에 들지 않으면 자신을 방패막이로 써먹으라는 등등.

"그런 거 아니라니까!"

유미가 빽 언성을 높이자, 그제야 현태는 슬그머니 눈치를 보며 입을 다물었다.

현태가 마른안주를 손님에게 내어가고 돌아오자, 혼자 주방에 남아 뒷정리를 하던 유미가 조용히 사과의 말을 꺼냈다.

"미안해, 현태야. 넌 그래도 날 위해서 그런 건데……. 내가 너무 피곤해서 신경이 곤두섰나 봐."

"거 봐."

냉장고 문을 열고 식재료를 집어넣는 유미에게 현태가 실실 웃으며 다가왔다.

"폭력 행사하고 나니까 후회되지?"

"한 대 더 맞을래?"

그녀가 '쾅' 소리 나게 냉장고 문을 닫으며 째려보자, 현태는 화들짝 놀라며 뒤로 재빨리 물러섰다.

"아뇨! 아닙니다."

무술 고수이면서도 유미 앞에서는 언제나 약한 척해주는 현태. 유미는 그의 속 깊은 배려를 다시 한 번 깨달으며 살며시 미소를 지었다.

"피곤해서 자야겠어."

현태의 어깨를 손으로 툭 건드리며 그녀가 말을 이었다.

"나 먼저 올라간다."

"그래라."

주방을 걸어나가던 유미는 잠시 우뚝 멈춰 서더니 현태를 향해 몸을 틀었다.

"하여간 오늘 고마웠어."

"뭐, 그걸 가지고. 언제든지 필요하면 날 남친으로 사용해!"

현태는 씩 웃으며 손가락으로 자신을 가리켰다.

유미가 피식 웃으며 주방을 걸어나가자 현태는 아까 맞은 어깨를 손으로 빠르게 문질렀다.

"아야야. 지금까지도 얼얼하네. 하여간 손은 또 엄청 매워요."

투덜대며 어깨를 문지르던 현태는 카페를 나서는 유미의 뒷모습을 물끄러미 보았다. 평소보다 좀 많이 진지해 보이는 모습이 약간 이상하긴 했다.

남자라면 눈도 제대로 못 마주치는 유미가 다른 사람도 아닌 회사 상사라면서 눈물까지 글썽이며 남자를 향해 소리치고 있었다.

흠…… 뭐랄까? 사랑에 상처받은 여자의 모습이라고나 할까?

현태는 고개를 갸우뚱거리며 유미가 나간 쪽을 계속해서 바라보았다. 평생 남자를 돌같이 보며 살 것 같더니 어느새 그녀에게도 사랑의 바람이 살랑살랑 부는 걸까?

"큭."

현태는 갑자기 목이 막힌 것 같은 불편함에 마른기침을 내뱉었다. 왜 이러지? 혹시라도 유미에게 남자가 생긴 거라면 축하해줘야 하는데……. 근데 왜 이렇게 가슴 한편이 싸하고 아린지 모르겠다. 아마도…… 아까 맞은 어깨가 너무 아파서 그런가 보다. 폭력 후유증이야.

현태는 한 손으로 어깨를 주무르며 주문하기 위해 손을 번쩍 드는 손님에게로 바삐 걸어갔다.

풀 죽은 얼굴로 어깨를 축 늘어뜨리고 계단을 올라가던 유미는 중간쯤에 이르러 가만히 제자리에 멈춰 섰다.

—당신, 지금 그걸 말이라고 해?

—그만!

무섭게 윽박지르던 진욱의 얼굴이 떠오르자, 억울하고 서운한 마음에 눈물이 핑 돌았다.

"보석 좀 몰래 봤다고, 아니! 보진 않았지. 보석함만 건드린 거잖아. 아무리 그래도 한밤중에 집에까지 찾아와서 난리 칠 건 뭐냐고. 물어주면 되잖아. 물어주면! 흐응, 내가 적금 깨서라도 꼭 물어준다, 진짜!"

애써 아무렇지 않은 척하려 했지만, 자꾸만 씁쓸해지는 기분은 어쩔 수 없었다. 밤중에 찾아와서 화를 낸 이유가 진욱의 소중한 여자친구 때문이라는 사실에 더 가슴이 쓰렸다.

그렇게나 좋을까? 도대체 어떤 여자이기에 저러는 거야! 목걸이 주면서 진한 이벤트라도 하게? 진욱이 미지의 여인에게 목걸이를 걸어주는 장면이 눈앞에 그려지고, 더 나아가 그녀의 목에 키스하는 장면까지 이어지자, 유미는 더는 참을 수 없어 두 눈을 감으며 입술을 꽉 깨물었다. 참을 수 없는 질투가 삐죽삐죽 올라왔다.

내 처지가 지금 누구를 질투하고 뭐 그럴 처지가 아니라는 건 아는데…… 그래도 질투가 나서 미치겠다!

"으으으!"

유미는 쿵쿵 발을 세게 구르며 다시 계단을 올라갔다.

"두 사람, 정말 사귄다니까. 내가 오백 원 건다."

"말도 안 돼. 둘이 나이 차이가 얼만데 사귀냐. 진짜 사귀는 거면 남자가 죽일 놈이지."

"20살 넘게 차이 나는 커플도 있는데 13살은 약과지, 뭐."

피디, 작가 등을 포함한 방송 팀과의 회식 중, 술에 취한 일행의 입에서 연예인 관련 이야기가 슬슬 쏟아져 나오기 시작했다. 남의 연애 사정에 전혀 관심 없는 혜리는 무료한 표정으로 이야기를 듣는 둥 마는 둥, 손에 쥔 휴대폰만 빤히 내려다보았다.

오빠아, 나 회식이라 술 마셨는뎅, 데리러 오면 안 될까앙?

문자를 보낸 지가 언제인데 진욱에게서는 아직 감감무소식이었다. 확인도 안 하는 걸 보니 아예 문자를 씹겠다는 건가?

그때 휴대폰 화면이 켜지며 문자 알림이 떴다. 혜리는 문자 확인을 뒤로 미룬 채, 자리에서 벌떡 일어나 인적이 뜸한 복도로 달려나갔다. 그리고 두근거리는 마음으로 급하게 문자 창을 열었다. 하지만 곧 얼굴에 실망한 기색이 퍼졌다. 화면으로 보이는 진욱의 답장은 정나미가 떨어질 정도로 간결했다.

대리 불러.

"아후, 진짜 더럽게 비싸게 구네!"

혜리는 인상을 팍 찡그리며 두 손으로 휴대폰을 세게 움켜쥐었다.

누가 대리, 부를 줄 몰라서 그래? 열 받는데 술 취한 척하고 확 집으로 쳐들어갈까 보다.

"혜리 씨?"

혼자 씩씩거리며 분을 삭이는 혜리에게 막 룸에서 걸어 나온 일행 한 명이 다가왔다.

"어머, 작가님."

혜리는 조금 전까지 찌푸렸던 인상을 활짝 풀며 프로그램의 메인 작가에게 방긋 웃어 보였다. 40대 후반인 여 작가는 술이 올랐는지 두 뺨이 발갛게 물들어 있었다.

"혼자서 뭐 해?"

"제가 술을 잘 못 해서……. 호호호."

폭탄주 10잔을 쉬지 않고 마셔도 끄떡없지만, 방송 팀 앞에서는 얌전한 척 내숭을 떨어야 하기에…….

"그래. 술 잘 못 하면 뒤풀이가 따분하긴 하겠다."

여 작가는 전혀 의심 없는 얼굴로 고개를 끄덕였다.

"작가님은 오늘 술 좀 드시던데요."

"응. 다음 주 인터뷰 건 섭외로 골치가 아파서 난 좀 마셔야겠어. 무슨 CEO들이 왜 죄다 그리들 바쁘신지……."

"CEO요?"

'CEO'란 말에 혜리의 귀가 쫑긋 세워졌다.

"응. 얼굴 잘생기고, 능력 있고, 말도 잘하는 사람을 찾으려니까 영 없더라고."

있지, 왜 없어! 있다고요!

혜리는 아주 진지한 얼굴로 여 작가의 어깨를 덥석 잡았다.

"작가님! 그 섭외, 저한테 맡겨주세요!"

"어, 혜리 씨?"

여 작가는 갑자기 '이 여자가 왜 이러나?' 하는 표정으로 혜리를 바라보았다.

"누구 아는 사람이라도 있어?"

"네. 그럼요. 있고말고요. 저랑 아주, 아주 가까운 사이예요."

혜리는 초롱초롱 빛나는 눈으로 자신과 가까운 사이라는 걸 거듭 강조했다. 이런 걸 보고 바로 신이 주신 기회라고 하는 거다! 이번 기회에 차진욱의 팔다리를 꽁꽁 묶어버릴 테다! 은밀하게 작업을 꾀하는 혜리의 얼굴에 환한 미소가 내려앉았다.

어젯밤 잠들면서 얼마나 빌었던가! 제발 오늘 아침이 오지 않기를……. 말도 안 되는 바람이었지만, 그래도 혹시 알아? 눈을 떴더니 천지개벽이 나 있을지……. 하지만 조심스레 눈을 뜨자 평소와 같은 아침 햇살이 그녀를 맞이했다.

"흐응."

한 손에 아침 도시락이 담긴 바구니를 들고, 다른 한 손엔 작은 쇼핑백을 든 채, 유미는 터덜터덜 본부장실을 향했다.

어제 일로 불편해 미치겠는데 그와 얼굴을 마주할 걸 생각하니까 너무너무 긴장되었다. 할 수만 있다면 이대로 어디론가 도망가고만 싶었다. 하지만 목구멍이 포도청이라고, 게다가 이젠 군식구까지 딸렸기에 무책임하게 행동할 순 없었다.

"후우."

유미는 전열을 가다듬고 크게 심호흡한 후, 똑똑 문에 노크했다.

"들어와요."

진욱의 나직한 목소리가 안에서 흘러나왔다. 평온한 목소리로 봐선 괜찮은 것 같긴 한데…….

유미는 느릿하게 문을 열고 살금살금 안으로 들어섰다. 진욱은 그녀에게 눈길도 주지 않은 채 서류를 들여다보고 있었다. 원래 무소식이 희소식이라고 저렇게 모른 척하는 것도 나쁘진 않다고 본다.

유미는 바구니를 책상 위에 올려놓으며 공손하게 말을 꺼냈다.

“오늘 아침은 연어 스테이크로 준비했습니다.”

그러자 진욱은 서류에서 시선을 떼지 않은 채, 책상 아래에서 토끼 인형을 꺼내어 바구니 옆에 툭 올려놓았다.

“이거, 가져가요.”

유미는 살짝 굳은 표정으로 토끼 인형을 내려다보다 슬그머니 영양사 가운 주머니에 인형을 집어넣었다.

“네……. 감사합니다.”

이번에는 그녀가 손에 든 쇼핑백에서 보석함을 꺼내 진욱에게 내밀었다.

“저도, 이거…….”

어젯밤, 유미는 미희에게 사정사정해 그녀의 보석함 중 하나를 빼앗았다. 떵떵거리는 재벌은 아니지만 지역 사회에서 갑부 소리를 듣는 영한이었기에 그동안 이것저것 보석을 많이 선물한 모양이다. 덕분에 유미는 꽤 괜찮은 보석함을 발견할 수 있었다. 다른 때라면 몰라도 이럴 땐 미희의 사치스러운 취미가 고맙다.

“이게 뭡니까?”

진욱의 반응은 전혀 예상 밖이었다. 유미가 내민 보석함을 본 진욱은 발끈하며 인상을 쓰더니 의자에서 벌떡 일어섰다. 그리고 단숨에 보석함을 든 유미의 손을 거칠게 잡아당겼다.

“큽!”

깜짝 놀란 유미의 입에서 반사적으로 딸꾹질이 흘러나왔다. 진욱은 잡은 손이 부들부들 떨릴 정도로 힘을 주며 상체를 앞으로 가까이 내밀어 유미를 노려보았다.

"그거, 당장!"

어금니를 악문 채 진욱이 으르렁거리듯 말했다.

"도로 집어넣어요."

유미는 그에게 손을 잡혔다는 사실에 너무 당황해 아무 말도 못 하고 진욱을 바라보았다. 그에게 잡힌 손이 화르르 불타오르는 것만 같았다. 유치하게 왜 이래! 손 좀 잡혔다고 이렇게 얼어버릴 필요는 없는데…….

진욱은 그런 유미의 속마음을 아는지 모르는지 살벌한 목소리로 경고했다.

"앞으로 다시는! 내 앞에서 보석함에 '보' 자도 꺼내지 마요."

그녀의 눈을 빤히 마주 보며 그가 건조한 목소리로 재차 확인했다.

"알겠습니까?"

"네……. 그러겠습니다."

이렇게까지 정색할 필요는 없잖아! 알았다고요. 알았어!

도대체 얼마나 소중한 보석이길래 이 난리인 거야?

유미는 자신의 몸이 저 밑 바다 깊숙이 무겁게 가라앉는 것 같았다.

"이제 손은 놔주셔도 될 거 같은데……."

아직도 자신의 손을 꼭 잡고 있는 진욱의 손을 내려다보며 그녀가 중얼거렸다. 진욱은 그제야 자신이 그녀의 손을 잡고 있다는 사실을 깨달은 것 같았다. 황급히 잡은 손을 탁 놓더니 재빨리 다시 의자에 앉았다.

"그럼, 가보겠습니다."

유미는 보석함을 쇼핑백에 집어넣으며 살짝 고개를 숙였다. 그러나 진욱은 그녀의 인사도 받지 않고 다시 서류로 시선을 돌렸다.

"어제, 그 남자……."

그녀가 집무실을 나가려 문손잡이에 손을 올리려는 순간, 진욱이 지나가는 투로 물었다.

"……애인입니까?"

지금까지 신경질이란 신경질은 다 부려놓고, 남이야 애인이 있건 말건 무슨 상관이래? 곧이곧대로 대답하기 싫은 유미는 힐끗 뒤돌아 차가운 눈으로 진욱을 바라보았다.

"제가 굳이 사적인 일까지 대답할 의무가 있나요?"

그녀의 대답에 진욱의 얼굴이 굳어졌다.

"설마, 거기서 같이 사는 건가?"

"그것도 사적인 질문이니까, 대답할 의무가 없다고 생각합니다만."

진욱은 당장에라도 달려가 그녀의 어깨를 움켜쥐며 '정말 둘이 같이 사는 거야?'라고 소리치고 싶었지만 애석하게도 그에게는 그럴 권리가 없었다.

"물론 그럴 의무는 없지."

진욱은 마음을 다잡으며 낮게 중얼거렸다.

"그런데…… 이유미 씨, 보기보다 남자 보는 눈이 참 별로네요."

유미가 무슨 소리냐는 듯 눈꼬리를 위로 추켜올렸다.

"그때 클럽에서도 그렇고, 어제도 말하는 폼을 보니까 예의를 밥 말아 먹었더군. 완전 깡패 수준이던데……."

이 남자, 보자 보자 하니까 이젠 내 절친까지 욕을 해? 버럭 소리 지르고 싶을 걸 참으며, 유미는 나긋나긋하지만 뼈 있는 말투로 진욱의 말을 반박했다.

"현태는 우리 동네에서 알아주는 예의 바른 모범생, 바른 남이거든요? 속도 꽉꽉 찼고요."

그녀는 입꼬리를 비틀며 마치 진욱을 저격하듯이 그를 향해 고개를 까딱거렸다.

"누구처럼 겉만 번지르르한 거랑은 아주 차원이 다르죠."

"누구? 뭐? 번지르르……?"

자신을 가리키는 말이라는 걸 감지한 진욱이 미간을 찌푸렸다.

"그럼 바빠서 이만 가보겠습니다."

그녀가 서둘러 인사하고 휙 나가버리자, 진욱은 자리에서 벌떡 일어나 사무실 안을 왔다 갔다 하기 시작했다.

"저 여자가 근데……! 지금 그거, 나 말한 거지? 어휴, 진짜!"

열을 식히기 위해 한 손으로 부채질을 하던 진욱은 우뚝 걸음을 멈추고 유미가 놓고 간 도시락을 노려보았다. 거칠게 도시락 뚜껑을 열고 내용물을 확인하는 순간, 그의 얼굴이 처참하게 일그러졌다.

고운 핑크 빛 자태를 뽐내며 누워 있는 연어 스테이크 위로 강낭콩이 활짝 웃는 스마일 모습으로 놓여 있었다.

"젠장! 왜 가면 갈수록 귀엽게 만드느냐고! 도대체 왜!"

물밀 듯이 밀려오는 격한 감정에 진욱은 울컥 목이 메었다.

본부장실을 빠져나온 유미는 구시렁거리며 엘리베이터를 향해 터덜

터덜 걸어갔다.

"왜 남의 귀한 친구, 인성을 평가하고 난리야? 그리고 남이야 애인이 있든 말든, 그게 자기랑 무슨 상관인데?"

멀뚱멀뚱 엘리베이터를 기다릴 수 없을 정도로 부아가 치밀어 유미는 비상계단을 사용하기로 마음먹었다.

"웃겨, 정말."

쿵쿵 소리를 내며 계단을 내려가는 그녀의 입에서 끊임없이 투덜거림이 흘러나왔다.

"그래서? 내가 동거라도 하면 뭐? 자기가 어쩌려고?"

생각 같아선 지금 당장에라도 달려가 그의 얼굴에 따따따 퍼붓고만 싶었다.

"그쪽 여자에게나 잘하시지! 흥!"

이럴 줄 알았으면 속에 뭐가 들었는지 열어볼 걸 그랬다. 보석함에 든 물건이 정확히 뭔지 모르겠지만, 그걸 받게 될 여자가 너무나도 부러웠다.

유미는 아랫입술을 꼭 깨물며 쿵쿵 계단을 내려갔다.

"그 책은 뭐야?"

외부 미팅을 위해 방을 나서던 진욱은 우진의 손에 들린 책에 이상하게 눈길이 갔다. 책을 보는 순간 뭔가 묘한 느낌이 들었다고 할까?

"아, 이거요?"

우진은 진욱이 잘 볼 수 있도록 그를 향해 책을 들어 보였다.

"대기하는 동안 읽으려고 가져왔습니다. 누가 재미있다고 추천하더라고요."

무심한 눈길로 책 표지를 훑어보던 진욱의 표정이 문득 딱딱하게 굳어졌다. 그는 휙 손을 뻗어 우진의 손에서 책을 뺏어 들었다.

길바닥에서 / 정현태 에세이

표지에 인쇄된 작가의 뒷모습을 유심히 바라보던 진욱의 눈빛이 어느새 서늘해졌다.

"놈팡이 녀석, 작가 나부랭이였어?"

"본부장님이 아는 사람입니까?"

우진이 의아한 얼굴로 물었지만, 진욱은 아무 말도 하지 않고 책을 든 채 성큼성큼 앞으로 걸어갔다.

왜 갑자기 심기가 불편해졌지? 대기 중에 책 좀 읽겠다는데 그렇게 못마땅한가? 욱하고 짜증이 올라왔지만 우진은 그저 꾹 참고 잠자코 진욱의 뒤를 좇았다. 요새 진욱은 사춘기 소년처럼 하루에도 기분이 좋았다 나빴다, 기분이 오락가락했다.

'몇 살이라도 더 먹은 내가 참자.'라는 마음으로 우진은 차분하게 저녁 일정을 설명하기 시작했다.

"말씀하신 대로 로열 백화점 측과 미팅 후 저녁 식사 예약해뒀습니다. 장소는 청담동 마리뜨……."

"예약 취소해!"

'저녁'이란 말에 진욱은 우진의 말을 도중에 자르며 제자리에 우뚝 멈춰 섰다.

"네?"

"미팅 끝나면 바로 회사로 복귀한다."

"아니, 어, 어째서……?"

은근히 저녁 식사 미팅을 기다리던 우진이 실망한 듯 말을 더듬자, 진욱은 이글거리는 눈으로 우진을 향해 휙 고개를 돌렸다.

"저녁 도시락을 먹어야 하니까!"

진욱은 손에 들린 책을 매섭게 노려보며 씩 입꼬리를 올렸다.

"오늘 저녁 안 먹는다더니 갑자기 왜!"

유미는 콧등에 주름을 잡으며 찬장에서 꺼낸 도시락 통을 조리대 위에 '탕' 내려놓았다. 이러다간 감동할 도시락을 만드는 건 둘째치고 제대로 된 도시락 하나도 만들기 어렵지 싶다. 생각 같아선 설거지한 물에 야채를 씻고 싶었지만, 양심상 그럴 순 없고.

유미는 툴툴거리며 찬물에 야채를 씻어 물기를 빼내어 도마 위에 올려놓고 '탁, 탁, 탁' 성급히 칼로 썰기 시작했다.

퇴근을 위해 사복으로 갈아입은 제니가 도시락 준비에 정신없는 유미를 보며 혼잣말처럼 중얼거렸다.

"저녁은 핑계고 필시 다른 목적으로 저러는 거지."

"으유!"

그 말에 은비는 눈살을 찌푸리며 자신의 어깨로 제니를 툭 밀어버렸다. 그리고 미안한 얼굴로 유미를 향해 인사했다.

"유미 쌤, 오늘도 저희 먼저 가요."

유미는 분주하게 놀리던 칼질을 멈추며 조리사들을 향해 힘없이 미소를 지었다.

"오늘 모두 고생하셨어요."

그때 복자가 가방을 둘러메며 유미 앞으로 다가왔다. 복자는 도마 위에 널린 야채를 힐끗 쳐다보더니 다시 유미에게로 눈길을 돌렸다.

"오늘 오이소박이 떨어져서 클레임 들어올 뻔한 거 알지? 도시락도 도시락이지만 본인 일에도 신경 좀 써요."

"네. 알겠습니다."

"유미 쌤, 먼저 갈게요. 수고하세요."

"네. 내일 봐요."

작별 인사를 끝낸 조리사들 모두가 조리실을 나가자, 유미는 피곤한 듯 이마에 맺힌 땀을 손등으로 닦아냈다. 이 남자, 아무래도 전생에 도시락을 못 먹고 죽은 한이 맺힌 모양이다. 그렇지 않고서야 이럴 순 없어! 유미는 아랫입술을 삐죽 내밀며 도마 위에 놓인 칼을 다시 집어 들었다.

"한국식 나시고랭입니다."

비스듬히 책상에 기대앉아 무표정하게 서류를 들여다보는 진욱 앞으로 유미가 도시락을 내려놓았다.

"본부장님 입맛에 맞게 특유의 향은 최대한 나지 않도록 요리했습니다."

유미의 짤막한 설명에 진욱은 서류에서 시선을 떼지 않은 채 가볍게 고개만 끄덕거렸다.

"수고했어요. 그만 나가봐요."

말투를 보니 어째 아까보다는 화가 좀 풀린 것 같긴 한데…….

"네. 맛있게 드세요."

유미는 최대한 상냥하게 인사하고 빠른 걸음으로 집무실을 걸어나갔다.

조리실로 돌아가 뒷정리를 하고 퇴근 준비를 하려는데 '띠링' 휴대폰에서 문자 알림 소리가 들렸다.

어때? 저녁에 동구랑 한강이나 갈까?

현태의 문자에 유미는 '큭' 웃으며 빠르게 문자를 찍었다.

콜! 나 곧 퇴근.

오랜만에 동구를 데리고 한강에 가는 것도 좋은 생각이었다. 요새 미희는 무슨 아르바이트를 하는지 휴일뿐만 아니라 주중에도 곧잘 집을 비우곤 했다. 그래도 그 아르바이트 덕분에 생활비가 넉넉해졌다. 한 가지 걸리는 점이 있다면 동구가 혼자 남겨지는 시간이 늘어났다는 거다. 그랬기에 한강 나들이가 따분한 동구의 일상에 큰 즐거움을 줄 거라고 믿는다.

답장을 끝내고 휴대폰을 주머니에 넣으려는데 '띠링' 하고 다른 알림이 울렸다.

"응? 뭐지?"

아무 생각 없이 화면을 들여다보던 유미의 안색이 급속도로 창백하게 변했다.

오늘 양이 왜 이렇게 적습니까? 재료 값 아껴서 뭐하려고?
추가 도시락 준비해요. 지금 당장.

유미는 파랗게 질린 얼굴로 기가 막힌 듯 입을 벌렸다.

무슨 소리야? 양이 적다니! 머슴밥처럼 넉넉하게 만들었는데……. 그리고 지금 당장?

휴대폰 화면 위에 뜬 시간을 보니 7시 반이 넘어가고 있었다.

"어떡하지?"

유미는 발을 동동 굴리며 머릿속으로 시간을 계산했다. 빛의 속도로 후다닥 빨리 준비하면 현태와의 약속을 지킬 수 있을 것이다. 우선 단시간 내에 뭘 만들 수 있을지 재료부터 알아봐야겠다.

유미는 미친 듯이 레시피 노트를 뒤적이며 냉장고 안에서 당장 만들 수 있는 재료를 분주히 찾아 헤맸다. 결국 그녀는 남은 재료로 주먹밥을 만들기로 했다.

고작 주먹밥을 가져왔느냐고 핀잔을 줄지도 모르기에 최대한 있어 보이게 만들어야 했다. 고기와 야채를 곱게 다져 밥과 뭉쳐 동그란 모양을 만들고 노란 달걀 물로 얇게 지단을 부쳐 주머니 모양으로 주먹밥을 감쌌다. 그리고 삶은 시금치 지단으로 매듭을 지었다. 허둥지둥 본부장실로 뛰어가 문에 노크하고, 들어오란 소리가 들리자 바로 안으로 들어갔다. 일분일초가 아쉬우니까.

"하아, 추가 도시락 가져왔습니다."

진욱은 수고했다는 말 한마디 없이 메마른 표정으로 유미와 도시락 통을 번갈아 바라보았다.

"다진 고기와 야채를 넣고…… 하아, 달걀지단으로 감싼 주먹밥…… 입니다. ……하."

또박또박 말하려 해도 격한 노동 탓에 자꾸만 숨이 가빠왔다. 유미는 크게 숨을 들이마시며 애써 말을 이어나갔다.

"……갑자기 주문하셔서 남은 식재료로 급하게 만드느라……."

"알았어요. 나가봐요."

진욱은 귀찮다는 듯 손을 들어 올리며 유미의 말을 막았다.

"그럼."

유미는 꾸벅 목례한 후, 빠르게 뒤돌아섰다. 순간 눈앞이 핑하고 아찔해졌다. 너무 급하게 달려와서 그런 모양이다. 유미는 정신을 차리려 노력하며 조금 흔들거리는 걸음으로 집무실을 걸어나갔다.

문이 닫히자, 진욱은 책상 서랍에 손을 뻗어 액상 소화제를 꺼내 들었다. 그러고는 그녀가 나간 문을 날카롭게 노려보며 액상 소화제를 단숨에 들이켰다.

탕—.

말끔히 비워낸 액상 소화제를 책상에 내려놓은 진욱은 아주 진지한 표정으로 도시락의 뚜껑을 홱 열어젖혔다.

그녀가 어렵게 만들어 온 도시락을 버릴 순 없었다. 하지만 또다시 도시락을 만들어 오라고 지시하려면 모두 말끔히 먹어치워야만 했다.

"크윽."

진욱은 트림이 나오려는 입을 손으로 틀어막으며 눈앞에 놓인 노란 주머니 모양의 주먹밥을 노려보았다. 아까 가져온 나시고랭의 양이 꽤 되었는지 아직도 배가 빵빵하게 불렀지만 할 수 없었다.

"좋아, 누가 이기나 한번 해보자!"

진욱은 진지한 얼굴로 주먹밥 한 개를 집어 올린 후, 약을 먹는 것처럼 눈을 꼭 감으며 한 입을 크게 베어 먹었다.

"미친 거 아냐?"

문자를 확인하는 유미의 얼굴이 경악으로 일그러졌다.

주먹밥 몇 개 가지곤 도저히 안 되겠네. 뭐 또 다른 거 없나?

간신히 구내식당에 도착하자마자, 진욱에게서 날아온 또 다른 문자였다.

배에 식신이라도 들어앉았어? 도대체 뭐 하자는 거야!

"흐잉."

이젠 냉장고에 넣어둔 재료도 거의 떨어졌고 식재료 창고까지 가서 가져와야 하는데…….

빨리 가져와요. 배고프니까.

아직도 멀었습니까?

이유미 씨, 고기 잡으러 목장에라도 갔습니까?

그녀가 도시락을 준비하는 동안 옆에 놓인 휴대폰으로 끊임없이 문자가 날아왔다.

"정말, 집에서 돼지를 키워도 이렇게 꿀꿀대진 않겠다!"

결국 유미는 허겁지겁 구할 수 있는 재료를 모아 구운 왕새우를 올린 달걀덮밥을 만들어 가져갔다.

도시락을 본 진욱은 아까와 마찬가지로 수고했다는 말 한마디 없이 시큰둥한 표정으로 손을 들어 테이블을 가리켰다.

"맛있게…… 드세요. 전 그럼."

'맛있게 처드세요.'라고 말하고 싶은 걸 꾹 참으며 유미는 지친 걸음걸이로 구내식당으로 돌아갔다.

내일 일찍 출근해서 깔끔하게 뒷정리하고 아무래도 오늘은 대충 치워놓고 가야겠다. 안 그랬다간 너무 피곤해서 기절할 것만 같았다.

"아앗."

가방을 챙겨서 구내식당을 나서려는데 그만 다리에 힘이 풀려 유미는 자신도 모르게 크게 휘청거렸다.

그녀는 우선 의자 하나를 서둘러 빼내어 그 위에 풀썩 널브러지듯 주저앉았다. 아, 숨 좀 돌리고 가야지, 안 그러면 가다가 길에서 쓰러지고 말겠다.

띠리리—. 띠리리—.

그때 그녀의 휴대폰이 울리기 시작했다. 유미는 기운 빠진 얼굴로 느릿느릿 휴대폰을 꺼내 통화 버튼을 꾹 눌렀다.

"어……."

[곧 퇴근이라더니 왜 이렇게 안 와?]

저 너머로 씩씩한 현태의 목소리가 흘러나왔다. 벌써 동구와 한강에 갔는지 뒤에서 동구의 웃음소리가 함께 흘러나왔다.

한강이고 뭐고 지금 까딱 잘못했다간 요단강을 건널 판이라고!

"후우."

유미는 땅이 꺼져라 숨을 크게 내쉰 후, 현태에게 하소연을 늘어놓기 시작했다.

"내가 삼시 새끼 때문에 미치고 팔짝 뛰시겠다, 정말! 저녁 도시락을 추가로 가져오라고 해서 지금 몇 번째……."

곰곰이 따져보니 정말 어이가 없네.

유미는 실성한 사람처럼 피식피식 웃어버렸다.

"내 참, 기가 막혀서. 저녁만 벌써 세 끼째야! 세 끼! 이게 말이 돼? 진짜 사람 맞아?"

[헐! 세 끼?]

현태도 믿을 수 없다는 듯 큰 소리로 외쳤다.

[삼시 새끼가 아니라 저녁 세 끼?]

그러니까 삼시 새끼든, 저녁 세 끼든, 아니면 빌어먹을 새끼든…….

"후, 하여간 난 식신 수발 하느라 너무 늦어서 오늘 한강 나들이는 취소해야겠다. 미안."

잠시 침묵이 흐르고 현태의 부드러운 목소리가 들려왔다.

[많이 피곤하지? 내가 데리러 갈까?]

"진짜? 나 데리러…… 올래?"

데리러 온다는 말은 현태가 자신의 차를 가지고 오겠다는 말인데……. 아, 그러면 편하게 집에 갈 수 있겠네.

버스를 갈아타지 않아도 되겠다며 안도의 숨을 내쉬는 순간, 유미는 뒤통수에 쏟아지는 싸늘한 느낌에 등골이 오싹해졌다. 아주 천천히 구내식당의 입구로 고개를 틀자, 바지 주머니에 한 손을 꽂은 채 입구 벽에 기대선 진욱이 시야에 들어왔다.

"헉!"

유미는 자신이 통화 중이라는 것도 잊어버리고 자리에서 벌떡 몸을 일으켰다. 그러다 손에 쥐어진 휴대폰을 깨닫고 빠르게 말했다.

"아, 아니. 나중에 통화하자. 먼저 끊어."

그녀가 급하게 전화를 끊자, 진욱은 한 손에 뭔가를 들고 유미 앞으로 저벅저벅 걸어왔다.

"누가 데리러 옵니까?"

무심한 눈빛으로 그녀의 손에 있는 휴대폰을 바라보며 진욱이 물었다.

"아뇨. 뭐…… 그런데 무슨 일로…… 여기까지?"

그가 구내식당까지 직접 찾아오다니 왠지 불길하다. 설마…… 또 밥을 달라는 건 아니겠지? 설마가 사람 잡는다고 하지만, 설마야, 제발 이번만은 사람 잡지 마라!

하지만 그녀의 소박한 소망을 비웃듯이 진욱의 입에서 사람 잡는 말이 튀어나왔다.

"배고파서요."

"네에에?"

도대체 뱃속에 뭐가 들은 거야? 유미는 믿을 수 없다는 듯 눈을 동그랗게 뜨며 큰 소리로 되물었다.

"그렇게 드시고 아직도 배가 고프다고요?"

진욱은 천연스러운 얼굴로 가슴 앞으로 팔짱을 끼며 뻔뻔스러운 미소를 떠올렸다.

"메뉴는 라면이 좋겠군."

탁—. 탁—. 탁—.

유미는 도마 위에 놓인 표고버섯을 진욱이라고 생각하며 살벌하게 칼로 내리쳤다. 냄비 안에서는 지금 그녀의 상태를 알려주듯 라면을 끓일 물이 보글보글 끓고 있었다.

"한동안 잠잠하다 했어. 그럼 그렇지. 그 괴팍한 성질이 어디 가겠어?"

타아악—!

장작을 패듯 그녀의 힘센 칼질에 표고버섯의 기둥이 몸체에서 탁 떨어져나갔다.

"온종일 도시락에 손도 안 대서 사람 잘릴 뻔하게 할 땐 언제고. 지금은 뱃속에 거지라도 들었대? 왜 저러는데?"

유미는 버섯과 멸치, 파 등을 끓는 물에 거칠게 넣으며, 홀 쪽으로 눈을 흘겼다. 진욱은 한쪽 입꼬리를 씩 올린 채, 테이블에 기대앉아 여유롭게 다리를 꼬고 있었다.

잠시 후, 주방 장갑을 낀 유미가 라면을 냄비째 들고 테이블로 다가왔다.

"오늘 격무에 시달리셨나 봐요, 본부장님."

상냥하게 웃기는커녕 진욱의 멱살을 움켜쥐고 앞뒤로 격하게 흔들고 싶었지만 일자리를 보존하기 위해선 그래선 안 되었다. 유미는 힘겹게 웃으며 어금니를 꽉 깨물었다.

"오늘따라 유난히 허기지시네요."

"처리할 업무가 산더미인데 속이 허해서 도저히 집중이 안 되더군."

진욱은 팔짱을 끼고 앉아 아주 태연하게 유미를 마주 보았다.

업무가 산더미긴! 나 골탕 먹이려고 일부러 그러는 거면서……. 유미는 몰래 진욱을 흘겨보며 테이블 위에 냄비를 내려놓으려다가 흠칫 동작을 멈췄다.

"아, 맞다. 받침! 잠시만요."

"여기 있습니다. 받침."

유미가 다른 테이블에 있는 받침을 가져오려 하자 진욱이 빠르게 무언가를 들어 올려 테이블 위에 떡하니 올려놓았다. 힐끗 내려다본 유미의 미간에 주름이 잡혔다.

여행 에세이 《길바닥에서》가 테이블 위에 놓여 있었다.

현태 책이 왜 여기 있어?

"그렇게 들고 있으면 안 무거워요? 얼른 내려놔요."

유미가 어안이 벙벙한 얼굴로 책을 내려다보기만 하자, 진욱은 주방장갑을 낀 유미의 두 손을 덥석 잡아 책 위에 냄비를 턱 내려놓았다.

깜짝 놀란 유미가 불에 덴 듯 재빨리 손을 뒤로 뺐다. 당황한 유미와는 반대로 진욱은 느긋한 동작으로 냄비 뚜껑을 열었다.

"음, 냄새 좋네요."

진욱이 숟가락을 들어 국물을 맛보자, 유미는 씁쓸한 눈빛으로 현태의 책을 내려다보았다.

"그 책, 혹시…… 현태 책 아닌가요?"

"아, 이 책?"

진욱은 아무렇지 않다는 표정으로 어깨를 으쓱거렸다.

"우리 장 비서 책이에요. 두께가 냄비 받침을 하기 딱 알맞은데……. 아닙니까?"

냄비 받침을 하기 딱이라고? 배울 만큼 배운 사람 입에서 나올 소리는 아니잖아. 아니지, 초등학생도 책을 소중히 대해야 한다는 건 안다.

유미는 진욱을 슬쩍 흘겨보더니 재빨리 다른 테이블로 걸어가 냄비 받침을 가져왔다. 그리고 재빨리 현태의 책을 빼내고 대신 냄비 받침을 밀어 넣었다.

그런 그녀를 진욱이 흥미로운 표정으로 지켜보자, 유미는 그의 눈을 마주 보며 또박또박 힘주어 말했다.

"책은 읽으라고 있는 거지, 냄비 받침 하라고 있는 게 아니에요."

그녀는 기분이 상했다는 걸 숨기지 않으려는 듯 굳은 표정으로 말했다.

소중한 남자 친구의 책을 냄비 받침으로 사용해서 화났다 이건가? 나도 책을 냄비 받침으로 사용하는 무식한 사람은 아니라고. 당신과 놈팡이 녀석이 그렇게 만든 거야!

진욱도 굳은 표정으로 마주 보자 유미는 슬그머니 고개를 돌렸다.

"맛있게 드세요. 전 이만 가보겠습니다."

그러자 진욱이 턱짓으로 앞자리를 가리켰다.

"앉아요. 다 먹을 때까지 기다려요."

진짜! 밥해주는 것도 모자라서 이젠 밥 먹는 것까지 지켜보라고? 내가 무슨 유모인 줄 아나?

"아뇨. 저는 퇴근 준비해야 돼서요."

유미는 눈 하나 깜빡하지 않고 당당하게 그의 지시를 거부했다.

"다 드신 그릇은 퇴식구에 반납 부탁드립니다."

그녀가 막 돌아서려는데 진욱이 나직하지만 강한 목소리로 말했다.

"나는 지금 여기 앉으라고 했습니다."

어휴, 진짜 끝까지 해보자는 거야? 좋다. 오기가 생겨서라도 한번 끝까지 가보자고.

유미는 아랫입술을 삐쭉이 앞으로 내밀며 진욱의 맞은편에 의자를 빼고 앉았다. 그제야 진욱은 만족스러운 미소를 떠올리며 젓가락으로 라면을 집어 입으로 가져갔다.

휴대폰 화면을 보니 벌써 9시가 되어가고 있었다.

이러다 정말 언제 집에 가지? 유미가 작게 한숨을 내쉬며 고개를 숙이자, 느릿느릿하게 라면을 먹던 진욱이 혼잣말처럼 중얼거렸다.

"데이트 약속이라도 있었나 보네?"

유미가 힐끗 쳐다보자, 진욱은 특유의 얄미운 미소를 던지며 말을 이었다.

"나 때문에 망쳤나?"

그 말에 유미는 들고 있던 휴대폰을 탁 내려놓고는 진욱을 빤히 바라보았다.

아무래도 안 되겠다. 왜 이렇게까지 심술을 부리는지 이유나 알고 당해야 더 억울할 것 같다.

"본부장님…… 혹시나, 정말 혹시나 해서 여쭤보는 건데요. 저녁을 세끼나 드시는 이유가."

유미는 말을 잇지 못하고 잠시 망설이다가 현태의 책으로 슬쩍 눈길을 주었다.

"설마 혹시, 그 책과 연관이 있나요……?"

그러자 진욱은 서늘한 표정으로 유미를 노려보았다.

"이유미 씨. 내가 그렇게 할 일 없는 사람처럼 보입니까?"

저승사자 같은 진욱의 서늘함에 유미는 뜨끔 입을 다물었다.

"아, 아뇨. 그럴 리가……."

아니면 아닌 거지, 그렇게 죽을 듯이 노려볼 필요는 없잖아!

진욱은 입맛이 떨어졌는지 젓가락을 탁 내려놓고는 의자 등받이에 기대며 팔짱을 끼었다. 그리고 말없이 유미를 뚫어지게 바라보았다.

갑자기 돌변한 그의 태도에 유미는 잔뜩 긴장해 마른침을 꿀꺽 삼켰다. 그냥 가만히 있을 걸 그랬나? 어색한 침묵이 불편한 유미가 먼저 눈을 내리깔며 그로부터 시선을 피했다.

"어서 드세요. 라면 불어요."

그러나 진욱은 라면은 전혀 상관없다는 듯 그녀만 뚫어지게 바라보았다.

"이유미 씨."

그녀를 부르는 목소리가 소름 끼치게 낮았다.

이 남자, 갑자기 왜 이리도 화가 난 거지? 유미가 긴장한 얼굴로 바라보자 진욱이 천천히 입을 뗐다.

"확인할 게 좀 있는데……."

"네? 뭘 확인……?"

질문이 끝나기도 전에 불쑥 몸을 일으킨 진욱이 손으로 테이블을 짚으며 유미의 코앞에 얼굴을 들이밀었다.

헐! 불의의 습격처럼 다가온 진욱의 얼굴 때문에 유미의 눈이 커다래졌다. 마치 키스라도 할 것처럼 가까워진 진욱의 얼굴 때문에, 그녀를 꿰뚫을 것만 같은 이글거리는 진욱의 시선 때문에…….

"흡."

아, 안 되는데. 망할 놈의 딸꾹질이 또 나오려고 한다! 유미는 목구멍으로 기어 나오려는 딸꾹질을 참기 위해 급히 숨을 들이마셨다.

"크읍."

하지만 언제까지 숨을 멈출 수는 없었다. 결국 딸꾹질은 흘러나왔고 유미는 벅찬 숨을 고르기 위해 가슴을 크게 들썩거렸다. 그녀의 반응을 지켜보던 진욱의 눈빛이 서서히 진하게 물들었다.

"흐읍, 딸꾹!"

유미는 한 손으로 입을 막았지만, 딸꾹질은 계속해서 흘러나왔다.

"저, 저기 물 좀……."

유미는 부랴부랴 자리에서 일어나 도망치듯 정수기로 향했다. 그러나 어느새 자리에서 일어난 진욱이 성큼 다가와 그녀의 팔을 잡고 휙 돌려세웠다.

"큽, 딸꾹. 딸꾹."

진욱에게 팔을 잡힌 충격으로 이제는 딸꾹질이 더 격렬하게 흘러나오기 시작했다. 입을 틀어막았지만, 소리가 흘러나오는 것까지 막을 순 없었다. 어쩔 줄 몰라 당황해하는 유미를 응시하던 진욱이 얼굴을 가까이 들이대며 속삭였다.

"당신, 그 습관성 딸꾹질 말이야. 그게 무슨 의미인지…… 난 알 거 같은데."

그의 얼굴이 코가 닿을 정도로 다가오자 유미의 눈이 튀어나올 것처럼 커다래졌다. 알긴 뭘 알아! 이 남자, 왜 이렇게 가깝게 다가오는 거야? 유미는 진욱에게 손을 잡힌 채 급하게 한 걸음 물러섰다. 그러자 진욱이 한 발 바짝 그녀에게 다가섰다.

"그거, 나한테만 하는 거지."

헉! 그런가? 유미는 그제야 자신이 진욱 앞에서만 딸꾹질을 터트린다는 사실을 깨달았다. 어머, 정말! 맹세코 그녀 역시 지금에서야 알아차렸다. 그녀가 아무 말도 하지 못하고 동그랗게 커진 눈으로 바라만 보자, 진욱의 입꼬리가 점점 위로 말려 올라갔다.

"나한테, 떨려?"

뭐? 너무 놀라서, 아니면 너무 기가 막혀서 일순간에 딸꾹질이 멈춰 버렸다.

두 사람 사이에 시간이 정지된 것 같은 침묵이 흘렀다. 진욱은 잠자코 대답을 기다리며 유미의 눈을 심각하게 들여다보았다.

잠시 후, 정신을 가다듬은 유미는 그에게 잡힌 팔을 뒤로 빼내고 마른침을 삼키며 입을 열었다.

"딸꾹질은…… 횡격막이 수축해서 일어나는 신체적인 반응일 뿐입니다. 똑똑하신 분이, 왜 딸꾹질을 하는지 모르진 않을 텐데요."

침착하게 말했음에도 진욱은 그녀의 눈빛이 불안하게 흔들리고 있다는 걸 놓치지 않았다.

"내가 묻는 건 그게 아닐 텐데……."

유미는 뭔가 결심한 듯 두 눈을 질끈 감으며 빠르게 대답했다.

"떨려서가 아니라, 불편해서 그런 거예요!"

그녀의 대답이 마음에 들지 않는지, 진욱이 크게 눈살을 찌푸렸다.

"불……편……해? 뭐가?"

진욱은 그녀의 대답이 이해되지 않았다.

떨리는 건 이해하겠는데, 홀리는 것도 이해하겠는데…… 뭐? 불편하다고? 그리고 그 상대가 바로…….

"설마 내가 불편하다는 거야?"

유미는 기선을 제압당하지 않기 위해 속에 있는 말을 속사포처럼 쏟아냈다.

"네! 본부장님이 사람을 얼마나 불편하게 하는지 모르죠? 본부장님만 보면 지워버리고 싶은 과거사가 자꾸자꾸 떠오른다고요! 그래서 너무너무, 엄청나게 불편해요!"

지워버리고 싶은…… 과거사?

그의 자존심이 또다시 무참히 와르르 무너져 내렸다.

"이유미 씨……."

유미는 진욱이 더 말을 꺼내기 전에 꾸벅 고개를 숙였다.

"이제 대답 됐죠. 전 이만 가보겠습니다."

유미는 영양사 가운 차림으로 테이블 위에 놓아둔 가방을 집어 들어 어깨에 둘러메고는 도망치듯 구내식당을 걸어나갔다.

텅 빈 구내식당에 혼자 남은 진욱은 부글부글 끓어오르는 감정을 내리누르며 유미의 뒷모습을 노려보았다.

"으윽."

또 한 번 그의 자존심에 커다란 생채기가 확 그어졌다.

Episode 14

쉬운 게 없구나

“똥구야. 누가 먼저 과자를 다 먹나 시합할까?”

“어, 쪼아(응, 좋아).”

“자, 그러면 시작한다. 하나, 둘, 셋! 먹자!”

“우아아아아!”

현태와 동구는 함성을 지르며 테이블에 놓인 과자 봉지로 달려들어 우다다 먹기 시작했다.

“뒤에서 호랑이라도 쫓아 오냐? 천천히 먹어.”

언제 왔는지 기진맥진한 모습의 유미가 가방과 영양사 가운을 집어 던지듯 소파에 내려놓으며 동구 옆에 털썩 앉았다. 입에 과자를 한가득 문 현태와 동구가 의아한 표정으로 유미를 바라보았다.

“으……제…… 와써(언제 왔어)?”

“과자 다 삼키고 말해.”

유미는 입 안에 가득한 과자 때문에 제대로 말을 못하는 현태에게 가볍게 핀잔을 준 다음, 가방에서 토끼 인형을 꺼내 동구에게 팍 안겨 주었다.

“자, 찾았다. 네 인형.”

동구 역시 입 안에 가득한 과자 때문에 말은 하지 못하고 그저 동그란 두 눈을 크게 뜨며 놀람을 표현했다. 끅끅거리며 어렵게 과자를 다

삼킨 동구가 세상을 다 가진 아이처럼 환하게 웃으며 토끼 인형을 앙증맞은 두 팔로 꼭 끌어안았다.

"으아, 내 또끼이(우와, 내 토끼)!"

싸구려 헝겊 쪼가리 인형 하나에 이리도 감동하는 동구를 보며 유미는 쓴 미소를 떠올렸다.

동구 때문에 이 고생을 하지만, 그래도 같은 핏줄이라고 귀여운 막내의 미소를 보면 짜증이 훨훨 저 멀리 날아가버렸다.

"……많이 피곤해 보인다."

물을 벌컥 들이켜 과자를 다 삼킨 후에야 현태가 어렵사리 말을 꺼냈다.

"그놈의 삼시 새끼가 오늘 엄청 갈궜나 봐?"

유미는 대답 대신 말도 꺼내지 말라는 듯 한 손을 흔들며 가방을 들고 자리에서 일어났다.

"난 그만 올라가서 쉴게. 동구, 너도 적당히 놀고 올라와. 잘 시간이야."

유미가 터덜터덜 카페를 걸어나가자, 옆 테이블에 있던 단골 여대생이 슬쩍 현태 쪽으로 상체를 기울였다.

"근데 얘는 누구예요? 조카예요?"

유미가 나간 쪽을 멍하니 바라보던 현태가 천천히 여대생 쪽으로 고개를 돌렸다.

그녀가 맥&북에 거의 매일같이 찾아오는 이유 중 자신이 있다는 걸 잘 알기에, 현태의 얼굴에 짓궂은 미소가 떠올랐다.

"얘?"

동구의 머리를 쓰윽 쓰다듬으며 현태가 활짝 웃어 보였다.

"내 아들."

현태의 말이 끝나기가 무섭게 물어본 여대생뿐만 아니라 카페에 있던 모든 여자가 놀란 눈으로 동구를 바라보았다.

"네에에?"

"아들?"

"오우, 노우!"

여자 손님들의 비명 같은 소리가 카페 안에 울려 퍼졌다.

"어?"

다시 재회한 토끼 인형과 뺨을 비비던 동구가 비명에 화들짝 놀라며 주위를 둘러보았다. 모두의 시선이 자신을 향하자, 동구는 어리둥절한 표정으로 현태를 올려다보았다. 이 누나들이 왜 이러지?

현태는 아무 말 없이 동구를 번쩍 들어 올려 자신의 어깨에 앉히며 손님 모두를 향해 씩 웃어 보였다.

[으으음, 제발…….]

가방을 뒤적여 현관문 열쇠를 꺼내려는데 집 안에서부터 야릇한 소리가 흘러나왔다.

설마……? 유미의 표정이 순식간에 딱딱하게 굳어갔다. 급하게 열쇠를 돌려 문을 벌컥 열자, 불이 꺼진 어두컴컴한 실내가 눈에 들어왔다. 빨간 네글리제 차림의 미희가 와인 잔을 든 채, 벽에 기대앉아 영화를 관람 중이었다. TV 화면 속에선 〈터질 거예요!〉의 한 장면이 진행되고 있었다.

빨간 조명의 침실 안에서 20대의 젊은 미희가 현재 미희가 입은 차림과 비슷한 빨간 네글리제를 입고 카메라를 향해 뇌쇄적인 미소를 던지며 천천히 걸어오고 있었다.

동시에 네글리제의 끈이 서서히 풀리며 끈끈한 색소폰 연주와 희미한 신음이 섞인 배경 소리가 점점 강렬해졌다.

"그거, 얼른 안 꺼?"

부들부들 떨며 화면을 노려보던 유미가 빽 소리를 지르자, 미희가 쓰윽 뒤를 돌아보았다. 그러나 그녀는 영화 속 자신의 젊은 모습에 푹 빠진 터라 유미의 말을 한 귀로 흘리며 와인을 들이켰다.

"그러지 마. 저건 네 엄마의 찬란한 화양연화라고."

화면 속의 젊은 미희가 비음이 섞인 목소리로 흐느끼듯 속삭였다.

[터질 거예요……. 터져버릴 거예요…….]

아슬아슬하게 어깨에 걸린 네글리제가 밑으로 흘러내려 미희의 몸이 드러나려는 순간…….

"터지기 전에 얼른 끄지 못해!"

사자가 포효하는 것 같은 유미의 비명에 미희는 흠칫 놀라며 할 수 없이 정지 버튼을 눌렀다. 화면 속 미희의 알몸이 드러나기 직전, 화면이 정지되었다.

"너는 다 알 만한 나이에 무슨."

리모컨을 내려놓으며 미희가 짜증 나는 얼굴로 유미를 흘겨보았다.

"이거 때문에 내 인생이 얼마나 꼬였는지 엄마가 알기나 해?"

"그게 무슨 말이야?"

"말하면 엄마가 알아?"

유미는 바닥에 가방을 홱 던져버리곤 다시 뒤돌아 집을 나가버렸다.

동시에 현관문이 '쿵' 소리를 내며 거칠게 닫혔다.

유미의 이유 없는 신경질을 하루 이틀 겪은 게 아니었기에 미희는 아무렇지 않은 듯 코웃음을 내며 다시 와인을 홀짝거렸다.

"성질머리하곤…… 저게 다 연애를 안 해서 그래요. 연애를."

단숨에 와인을 마신 미희는 빈 잔을 내려놓으며 다시 플레이 버튼을 꾹 눌렀다.

"야옹."

진욱이 대문을 열고 안으로 들어서자, 현관 앞에 다리를 벌리고 누운 고양이가 고개를 들고 아는 척을 했다. 진욱은 희미한 미소를 띠며 고양이에게 다가가 머리를 쓰다듬었다. 진욱의 손길에 고양이는 그르릉 소리를 내며 고개를 바닥에 뉘었다.

"깜순이, 너밖에 없구나."

자신을 마중하려 현관 앞에 와 있는 고양이를 보자 진욱의 코끝이 찡해졌다. 진욱은 고양이 옆에 앉으며 힘없이 현관 벽에 등을 기대어 한 손으로 고양이의 몸을 쓰다듬어주었다.

세상의 모든 여자가 그에게 슬픔을 안겨줄 때도 깜순이만은 마음의 위안을 주었다.

"그러고 보니 깜순이 너랑 같이 지낸 지도 3년이 넘었네."

"야오옹."

진욱의 말에 대답이라도 하듯 고양이가 긴 울음소리를 냈다.

3년 전, 진욱의 집 앞 길목 모퉁이에 길고양이가 몸을 풀었었다. 하지만 얼마 지나지 않아 길고양이는 새끼들을 이끌고 종적을 감추었다. 더 안전한 보금자리를 찾아 떠났겠지 하고 크게 신경 쓰지 않았는데 문제는 동네 아이들이 조몰락거렸던 검은 새끼 고양이 한 마리를 남겨두고 떠났다는 거다.

대문 앞에서 배고프다고 처량하게 우는 새끼 고양이를 본 진욱은 그날부터 밥을 챙겨주기 시작했다.

사료가 든 그릇을 내려놓으면 골목 어디선가 새끼 고양이가 나타나곤 했다. 그리고 진욱을 보자마자 반갑다는 듯 그의 다리에 자신의 몸을 쓰윽 문질렀다. 진욱이 허겁지겁 밥그릇을 비우는 고양이의 머리를 쓰다듬으면 먹는 데 정신이 팔린 고양이는 그의 손길을 피하지 않았다.

"네 엄마도 참 독하다. 사람 손 좀 탔다고 새끼를 두고 가버리다니."

딱한 표정으로 고양이를 바라보던 진욱이 혼잣말처럼 중얼거렸다.

"꼭 누구 엄마 같네. 그렇지?"

"야옹."

새끼 고양이는 맞장구치듯 잠시 먹는 걸 멈추고 서럽게 울어댔다.

그렇게 시작된 인연은 지금까지 계속되었다.

골목에 놓아두었던 고양이의 밥그릇이 조금씩 진욱의 집에 가까워지더니 결국 현관에 자동 사료 급식기가 생겼다. 얼마 전 고양이 깜순이가 새끼를 가진 이후부터는 고양이가 드나들 수 있는 문을 따로 만들어 집 안 출입까지 허락했다. 그 이후로 깜순이는 진욱이 퇴근할 때쯤이면 어김없이 현관 앞에 누워 그를 맞이했다. 누워 있는 모습을 보니 배가 전보다 더 불룩해진 것 같았다.

진욱은 답답한 듯 넥타이를 끄르며 고개를 젖혀 밤하늘의 별을 바라보았다. 자꾸만 유미의 마지막 말이 귓속에서 맴돌아 돌아버릴 것만 같았다.

—지워버리고 싶은 과거사가…… 지워버리고 싶은…… 싶은…….

"누가 할 소리를!"

진욱은 화난 표정으로 주먹을 불끈 움켜쥐었다. 그러자 깜순이가 고개를 들더니 위로하듯 그의 주먹을 혀로 할짝할짝 핥기 시작했다.

"고맙다, 깜순아. 너밖에 없다. 후우."

진욱은 길게 한숨을 내쉬며 깜순이의 머리를 손으로 쓰다듬었다.

"흐음."

그나저나 화가 난 건 화가 난 거고, 아까부터 속이 더부룩하고 불편해서 두통이 몰려올 지경이었다. 오늘 너무 과식했나?

진욱은 가슴께를 주먹으로 내리누르며 괴로운 듯 미간을 찌푸렸다.

"3년 만인가?"

유미는 동네 공원 벤치에 양반다리를 하고 앉아 방금 편의점에서 사온 팩 소주를 심각하게 바라보았다.

잠시 후, 그녀는 결심한 듯 빠르게 소주의 포장을 뜯었다. 클럽에서 샴페인 한 모금을 마셨던 걸 제외하곤 정말 3년 만에 처음으로 마시는 술이었다. 유미는 크게 숨을 들이마시곤 단숨에 벌컥벌컥 소주를 들이켰다.

"으, 쓰다."

입에서 소주를 떼어낸 유미가 크게 미간을 찌푸렸다. 까맣게 잊고 있었는데, 소주는 뒷맛이 엄청 쓰다.

"크아."

유미가 손등으로 막 입술을 훔치는데 그녀 옆으로 비닐봉지가 툭 떨어졌다. 옆으로 고개를 돌리자 현태가 그녀 옆에 털썩 앉았다.

"영양사가 그게 뭐냐? 강소주나 마시고. 그러다 속 버려."

현태가 투덜거리며 미니 소시지를 내밀자, 유미가 심드렁한 표정으로 소시지를 건네받아 크게 한입 베어 물었다.

"어렵겠지만, 네가 어머니를 이해해."

묵묵히 소시지를 먹는 유미를 지켜보던 현태가 부드러운 목소리로 말을 꺼냈다.

"뭐랄까…… 조금 남다르시잖아."

"언제까지?"

"응?"

현태가 제때 대답을 못 하자 유미는 크게 한숨을 내쉬었다.

"후우…… 얼마나 더? 언제까지, 더 이해해야 하는데? 중학교 때, 그때부터 지금까지…… 나, 어떻게든 엄마 이해해보려고 무지 노력했어."

유미의 입에서 중학교 때의 이야기가 나오자 현태는 표정을 굳히며 입을 다물었다. 그녀가 중학교 때 무슨 일이 있었는지는 현태와 소영 등 아주 친한 친구 몇 명만 알고 있었다.

하지만 모든 걸 상세하게 털어놓진 않았기에 그저 짓궂은 놀림이 있었다고 예상할 뿐, 왜 유미가 이토록 트라우마에 시달리는지는 정확히 알 수 없었다.

"엄만 늘 자기 맘대로야. 갑자기 나타나서 모든 걸 다 뒤흔들어. 내가 아무리 이해하려고 노력해봤자 엄마는……."

눈물이 왈칵 쏟아질 것 같아 유미는 아랫입술을 꽉 깨물었다.

—엄마가 에로 배우래.

—헐, 대박!

지금도 아이들의 속닥거림이 귓가에 들리는 것만 같다.

중학생 시절, 학생들 대부분은 유미가 지나갈 때마다 자기들끼리 손가락질하며 비웃었었다.

질이 나쁜 남학생들은 아예 대놓고 그녀에게 짓궂은 장난을 퍼부었다. 물풍선을 얼굴 위에 빵 터뜨리며 '터질 거예요!'를 외쳤고 그 바람에 물에 흠뻑 젖은 유미를 보며 '와하하!' 웃음을 터뜨렸다. 하지만 그 정도는 힘들긴 했지만 견딜 수 없을 정도는 아니었다. 유미를 가장 슬프게 했던 건 믿었던 단짝 친구의 배신이었다. 그리고 그 아이의 입에서 나왔던 그 말.

—재수 없어. 누가 에로 배우 딸 아니랄까 봐!

"다 엄마 때문이야!"

과거를 회상하던 유미가 어느새 혀가 꼬인 소리로 투덜거렸다.

하도 오랫동안 술을 마시지 않다가 마셔서 그런지 겨우 팩 소주 하나에 알딸딸했다. 유미는 술에 취해 무거운 눈을 느리게 깜빡이며 다른 팩 소주의 포장을 뜯었다. 그리고 소주를 한 모금 꿀꺽 들이마셨다.

"또 뭐가 엄마 때문이야?"

애써 가져다준 안주는 먹지 않고 소주만 마시자, 현태는 다른 소시지의 껍질을 까서 유미에게 내밀었다. 소시지를 건네받으며 유미는 다시 볼멘소리로 투덜거렸다.

"왜 하필 그 리조트냐고! 거기서 결혼식만 안 했어도 내가 이렇게……. 후우."

술이 꽤 취했는지 유미는 소시지를 제대로 입에 넣지도 못하고 밑으로 고개를 푹 숙였다. 그리고 혀가 잔뜩 꼬인 소리로 혼잣말처럼 중얼거렸다.

"내가 딴 데도 아니고…… 차에서 그렇게…… 어? 한밤중에 바닷가에서 삼시 새끼 그 자식이랑 막 그렇게까지는 안 그랬을 거라고…… 내가, 나처럼 정숙한 여자가 말이지……. 그게 말이 되……냐?"

"뭐라는 거야. 야, 그만 가자. 너, 너무 많이 마셨어."

현태는 앞뒤 맞지 않게 흘러나오는 유미의 말이 도통 이해가 되지 않았다.

"너 술 꽤 세잖아? 취해도 주정이란 걸 모르던 애가 오늘은 왜 이러실까? 너무 오랫동안 안 마셔서 그래?"

그러나 유미의 귀에는 현태의 말이 하나도 들어오지 않았다. 멍한 얼굴로 밤하늘의 별을 바라보는 그녀의 눈가에 촉촉한 물기가 서리기 시작했다.

"그때 안 그랬으면……. 지금이랑은 좀…… 달랐을까……?"

이내 그녀의 얼굴에 자조적인 미소가 떠올랐다. 유미는 입꼬리를 비틀며 가만히 고개를 흔들었다.

"지금 무슨 생각을 하는 거야? 내가…… 후, 미쳤나 봐."

그 말을 끝으로 유미는 고개를 푹 숙이더니 현태의 어깨로 쓰러졌다. 놀란 현태가 두 팔로 유미를 확 받아 안으며 짧게 외쳤다.

“야, 야! 이유미! 여기서 잠들면 어떡해! 야, 인마!”

이렇게 뻗어버리면 업거나 안아서 집에 데려가야 한다는 말인데……. 아무리 흔들어도 유미가 깨어나지 않자, 현태는 울 것 같은 얼굴로 외쳤다.

“야, 너 은근히 무겁단 말이야!”

“갑작스러운 통보였는데도 역시 신경 쓰고 오셨군요.”

오늘따라 한결 멋을 내고 헤어스타일까지 완벽하게 손질한 진욱을 보며 우진이 뿌듯한 표정을 지었다. 그러나 진욱은 그런 우진을 향해 불편한 기색을 드러냈다.

“바쁜데 방송은 왜 갑자기 잡은 거야? 줄줄이 잡힌 회의가 몇 개인지 몰라서 그래?”

어젯밤 진욱은 오늘 오전에 방송 인터뷰가 잡혔다는 연락을 받았다.

어제 너무 과식해서 속도 편치 않은데, 인터뷰라니! 가슴 아래를 살짝 짚으며 진욱이 눈살을 살짝 찡그렸다. 그런 진욱의 상태를 눈치채지 못한 우진이 빠르게 대답했다.

“회장님 특별 지시가 있으셔서…….”

“회장님이? 그럼 아버지가 방송에 나가시면 되잖아?”

“그래도 브랜드 홍보를 하려면 본부장님이 나가시는 게 좋죠. 젊은 세대를 위한 젊은 언더웨어. 이번 신제품이 바로 그런 콘셉트니까요. 나쁘진 않을 것 같습니다.”

계속 가슴에 손을 얹은 채 입술을 꽉 깨무는 진욱을 보고 우진은 그제야 걱정스럽게 물었다.

"어디…… 불편하십니까?"

"아니, 그냥. 속이 좀 갑갑해서……."

진욱은 손등으로 이마의 식은땀을 닦아내며 빠르게 엘리베이터 쪽으로 향했다.

"한 시간 이상은 안 된다고 해."

엘리베이터 앞에 다다른 진욱은 저 앞에 엘리베이터를 기다리며 서 있는 유미를 발견하곤 우뚝 멈춰 섰다.

착 가라앉은 어두운 표정의 유미는 내려오는 층의 불빛을 바라보느라 진욱이 다가온 것을 전혀 알아채지 못하고 있었다.

진욱은 유미를 무시하고 그녀와 등진 채 맞은편 엘리베이터로 다가갔다. 우진은 두 사람을 번갈아 보다가 잠자코 진욱의 옆으로 걸음을 옮겼다. 빤히 엘리베이터의 불빛을 바라보려는데 뒤에서부터 유미의 목소리가 들렸다.

"어…… 현태야."

'현태'라는 말에 진욱은 눈썹을 꿈틀거리며 반사적으로 고개를 돌려 뒤를 돌아보았다. 유미는 진욱이 가까이 있다는 걸 모른 채 휴대폰을 귀에 대고 통화에 열중했다.

"어제, 잘 들어갔어?"

어제? 그래놓고 어제 기어이 놈팡이 녀석을 만난 거였어? 진욱은 욱하고 치밀어 오르는 감정에 주먹을 불끈 쥐었다.

"됐어. 넌 일 안 해?"

논다, 놀아. 아주 꿀이 뚝뚝 떨어지는군.

"뭘 또 데리러 와."

'데리러 와?' 하는 말에 진욱의 눈썹이 꿈틀 일그러졌다.

놈팡이 녀석이 그래도 데리러 오겠다고 하는 듯, 유미가 어쩔 수 없이 피식 웃으며 고개를 끄덕였다.

"알았어. 그럼 이따 봐."

이따가 보긴 뭘 이따가 봐! 발이 없어? 왜 혼자 집에 못 가고 자꾸 데리러 오겠다는 거지! 놈팡이 녀석과 통화하는 유미의 얼굴 만면에 다정한 미소가 서려 있었다. 연인과 달콤한 대화를 나누는 여자의 모습이란 바로 이런 거겠지?

유미가 전화를 끊자마자 엘리베이터 문이 열렸고, 그녀는 곧바로 엘리베이터 안으로 들어섰다. 그녀가 탄 엘리베이터 문이 닫히자, 이어서 진욱이 기다리던 엘리베이터의 문이 스르르 열렸다. 그러나 진욱은 엘리베이터에 오르지 않고 그 자리에 그대로 얼어붙어버렸다.

엘리베이터에 타려 앞으로 나서던 우진이 제자리에 멈춘 진욱을 발견하고 걸음을 멈추었다.

"본부장님, 안 타십니까?"

진욱은 대답 대신 불타는 눈으로 앞을 노려보았다. 그러다 대뜸 굳은 표정으로 우진에게 고개를 돌렸다.

"가서 이유미 영양사한테 전해."

"네? 단체 도시락이요?"

유미는 어안이 벙벙한 표정으로 마주 선 우진을 바라보았다. 우진

역시 약간 난처한 듯 설명을 이어갔다.

"본부장님이 오늘 점심에 방송 인터뷰가 있습니다. 그래서…… 음…… 방송 스태프 도시락까지 준비하라고 하시네요. 한 10인분쯤 되려나요?"

"아니, 왜 제가 스태프 도시락까지 준비해야 하죠?"

"그냥. 그러고 싶어서."

우진은 무표정으로 진욱의 말투를 재빨리 흉내 냈다.

"……라고 본부장님이 말씀하셨습니다."

유미는 하얗게 질린 얼굴로 주먹을 꽉 움켜쥐었다. 어제의 불편하다는 발언이 오늘의 아주 거대한 엿이 되어서 돌아온 모양이다.

이렇게 되면 불편한 것뿐만 아니라, 불쾌, 불만까지 합쳐진 '불' 시리즈 3종 세트 되시겠다!

우진은 어두운 유미의 안색을 살피다 다시 말을 이어나갔다.

"그리고…… 오늘 저녁에는 브랜드 팀 회의 일정에 맞춰서, 직원들의 단체 도시락을 준비해주셔야 합니다, 흐음…… 한 20인분쯤?"

"네에에……?"

아주 날을 잡았구나, 날을 잡았어!

"그 정도 양이면 그냥 구내식당 음식을 용기에 따로 담아가시면 안 될까요?"

"글쎄요. 그건 아마도 안 될 겁니다."

그렇지. 안 되겠지. 다 나를 골탕 먹이려는 수작일 텐데…….

얼핏 보기엔 무표정한 우진도 속으로는 어쩔 줄 몰라 하고 있을 것이다. 그 역시 어쩔 수 없이 상부의 명령을 따르는 것뿐이니까.

"후우."

유미는 동병상련의 눈빛으로 우진을 바라보며 한숨을 내쉬었다.

그래, 장 비서님이 무슨 잘못이겠어? 모두 쫀쫀한 삼시 새끼가 꾸민 일인 걸.

"일단 알겠습니다."

유미는 비틀비틀 구내식당을 향해 걸어갔다. 그녀의 뒷모습을 바라보던 우진은 고개를 설레설레 내저으며 등을 돌렸다.

"……나도 영 이해가 안 돼."

우진은 혼잣말처럼 입 속으로 중얼거리며 엘리베이터의 버튼을 꾹 눌렀다.

한동안 여자를 돌처럼 멀리하던 진욱이건만, 갑자기 왜 저러는지 도통 알 수가 없었다. 두 사람 사이에 도대체 무슨 일이 있었는지는 모르겠지만, 진욱이 아무런 이유 없이 저런 유치한 갑질을 벌이진 않을 것이다.

우진은 엘리베이터의 불빛을 빤히 쳐다보며 지금까지 일어났던 일들을 머릿속에서 정리하기 시작했다. 곰곰이 뒤집어보면 이상한 점이 한두 가지가 아니긴 했다.

"흐음……."

오랫동안 진욱을 옆에서 지켜보며 발달한 촉이 어느새 기지개를 피며 꿈틀거렸다. 역시, 그렇고 그런 것인가? 만약에 그게 사실이라면?

"후……."

우진의 입에서 한숨 같은 웃음이 흘러나왔다.

"진욱이 녀석, 밀당 한번 참 살벌하게 하네."

우진은 좌우로 고개를 내저으며 마침 도착한 엘리베이터 안으로 걸어 들어갔다.

“주혜리, 이거, 네 작품이지!”

인터뷰를 위해 옥상 정원에 도착한 진욱은 자신을 향해 반갑게 손을 흔드는 혜리를 발견하곤 꿀꺽 마른침을 삼켰다.

“뭐가?”

혜리는 짐짓 아무것도 모르는 척 놀란 눈으로 진욱을 바라보았다. 오늘 혜리는 평소보다도 더 신경 써서 꾸몄는지 머리끝에서 발끝까지 완벽하게 치장하고 있었다.

하지만 그게 무슨 소용일까? 진욱의 눈에는 중학생 소녀가 어른 흉내를 내며 화장을 덕지덕지한 것처럼 보일 뿐이거늘.

진욱은 어두운 표정으로 주위를 쓰윽 둘러보았다. 방송 스태프들은 조명과 카메라 장비를 바쁘게 세팅 중이었고 피디와 작가는 구성안을 들춰보며 심각하게 의견을 주고받고 있었다. 혜리가 대답하지 않아도 오늘의 인터뷰가 어떻게 해서 결정되었는지 알 것 같았다. 어쩐지 뭔가 불길하다 했다. 방송 타는 걸 그렇게 좋아하는 차 회장이 어떻게 된 건지 이번엔 부득이 진욱이 해야 한다고 고집부릴 때부터 뭔가 의심스럽긴 했다. 깜순이가 앞에 놓인 연어 구이를 그냥 지나치지 않듯이 아버지 역시 방송 출연 기회를 그대로 놓칠 리가 없는데, 경계했어야 했는데……. 제길!

차 회장과 혜리의 공동 작품이란 걸 깨달은 진욱은 낭패감에 입을 굳게 다물었다.

“일 핑계라도 대야 내가 오빠 얼굴을 볼 수 있잖아.”

혜리는 진욱의 기분 나쁜 표정은 전혀 아랑곳하지 않고 연신 생글생글 웃고만 있었다.

"오빠, 오늘 진짜 근사하다!"

웃는 것도 모자랐는지 혜리는 혀 짧은 목소리로 애교를 부렸다. 넌 도대체 눈치가 없는 거냐? 아니면 무식할 정도로 막무가내인 거냐? 진욱은 아무 말도 하지 않은 채, 그저 싸늘한 눈으로 혜리를 바라보았다. 그녀는 알까? 이런 황당한 일을 꾸밀 때마다 진욱의 눈에는 그녀가 영락없는 철부지 꼬마로 보인다는 걸!

"어떤 배우도 오빠 비주얼 절대로 못 따라가. 역시 내 남자는 다르다니까."

혜리가 바짝 다가서며 멀쩡한 넥타이를 바로 매주려 하자, 진욱은 인상을 찌푸리며 몸을 뒤로 뺐다.

"내 남자는 무슨! 이 차진욱은 누구의 소유도 아닌 거 몰라?"

진욱은 주위를 살핀 후, 어금니를 꽉 깨물고 내뱉듯이 말했다.

"주혜리, 일하러 왔으니까 일이나 하자, 응?"

그때 막 피디와 회의를 마친 여 작가가 두 사람에게 다가왔다.

"차 본부장님, 오늘 시간 내주셔서 정말 감사해요. 엄청 바쁘시다고 들었는데, 혜리 씨의 전화 한 방에 바로 스케줄 빼주셨다면서요?"

진욱은 '저에게 전화한 게 아니라 회장님께 전화한 거였습니다!'라고 말하고 싶은 걸, 혀끝을 깨물며 꾹 참았다. 그런 사연이 있는 걸 전혀 모르는 여 작가는 의미심장한 눈빛으로 두 사람을 바라보았다.

"그런데 두 분, 무슨 사이죠?"

"어머, 작가님."

그 물음에 혜리는 얼굴을 빨갛게 물들이며 다소곳하게 눈을 내리깔았다. 계획했던 대로 일이 착착 진행되네, 흐흐.

혜리는 오늘 확실히 진욱에게 도장을 쾅 찍을 계획이었다. 그리고 지금이 바로 절호의 기회였다. 누가 먼저 손대기 전에 '차진욱은 주혜리의 남자!'라는 것을 소문내려면 방송 스태프의 입처럼 좋은 수단은 없었다. 아주 빠른 속도로 기자의 귀에 흘러들어갈 테고, 아마 일주일을 넘기지 않고 특종이라며 신문과 온라인에 핑크 빛 기사가 쫙 퍼져나갈 것이다.

최고의 미녀 아나운서 주혜리와 대복 그룹 후계자 차진욱과의 열애! 주혜리 아나운서, 올해 결혼과 함께 은퇴할 예정.

아우, 상상만 해도 짜릿해서 미칠 것 같아! 혜리는 한 손으로 입을 가리며 몸을 비비 꼬았다.

"그게요…… 그러니까, 음, 오빠는 저의 남……."

아니, 얘가 지금 어디서 함부로 입을 놀리려고!

"남매!"

어떤 황당한 말이 혜리의 입에서 나올지 알 수 없어 진욱은 황급히 그녀의 말을 잘라버렸다.

"저한테는 혜리는 친, 여, 동, 생, 같은 아이입니다."

진욱은 그 사실을 증명해 보이기라도 하듯이 한 손으로 혜리의 머리를 마구 쓰다듬었다. 그 탓에 공들여 손질한 머리가 헝클어졌다.

"꺅, 오빠!"

절호의 기회를 무산시킨 것도 모자라서 공들여 손질한 머리까지 망가뜨리려고 하다니!

혜리는 진욱을 흘겨보며 더는 헝클어뜨리지 못하게 서둘러 두 손으로 자신의 머리를 감쌌다.

"저, 그런데요. 원래 오빠, 오빠 하다가 아빠가 되는 거거든요. 아빠,

아기 아빠. 호호호."

그녀 딴에는 여동생이란 진욱의 대답을 덮어버리려고 한 말이었다. 하지만 그건 어디까지나 혜리만의 생각이었나 보다. 진욱과 여 작가는 황당한 눈으로 혜리를 바라보더니 '큭' 웃음을 터뜨렸다.

"죄송합니다. 혜리가 다 좋은데 어릴 때부터 유머 감각이 좀 떨어져서요. 야, 인마. 하나도 안 웃기다."

진욱은 또다시 완전 친여동생처럼 혜리의 머리통을 한 손으로 쓰다듬었다. 그리고 재빨리 여 작가를 향해 활짝 웃어 보였다.

"촬영 후 다 같이 식사하시죠. 회사에서 도시락을 준비했습니다."

'도시락'이란 말에 혜리의 입매에 작은 경련이 일어났다.

자꾸만 일이 틀어지는 것도 열 받아 죽겠는데, 뭔 도시락?

"회사에서 무슨 도시락을? 혹시, 그 영양사 부른 거야?"

"자, 얼른 시작합시다."

진욱은 혜리의 질문을 무시하며 아무런 대답 없이 카메라 쪽으로 걸어가버렸다.

"아우, 진짜!"

정말로 배추 쪼가리 영양사를 불렀나 보다! 도대체 왜 자꾸만 그 볼품없는 여자를 끼고도는 건데!

부글부글 울화가 치밀어 올라 혜리는 비명이라도 지르고 싶었다. 하지만 지금까지 어렵게 쌓아 올린 고상한 이미지가 있는데 스태프 앞에서 추태를 부릴 수는 없었다. 그렇다고 그냥 넘겨서도 안 된다. 어떻게 해서 만든 기회인데……. 아랫입술을 잘근잘근 깨물며 머리를 굴리던 혜리는 뭔가 꼼수가 떠오른 듯 손가락을 튕겼다.

"흥. 어디 두고 봐, 오빠."

혜리는 입가에 비릿한 웃음을 떠올리더니 주머니에서 휴대폰을 꺼내 들었다.

"어떻게 안 될까요? 10인분이나 되는 분량을 도저히 저 혼자 할 순 없을 것 같은데…… ."

유미의 애원에 은비, 신화, 제니는 대답을 하지 못하고 서로 눈치만 보았다. 회사 규칙상 구내식당 음식은 특별한 경우가 아니고선 외부로 내갈 수 없었다.

하지만 급식 회사는 대복 그룹과 장기 계약을 맺으며 이유미 영양사가 업무 외 수당을 받는 조건으로 차진욱 본부장의 도시락을 만드는 것을 눈감아주기로 했다.

그런데 이번엔 방송 스태프의 도시락을 준비하라니……. 절대로 유미 혼자 할 수 없는 일이라는 건 알고 있었지만, 조리사들이 선뜻 나서서 도와줄 수도 없는 난처한 상황이었다. 모두 이러지도 못하고 저러지도 못한 채 가만히 있자, 비닐장갑을 끼고 나물을 무치던 복자가 총대를 메기로 했다.

"유미 쌤도 잘 알잖아. 그냥 구내식당 음식을 덜어가는 것도 아니고 새로운 음식을 준비해야 하는데 우리가 그런 여유가 어디 있어. 유미 쌤, 혼자 죽이 되든 밥이 되든 알아서 한다고 하지 않았어?"

"네, 그렇긴 한데……."

그렇긴 하다. 그리고 지금 이건 차진욱이 개인적인 감정으로 그녀에게 심통을 부리는 거였다.

"죄송해요. 어려운 부탁드려서. 걱정하지 마세요. 제가 알아서 하겠습니다."

그래, 이건 삼시 새끼와 나와의 일이야. 나 혼자 맞서 싸워야 한다! 유미는 팔을 걷어붙이며 조리대 한쪽에 자리를 잡고 식재료를 내려놓았다. 이어서 빠른 손놀림으로 재료를 다듬은 후, 씻을 준비에 들어갔다.

짧은 시간상 아무래도 그냥 샐러드와 샌드위치 정도로 간편한 도시락을 만들어야 할 것 같다. 유미는 우선 양상추와 토마토, 오이를 물에 씻고 칼로 빠르게 썰어나갔다. 닭고기 가슴살을 그릴에 굽고 잘게 자르고 껍질을 깐 삶은 달걀은 곱게 으깨어 허니 머스터드 소스와 마요네즈와 버무렸다.

벽시계를 보며 시간에 맞추어 허둥지둥 준비하다 보니 올리브 오일로 버무린 샐러드에 발사믹 식초 대신 간장을 붓는 실수를 저지를 뻔했다.

"앗, 큰일 날 뻔했네."

유미는 놀란 마음을 진정하며 이마에 맺힌 식은땀을 손등으로 닦아냈다. 그런 유미를 조리사들이 안쓰러운 눈빛으로 바라보았지만, 그들도 점심 준비에 바빠 선뜻 도와줄 수 없었다.

유미는 '좋아, 누가 이기나 보자!' 하는 오기로 입을 꼭 다물고 줄줄이 놓인 투명 일회용 용기에 샐러드를 열심히 담기 시작했다.

"3D 테크놀로지 특허 기술을 도입해 좀 더 활동적이고 편안한 제품을 생산하자는 것이 저희 브랜드의 모토입니다."

진욱은 카메라를 의식하지 않고 여유롭게 다리를 꼬고 앉아 맞은편의 혜리를 자연스러운 눈으로 바라보았다. 혜리 역시 인터뷰 전문가답게 화사한 미소를 머금으며 진욱의 말에 가만히 고개를 끄덕였다.

"런칭 3년 만에 업계 1위에 등극한 비결이 뭐라고 생각하세요?"

"글쎄요. 비결이라……."

생각을 정리하려는 듯 잠시 말을 끊은 진욱이 다시 말을 이어나갔다.

"저를 비롯한 대복 직원 한 명, 한 명, 모두 잠을 줄이고 식사도 제때 챙기지 못하면서까지 열심히 뛰고 노력한 결과라고 생각합니다."

무뚝뚝한 말투로 대답을 마친 진욱은 카메라를 바라보고 싱긋 웃어 보였다. 촬영 모니터 안으로 매력적인 진욱의 미소가 가득 채워졌다.

오늘따라 진욱은 온몸에서 아우라가 뿜어 나오는 것처럼 눈부시게 멋있었다. 혜리는 인터뷰 중이라는 사실도 잊어버린 채, 넋 잃은 표정으로 진욱을 바라보았다.

바라보는 것만으로도 이렇게 황홀한데……. 오빠의 품에 안기면 과연 어떤 기분일까? 막무가내로 싫다는 진욱에게 억지로 안기는 것이 아니라, 그가 먼저 저 넓은 가슴으로 꽉 안아준다면 얼마나 좋을까!

중학생 시절, 아버지를 만나러 학교에 갔다가 마침 모교를 방문 중이던 진욱과 처음 만났던 날이 문득 떠올랐다.

—아, 네가 바로 주혜리구나. 선생님께 말씀 많이 들었어.

그녀를 보며 밝게 웃어주던 진욱은 어린 소녀의 눈을 멀게 할 만큼 황홀했다.

'만찢남'이라는 게 정말 세상에 존재하는구나!

진욱과의 만남 후, 혜리는 무의식적으로 손에 들린 만화 주인공의 화보를 쫙 찢어버렸다. 이제 그녀에게 만화 속의 남자 주인공은 필요 없었다. 바로 그녀의 앞에 만화를 찢고 나온 남자가 있었으니까. 실제가 여기 있는데 뭐하러 허상을 좇느냐고, 안 그래?

그랬다. 그날부터 지금까지 그 오랫동안 그녀에겐 차진욱만이 유일한 남자였다. 앞으로도 그럴 것이고, 다시 태어난다고 해도 마찬가지일 것이다. 할 수만 있다면 아예 처음부터 진욱을 향한 모든 여자의 시선을 막아버리고 싶었다.

"업계 1위를 차지한 것도 중요하지만, 지키는 것도 그만큼 중요한데요. 이를 위한 특별한 계획이라도 있습니까?"

카메라를 향해 환한 미소를 짓던 진욱은 다음 질문에 답하기 위해 혜리에게로 고개를 돌렸다. 아직도 그의 입가에는 희미하게나마 미소가 걸려 있었다.

언제나 보는 미소지만, 볼 때마다 심장이 쿵, 떨어지는 것만 같았다. 저 미소, 저건 내 거야. 절대로 어느 여자에게도 빼앗기지 않을 거라고! 혜리는 질문지를 꽉 움켜쥐며 확고한 결의에 찬 눈빛으로 진욱을 뚫어져라 응시했다.

"하아, 됐다."

유미는 양손 가득히 도시락이 담긴 쇼핑백을 들고 어깨로 밀어 옥상문을 열었다.

정신없이 도시락을 만들었던 상황을 설명해주듯이 그녀가 입은 가운에는 토마토소스와 허니 머스터드, 마요네즈 등이 범벅되어 있었다. 아침에 단정하게 묶었던 머리 역시 보기 안쓰러울 정도로 헝클어져 있었다.

그래도 짧은 시간 내에 누구의 도움도 받지 않고 10인분이나 되는 도시락을 혼자 만들어냈다는 사실에 가슴 뿌듯했다. 그래, 이 정도는 아무것도 아니야! 아무리 진욱이 못살게 괴롭힌다고 해도 중학교 시절, 아이들에게 놀림 받던 거에 비하면 새 발의 피일 뿐이다. 그리고 곰곰이 생각해보면 너무나 당황한 탓에 마음에도 없는 소리를 해버렸다.

—설마 내가 불편하다는 거야?

어젯밤, 그녀의 대답을 듣고 아연실색하는 진욱의 얼굴이 아직도 눈앞에 아른거렸다. 솔직히 불편하지 않은데……. 그와 부딪힐 때마다 마음이 편한 건 절대로 아니었지만, 그렇다고 불편한 건 아니었다. 그냥 심장박동 수가 좀 빨라지고, 시도 때도 없이 딸꾹질이 튀어나올 뿐. 그러다 그가 싱긋 웃기라도 해주면……. 설레었다. 3년 전, 그날처럼……. 가슴 한쪽이 간질간질 빠근할 정도로 죄였다.

—나한테, 떨려?

지금도 귓가에 들리는 것 같은 진욱의 나직한 목소리.

음, 이게 바로 떨리는 건가?

유미는 떨리는 마음을 다잡으며 세차게 고개를 흔들었다. 떨리는 게 사실이라고 해도 절대로 그의 앞에서 티를 내선 안 된다.

"유미 쌤, 못 도와드려서 정말 죄송해요."

갑자기 들려오는 신화의 목소리에 유미가 뒤를 돌아보았다. 그녀를 따라서 옥상에 올라온 신화가 미안한 얼굴로 자신이 든 쇼핑백을 내밀었다. 도저히 혼자 다 들고 올 수 없어, 두 번에 나누어 가져오려고 반은 놓아두고 왔는데 신화가 그녀를 위해 들고 온 모양이었다. 유미는 금방이라도 울음을 터뜨릴 것 같은 신화를 향해 부드럽게 웃어주었다.

"아냐. 여기까지 들어다줘서 고마워. 점심 배식 시작하겠다. 얼른 가 봐. 손 모자라잖아."

"괜찮겠어요?"

"응. 나도 도시락 전달만 하고 바로 갈게."

"유미 쌤, 대신 우리가 나중에 치맥 쏠게요."

"알았어. 고마워."

쇼핑백을 넘긴 신화는 손목시계를 보며 부리나케 옥상 계단을 내려갔다. 유미는 쇼핑백을 양손에 들고, 안고, 낑낑대며 인터뷰가 진행되는 옥상 정원으로 향했다.

"저……."

유미는 최대한 목소리를 죽이며 앞에 선 스태프 중 한 명을 불렀다. 그러나 남자는 조명 반사판을 조정하라는 촬영 감독의 지시에 뒤도 돌아보지 않고 옆쪽으로 가버렸다.

할 수 없이 그 옆에 서 있는 여자 스태프에게 말을 걸려는 순간, 그녀 역시 피디의 지시에 따라 다른 쪽으로 자리를 이동했다. 스태프 모두 촬영에 집중하느라 유미의 존재를 모른 채 바쁘게 움직이고 있었다.

결국 유미는 촬영에 방해가 되지 않도록 조금 떨어진 곳에 쇼핑백을 내려놓았다. 그리고 먼발치에서 진욱과 혜리를 바라보았다. 방송 출연을 위해 오늘따라 더 신경 써서 차려입은 덕분인지 저 앞에 앉은 진욱은 더더욱 근사해 보인다.

진욱 앞에 마주 앉은 혜리 역시 평소의 인형처럼 깜찍한 모습과는 다르게, 전문 아나운서다운 고상하고 우아한 분위기를 풍겼다. 두 사람을 비추는 환한 조명 때문일까? 서로 마주 보고 앉은 진욱과 혜리는 마치 다른 세계의 사람처럼 느껴졌다.

"……멋지다."

유미의 눈으로 보기에도 두 사람은 너무나 잘 어울리는 한 쌍이었다. 주혜리는 '나한테 떨려?'라는 진욱의 질문에 뭐라고 대답할까? 나처럼 바보처럼 비겁하게 도망가진 않겠지? 왠지 모르게 입 안이 씁쓸하고 목이 메자, 유미는 손바닥으로 가슴을 쓸어내렸다.

"음……. 이 질문은 앞의 내용과 중복이 되니까 필요 없고……."

한참 동안 질문지를 들여다보던 혜리가 진욱을 향해 살며시 고개를 들었다. 오늘 그녀가 진욱에게 해야 할 방송용 질문은 거의 끝마친 것 같았다. 확인을 위해 혜리는 촬영 모니터를 열심히 주시하는 피디와 작가에게 시선을 돌렸다. 그때 마침 촬영장 뒤쪽에 서 있는 유미의 모습이 시야에 들어왔다.

꾸미는 건 둘째치고라도 한눈에 보기에도 엉망으로 구겨진 가운에 헝클어진 머리라니! 저런 여자와 진욱을 두고 싸운다는 것조차 자존심이 팍 상했다. 혜리는 차가운 눈으로 유미를 노려본 후, 다시 질문지로 눈길을 돌렸다.

이제 그녀에게는 오늘의 핵심 질문이 남아 있었다. 아까는 방심하다 기회를 놓쳤지만, 이번엔 어림없다!

"지금까지 차 본부장님이……."

혜리는 치아가 드러나게 웃으며 눈꼬리를 반달 모양으로 휘었다.

왜 갑자기 저렇게 웃는 거지? 진욱은 반짝 긴장한 눈길로 그녀의 다음 질문을 기다렸다. 혜리의 저런 눈웃음 뒤에는 항상 뭔가 꿍꿍이가 있곤 했다. 오늘도 예외일 리가 없다.

"워낙 바빠서 연애할 시간도 없으시겠네요."

역시나 예상하지 못한 질문으로 치고 들어온다.

"뭐, 그거야……."

'지금 인터뷰와 제 사생활이 무슨 상관이죠?'라고 말하고 싶었으나, 진욱은 애써 표정을 관리하며 무덤덤하게 대답을 이어나갔다.

"철들기 전에 원 없이 해서, 딱히 아쉽진 않습니다."

"아……."

진욱의 화려했던 과거를 아는 혜리는 이해한다는 듯 가볍게 고개를 끄덕였다.

"하지만 차 본부장님도 슬슬 결혼을 생각하실 나이 아닌가요?"

도대체 무슨 질문을 하려는 거야? 진욱은 살며시 짜증이 밀려오기 시작했다.

"음, 글쎄요."

진욱이 정확한 대답을 회피하자, 혜리는 생긋 눈꼬리를 휘며 그를 향해 상체를 살며시 기울였다.

"차진욱 씨, 짓궂은 질문 하나 드려도 되나요?"

짓궂은 질문?

마음 같아선 '하지 마. 하지 말라고!' 하고 외치고 싶었다. 하지만 다른 사람들의 눈도 있고……. 제길, 어쩔 수 없잖아!

"질문, 하시죠."

진욱은 어금니를 꽉 깨물며 애써 아무렇지 않은 듯 고개를 끄덕거렸다. 혜리는 보란 듯이 유미를 한 번 쳐다보더니 다시금 진욱에게로 천천히 시선을 돌렸다. 그리고 제법 진지한 얼굴로 물었다.

"전 어떠세요?"

그 질문에 인터뷰를 지켜보던 유미와 진욱의 얼굴이 동시에 딱딱하게 굳어졌다.

이럴 줄 알았다. 아마도 오늘의 인터뷰는 이 질문을 하려고 계획한 모양이다. 뻔뻔스러울 정도로 당돌한 혜리의 질문에 진욱은 이마에 주름을 잡았다. 아무리 해도 넘어오지 않으니까 공식 인터뷰를 통해서 들이대겠다, 이건가?

진욱의 기분 나쁜 눈길에도 불구하고 혜리는 아주 태연스럽게 찡긋 윙크를 날렸다.

"뭐랬어. 내가 사귀는 거 같다고 했지!"

두 사람을 지켜보던 스태프들 사이에서 웅성거리는 소리가 퍼져나갔다.

"어쩐지. 감이 오더라, 감이."

"와, 대박."

"역시 주혜리야. 급이 다르네, 달라."

삐리리릭—.

어디선가 날카로운 알림 소리가 허공을 갈랐다. 모두 움찔하며 뒤를 돌아보자 '시한폭탄' 스위치를 들고 있던 우진이 무표정으로 '탁' 타이며 버튼을 눌렀다.

"여기까지 하죠."

타이머의 알림과 함께 진욱은 기다렸다는 듯이 자리에서 일어섰다.

"이 정도면 분량 충분할 것 같은데……."

단호한 진욱의 말투에 혜리는 아쉬운 표정을 지으며 그를 따라서 일어났다. 어차피 진욱에게 제대로 된 대답을 기대한 건 아니었다. 하지만 이렇게라도 밑밥을 뿌려놓아야 냄새를 맡은 기자들이 떼거리로 몰려올 테니까.

"네, 나중에 제 클로징만 따로 따면 되겠네요."

어느새 사무적인 태도로 돌아간 혜리는 진욱과 피디를 향해 고개를 끄덕였다.

"모두 수고하셨습니다."

돌아가던 카메라가 정지하고 환한 조명이 하나둘씩 꺼져갔다. 스태프들은 바닥에 깔아놓은 조명 케이블을 치우기 위해 정신없이 바쁘게 돌아다녔고, 감독과 작가는 촬영분을 확인하기 위해 커다란 모니터 앞으로 자리를 옮겼다.

"저, 근데 누구세요?"

모니터로 걸어가던 여 작가가 촬영장 구석에 서 있는 유미를 발견하곤 걸음을 멈추었다. 멍한 표정으로 진욱과 혜리를 바라보던 유미는 여 작가가 말을 걸어오자 퍼뜩 정신을 차리고 현실로 돌아왔다. 유미는 재빨리 발밑에 놓인 쇼핑백 중 하나를 들어 올렸다.

"도시락 배달 왔는데요."

"아까 차 본부장님이 회사에서 도시락을 준비했다고 하더니, 그거 가져오셨군요."

유미의 목소리가 들려오자, 인터뷰 이후의 일정을 논의하던 진욱이 뒤를 돌아보았다.

촬영장 구석에 유미가 지친 모습으로 서 있었고 그녀 발밑에는 여러 개의 커다란 쇼핑백이 놓여 있었다. 갑작스러운 지시에 따라 시간에 쫓기며 허겁지겁 준비했는지 몰골이 말이 아니었다.

한마디로 유치한 화풀이였다. 진욱은 밀려드는 죄책감으로 목구멍에 뭐가 걸린 듯 답답해졌다. 놈팡이 녀석과 다정스럽게 통화하는 그녀를 보고 화가 난 건 사실이지만, 막상 지쳐버린 유미를 보니 마음이 걷잡을 수 없이 무거워졌다. 게다가 지금 여기에는 혜리가 와 있다. 일이 이리 될 줄 알았더라면 절대로 유미를 이곳으로 불러들이지 않았을 텐데…….

처음 계획한 것과는 전혀 다른 방향으로 일이 꼬여버렸다.

"도시락이요?"

"배고팠는데 잘됐네."

"이렇게 신경 써주시고 감사합니다."

느닷없는 환호성에 여 작가와 말을 나누던 유미는 소리가 나는 쪽으로 고개를 돌렸다. 스태프들이 있는 곳과 조금 떨어진 곳에서 진욱이 그녀를 빤히 바라보고 있었다.

두 사람의 시선이 허공에서 엉켜들었다.

Episode 15

확인할 게 있어

"어마, 머 바(엄마, 뭐 봐)?"

동구는 멀거니 앞의 건물을 바라보는 미희의 손을 잡아당겼다. 오랜만에 엄마와 함께하는 외출이라 들뜬 마음으로 집을 나섰는데 이상하게 엄마는 조금 슬퍼 보였다. 눈에 눈물이 고인 것 같기도 하고…….

"머 바(뭐 봐)?"

아무 반응이 없자, 동구는 다시 한 번 미희의 손을 잡아끌었다. 그제야 정신을 차린 미희는 손등으로 눈물을 훔치며 동구를 향해 방긋 웃어주었다.

"엄마, 아주 예전에 저기서 일했었어."

"으아(우와)!"

저렇게 높고 크고 사방이 반짝거리는 건물에서 엄마가 일했다니! 우리 엄마, 대단한 사람이구나!

동구는 존경심을 가득 담은 눈으로 미희와 앞의 건물을 번갈아 바라보았다. 미희는 두 팔로 동구를 번쩍 안아 올리며 동구의 뺨에 살짝 입을 맞추었다.

"저게 바로 방송국이라는 거야."

"바또꾸(방송국)?"

"응, 방송국. 엄마가 지금 아르바이트하는 쇼핑 채널 말고 드라마 찍는 방송국."

"으아(우와)!"

어떤 차이가 있는지는 잘 모르겠지만, 하여간 동구에게 햇빛에 반짝거리는 방송국은 동화 속 유리 궁전만큼이나 거대해 보였다.

"죄송하지만……. 혹시 조미희 씨 아닌가요?"

그때였다. 뒤에서 굵직한 남자의 목소리가 들려왔다. 뒤를 돌아보자 흰머리가 희끗희끗한 50대 후반으로 보이는 남자가 반가운 얼굴로 웃고 있었다. 그 옆에는 60대쯤으로 보이는 노신사가 심각한 표정으로 서 있었다.

"네. 맞는데요. 누구신지……."

그러자 먼저 말을 건 남자가 고급 슈트 재킷 안에서 명함을 꺼내 미희에게 건네었다.

"전 NBN 방송국 드라마 국장, 강재성입니다."

"네? 국장님이요?"

"이렇게 뵙게 돼서 정말 반갑습니다. 쑥스럽긴 하지만, 제가 조미희 씨의 팬이었거든요. 결혼과 동시에 은퇴하신다는 기사를 보고 얼마나 서운했던지……."

이게 꿈이야, 생시야? NBN 드라마 국장이 내 팬이었다고?

미희는 얼떨떨한 기분으로 그가 내미는 명함을 건네받았다. 강 국장은 미희의 품에 안긴 동구를 바라보며 사람 좋은 미소를 지어 보였다.

"손자가 참 똘똘해 보이네요."

"아, 얘는 손자……."

"조미희 씨처럼 멋진 배우가 집에서 손자나 보고 계시면 안 되죠."

동구는 손자가 아니라 막내아들이라고 말하려는 미희의 말을 자르며 강 국장이 자신이 하고 싶은 말을 이어나갔다.

"다시 연기하고 싶으시다면 꼭 NBN 드라마로 컴백해주시길 바랍니다. 오늘은 제가 선약이 있어서 그렇고 나중에 한번 꼭 여기로 전화 주세요. 제가 우리 방송국에서 제일 잘나가는 피디를 소개해드리죠."

"어머, 감사합니다. 국장님."

강 국장의 드라마 제안에 미희는 동구가 손자가 아니라 아들이라고 해명해야 한다는 사실을 깜빡 잊어버렸다. 강 국장은 꼭 전화하라고 몇 번이나 확답을 한 후, 옆에 있던 동행과 그들을 태우러 온 차에 올라탔다.

차가 출발하자, 강 국장의 옆에 있던 차 회장이 힐끗 뒤를 돌아 멍한 얼굴로 동구를 안고 서 있는 미희를 바라보았다.

"뭘 그렇게 보십니까, 선배님?"

"저 사람, 유명한 배우야? 난 전혀 모르겠는데……."

"아, 네…… 조미희 씨라고. 개성파 배우였어요. 시대에 앞서가는 독특한 연기를 펼치곤 했는데, 잘 풀리지 않아서 드라마 조연만 하다가……. 음, 벗는 영화로 엄청 히트를 쳤죠. 〈터질 거예요!〉라고."

'터질 거예요!'라는 말에 차 회장이 놀란 눈으로 다시 뒤를 돌아보았다. 하지만 차는 이미 방송국에서 멀리 떨어진 후였다.

"선배님도 그 영화 보셨죠? 그때 당시, 그 영화 안 본 남자가 없을 정도였죠. 엄청 큰 히트였는데……. 그런데 그 영화 하나 찍고 바로 결혼하면서 은퇴해버렸죠. 참, 아까운 배우예요."

"그래?"

차 회장은 시큰둥한 표정으로 팔짱을 끼며 좌석 등받이에 몸을 기대었다. 지금 차 회장에는 미희의 과거가 중요한 게 아니었다. 오로지 그녀 품에 안겨 있는 동구만이 눈앞에 아른거릴 뿐이었다.

저렇게 젊은 여자도 귀엽고 똘똘한 손자를 품에 안는데……. 난 도대체 언제쯤 손주 녀석을 안아보려나.

“흠, 흠.”

심기가 불편해진 차 회장은 마른기침을 내뱉으며 창밖으로 시선을 돌렸다.

왜 저리도 기분 나쁜 표정이람? 은근히 험상궂어 보이는 진욱의 표정에 유미는 슬그머니 그의 시선을 피해버렸다. 시간에 맞춰 가져왔는데도 왜 못마땅하게 쳐다보는 거야? 흥, 좋아! 나도 정해진 일만 완수하면 그만이라고!

그녀는 진욱의 시선을 매몰차게 외면하며 샌드위치와 샐러드가 담긴 도시락을 테이블에 올려놓기 시작했다. 지금 이 순간만큼은 진욱의 존재가 불편했다. 오늘따라 찬란해 보이는 진욱이 너무나 멀게만 느껴졌고, 그 옆에 있는 혜리의 화려한 모습에 자꾸만 어깨가 움츠러들었다. 서둘러 일을 끝내고 한시라도 빨리 이곳을 빠져나가고만 싶었다.

바쁘게 손을 놀린 덕분에 거의 모든 도시락을 테이블에 올려놓았을 때…….

“여기가 옥상 정원 맞습니까?”

옥상 입구에서 누군가의 우렁찬 목소리가 들려왔다. 모두가 일제히 고개를 돌리자, 유니폼을 갖춰 입은 두 명의 남자 배달원이 커다란 박스를 들고 저벅저벅 다가왔다.

"네. 여기가 옥상 정원 맞는데…… 뭡니까?"

우진이 앞으로 나서며 의아한 표정으로 물었다. 그러자 옥상 정원이냐고 물었던 남자가 다시금 우렁찬 목소리로 대답했다.

"황제 도시락에서 왔습니다!"

"황제 도시락이요?"

"네. 주문하신 '진시황 럭셔리 도시락 세트' 배달 왔습니다."

대답을 마친 두 명의 배달원은 유미가 가져온 도시락 옆에 본인들이 가져온 도시락을 줄줄이 내려놓기 시작했다.

"와아!"

휘황찬란한 도시락을 본 모두의 입에서 감탄사가 흘러나왔다.

안심 스테이크와 전복 구이, 왕새우 튀김과 연어 샐러드, 장어와 성게 비빔밥, 그리고 따뜻한 장국까지 아주 환상적인 최고급 도시락이 눈앞에 펼쳐졌다.

상대적으로 옆에 놓인 유미가 가져온 닭 가슴살 샐러드와 햄 에그 샌드위치가 볼품없이 초라해 보였다.

너무해. 이렇게까지 할 필요는 없잖아! 이런 식으로 사람을 비참하게 만들다니……. 유미는 덜덜 떨리는 손을 진정하며 쇼핑백에서 꺼낸 마지막 도시락을 테이블에 내려놓았다. 아무것도 모르는 방송 스태프들은 난데없는 도시락 잔치에 어리둥절하면서도 모두 신난 표정이었다. 저마다 수군거리며 도시락으로 가득 찬 테이블 주위로 빠르게 몰려들었다.

"이게 도대체 어떻게 된 거야?"

진욱은 딱딱하게 굳은 얼굴로 우진에게 휙 고개를 돌렸다.

"그러니까요. 저도 전혀 아는 바가 없습니다."

우진 역시 황당한 표정으로 자신은 전혀 모르는 일이라는 듯 두 손을 내저었다. 순간 번개처럼 진욱의 뇌리를 뭔가 스치고 지나갔다. 반사적으로 혜리에게 고개를 돌리자, 아니나 다를까 예상한 대답이 그녀의 입에서 흘러나왔다.

"서프라이즈! 내가 준비했어. 오빠!"

혜리는 생긋 눈웃음을 치며 진욱의 팔에 몸을 기대었다.

"눈코 뜰 새 없이 바쁜데도 오빠가 나를 위해서 시간을 내줬잖아. 그러니까 오빠 식사는 내가 챙겨야지. 안 그래?"

식사를 챙기긴 무슨 식사를 챙겨! 유미를 골탕 먹이려 일부러 일을 꾸몄으면서 어디서 아닌 척 서툰 연기를.

"너……."

혜리에게 한마디 하려던 진욱은 이내 입을 다물었다. 까놓고 얘기하자면 그 역시 유미를 골탕 먹이려 도시락을 만들게 했으니까. 그런 주제에 혜리에게 뭐라고 말할 자격이 있단 말인가! 그야말로 이 모든 일의 주범이었다. 입이 열 개라도 할 말이 없었다.

혜리를 노려보던 진욱은 한숨을 내쉬며 유미에게로 시선을 돌렸다. 유미는 몹시도 어두운 얼굴로 제자리에 멍하니 서 있었다. 한눈에 보기에도 상처를 꽤 많이 받은 것 같았다.

진욱이 유미에게 다가가려는데 혜리가 한 손으로 그의 팔을 움켜쥐었다. 그리고 조금 과장된 목소리로 크게 외치듯 말했다.

"어머. 참, 내 정신 좀 봐! 영양사님 오신단 걸 깜빡했네요. 어우, 미안해서 어떡해요?"

말은 그렇게 하면서도 혜리의 눈에는 승리의 미소가 가득했다. 의기양양한 눈빛으로 유미를 향해 '이제야 네 주제를 알겠어?'라고 외치는 것만 같았다. 그걸 모르고 지나칠 진욱이 아니었다. 진욱은 이를 악물고 싸늘한 눈으로 혜리를 노려보았다.

도시락이 이렇게 화려할 수도 있구나. 삼시 새끼가 원하는 감동 주는 도시락이란 바로 이런 걸까? 유미는 너무 수준 차이가 나는 자신의 도시락과 혜리가 주문한 도시락을 멍하니 내려다보았다.

혼자 힘으로 주어진 시간 내에 그래도 꽤 괜찮은 도시락을 준비했다고 뿌듯해했었는데……. 그래, 세상에는 언제나 그녀보다 더 잘난 그 무엇인가가 있다. 유미는 자꾸만 자신이 초라해지는 것만 같아 괜스레 울적해졌다. 애써 기분을 다잡으려 해도 입에서는 씁쓸한 미소만이 흘러나왔다.

"안 되겠다."

풀 죽은 유미를 빤히 바라보던 혜리는 나오려는 웃음을 꾹 참으며 애써 진지한 얼굴로 말을 꺼냈다.

"그럼 우리 이거 그냥 치우고, 영양사님이 가져온 도시락 먹어요. 네?"

혜리의 말에 테이블을 둘러싼 스태프들의 입에서 불평이 쏟아져 나왔다.

"그게 무슨 소리야!"

대부분의 스태프는 이미 혜리가 가져온 최고급 도시락에 마음을 빼앗긴 후였다.

"맞아. 배고파 죽겠는데 뭔 빵이야. 고기를 먹어야지. 고기!"

"그래, 나도 이거 먹을래……."

혜리의 의견에 반발한 스태프들은 혹시라도 진시황 도시락을 가져갈까 서둘러 자리를 잡고 뚜껑을 열기 시작했다.

"와, 진짜 맛있다. 이거 도시락 맞아?"

"이 스테이크, 이거. 완전 레스토랑에서 먹는 맛인데!"

스태프 중 어느 한 명도 유미의 도시락은 거들떠보지도 않았다. 오히려 자리를 차지한다며 한쪽으로 몰아 차곡차곡 위로 겹치게 쌓아놓았다. 진욱은 도시락을 맛있게 먹는 스태프들을 난처한 눈으로 바라보았다.

"저는 이만 가보겠습니다."

유미는 아랫입술을 깨물며 빠르게 인사했다. 여기에 더 있다간 그녀만 더 비참해질 것 같았다.

"네, 수고했어요, 영양사님. 곧 점심 배식하니까 어서 가보세요."

혜리는 거의 등을 떠밀 듯 어서 가라고 손을 흔들었다. 유미는 그대로 뒤돌아 도망치듯 빠른 걸음으로 옥상 정원을 빠져나갔다.

그런 유미를 바라보는 진욱의 얼굴이 서서히 곤혹스럽게 일그러졌다. 놈팡이 녀석과 달콤한 데이트를 하려는 그녀가 얄미워 골탕을 좀 먹이려고 했던 것뿐이다. 이렇게까지 망신을 주고 괴롭힐 생각은 아니었다고! 이대로 그녀를 보낼 순 없었다.

"이유미 씨, 잠깐만."

진욱이 다급하게 유미를 부르려 하자, 혜리가 잡고 있던 그의 팔을 자신 쪽으로 확 잡아당겼다.

"어디 가, 오빠? 같이 도시락 안 먹을 거야?"

"난 생각 없으니까 너나 먹어."

진욱의 무뚝뚝한 대답에 혜리는 그의 팔을 더욱 강하게 잡으며 귓가에 나직이 속삭였다.

"오빠, 피디님이랑 작가님, 방송 스태프 다 보고 있잖아! 이렇게 그냥 가버리면 난 뭐가 돼, 오빠. 응?"

"주혜리."

진욱은 그녀에게 잡힌 팔을 단호하게 떼어내며 말했다.

"잘 들어. 이번엔 네 체면을 봐서 조용히 넘어가주는 거야. 그러니까 제발 적당히 좀 해. 또 한 번만 더 이러면 그땐 체면이고 뭐고 없을 거야. 명심해."

말을 마친 진욱은 뒤도 돌아보지 않고 옥상을 걸어나갔다.

"흥! 명심하긴 뭘 명심해?"

혜리는 앞으로 팔짱을 끼며 멀어지는 진욱의 뒷모습을 빤히 쳐다보았다.

체면이고 뭐고 따질 거였으면 시작도 안 했어, 오빠! 싸움은 이제부터라고. 차진욱을 차지하기 위한 싸움!

부리나케 옥상에서 내려온 진욱은 복도 저만치 앞에 걸어가는 유미를 발견하곤 더 빨리 걸음을 옮겼다.

"이유미 씨!"

아무리 불러도 유미는 뒤 한번 돌아봐주지 않고 계속해서 앞으로만 걸어갔다. 결국 진욱은 전속력으로 뛰어가 그녀의 앞을 가로막아 섰다.

"착오가 생겼어요."

그녀가 혹시라도 그를 뿌리치고 가버릴까 봐 진욱은 최대한 빠르게 말했다.

"절대로 일부러 그런 게 아닙니다. 그러니까……."

다급하게 상황을 설명하던 진욱은 빨갛게 충혈된 유미의 눈을 보고 흠칫 입을 다물었다.

우는 거 아니지? 또 나 때문에 우는 거 아니지?

눈물 그렁그렁한 그녀의 눈과 마주치자 진욱은 가슴에 뜨끔한 통증을 느꼈다. 왜 자신은 그녀를 항상 구석으로 몰아 울게 만드는지 모르겠다. 그럴 생각은 아니었는데……. 그저 난…… 단지…….

진욱이 아무 말도 하지 못하고 바라만 보자, 유미가 갑자기 그를 향해 구십 도로 깍듯이 허리를 숙였다.

"본부장님, 정말 죄송합니다."

그녀의 갑작스러운 행동에 진욱의 가슴은 더욱더 뻐근하게 죄었다. 지금 사과를 해야 할 사람은 그녀가 아니라 그 자신이니까.

"지금 뭐 하는 겁니까?"

그의 말꼬리가 가늘게 떨리고 있었다. 그의 질문에도 유미는 허리를 숙인 채로 미동도 하지 않았다.

"이유미 씨! 지금 뭐 하는 거냐고 묻고 있잖아요."

그제야 유미는 천천히 허리를 펴며 진지한 얼굴로 그를 바라보았다.

"진심으로 사과드릴게요. 본부장님의 이벤트를 망친 거."

"그게 무슨 말입니까? 이벤트라니?"

진욱이 황당하다는 듯 되묻자, 유미의 얼굴에 더욱더 어두운 그림자가 내려앉았다.

그러면 이벤트가 아니라 프러포즈였나? 인터뷰 보니까 혜리와 혼삿 말이 오가는 것 같던데……. 은사 딸이라며 아무 사이 아니라고 하더니 결국은 그렇고 그런 사이라는 거잖아. 뭐, 주혜리가 아니더라도 클럽의 여자도 있고 깜순이도 있고. 하여간 그에게 여자는 많았다!

유미는 애써 담담한 얼굴로 말을 이어나갔다.

"죄송합니다. 그럼 제가 망친 건 이벤트가 아니라 프러포즈였나 보네요. 클럽에 같이 왔던 여자분인지, 혜리 씨인지 아니면 깜순이…… 하여간 본부장님의 여자 친구에게 선물할 보석함, 그러니까 그 안에 든 목걸이를 망가뜨려서 화나신 거잖아요. 아닌가요?"

그 말에 진욱의 눈이 충격으로 커다래졌다. 뭐? 방금 뭐라고 했지? 목걸이라고? 보석함에 든 물건이 목걸이라고 생각하고 있는 거야? 그렇다면 보석함에 든 패드를 본 게 아니었어?

진욱의 표정이 점점 더 딱딱하게 굳어지자, 유미는 또 한 번 정중하게, 허리를 숙였다. 너무나도 정중해서 무서울 정도로 그녀는 두 손을 앞으로 모으고 깊게 허리를 숙였다.

"다시 한 번, 진심으로, 정말, 죄송합니다."

말을 모두 마친 유미는 진욱을 지나쳐 엘리베이터 쪽으로 걸어갔다.

"아우, 왜 이렇게 느려."

탁—. 탁—. 탁—.

한시라도 빨리 그의 앞에서 사라지고 싶어 몇 번이나 내려가는 버튼을 계속해서 눌렀다. 하지만 오늘따라 엘리베이터는 왜 모든 층에서 멈추는지 느릿느릿한 속도로 올라오고 있었다.

진욱은 아직도 저 멀리에 서서 그녀를 바라보고 있었다. 도저히 이대로는 안 될 것 같았다. 멀리 떨어져 있다고 해도, 지금 심정으로선 진욱의 시선을 견딜 수 없었다.

유미는 그대로 방향을 틀어 비상구 계단 출입구를 향해 빠르게 걸어갔다. 편한 엘리베이터를 놔두고 힘든 계단을 선택해서라도 그의 시선에서 벗어나야 했다.

쾅—.

육중한 비상구 문이 닫히고 유미는 서둘러 계단을 뛰어 내려갔다. 흥분해서인지 다리가 중심을 잃고 후들거려 계단 난간을 두 손으로 꽉 붙잡고 한 계단, 한 계단 내려갔다.

몇 층이나 내려왔을까? 위쪽에서 문이 '쾅' 닫히는 소리가 울려 퍼졌다. 이어서 빠른 속도로 누군가 아래층으로 뛰어 내려오는 소리가 들렸다. 소리의 주인공이 진욱일 리야 없겠지만, 혹시나 하는 생각에 유미는 복도로 나가기 위해 비상구 문에 손을 뻗었다.

"까악!"

그러나 그녀가 문의 손잡이에 손을 대기도 전에 누군가에 의해 벽 구석으로 밀쳐졌다. 소스라치게 놀란 그녀가 사태를 파악했을 때는 이미 진욱의 두 팔 안에 갇힌 뒤였다.

진욱의 일그러진 얼굴이 그녀의 시야를 가득 메웠다.

"헉, 헉, 헉."

급하게 뛰어 내려왔는지 그는 괴로운 듯 숨을 헐떡거렸다.

"……확인할 게 있어."

한참 동안 벅찬 숨을 고르던 진욱이 이윽고 입을 떼었다. 아직도 숨이 찼는지 진욱은 말을 끊고 잠시 뜸을 들였다. 얼떨결에 그에게 안긴 자세가 된 유미는 혼란스러운 표정으로 진욱을 올려다보았다. 바로 코 앞에서 그의 목울대가 위아래로 크게 오르내렸다.

"왜……."

진욱은 매우 곤혹스러운 표정으로 말을 이었다.

"왜 목걸이라는 거지? 저번에 집에까지 찾아갔을 때 그랬잖아. 대충 사이즈 나온다고. 그런데 왜……?"

질문이 이해되지 않아 유미는 살짝 미간에 주름을 잡았다.

"그래서요?"

목걸이가 아니면 팔찌? 아니면 반지, 귀걸이 세트? 하여간 그게 뭐 그리도 중요하다고……. 이쯤 되니 슬슬 기분이 나빠지려고 했다.

유미는 입매를 굳히며 홱 고개를 돌려 진욱의 시선을 피해버렸다. 그래도 딴에는 넓은 마음으로 이해하려고 애썼단 말이다. 프러포즈를 망쳐 얼마나 화가 났으면 저랬을까 하면서……. 방송 스태프 앞에서 망신당한 건 눈물이 핑 돌 정도로 서러웠지만, 그래도 내가 참아야지, 그랬는데……. 별거 아닌 일을 가지고 끝까지 물고 늘어지려고 하다니! 목걸이나 팔찌나 그게 그거 아닌가?

"열어보지 않았던 거지? 그거…… 열어보지 않았어. 그래?"

시꺼멓게 타들어간 속도 모르고 진욱은 계속해서 대답을 재촉했다. 열어보지 않았으면, 뭐? 사과가 모자란 거야? 여기서 뭘 더 어떻게 해야 화를 풀 건데?

유미는 끝까지 자신을 괴롭히는 진욱을 원망스러운 눈으로 노려보았다.

"열어보진 않았어요. 하지만 그냥 딱 봐도……."

"그러니까 열어보지는 않았다. 안에 뭐가 들었는지 확실하게 모른다. 그래?"

"네."

그녀에게 확답을 받은 진욱의 표정이 급속도로 굳어졌다. 진욱은 허망한 얼굴로 유미를 가두었던 팔을 내리며 힘없이 뒷걸음을 쳤다.

제길! 잘 알지도 못하면서 괜히 혼자 넘겨짚고 그녀를 괴롭혔다. 유미는 옆으로 고개를 돌린 채 그와는 시선도 마주치려 하지 않았다. 화난 게 분명하다. 어떻게 해야 하지? 도대체 어떤 말로 그녀의 기분을 풀 수 있을까?

진욱이 입을 다문 채 침묵만 지키자 결국 유미가 먼저 입을 열었다.

"그 안에 뭐가 들었는지는 모르지만 아주 중요한 물건인가 보네요. 다시 한 번 죄송합니다. 그럼 전 바빠서 이만 가볼게요."

조금 있으면 점심 배식이 시작된다. 그냥 하는 말이 아니라, 그녀는 진짜로 구내식당으로 돌아가야 했다. 유미는 흐트러진 영양사 가운을 한 손으로 매만지며 빠른 걸음으로 진욱을 지나쳤다.

"잠깐만."

그러나 그녀가 문손잡이에 손대기도 전에 진욱이 재빨리 뒤에서 그녀를 끌어당겼다.

"본부장님, 무슨 짓이에요?"

화들짝 놀란 유미가 그를 떼어내려고 몸을 비틀었지만 진욱은 팔을 풀지 않았다.

뭘, 어떻게 하려고 계획한 행동은 아니었다. 유미가 가버린다고 하니까 손부터 먼저 튀어나갔다. 이대로 그녀를 보내면 안 될 것 같아 한 행동이었다.

그러나 몸과 반대로 머리는 아직도 혼란스러움에서 벗어나질 못하고 있었다. 혀가 마비라도 된 것처럼 한마디도 할 수 없었다. 미친 놈, 뭐 하자는 거야! 무슨 말이라도 해야 할 것 아냐! 진욱은 사과 하나 제대로 못 하는 자신에게 욕설을 퍼부었다. '시한폭탄' 회의 때마다 아무 말도 못 하고 눈만 끔뻑끔뻑 깜빡이던 부하 직원들의 심정을 이제야 이해할 것 같았다.

결국 진욱은 아무 말도 꺼내지 못 하고 고개를 숙여 그녀의 머리에 얼굴을 묻었다. 그의 마음이 체온을 통해 그녀에게 전달되기를 바라면서…….

"이거 놔요……."

1분도 채 되지 않는 시간이 지났지만, 유미에게는 영원처럼 길게만 느껴졌다. 얼마나 힘을 주고 꽉 끌어안았는지 진욱의 손에는 불룩 핏줄이 솟아 있었다. 머리 위에서 느껴지는 그의 따스한 숨결에, 뒤에서부터 전해지는 따뜻한 온기와 은은한 체취에 유미는 숨이 막힐 것만 같았다. 애인 있는 남자 품에 이렇게 안겨 있으면 안 된다는 건 잘 알지만, 그녀는 선뜻 그의 손을 뿌리칠 수가 없었다.

잠시만, 아주 잠시만 이렇게 있으면 안 될까?

그때였다. 유미의 귓가에 희미한 환청이 들리기 시작했다.

—재수 없어.

—누가 에로 배우 딸 아니랄까 봐!

—야, 이유미. 너, 꼭 그렇게 꼬리 쳐야겠어?

아이들의 비아냥거리는 소리가 뚜렷하게 머릿속을 꽉 채웠다. 아주 오래전 일인데 불구하고 마치 어제 일처럼 모든 게 선명하게 떠올랐다.

—야, 너 그거 알아? 쟤네 엄마 에로 배우래.

중학교 2학년 2학기부터 시작되었던 아이들의 놀림 속에서 그래도 유미의 옆을 지켜주던 몇 명의 친구가 있었다. 그중에서도 희영은 유미와 단짝으로 지내며 놀림받고 힘들어하는 유미를 위로해주곤 했다. 하지만 3학년이 되는 해, 둘 사이는 틀어지고 말았다.

시작은 희영이 짝사랑하던 승후가 짓궂은 남학생에게 놀림받던 유미를 챙겨주고 나서부터였다. 당시 전교 1, 2등을 다투던 승후는 명석한 두뇌와 잘생긴 외모로 많은 여학생에게 동경의 대상이었다. 그런 승후가 물벼락을 맞은 유미에게 괜찮으냐며 수건을 건네주자, 질투에 사로잡힌 아이들이 말을 만들어내기 시작했다.

—쟤, 승후에게 작업 거는 거 맞지?

어쩌다 복도에서 부딪히는 승후에게 그냥 몇 마디 말을 건넸던 것뿐인데도 유미를 향하는 여자아이들의 시선은 곱지 않았다.

—어쩐지 쟤, 좀 야하게 생기지 않았니?
—몰래 화장한 걸 거야.

속눈썹이 길어서 눈매가 진해 보이는 걸, 아이들은 야하게 생겼다고 눈 화장을 했을지 모른다고 수군거렸다.

—치마 짧은 것 좀 봐.

또래 아이들보다 다리가 길어 상대적으로 치마가 짧아 보이는 거지만 모두 흉보기에 바빴다. 왜냐하면 유미는 에로 배우의 딸이니까. 모든 건 당연히 그녀의 잘못이었다.

—너, 내가 승후 좋아하는 거 알고 있으면서, 어떻게 그래?

소문이 걷잡을 수 없이 교내에 퍼지자, 희영은 유미를 믿는 대신 근거 없는 아이들의 말을 믿었다. 그때까지 곁에 남아 있던 친구들도 슬슬 유미를 피하기 시작했다. 졸지에 유미는 단짝 친구가 좋아하는 남자를 빼앗은 나쁜 애가 돼버렸다.

지금도 눈물을 글썽거리며 그녀를 노려보던 희영의 얼굴을 잊을 수가 없었다.

—재수 없어. 누가 에로 배우 딸 아니랄까 봐!

모두 유미를 외면했고, 결국 유미는 중학교를 졸업할 때까지 외톨이로 지낼 수밖에 없었다. 그랬기에 고등학교로 올라간 이후로 유미는 매사에 조심하며, 될 수 있으면 눈에 띄지 않는 아이가 되려고 노력했다. 투박한 검은 안경을 쓰고 교복 치마는 길게 수선하고 단추는 항상 목 끝까지 채웠다.

대학교에 들어가서도, 사회에 나와서도 마찬가지였다. 모르는 남자와는 웬만하면 말도 섞지 않았다. 3년 전 그날 밤, 딱 한 번뿐인 실수만 빼고는…….

유미는 자신의 허리를 꼭 끌어안고 있는 진욱의 손을 내려다보았다.

지금 이런 모습을 다른 직원이 본다면 어떻게 생각할까? 내가 본부장을 유혹한다고 생각하겠지? 안 돼! 퍼뜩 정신을 차린 유미는 있는 힘을 다해 진욱의 손을 뿌리쳤다. 진욱은 이번에는 순순히 그녀를 품에서 놓아주었다.

"바빠서 전 이만 가보겠습니다."

그녀는 매몰찬 한 마디만을 던지고 부리나케 계단을 뛰어 내려갔다.

어쩌면 뒤도 한 번 돌아보지 않고 달려갈까? 진욱은 안타까운 눈으로 멀어지는 유미의 뒷모습을 빤히 바라보았다.

그건 오해야, 오해! 난 여자 없다고!

하지만 입에 접착제가 붙은 것처럼 아무 말도 나오지 않았다.

너무 미안해서, 너무 기가 막혀서 그런 거겠지. 도대체 어떻게 해야 복잡하게 꼬이고 꼬인 오해를 풀 수 있을까!

말로 표현할 수 없는 낭패감이 진욱을 둘러싸기 시작했다.

"쌤, 딱 시간 맞춰서 오셨어요."

헐레벌떡 구내식당으로 들어서자, 막 점심 배식을 시작한 신화가 환한 얼굴로 유미를 반겼다.

"늦어서 미안해요."

유미는 조리 팀에 사과한 후, 곧바로 배식대 앞으로 걸어갔다. 어쩌면 지금이 바빠서 딴 생각할 겨를조차 없을 테니 점심시간이라는 게 다행일지도 모르겠다.

시끌벅적한 점심 배식을 끝낸 유미는 모든 뒷정리를 끝내고서야 지친 걸음으로 개인 사무실에 돌아갈 수 있었다. 영양사 가운을 벗어 옷걸이에 걸던 유미는 문득 거울에 비친 자신을 바라보았다. 아까는 너무 바빠서 아무 생각이 없었는데 이제 한숨 좀 돌리려니까, 갑자기 뜨거운 뭔가가 울컥하고 올라왔다. 유미는 손바닥으로 먹먹한 가슴을 문질렀다.

"울지 마. 우울해할 거 없잖아!"

거울 속의 그녀는 금방이라도 눈물이 뚝뚝 떨어질 것 같은 얼굴을 하고 있었다.

"제발 그러지 마!"

유미는 눈을 부릅뜨며 주먹을 불끈 움켜쥐었다.

"내가 이러면 삼시 새끼한테 감정이 있어서 그러는 거 같잖아! 나, 그런 거 전혀 없거든. 새끼손톱만큼도 없다고!"

유미는 최면을 거는 것처럼 거울 속 자신을 뚫어지게 노려보았다.

정말 아무렇지 않아! 죽을 때까지 혼자 독신으로 있을 거라고 맹세했잖아. 진짜로 처녀 귀신으로 늙어 죽을 거라고!

띠리릭—. 띠리릭—.

책상 위에 놓인 진욱의 휴대폰이 처량하게 울리다 혼자 멈추기를 계속했다. 화면 위로 '주혜리 부재중 전화 10통'이란 문자가 깜빡거렸다. 진욱은 성가신 표정으로 휴대폰을 집어 거칠게 전원을 꺼버렸다. 그리고 다시 책상 위에 휴대폰을 엎어놓았다.

옆에서 대기 자세로 두 손을 모으고 서 있던 우진이 넌지시 진욱에게 물었다.

"저 그런데 저건…… 어떻게 할까요?"

테이블 위에는 아무도 손대지 않은 유미의 도시락이 담긴 쇼핑백이 놓여 있었다. 도대체 그 많은 사람 중에 어쩌면 단 한 명도 도시락을 열어보지도 않았는지 정말 해도 해도 너무했다.

"장 비서도 안 먹을 건가 보네?"

"네?"

"그냥 저렇게 맛있는 도시락을 왜 먹지 않을까 궁금해서……."

우진은 자신을 향한 진욱의 살벌한 눈초리에 꿀꺽 마른침을 삼켰다.

어째 불똥이 나에게 튀는 것 같지?

우진은 슬쩍 진욱의 시선을 피하며 어색하게 웃어 보였다.

"아……. 제가 요즘 몸이 예전 같지 않아서 한약을 먹고 있습니다만. 그래서 한동안 밀가루 음식을 멀리해야 합니다."

"샌드위치는 그렇다 치고 그럼 샐러드라도 먹으면 되잖아."

"밀가루 음식뿐만 아니라 닭고기도 피해야 해서요. 죄송합니다.

"그래……. 그러면 할 수 없지."

씁쓸한 눈으로 쇼핑백을 바라보던 진욱은 창밖으로 고개를 돌려버렸다. 그리고 상체를 앞으로 기울여 유리창에 이마를 가져다 댔다.

오늘따라 구름이 잔뜩 낀 잿빛 하늘이 시야를 가득 채운다. 언제라도 빗방울을 떨어뜨릴 것 같은 저 흐린 하늘이 누군가의 눈물처럼 느껴지는 건 순전히 기분 탓이겠지?

"……확 빼앗아버릴까?"

멍하니 창밖을 내다보던 진욱이 혼잣말처럼 중얼거렸다. 진욱의 난데없는 말에 우진이 당황한 듯 조심스럽게 물었다.

"이제 와서 도시락을 빼앗으라고요?"

주혜리가 주문한 '진시황 럭셔리 도시락 세트'는 하나도 남김없이 모조리 해치운 걸로 알고 있다. 그런데 그걸 빼앗아 오라니……. 먹은 걸 다시 게워낼 수도 없고.

"아이고, 이를 어쩌나? 벌써 다 먹었을 텐데……."

"도시락 말고!"

진욱이 약간 짜증 난 목소리로 언성을 높였다.

"네? 그럼…… 뭐를?"

진욱은 대답 대신 길게 한숨을 내쉬었다. 그러더니 또다시 알 수 없는 말을 중얼거렸다.

"후, 남의 것에 눈독 들이는 그런 몰상식한 놈은 되고 싶지 않은데……. 형도 잘 알지? 나 그런 거 질색이라는 거. 아무리 탐이 난다고 해도 그냥 꾹 참는다고!"

"그거야 뭐, 본부장님이 워낙 깔끔한 걸 좋아하시니 뭔가 복잡하다 싶으면 피해 가는 편이죠."

우진이 맞장구를 쳐주자 진욱은 위아래로 고개를 끄덕거렸다.

"그래. 그런데 이번엔 그게 잘 안 돼. ……상대가 상대인 만큼 자꾸만 나쁜 놈이 되고 말지……라는 유혹이 들어. 이러면 안 되는데 거, 잘 아는데……. 상대가 놈팡이 녀석이라고. 사실 그런 놈보다는 내가 훨씬 낫잖아. 안 그래?"

저렇게 주어를 생략하고 말해버리면 무슨 뜻인지 알아들을 수 없다. 우진은 아주 당혹스러운 표정으로 진욱의 눈치를 살폈다.

"네? 무슨 말씀인지 저는 이해가……."

"이해하려고 하지 마. 당사자인 나도 통 이해가 안 되니까."

"아…… 네."

'침묵이 금'이라는 말은 이럴 때 쓰라고 생겨난 속담일 것이다.

우진은 진욱이 하는 말을 도저히 이해할 수 없어 그냥 가만히 입을 다물기로 했다.

"이아, 어마(우와, 엄마)!"

동구는 미희가 내려놓는 트레이에 눈을 동그랗게 뜨며 조그마한 입을 크게 벌렸다.

오늘 엄마는 아주 기분이 좋은 모양이다. 이렇게나 많은 치킨 너겟과 감자튀김을 사주다니! 길지 않은 동구의 인생에 이렇게 푸짐한 음식은 처음이었다.

"똥구야, 많이 먹어. 엄마가……."

오렌지 주스에 빨대를 꽂아 동구의 손에 쥐여주던 미희는 흠칫 주위를 살피고는 조심스럽게 말을 이었다.

"다시 본격적으로 연기하게 되면 더 맛있는 거 많이 사줄게. 대신 오늘 일, 누나에겐 비밀이다. 알았지?"

연기가 뭔지 전혀 모르지만, 비밀이란 말도 뭔지 모르지만, 맛있는 거 많이 사준다는 말에 동구는 환하게 웃으며 고개를 끄덕거렸다.

"어마에게 삐미(누나에게 비밀)."

"어이구, 착하다. 우리 똥구."

미희는 말 잘 듣는 동구가 기특하다는 듯이 포동포동한 엉덩이를 톡톡 두드렸다.

"애가 정말 귀엽네요."

옆자리에 앉아 아까부터 동구를 빤히 쳐다보던 중년 여인이 말을 걸어왔다. 혼자 열심히 감자튀김을 오물오물 먹는 동구가 참을 수 없이 사랑스러웠던 모양이다.

"참 똘똘하게도 생겼네."

미희는 당연하다는 듯이 웃어 보이곤 동구의 어깨를 톡 건드렸다.

"똥구, 뭐 해? '감사합니다.' 해야지."

"깜따합니다(감사합니다)."

동구는 무슨 이유인지도 모른 채 옆 테이블에 앉은 중년 여인에게 꾸벅 고개를 숙였다.

"애기, 몇 살이에요?"

"세 살이에요."

감사의 인사를 마친 동구는 앙증맞은 작은 손으로 치킨 너겟을 집어 덥석 입에 집어넣었다.

"헤, 헤."

입 안 가득한 고소한 맛에 동구는 행복한 얼굴로 눈을 반달 모양으로 휘었다.

"손자 재롱 보는 재미가 쏠쏠하시겠어요."

"손자요?"

손자라는 말에 환하게 웃던 미희의 얼굴에서 웃음기가 싹 사라졌다. 그녀는 기분 나쁘다는 듯 중년 여인을 슬쩍 흘겨보며 말했다.

"댁의 눈에는 이 애가 내 손자 같아요? 그럼 내가 할머니로 보인단 말이에요?"

"어머, 그런 뜻은 아니라……. 죄송합니다."

중년 여인은 계속 옆자리에 앉아 있기가 불편했는지 곧 짐을 챙겨 자리에서 일어났다.

동구는 어리둥절한 표정으로 미희와 자리를 뜨는 중년 여인을 번갈아 바라보았다. 이상하게도 서울로 오고 나서 부쩍 많이 듣는 말이었다. 정확히 무슨 뜻인지는 모르겠지만, 엄마는 '손자'라는 단어에 기분 나쁜 듯 인상을 쓰곤 했다. 왜 그러지? 무슨 뜻인데 그럴까? 누나에게 물어봐야 하나? 엄마보다는 누나가 아는 게 더 많으니까.

"똔……다(손자)."

동구는 잘 안 되는 발음으로 가만히 중얼거려보았다.

손자, 먹는 건가?

저녁 준비에 들어가기 전, 조리 팀은 구내식당 한쪽 테이블에 모여 휴식을 즐겼다. 하지만 유미는 그들처럼 마음 편히 휴식을 취할 수 없었다. 좀 떨어진 테이블 끝에 앉아 식단표를 짜던 유미는 휴대폰으로 시각을 확인하고 짧게 한숨을 내쉬었다.

—오늘 저녁에는 브랜드 팀 회의 일정에 맞춰서, 직원들 단체 도시락을 준비해주셔야 합니다. 흐음…… 한 20인분쯤?

20인분이나 되는 저녁이라니……. 점심 도시락을 준비할 때보다 훨씬 더 오래 걸릴 게 분명하다. 늦지 않으려면 지금 당장 시작해야 한다. 유미는 허둥지둥 조리실로 향하며 우진에게 전화를 걸었다. 브랜드 팀 회의 일정에 맞춰서 도시락을 준비하라고 했지만, 정확히 몇 시까지 어디로 가져가야 하는지 상세한 설명을 빼먹었기 때문이다. 신호음이 몇 번 울리고 우진이 전화를 받았다.

[여보세요.]

평소보다 가라앉은 것 같은 우진의 탁한 목소리가 반대편에서 흘러나왔다.

“안녕하세요, 장 비서님. 이유미 영양사예요.”

[아, 영양사님. 저도 막 전화하려던 참이었습니다.]

역시나 우진도 빠뜨리고 그녀에게 설명해주지 않은 부분이 생각난 모양이다.

“도시락 20인분, 몇 시까지 어디로 가져가야 할까요? 브랜드 팀 회의라고 하셨는데, 대 회의실인가요? 아니면…….”

[그보다는 지금 곧 병원으로 좀 와주셔야겠습니다.]

“네? 갑자기 병원은 왜요?”

정말로 느닷없는 지시가 아닐 수 없었다. 병원에서 회의하는 것도 아닐 테고…….

[이건 이유미 영양사님, 혼자만 알고 계셔야 합니다. 회사 사람 아무에게도 말하시면 안 됩니다.]

“네, 알겠습니다. 그런데 무슨……?”

잠시 공백이 흐르고 우진이 침통한 목소리로 말했다.

[본부장님이 쓰러지셨습니다.]

상상하지도 못한 우진의 대답에 유미는 제자리에 우뚝 멈춰 서고 말았다.

뭐? 누가 쓰러져? 삼시 새끼가 쓰러졌어?

Episode 16

나, 책임져요

"헉, 헉, 헉."

유미는 걱정 가득한 얼굴로 진욱의 VIP 병실을 찾기 위해 병원 복도를 이리저리 뛰어다녔다. 어떻게 병원까지 왔는지 제대로 기억나지 않을 정도였다. 통화를 끝내자마자 미친 듯이 회사 밖으로 뛰어나가 택시를 잡은 것 같긴 한데 그 후론 정확하진 않았다. 그만큼 지금 유미의 머릿속에는 아무것도 들어오지 않았다. 진욱이 괜찮다는 것을 확인할 때까진 구름에 붕 뜬 것처럼 정신이 멍할 것 같았다.

10분쯤 복도를 헤맨 후에야 유미는 진욱의 병실을 찾을 수 있었다. 유미는 급한 마음에 노크도 생략한 채, 벌컥 문을 열고 안으로 들어섰다. 침대 앞에 서 있던 우진이 인기척을 느끼고 고개를 돌렸다. 유미는 뒤에 놓인 침대로 빠르게 시선을 옮겼다. 침대 위에는 환자복을 입은 진욱이 팔에 링거를 꽂은 채 두 눈을 감고 누워 있었다.

"어떻게 된 거예요?"

우진은 대답 대신 고갯짓으로 앞에 누워 있는 진욱을 가리켰다. 정신을 잃은 건지, 잠이 든 건지 진욱은 두 눈을 꼭 감은 채 아무런 미동도 없었다.

"본부장님? 본부장님?"

유미가 두 번이나 부르고 나서야, 진욱은 눈을 감은 채로 입술을 달싹거렸다.

"여긴……."

들릴 듯 말 듯 기운 없는 목소리로 그가 속삭였다.

"……여긴 어떻게 알고 왔어요."

"제가 말했습니다."

그때까지 아무 말 없던 우진이 재빨리 끼어들었다.

"영양사님의 도시락을 먹고 체하신 거니까요."

그 말에 유미가 콧등에 주름을 잡으며 진욱과 우진을 번갈아 바라보았다.

"그게 무슨 말이죠? 주혜리 씨가 주문한 도시락이 아니라 제 도시락이라고요?"

"네. 정확히 세 개 반입니다."

우진은 손가락까지 펴 보이며 자세한 설명에 들어갔다.

"본부장님이 네 개째 도시락을 드시는 도중에 급격한 복통을 호소하셔서 바로 병원으로 모셨습니다."

"됐어, 형. 이제 그만해."

진욱이 눈을 부릅뜨고 자신을 노려보자 우진은 슬그머니 입을 다물며 뒤로 한 발 물러섰다.

"그럼 전 잠깐 의사 면담이 있어서 실례하겠습니다."

우진은 진욱의 날이 선 눈초리를 피해 서둘러 병실을 걸어나갔다. 둘만 병실에 남게 되자, 두 사람 사이에 잠시 어색한 침묵이 흘렀다.

"안 갈 거면 좀 앉지. 고개 아프니까."

누운 채 유미를 올려다보던 진욱이 무뚝뚝하게 먼저 말을 꺼냈다.

"진짜 내 도시락, 먹었어요?"

침대 옆에 놓인 의자에 앉으며 그녀가 믿기지 않는다는 얼굴로 물었다. 진욱은 입을 꾹 다문 채, 그녀의 시선을 슬쩍 피해버렸다. 하지만 유미는 대답을 회피하는 진욱의 모습에서 확실한 답을 구할 수 있었다. 누가 럭비공 아니랄까 봐 이번에도 진욱은 돌발 행동으로 그녀를 놀라게 했다.

"그걸 왜 미련하게 다 먹어요. 그냥 버리면 되잖아요."

"무슨 말이야?"

그녀의 말이 마음에 들지 않는 듯 진욱이 입꼬리를 비틀었다.

"당신, 저번에 뭐라 그랬어? 손도 안 대고 버렸다고 불같이 화냈었잖아. 당당하게 내 방까지 찾아와서."

"네? 그게 무슨……?"

그때 불현듯 예전 일이 떠올랐다.

—아까운 음식 버리지 마시고 뭘 드시고 싶은지, 어떻게 요리하면 좋을지 알려주시면 감사하겠다고 전해주세요. 그럼 부탁드립니다.

나영 씨는 분명히 그가 자리에 없다고 했는데……. 그녀가 거짓말을 했을 리는 없고, 어디서 본 거지?

"그걸 보셨어요? 아……하."

유미가 겸연쩍게 말끝을 얼버무렸다.

"내 눈으로 똑똑히 봤지. 그때는 들소가 아니라 성난 곰처럼 포효하던데……. 가만 보면 이유미 씨, 성깔이 보통이 아니야. 잘하면 사람 한 대 치겠어."

전부 틀린 말은 아니었다. 지금도 걸핏하면 현태를 한 대 치곤 하니까.

"뭐 그렇다고 한 대 친다기보다는……."

유미는 무안한 듯 웃으며 혀를 날름 내밀었다.

"그런데 오늘은 애인이랑 약속 없나 봐?"

그녀를 빤히 바라보던 진욱이 슬쩍 지나가는 투로 물었다.

"애인이요?"

애인이란 말에 유미는 눈을 가늘게 모았다.

"……아, 현태."

그러다 그게 누구를 말하는 건지 깨닫고는 천천히 고개를 내저었다. 현태는 자신을 남자 친구로 써먹으라고 했지만 그러긴 싫었다. 이번만큼은 허심탄회하게 솔직해지고 싶었다.

"현태는…… 남자 친구 아니에요."

남자 친구가 아니라고?

전혀 예상하지 못한 유미의 말에 진욱의 눈이 휘둥그레졌다.

"그냥 친구예요. 제일 친한 친구. 그리고 같이 사는 게 아니라, 1층이 걔네 가게예요. 전 거기 2층에 세 들어 살고요."

정말인 거야? 그 뺀질이 놈팡이와 같은 사는 게 아니었어? 그런 거였어? 진욱은 밀려오는 안도감에 맥이 탁 풀려버렸다. 뭐랄까, 온몸이 저 밑으로 무겁게 내려앉는 느낌이었다. 잠깐! 그렇다면 나는 지금까지 괜한 상대를 두고 질투하고 있었다는 말? 아니, 질투라기보다는…… 그러니까 그냥 불편한…….

"본부장님이 오해하신 거예요."

진욱의 복잡한 속마음을 모른 채, 유미는 다시 한 번 현태와는 그냥 친구 사이라는 걸 확인시켰다.

"그러면 그때 왜 남자 친구처럼 행세한 거지?"

"그건 제가 하도 당하니까 불쌍해서, 편들어준 거죠."

"당하다니요? 그때 당한 사람은 오히려 나 같은데……."

어머, 이 남자! 환자라고 봐줬더니 사실을 왜곡하려고 그러네.

유미는 눈살을 찌푸리며 그날 진욱이 했던 말을 쏟아놓기 시작했다.

"그날 저에게 '그만!'이라고 버럭 소리 지른 거 기억 안 나세요? '그리고 그깟 거 봤다고 내가 당황할 거 같아?'라면서 목에 핏대를 막 세우고 골목이 쩌렁쩌렁 울리게 소리쳤다고요. 그게 당하는 게 아니면 뭐가 당하는 거죠?"

듣고 보니 정말 그렇다. 패드를 간직했던 걸 들킨 줄 알고 솔직히 눈에 뵈는 게 없긴 했다.

진욱은 미안한 마음에 슬그머니 유미의 시선을 피해버렸다. 그리고 속삭이듯 입술을 달싹거렸다.

"그날 일은…… 미안……해요."

"네? 방금 뭐라고 하셨죠?"

분명히 들었으면서 못 들은 척하다니. 진욱은 '흠흠' 마른기침을 내뱉고 이번에는 좀 더 큰 소리로 말했다.

"그날 밤, 내가 좀 도를 넘게 흥분한 거 맞습니다. 미안해요. 그리고 오늘 일도 미안하고."

그런데 이 여자, 미안하다고 사과하는데 영 믿지 않는 표정이었다. 진욱은 시큰둥하게 자신을 내려다보는 유미에게 미간을 찌푸렸다.

"이유미 씨, 표정이 왜 그렇습니까?"

"사람이 아프면 마음이 약해진다더니 정말 그런가 보네요."

"뭐?"

진욱이 버럭 언성을 높이자, 유미는 그제야 킥 웃음을 터뜨렸다.

"아무리 아파도 본부장님의 그 욱하는 성질은 어디 안 가네요."

"이유미 씨."

"어머, 흥분하시면 안 돼요. 지금은 안정이 최고니까."

"지금 병 주고 약 주는 거야?"

이 남자, 정말 열 받았나 보다. 다시 말꼬리가 짧아진다. 이리도 씩씩하게 반응하는 걸 보면 아주 심각하게 아픈 건 아닌 거네.

지금까지 걱정하던 마음이 어느 정도 수그러들었다.

"하여간 현태와 저는 그냥 친구예요."

"후, 남녀 사이에, 친구가 어디 있습니까?"

"걔는 저에게는 남자가 아니라 '천사, 정현태'거든요. 등에 날개가 달린 천사요!"

그냥 친구라면서 천사라고 휘황찬란한 설명을 늘어놓는 건 뭔데! 아무리 뭐라고 해도 놈팡이 녀석이 거슬리는 건 어쩔 수 없다.

쳇! 코웃음을 치던 진욱은 서서히 밀려오는 졸음에 눈앞이 가물가물 어두워졌다. 왜 이러지? 수면제를 복용한 것도 아닌데……. 진욱은 밀려오는 잠 때문에 느릿하게 눈을 감으며 작게 한숨을 내쉬었다.

"……당신도."

어렵사리 눈을 뜨며 진욱이 속삭이듯 말했다.

"……오……해한 거야……."

유미가 궁금한 얼굴로 바라보자 진욱은 다시 감기려는 눈꺼풀을 힘겹게 들어 올렸다.

"……클럽에서 본 그 여자는 친한 선배의 약혼녀야. 저번에 말했듯이 혜리와는 아무 사이 아니고. 그리고 깜순이는…… 보면…… 놀랄 거야. 그리고 그 보석함……."

진욱은 잠을 쫓을 수 없는지 눈꺼풀을 감았다가 뜨는 속도가 아주 느려졌다.

"……주인은…… 따로 있어."

"주인은 따로 있다고요?"

"……그건…… 그……건…… 바……로……."

한숨 쉬듯 웅얼거리던 진욱은 그대로 눈을 감고 입을 다물었다.

진욱이 아무 말도 하지 않고 숨만 몰아쉬자, 유미는 슬쩍 그의 어깨를 밀어보았다. 전혀 반응이 없는 걸 보면 잠들어버린 모양이다. 진욱의 대답을 애타게 기다리던 유미는 실망감에 피식 웃고 말았다.

"후, 혼자 버럭 하고 흥분하더니 그새 힘이 다 빠진 모양이네."

그동안 몰랐는데 오늘 자는 진욱의 모습을 보니까 그새 얼굴이 좀 여윈 것 같다. 잦은 야근에, 걸핏하면 출장에, 거의 쉬는 날도 없이 일하는 진욱의 일정을 보면 그럴 만도 했다.

유미는 안쓰러운 마음에 흘러내린 이불을 조심스레 여며주었다. 그러던 중, 이불 위에 놓인 진욱의 손에 그녀의 손이 살짝 닿았나 보다.

"으음."

잠결에 몸을 비틀던 진욱이 아무 망설임 없이 유미의 손을 와락 그러쥐었다. 흠칫 놀란 유미가 잡힌 손을 빼려고 했지만, 진욱은 꽉 잡은 손을 놓아주지 않았다.

어쩐다? 좀 더 강하게 손을 잡아당겼다간 깨어날지도 모르는데…….

할 수 없이 유미는 진욱에게 손을 내맡긴 채 먼저 놓아주길 기다렸다. 그때 병실 문이 한 뼘쯤 열리며 우진이 얼굴을 들이밀었다.

병실 안을 둘러보던 우진의 눈에 유미의 손을 꼭 잡고 깊이 잠든 진욱의 모습이 들어왔다. 그런 그를 유미가 묘한 감정이 서린 눈으로 내려다보고 있었다.

말없이 두 사람을 바라보던 우진은 자신의 손에 들린 수면제로 시선을 옮겼다. 간호사가 건네준 수면제는 아마도 지금은 필요 없을 것 같았다. 우진은 두 사람에게 들키지 않게 조심하며 도로 조용하게 문을 닫았다. 아파서일까? 아니면 유미가 옆에 있어서일까? 진욱은 아주 오랜만에 깊은 잠에 빠져들 수 있었다.

유미는 아기가 엄마의 손을 잡듯 자신의 손을 꼭 잡고 새근새근 잠든 진욱을 가만히 바라보았다. 왠지 모르게 가슴 한구석이 먹먹하면서도 또 한편으로 간질간질 설레었다.

오랫동안 진욱을 내려다보던 유미는 말없이 창밖으로 고개를 돌렸다. 어느새 어둑어둑해진 바깥 풍경이 그녀의 시야에 가득 차올랐다.

"왜 안 되는 건데요?"

혜리는 병실 앞을 딱 버티곤 선 우진을 원망스러운 눈으로 흘겨보았다. 진욱이 어디에 있는지 절대로 알려줄 수 없다는 나경을 어르고 달래고 나중에는 엉엉 울면서까지 매달려 그가 지금 병원에 입원해 있다는 사실을 알아냈다.

진욱이 걱정돼 혼비백산해서 달려왔더니 생각지도 못한 복병이 병실 앞을 지키고 있었다.

평소의 우진이라면 아무 말 없이 안에 들여보내줬을 텐데, 오늘 그는 아주 완고한 표정으로 고개를 절레절레 내저었다.

"본부장님에게 지금은 안정이 최고입니다."
"그러니까 얼굴만 보고 가겠다고요."
"안 됩니다. 방금 잠드셨는데 그러다 깨기라도 하면 큰일 납니다."
"장 비서님."
"오늘은 그냥 돌아가세요. 나중에 본부장님이 깨어나시면 주혜리 씨가 왔다 갔다고 알려드리겠습니다."
"그래도 어떻게 오빠 얼굴도 못 보고 돌아가요?"
혜리는 눈물이 그렁그렁한 눈으로 간절하게 기도하는 것처럼 두 손을 모았다.
"오빠가 너무 걱정돼서 그래요. 이대로 돌아갔다간 오늘 밤 한숨도 자지 못할 거라고요."
"아, 그렇다면……."
우진은 주머니에서 무언가를 꺼내 그녀에게 내밀었다.
"받으세요."
"네? 이걸 왜 제게?"
혜리는 병원 로고가 그려진 종이봉투를 얼떨결에 받아 들었다. 그러자 우진이 아주 진지한 표정으로 대답했다.
"아주 강력한 수면제입니다. 이것만 있다면 아무런 걱정 없이 푹 잘 수 있을 겁니다."
"네에?"
혜리는 기가 막힌다는 얼굴로 우진을 노려보았다.
수면제? 지금 나랑 장난하자는 거야?
"이봐요, 장우진 씨!"
혜리가 뭐라고 쏘아붙이기 전에 우진이 재빠르게 말을 내뱉었다.

"이건 처방받는 수면제가 아니라서 복용하셔도 아무 이상 없습니다. 그래도 정 찝찝하면 가시는 길에 신경과에 들러서 수면제 처방을 받으셔도 됩니다."

"장 비서님!"

"쉿! 언성을 낮추세요. 본부장님 깨십니다."

와, 무슨 사람이 이렇게 앞뒤 꽉꽉 막힌 철벽일까! 혜리는 가면을 쓴 것처럼 무표정으로 병실 문 앞을 버티고선 우진을 한껏 노려보았다. 결국 두 손 들며 항복하고야 말았다. 괜히 이러다가 진욱이 깨어나기라도 하면 그녀 혼자 소란죄를 옴팡 뒤집어쓸 것 같았기 때문이다.

"좋아요. 오빠가 깨어나면 꼭 연락 주세요."

혜리는 물기 어린 눈으로 병실 문을 바라보곤 힘없이 등을 돌렸다.

어깨를 축 늘어뜨린 채 터덜터덜 걸어가는 혜리의 뒷모습을 지켜보던 우진은 그녀가 더는 보이지 않자 슬그머니 문을 열고 병실 안을 들여다보았다.

진욱은 아직도 곤히 잠들어 있는 상태였고, 유미 역시 피곤했는지 침대 모서리에 엎드린 채로 잠들어 있었다. 그리고 두 사람은 아직도 서로의 손을 꼭 잡고 있었다.

우진은 희미하게 입꼬리를 올린 후, 다시 조용히 병실 문을 닫았다.

"……저번에는 너무 안 먹어서 입원하시더니, 이번엔 너무 많이 먹어서 입원하시고……."

'참, 가지가지 한다. 가지가지 해.'라는 말을 속으로 삭이며 우진은 버튼을 눌러 침대의 상단 부분을 일으켰다.

"회사에는 나 쓰러졌다는 거, 입도 뻥긋하지 마."

진욱은 한눈에 보기에도 무척 수척했지만, 그래도 어제와 비교하면 많이 나아 보였다. 아침 일찍, 진욱의 상태를 들여다본 담당 의사는 오늘 퇴원해도 좋다고 허락했다. 하지만 집에서 하루 쉬어야 한다는 조건을 내걸었다. 진욱이 과연 그걸 지킬지 안 지킬지는 알 수 없지만.

"입원한 거, 이사진과 회장님에게까지 알려지면 또 피곤해지니까."

침대에서 몸을 일으키며 진욱이 퉁명스럽게 말했다.

"알겠습니다. 아 참, 그러고 보니 밤새 그렇게 푹 주무신 거, 정말 오랜만이네요. 어때요?"

"그런……가?"

진욱은 좌우로 고개를 까닥거리며 어깨를 돌려보았다. 평소와 다르게 몸이 개운하다. 역시 잠이 보약이라는 말이 맞는가 보다.

"이유미 영양사님은 어제 밤늦게까지 옆에서 지키다가 귀가하셨습니다."

그랬나? 잠들어서 몰랐는데……. 우진이 자신을 호기심 어린 눈으로 뚫어지게 바라보자 진욱은 슬며시 시선을 피해버렸다.

"집에 가서 샤워하고 출근할 테니까 어제 취소한 회의, 1시에 할 수 있게 준비해줘."

그 말에 우진의 미간이 구겨졌다.

"무슨 소리예요? 담당 의사가 오늘 하루는 집에서 푹 쉬어야 한다고 한 말, 못 들었어요?"

"어제 푹 자서 괜찮아."

"본부장님!"

"괜찮다니까!"

"좋아요. 한 번만 더 쓰러지면 그땐 정말 팔다리 묶어서라도 장기 입원시킬 겁니다."

"형, 협박 그만해."

"협박이 아니라 경고입니다."

"그게 그거지!"

우진의 경고와 부축을 동시에 받으며 퇴원 절차를 마친 진욱은 곧장 집으로 향했다.

"야옹, 야옹."

깜순이는 어제 외박한 진욱이 걱정되었는지 애처롭게 울며 그의 다리에 자신의 몸을 비볐다.

"깜순, 이 오빠, 걱정했어?"

진욱은 허리를 아래로 굽혀 깜순이의 머리를 가볍게 쓰다듬었다. 고양이는 그의 손에 얼굴을 비비다 손을 할짝할짝 핥기 시작했다.

"그래, 난 괜찮으니까 걱정 마. 오빠, 끄떡없다고."

진욱은 깜순이를 몇 번 더 쓰다듬어준 뒤, 급히 욕실로 향했다. 출근 시간에 늦지 않으려면 신속하게 준비해야 한다.

샤워를 마치고 드레스 룸에서 빠르게 슈트를 고르던 진욱의 눈길이 구석에 놓인 커다란 쇼핑백에 머물렀다. 유미가 가져온 캐시미어 코트가 든 쇼핑백이었다. 출장에서 돌아온 날 아무 생각 없이 드레스 룸에 던져놓고 까맣게 잊고 있었네. 어차피 입을 일이야 없겠지만, 그래도 구겨지지 않게 옷걸이에 걸어놔야겠지?

쇼핑백에서 코트를 꺼내 옷걸이에 걸던 진욱이 동작을 멈추었다.

"뭐야, 이게?"

밤업소 무대 의상처럼 코트 여기저기에 반짝거리는 블랙 비즈가 촘촘히 박혀 있었다. 그러고 보니 집으로 찾아간 그날 밤, 그녀는 창백한 얼굴로 코트에 비즈가 뭐 어쩌고 한 것 같다.

—저, 그리고……. 그 코트에 비즈가 박힌 건…….

그래서 그렇게 쩔쩔맸던 거였나? 훗, 유행 다 지난 코트를 누가 입는다고. 진욱은 당황해하던 유미의 얼굴을 떠올리며 피식 입꼬리를 말아 올렸다. 생각하면 생각할수록 엉뚱한 여자다. 그래서 한 번이라도 더 눈길이 가는 거고, 자꾸만 끌리는 거고……. 그리고…….

코트를 바라보던 진욱은 희미한 미소를 지으며 두 팔로 코트를 꽉 끌어안았다. 왠지 모르게 코트에 그녀의 향이 배어 있는 것만 같았다.

“본부장님이 오늘 출근하셨다고요?”

[네. 하루 쉬시라고 했는데 영 고집을 부리시네요.]

아침을 준비해달라는 우진의 전화에 유미는 믿기지 않는다는 듯 입을 벌렸다.

“그래도 그렇지…….”

[어제 갑자기 입원하느라 오후 일정을 통째로 날려버린 탓에 검토할 서류가 쌓인 터라 오늘 하루 어떻게 쉬느냐면서 회사로 나오셨네요.]

“알겠습니다.”

삼시 세끼의 고집을 누가 꺾으랴. 전화를 끊은 유미는 급체로 쓰러진 사람에게 어떤 음식이 좋을까 궁리하다 삼계 죽을 끓이기로 했다.

부랴부랴 아침을 준비해서 본부장실로 들어가자 자리에서 일어난 우진이 그녀 대신 집무실 문을 노크해주었다.

"네."

진욱의 짧은 대답에 우진이 조심스럽게 문을 열어주었다. 유미가 안으로 들어왔지만, 진욱은 여전히 고개를 숙인 채 서류에서 시선을 떼지 않았다.

"아침 드시고 하세요."

유미는 휘갈기듯 사인하는 서류 옆에 도시락을 조심스럽게 올려놓았다.

"속 편해지시라고 삼계 죽을 준비했습니다."

힐끗 도시락을 쳐다볼 뿐 진욱이 별 반응을 보이지 않자, 유미는 살며시 그의 눈치를 살폈다.

"몸은 좀…… 어때요? 괜찮으세요?"

"네."

도시락에서 서류로 시선을 돌리며 진욱이 짧게 대답했다.

왜 갑자기 차가워졌지? 어젯밤에는 어디도 못 가게 손을 꽉 붙잡고 안 놓아주더니. 그것 때문에 밤늦게까지 집에도 못 갔는데…….

"네, 그럼 가보겠습니다."

얼떨떨한 표정으로 등을 돌리려는데 진욱이 결재 서류 파일을 탁, 덮어버렸다.

"이유미 씨."

"네?"

놀란 유미가 곧바로 동작을 멈추며 뒤로 고개를 돌렸다. 진욱은 갑자기 자리에서 벌떡 일어나더니 그녀에게 성큼성큼 다가왔다. 순식간에 그녀 앞으로 다가온 진욱이 상체를 숙여 그녀에게 얼굴을 가까이 가져갔다. 유미는 흠칫 긴장하며 불안한 시선으로 진욱을 바라보았다.

"무슨 일로……?"

뚫어질 듯이 자신을 빤히 바라보는 진욱의 시선에 유미는 얼굴을 빨갛게 물들였다.

"……어제는……."

그가 나직한 목소리로 입을 열었다.

"고마웠습니다."

그의 한마디에 긴장이 탁 풀린 유미는 저도 모르게 한숨을 내쉬었다. 그러다 퍼뜩 정신을 차리고는 빠르게 고개를 내저었다.

"……아, 아니에요. 제가 만든 도시락을 먹다가 쓰러지신 거니까 당연히 제가 가봐야죠."

"아니죠. 미련하게 많이 먹은 제 잘못입니다."

그렇게까지 말한다면야 사실 맞는 말이긴 하다. 유미가 잠자코 자신의 말에 귀를 기울이자, 진욱은 계속해서 말을 이었다.

"오늘 도시락은 됐습니다. 이유미 씨도 어제 방송국 스태프 도시락 만들어내느라 고생했으니까 오늘은 편히 쉬도록 해요."

어째 그의 말투가 너무도 정중해서 오히려 거리감이 느껴졌다.

"됐습니다. 그만 가보세요."

말을 끝낸 진욱은 그녀에게서 상체를 일으켜 자신의 자리로 돌아갔다. 유미는 얼떨떨한 기분에 아무 말 없이 고개만 까닥거리고 조용히 집무실을 걸어나갔다.

밖으로 나간 그녀는 한동안 멍한 표정으로 복도에 서 있었다.

어딘지 모르게 분위기가 달라졌는데…… 뭘까? 뭔가 손에 잡히지 않는 아지랑이가 눈앞에 아른거리는 느낌이었다.

유미는 본부장실 문을 한 번 바라본 후, 힘없이 엘리베이터를 향해 발걸음을 돌렸다.

"아니, 이놈이 미쳤나?"

철민은 바에 앉아 칵테일을 들이켜는 진욱을 발견하고 소리를 질렀다. 그러고는 진욱의 옆에 앉으며 그의 손에서 술잔을 낚아챘다.

"어제 급체해서 쓰러졌다는 놈이 술을 마셔?"

"내놔. 그거 버진이야."

철민의 손에서 다시 술잔을 가져오며 진욱이 투덜거리듯 항의했다. 그제야 철민은 바에 팔꿈치를 기대며 안도의 숨을 내쉬었다.

"후우, 난 또 너에게 술 마시게 했다고 네 스토커 장 비서에게 한 대 맞는 줄 알았다. 그나저나 오늘은 일찍 퇴근했네?"

"음……."

진욱은 가볍게 고개를 끄덕이고는 잔을 들어 단숨에 비웠다. 그리고 곧바로 바텐더에게 손을 들어 두 번째 잔을 주문했다.

"너, 무슨 일 있냐? 뭔 버진 칵테일을 원 샷하고 난리야?"

"형."

웨이터에게서 두 번째 칵테일 잔을 건네받으며 진욱이 가라앉은 목소리로 철민을 불렀다. 철민은 '이 녀석이 왜 또 이리도 심각해?' 하는 표정으로 진욱을 바라보았다.

"콘라트 로렌츠라는 동물학자가 쓴 《솔로몬 왕의 반지》라는 책 읽어 봤어?"

"갑자기 어울리지 않게 무슨 책 이야기냐? 술 마실 때 그런 이야기 하면 머리만 아프다."

그러나 진욱은 철민의 시큰둥한 반응에도 불구하고 계속해서 말을 이어나갔다.

"책에 개 두 마리가 산책할 때마다 울타리를 사이에 두고 사납게 짖어댔다는 내용이 있어. 그런데 어느 날, 평소처럼 울타리를 따라 짖으며 걸어가는데 어쩌다 보니 울타리 끝부분이 열려 있었다는 거야."

"우와, 그래서? 싸움이라도 났어?"

그제야 흥미를 느낀 철민이 잔에 술을 따르던 동작을 멈추고 진욱에게로 고개를 돌렸다.

"여기서 재밌는 건, 서로 엉겨 붙어 싸울 줄 알았는데 두 마리 다 그냥 움찔하면서 제자리에 멈춰 서더래. 그러더니 동시에 다시 뒤로 돌아가 울타리를 두고 미친 듯이 짖기 시작했대."

"뭐?"

"울타리가 막혀 있어서, 서로 으르렁거렸던 거야. 막상 둘 사이를 가로막았던 장애물이 제거되니까 둘 다 어찌할 줄을 모른 거지."

"뭐냐? 겁쟁이 똥강아지 이야기냐?"

철민의 비아냥거림에 진욱은 긴 한숨을 내쉬었다.

"후……. 그렇군. 겁쟁이란 소리네."

그리고 나 역시, 그런 겁쟁이일 수도. 진욱은 씁쓸하게 웃으며 앞에 놓인 칵테일 잔을 빤히 내려다보았다. 그녀에게 남자가 없다는 사실에 한없이 기뻤지만, 이상하게도 선뜻 다가설 수가 없었다. 그래서 오늘 아침에도 진욱은 그녀에게 살짝 거리감을 두었다.

수많은 질문이 진욱의 머릿속을 가득 채우기 시작했다. '왜 남자도 없으면서 그렇게까지 철벽 방어한 걸까?'라는 의아한 질문으로 시작해서 '정말로 그녀는 내가 불편한 걸까?' 하는 두려운 대답으로 끝을 맺곤 했다. 그게 아니라면 진정 내가 남자로서 마음에 들지 않는 걸까? 그러니까 남자도 없으면서 그토록 밀어냈겠지. 만약에 그게 아니라면 나에게 상처받을까 봐 겁먹고 주저하는 걸까?

명쾌한 대답을 얻기 전까지는 그녀에게 한 발도 나아갈 수 없었다.

"그런데 말이야. 너 그거 아냐?"

옆에서 잠자코 술을 마시던 철민이 툭 던지듯 말을 내뱉었다.

"세상에 같은 사람이 없듯이 세상에 같은 동물도 없다는 거야."

"그게 무슨 말이야?"

"책에 나오는 개들은 그렇게 울타리로 돌아갔을지 모르지만, 세상의 모든 개가 그렇게 행동하는 건 아니라는 거지. 어떤 주인을 만나서 어떤 환경에서 자라왔는지에 따라서 또 바뀌는 거니까."

"예를 들면……?"

"난 아니지만, 경희는 어릴 때부터 강아지를 키웠잖아. 다음 달에 결혼하고 자리 잡히면 유기견을 입양하려고 해. 그래서 요새 자주 동물 보호 센터에 가는데…… 정말 모든 강아지의 성격이 다른 거야."

진욱이 자신의 말에 귀를 기울이는 것 같자 철민은 빠르게 다음 말을 이어나갔다.

"그러니까 내 말은 다시 울타리로 돌아가는 녀석들도 있고, '네가 이렇게 생겼구나.', '얼굴 본 김에 통성명이나 하자!', 서로 킁킁 냄새 맡다가 친구가 될 수도 있다는 말이지. 사실, 동물 보호 센터에 갔다가 그런 경우를 보기도 했고."

"……과연 그럴까?"

"응, 처음엔 으르렁거리던 녀석들도 계속해서 만나게 하면 사이가 좋아진대. 결국은 서로 잘 몰라서 그런 거지."

과연 그럴까? 그 말이 사실이라면 서로에 관해 좀 더 아는 게 급선무일지도 모르겠다.

"그렇게 되려면 몇 번이나 만나야 하지?"

"음, 글쎄…… 빠르면 서너 번. 오래 걸리면 열 번쯤?"

"……열 번이라……."

열 번쯤 만나면 복잡한 머릿속이 조금이라도 정리될까?

"그래…… 열 번 만나면 뭐든 되겠지."

진지한 얼굴로 중얼거리던 진욱은 칵테일 잔을 입으로 가져갔다.

"방금 뭐라고 그러셨죠?"

유미는 전혀 이해가 되지 않는다는 표정을 지었다.

오늘은 아침은 필요 없고 점심만 가져다달라고 해서 가져왔더니 진욱은 도시락은 거들떠보지도 않고 다짜고짜 마른하늘에 벼락 치는 것 같은 소리를 내뱉었다.

"이유미 씨. 나, 책임져요."

책임지라니? 난데없이 왜? 아무래도 뭔가 잘못 들은 모양이다.

한참을 기다려도 더 이상의 얘기가 없자 유미는 어색하게 웃으며 그대로 등을 돌렸다. 그러나 그녀가 한 발짝 떼기도 전에…….

"나, 책임지라고 했습니다."

다시금 진욱이 나직한 목소리로 말했다.

유미는 의아한 표정을 지으며 뒤를 돌아보았다.

"네……? 뭘……?"

그러자 진욱은 자리에서 벌떡 일어나더니 빠르게 책상을 돌아 유미 앞으로 저벅저벅 걸어왔다.

"날 체하게 만든 거."

유미는 반사적으로 한 발 뒤로 물러섰다.

"그래서 내 업무에 막대한 지장을 끼친 거."

그녀가 물러선 만큼 진욱이 한 발짝 앞으로 다가서며 말했다. 유미는 '그게 왜 제 잘못이에요?'라고 항의하고 싶었지만 그저 뒤로 한 발 물러설 뿐이었다. 그러자 진욱이 한 발짝 더 앞으로 내디뎠다.

"내 전속 영양사로서 소임을 제대로 하지 못한 거!"

코앞으로 바짝 다가서며 진욱이 강한 어조로 말했다.

왜 저리도 이글거리는 눈으로 바라보는 거야? 으아, 다리가 후들거려서 도저히 서 있을 수가 없다. 유미는 무너지듯 테이블 옆에 놓인 의자에 주저앉았다.

진욱은 도저히 빠져나갈 수 없게 유미의 등 뒤에서부터 테이블로 팔을 뻗었다. 그리고 유미의 귓가에 얼굴을 대고 나직이 속삭였다.

"전부, 싹 다, 책임져요."

책임지라니 도대체 뭘 책임져? 아무리 생각해도 그녀가 책임질 일이 아닌데도 저리 강하게 나오니 뭐라고 딱히 반박할 수가 없다. 유미가 넋이 나간 얼굴로 눈만 깜빡거리자, 진욱은 아주 심각한 표정으로 말을 덧붙였다.

"보석함 일도 그렇고, 밤무대 업소 의상을 만들어버린 캐시미어 코트도 그렇고."

헐! 드디어 코트를 발견했구나! 보석함 가지고 그리 난리를 쳤는데 이번에는 또 어떤 엿을 주시려고? 유미의 눈이 튀어나올 것처럼 동그랗게 변했다. 바짝 긴장한 유미를 무심한 눈길로 바라보던 진욱이 상체를 숙여 그녀의 얼굴에 자신의 얼굴을 들이밀었다. 너무 가까워서 숨을 쉴 때마다 진욱의 숨결이 얼굴에 와 닿는다.

으, 기분이 이상해! 솜털이 바짝 일어서는 느낌에 유미는 두 손을 꼭 움켜쥐며 살며시 볼살을 깨물었다.

"이유미 씨, 이참에 우리 싹 깔끔하게 정리합시다."

'그래서 내가 지금 '나 죽었소!' 하면서 도시락 만들고 있잖아!'라고 빽 소리치고 싶었지만, 회사 안에서 그럴 순 없고. 유미는 해맑게 웃으며 최대한 상냥하게 반박했다.

"……제가 그래서 지금, 아주 열심히 본부장님을 감동하게 할 도시락을 준비하고 있는데요."

"그거 가지곤 안 되겠어요."

아, 역시! 도시락 가지곤 안 되는 걸까?

"네? 그럼 도대체. 뭘…… 어떻게 책임지라는 말씀이신지……."

우려했던 대로 적금을 깨야 하나? 도중에 해약하면 돈도 얼마 되지 않는데. 유미는 속상해서 금방이라도 눈물이 쏟아질 것 같은 얼굴로 진욱을 마주 보았다.

잠시 침묵을 지키던 진욱은 그녀에게서 상체를 일으키더니 아무 감정 없는 말투로 대답했다.

"나와 밥 먹읍시다."

"네, 그러니까 밥을 먹으면……."

잠깐! 지금 뭐라는 거지? 밥을 먹자고?

"방금 뭐라고 하셨죠?"

"죄송하면 나와 밥 먹자고."

유미가 대답을 하지 않고 멍하게 쳐다만 보자, 진욱은 살짝 미간을 찌푸렸다.

"왜? 싫어?"

"아, 아뇨. 그게 아니고요. 제가 잘못 들었나…… 해서. 저와 밥을 먹자고요?"

진욱은 위아래로 크게 고개를 끄덕거렸다.

"전에도 말했잖아. 당신이 만든 음식 못 믿겠다고. 아무래도 나를 감동하게 할 만한 도시락을 만드는 건 불가능한 일인 것 같고. 그러니까 그냥 같이 밥 먹자고."

불가능? 왜? 내 솜씨가 어때서! 우리 동구는 너무나도 감동해서 울기까지 했다고! 자존심이 상한 유미의 얼굴이 조금 일그러졌다.

"더도 말고 덜도 말고 딱 열 번. 당신이 밤무대 업소 의상으로 만들어버린 캐시미어 코트, 그게 천만 원이라 치고 식사 한 번에 백만 원씩 갚아나간다고 생각해요."

와, 밥 한 번 먹을 때마다 백만 원을 갚는 걸로 치자? 이 남자, 지금 제정신이야?

진욱은 오만한 표정으로 느긋하게 팔짱을 끼며 말을 이어나갔다.

"내가 그쪽 생각해서 책임질 기회를 주는 겁니다."

같이 밥을 먹어주는 걸로 지금까지의 일을 없던 일로 하겠다는 건 좋지만, 그래도 밥 먹는 걸로 변제하자니까 기분이 좀 그랬다.

"그러면 다음 로테이션이 돌아올 때, 제 마음대로 다른 곳으로 옮겨도 상관없다는 말씀이죠?"

"물론. 뭐, 우리 대복처럼 직원 대우가 좋은 회사를 마다하고 떠날 리야 없겠지만, 이유미 씨가 정 원한다면 고이 보내드리죠."

유미가 마음에 들지 않은 눈빛으로 슬쩍 노려보자, 진욱은 알아서 하라는 듯 여유 있게 웃어 보였다.

"자, 뭐가 좋을지 골라봐요. 책임지고 다 물어내고 대복에 계속 남든지, 아니면 나와 밥을 먹고 훌훌 털어버리든지."

"하, 정말 돈이 남아도나? 뭐? 밥 한 번 같이 먹을 때마다 백만 원을 갚는 걸로 하자고? 진짜 기가 막혀서. 아니 뭐, 저런……."

유미는 엘리베이터에서 내려 구내식당으로 향하며 한 손으로 앞머리를 마구 헝클어뜨렸다. 적금을 깨지 않아도 되니까 나쁠 건 없지만, 그래도 은근히 기분이 나빴다.

삼시 새끼가 절대로 순수한 마음으로 저런 기회를 제공했을 리가 없으니까. 지금까지 당한 게 있으니 마음을 놓고 있을 수가 없었다. 방심하고 있을 때 크게 한 방 맞으면 회복하는 데도 오래 걸린다고.

"뭐지?"

골똘히 궁리하던 유미의 얼굴에 어두운 그림자가 내려앉았다.

"……이번에는 먹이기 고문인가?"

유미는 자신을 테이블에 묶어놓고 '몬도 가네(Mondo Cane)'에 나올 법한 희귀 망측한 요리를 그녀의 입에 억지로 넣어주는 진욱을 상상하며 몸을 떨었다. 어떡해! 난 산낙지도 못 먹는데!

유미는 괴로운 듯 두 손으로 머리를 쥐어뜯기 시작했다.

씨이, 뭐야? 대체 뭐냐고!

"후우."

방송 준비를 위해 보도실로 들어가던 혜리는 우뚝 제자리에 멈추며 땅이 꺼져라 긴 한숨을 내쉬었다. 아무리 생각해도 분통이 터져서 미치고 팔짝 뛸 것만 같다.

진욱이 깨어나는 대로 연락해달라고 했는데 우진에게선 밤새도록 감감무소식이었다. 아침까지 쭉 잠들어서 연락 안 한 건 아닐까 애써 이해하며, 아침 일찍 병원으로 가봤더니, 헐! 벌써 퇴원했단다. 배신감에 치가 떨렸지만, 퇴원하느라 바빠서 깜빡했을 수도 있으니까, 좋게 좋게 생각하자는 마음에 우진에게 먼저 전화를 걸었다. 하지만 신호만 갈 뿐 받지 않았다.

그녀가 지금까지 진욱의 휴대폰에 남긴 메시지는 20개에 육박했다. 그러나 애석하게도 진욱에게선 아직 아무런 연락도 없었다. 회사로 전화했더니 오늘따라 나영은 월차라면서 전혀 알지 못하는 직원이 그녀의 전화를 받았다. 그녀는 아주 매정하게 "외부인에게 본부장님의 일정을 발설할 수 없습니다."라는 말만 되풀이했다.

"도대체 뭐냐고!"

마음 같아선 이대로 회사에 쳐들어가고 싶지만……. 하늘도 무심하시지. 이번 주는 주말까지 방송 스케줄이 줄줄이 잡혀 있어 도저히 짬을 낼 수가 없었다.

그녀의 육감으로는 이번 주 내에 진욱을 만나지 않으면 뭔가 불리한 일이 일어날 것만 같았다. 어쩌면 좋지? 팍 눈 감고 방송 하나 펑크 내버릴까? 펑크 한 번 냈다고 NBN 방송국의 꽃인 주혜리를 자르기야 하겠어? 혜리는 동상처럼 제자리에 얼어붙은 채, 아주 심각한 고민에 빠져들었다.

유미가 집무실을 나가고 1시간도 넘게 흘렀는데 앞에 쌓아놓은 결재 서류는 전혀 줄어들지 않고 있었다. 심각한 표정으로 서류를 검토하던 진욱은 도저히 집중이 안 되자, 한숨을 내쉬며 의자 등받이에 머리를 기대었다. 그녀에게 불쑥 던져버린 제안에 대해 그 자신도 아직은 확신이 서지 않았기 때문이다.

괜히 열 번 만나자고 못을 박았나? 적어도 백 일은 만나자고 해야 했던 건 아닐까? 자꾸만 잡생각이 떠올라 앞에 놓인 서류가 머릿속에 들어오지 않았다. 진욱은 공허한 눈빛으로 천장을 하염없이 바라보며 혼잣말처럼 중얼거렸다.

"그래, 열 번이면 충분할 거야. 그러니까……."

똑똑―.

그때 노크 소리가 들리며 우진이 집무실 안으로 들어섰다.

"본부장님, 차 대기시켰습니다."

"알았어."

그럴 리야 없겠지만 진욱은 우진에게 혼자 중얼거린 말을 들킨 것 같아 벌떡 자리에서 일어났다. 그리고 애써 무표정을 유지하며 옷걸이에 걸어둔 재킷을 챙겨 들었다.

"가지."

구내식당에 돌아온 유미 역시 온종일 아무것도 손에 잡히지 않았다. 자꾸만 멍해지는 정신을 다잡으며 식재료 점검에 집중하려 했지만, 연달아 실수만 저질렀다. 결국 유미는 구내식당 구석에 쭈그리고 앉아 두 손으로 턱을 괴고 생각에 잠겼다.

—전에도 말했잖아. 당신이 만든 음식 못 믿겠다고. 아무래도 나를 감동하게 할 만한 도시락을 만드는 건 불가능한 일인 것 같고. 그러니까 그냥 같이 밥 먹자고.

—더도 말고 덜도 말고 딱 열 번. 당신이 밤무대 업소 의상으로 만들어버린 캐시미어 코트, 그게 천만 원이라 치고 식사 한 번에 백만 원씩 갚아나간다고 생각해요.

—자, 뭐가 좋을지 골라봐요. 책임지고 다 물어내고 대복에 계속 남든지, 아니면 나와 밥을 먹고 훌훌 털어버리든지.

진욱이 한 말을 곱씹으면 곱씹을수록 어이없고 화가 났다. 영양사로서의, 그리고 조리사 자격증이 두 개나 있는 그녀의 실력을 은근히 까는 것 같은 느낌이랄까? 하여간 실실 웃으면서 약을 올리는 것 같단 말이지. 그리고 어떤 꿍꿍이가 있는 건지, 도대체 어떤 밥을 같이 먹자는 건지, 영 찝찝했다.

"밥 같이 먹자는 말에 이렇게 기분 나쁘고 불안하긴 처음이네. 하여간 같은 말을 해도 사람 속을 확 뒤집어놓는 재주가 있다니까!"

혼자 쭈그리고 앉아서 구시렁거리는 모습이 이상했는지 지나가던 은비가 가까이 다가왔다.

"쌤! 지금 뭐 하세요?"

"어? 아니. 그냥 좀…… 여기 테이블 다리가 흔들리는 것 같아서."

유미는 혹시라도 자신이 투덜대는 소리를 은비가 들었을까 벌떡 일어나며 딴청을 부렸다. 은비는 멀쩡한 테이블을 덜컹덜컹 흔드는 유미를 이상한 눈초리로 바라보다 제니가 큰 소리로 부르자 더는 물어보지 않고 조리실로 돌아갔다.

허리를 굽히고 열심히 테이블 다리를 흔들던 유미는 은비가 조리실 안으로 들어간 걸 확인하고서야 슬그머니 동작을 멈췄다.

띠링—.

그녀가 허리를 펴며 테이블에 턱을 괴는 순간, 문자 메시지가 도착했다는 알림이 울렸다. 유미는 깜짝 놀라 가운에서 휴대폰을 꺼내었다.

오늘 저녁 7시. 회사 앞에서 봅시다.

헐, 오늘 저녁?

유미는 휴대폰이 진욱인 것처럼 꽉 움켜쥐며 부르르 떨기 시작했다.

진짜, 어떡하지?

유미는 난처한 표정으로 아랫입술을 잘근잘근 씹었다.

Episode 17

이건 데이트가 아니라 일의 연장일 뿐

그냥 문자 못 받은 척하고 집에 가버릴까? 못 이기는 척하면서 같이 밥을 먹어줄까?

유미는 끝내 결정을 내리지 못 하고 회사 건물 앞을 서성거렸다.

아무리 그래도 '몬도 가네' 급 음식을 먹으라고 할까 하는 생각이 들면서, 이 기회에 차진욱이란 남자에 관해서 좀 더 알아보고 싶기도 하고……. 오해도 풀렸고 지금 그의 옆에 아무도 없다는데, 안 될 건 또 뭐냐고, 안 그래?

"어머, 내가 지금 무슨 생각을 하는 거야?"

유미는 자신의 말도 안 되는 망상에 화들짝 놀라며 아랫입술을 깨물었다. 그와 나는 어차피 안 될 사이다. 인기 아나운서인 '주혜리'도 눈에 차지 않는 남자가 에로 배우의 딸인 나를……? 헛된 꿈은 꾸지도 말자!

유미는 거세게 고개를 저으며 버스 정류장으로 가기 위해 서둘러 보도블록을 내려섰다. 그때 미끄러지듯 지하 주차장을 빠져나온 진욱의 차가 유미에게 다가왔다.

이런! 결정을 못 내리고 망설이는 동안, 벌써 약속 시각이 됐나 보다. 어떡하지? 회사 앞에서 옥신각신하기보다는 우선은 회사에서 멀리 떨어져야 한다.

차가 멈춰 서자, 유미는 혹시 다른 직원들 눈에 띄기라도 할까 봐, 후다닥 문을 열고 조수석에 올라탔다.

"기다렸어요? 지금이 정확하게 7시인데."

"아뇨. 저도 방금 나왔어요."

15분 먼저 나왔지만, 유미는 시치미를 딱 잡아뗐다.

방금 나온 사람치곤 밖에 오래 서 있었던 것처럼 그녀의 몸에선 찬바람이 느껴졌다. 하지만 진욱은 아무런 토를 달지 않고 여유롭게 차를 출발시켰다.

오늘 저녁을 위해서 진욱은 우진에게 꽤 괜찮은 레스토랑을 물색하라는 지시를 내렸다. 한식, 일식, 중식, 양식 등 가리지 않고 수준급이라는 레스토랑은 모두 알아내라고 했다.

유미가 무슨 음식을 좋아하는지 아는 바가 전혀 없었기 때문이었다. 혹시 몰라서 떡볶이나 튀김 등을 취급하는 분식집도 검색에 포함시켰다. 나, 차진욱은 한 번 한다고 하면 아주 철저하게 준비하는 사람이니까! 총알을 넉넉히 장전하고 전쟁터에 나가는 병사처럼 마음이 든든했다.

힐끗 옆을 훔쳐보니 유미는 꽤 긴장한 얼굴로 앞만 뚫어지게 보며 입을 꼭 다물고 있었다. 왠지 울타리를 사이에 두고 슬그머니 꼬리를 내리는 강아지처럼 느껴진다. 커다란 눈에 눈처럼 하얀 털을 가진 토실토실 토끼 같은 강아지.

차가 큰길로 막 들어서자, 유미가 조심스럽게 말을 꺼냈다.

"저, 곰곰이 생각해봤는데요. 아무래……."

"뭐 좋아해요?"

그녀의 말을 도중에 끊어버리며 진욱이 질문을 던졌다. 그녀가 음식을 정하기 전에 자신이 어떤 준비를 해놨는지 알리고 싶었기 때문이다. 유치하다고 해도 할 수 없었다.

“한식, 양식, 중식, 일식. 괜찮다는 레스토랑, 다 알아놨는데. 골라봐요. 뭐가 좋을지.”

“오늘은 한식이요.”

“그래요? 그러면 청담동에 아주 잘하는 한정식…….”

“저, 그런데요.”

이번에는 유미가 진욱의 말을 도중에 끊어버렸다.

“이건 좀 아닌 거 같아요.”

끼이익—.

마침 교차로 신호가 빨간색으로 변하자 진욱은 거칠게 차를 멈춰세웠다.

이건 좀 아닌 것 같다고? 또다시 도망가려는 건가?

진욱은 약간 화가 난 얼굴로 유미에게로 고개를 돌렸다.

“뭐가 아니란 거지? 이유미 씨는 책임질 일을 했고, 난, 책임질 기회를 준 것뿐인데……?”

그의 말꼬리가 살며시 떨리고 있었다. 오늘 하루는 그냥 진욱이 하자는 대로 따라갈까 하는 유혹이 들었지만, 유미는 무릎 위에 놓인 손을 움켜쥐며 마음을 다잡았다.

나중에 어떻게 될지 모르겠지만, 우선 할 말은 해야겠어. 일방적으로 끌려갈 수만은 없으니까!

차에 올라타고 큰길로 나가기까지 짧다면 짧고 길다면 긴 시간 동안 그녀가 내린 결론은 이랬다.

“전 영양사로서 책임을 지겠다고 한 거거든요.”

"영양사로서의 책임?"

진욱이 조금은 느슨해진 얼굴로 되묻자 유미는 빠르게 고개를 끄덕였다.

"그러니까 메뉴는 제가 고를게요. 전 영양사니까요!"

"뭐요?"

"이건 데이트가 아니라 일의 연장인 거죠."

진욱이 어떤 음식을 먹자고 할까 봐 불안할 것도 없고, 혹시라도 그에게 딴 감정을 품게 될까 봐 걱정할 것도 없는 그녀가 내릴 수 있는 최선의 결론.

나, 이유미 영양사는 차진욱 본부장의 건강을 책임지기 위해서 그와 함께 열 번의 식사를 한다!

"일의 연장?"

진욱은 단호한 표정으로 고개를 끄덕이는 유미를 보며 미간을 찌푸렸다. 이 여자, 어쩌면 하는 행동 하나하나, 말 하나하나, 모두 엉뚱한지 모르겠다. 그런데 그런 그녀의 돌발적인 엉뚱함이 참을 수 없이 귀엽기만 했다.

"참…… 누가 뭐래요?"

진욱은 터져 나오려는 웃음을 겨우 참으며 무뚝뚝하게 대꾸했다.

"그래요, 이유미 '영양사님'이 골라주는 대로 먹도록 하죠."

"그리고 오늘 저녁은 제가 살게요."

"일이라면서요. 그렇다면 당연히 내가 내야 하는 거 아닙니까?"

"하지만 저번에 점심 얻어먹은 것도 있고 하니까 이번엔 제가 낼게요. 아니면 불편해서 싫어요."

"좋습니다. 그렇게 합시다."

"그러면 저기 유턴할 수 있는 곳에서 차 돌리세요."

손가락으로 앞을 가리키며 유미가 아주 사무적인 말투로 말했다.

"그러죠."

진욱 역시 사무적인 말투로 대답하며 유턴할 수 있는 왼쪽 차선으로 이동했다. 하지만 유턴 신호를 기다리는 동안 은근히 심술이 돋기 시작했다. 이거 내가 너무 고분고분하게 따라주는 건 아닌가?

근사한 저녁을 위해서 만반의 준비를 해놓았는데 입 안이 조금 썼다. 그 때문인지 진욱은 유턴 신호가 들어오자, 차가 크게 기우뚱거릴 정도로 거침없이 운전대를 꺾어버렸다.

"어머!"

그 바람에 무방비 상태였던 유미는 중심을 잡기 위해 반사적으로 옆에 손을 뻗어 진욱의 허벅지를 꽉 움켜쥐고 말았다.

"헉!"

그녀의 손바닥 전체에 진욱의 탄탄한 허벅지의 탄력이 짜릿하게 느껴졌다.

어떡해! 얼른 손을 떼야 하는데 충격으로 마비되었는지 손가락 하나 까딱할 수 없었다.

"딸꾹!"

으아, 설상가상으로 이놈의 시도 때도 없는 딸꾹질이 또 터졌다!

당황한 유미는 한껏 몸을 움츠리며 황급히 진욱을 바라보았다. 직접 두 눈으로 보지 않고서도 그녀가 지금 어떤 표정을 하고 있는지 잘 아는 듯, 진욱은 앞에 시선을 고정한 채 거만한 미소를 떠올렸다.

"뭐, 이해는 합니다. 누구라도 놀랄 만큼 탄탄한 허벅지긴 하죠."

말이나 못 하면 얄밉지나 않지!

진욱은 자신을 흘겨보는 유미를 힐끔 훔쳐본 후, 더 세게 가속기를 밟아 속도를 올렸다. 그 탓에 이번에는 유미의 상체가 뒤로 훽 넘어가 버렸다. 그리고 동시에 그녀의 입에서 딸꾹질과 비명이 흘러나왔다.

"악! 운전 좀 살살 해……. 큭, 딸꾹!"

아, 이러다가 밥도 먹기 전에 기절하는 건 아닌지 모르겠다.

유미는 안전벨트를 손에 움켜쥐며 두 눈을 꼭 감아버렸다.

"진짜 여기가 맞습니까?"

진욱은 믿을 수 없다는 표정으로 주위를 둘러보았다.

유미가 자신이 원하는 곳으로 가자고 해서 약수동으로 차를 돌렸다. 다행히 퇴근길 교통이 크게 혼잡하지 않아 수월하게 한남대교를 건널 수 있었다. 그런데 문제는 유미가 그를 전혀 상상하지도 못한 낯선 곳으로 안내한 것이었다.

차 세울 곳이 마땅치 않을 거라며 공동 주차장에 차를 세우게 한 유미는 진욱을 이끌고 주택가 한가운데 조그만 골목길로 들어섰다. 그러더니 일반 주택 앞에 딱 멈춰 섰다.

혹시 길을 잘못 들었나 하고 뒤로 돌아가려는데 유미는 당당하게 대문을 열고 주택 안으로 한 발을 들여놓았다.

"왜 남의 가정집에 들어가려는 겁니까?"

당황한 진욱이 유미의 팔을 재빨리 잡아당겼다. 유미는 왜 그러느냐는 듯한 표정으로 진욱에게 고개를 돌렸다.

"여기예요. 제가 가자고 한 곳이."

"가정집이요?"

"가정집 아닌데요. 여기 식당 맞아요."

"무슨 식당이 간판 하나 없어요?"

대문 앞에는 '찜닭, 막국수, 만두'라는 조그마한 메뉴판만 붙어 있을 뿐, 식당 이름이 적힌 간판조차 없었다.

"나, 여기 단골이거든요. 그러니까 어서 들어가요."

유미는 선뜻 들어가지 못하고 서성거리는 진욱의 팔을 잡아당겼다.

"그쪽이 여기 단골인 건 단골인 거고. 아니, 얼마나 장사가 안 되면 간판도 없이 영업합니까?"

"그 점은 걱정하지 마세요. 본부장님이 태어나기 전부터 장사 잘하고 있는 집이거든요. 여기 이래 봬도 알 만한 사람은 다 아는 맛집이라고요."

맛집이건 아니건, 이건 아닌 거 같은데……. 진욱은 곤혹스러운 표정으로 미간을 모았다. 예전에 그녀와 갔던 전문 스테이크점은 일 때문에 같이 간 거였다면, 오늘 저녁이야말로 두 사람이 처음으로 함께 밥다운 밥을 먹으러 온 것이었다. 로맨틱한 장소는 둘째치고서라도 간판도 없는 가정집은 아니잖아?

"들어오세요. 제가 가자는 곳에 간다고 약속했잖아요."

어쩔 수 없이 유미에게 이끌려 대문 안으로 들어선 진욱은 눈앞에 펼쳐진 광경에 경악하고 말았다.

한옥을 개조한 식당은 마당 한가운데 놓인 평상을 중심으로 미닫이문을 여닫는 방이 'ㄷ' 자 형태로 펼쳐져 있었다. 신발을 벗고 미닫이문을 열고 방 안으로 들어가서 테이블을 앞에 앉는 식이었다.

뭐야? 의자도 없이 방바닥에 철퍼덕 앉아야 하는 거야?

뻣뻣하게 굳어버린 진욱과 반대로 유미는 자연스럽게 툇마루에 앉아 신발을 벗었다.

"지금 신발을 벗고 안으로 들어가란 말입니까? 좌식은 완전 내 스타일 아니에요. 보시다시피, 난 다리가 길어서……."

그러나 유미는 진욱의 말을 듣지도 않고 드르륵 방문을 열고 방 안으로 들어가버렸다.

"이봐! 이유미 씨!"

먼저 방 안으로 들어간 유미는 진욱에게 어서 들어오라는 듯 손짓을 해 보였다.

그래, 오늘은 첫날이니까 내가 참자! 방바닥에 앉으면 다리에 쥐 나는 것밖에 더 있겠어?

진욱은 작게 한숨을 내쉰 후, 그녀를 따라 방 안으로 들어갔다.

겉만 가정집 같은 줄 알았는데 방 안도 마찬가지였다. 온돌방에 덩그러니 상 두 개가 놓여 있었고, 그 옆에는 방석이 놓여 있었다. 양반다리로 앉아본 게 언제인지 기억도 나지 않지만, 진욱은 억지로 테이블 밑에 긴 다리를 접어 넣고 불편한 자세로 유미의 맞은편에 자리를 잡았다.

진욱은 방구석에 놓인 장롱을 물끄러미 쳐다보다 반대편에 달린 메뉴판으로 시선을 돌렸다. 대문 앞에 달린 메뉴 그대로, 찜닭, 만두, 막국수, 그리고 소주와 맥주, 막걸리가 전부였다.

"메뉴가 저게 다입니까?"

"네. 보통 만두를 먹으면서 찜닭을 기다리고 막국수로 마무리해요."

유미가 말을 마치자마자, 쟁반에 반찬을 든 중년의 남자가 방 안으로 들어왔다. 그녀의 말대로 진짜 단골인지 그는 환하게 웃으며 유미를 반갑게 맞았다.

"어서 오세요. 요새 통 안 오셔서 많이 바쁘신가 했습니다."

"네. 새로 들어간 직장이 워낙 빡빡해서 말이죠. 거의 매일 야근에다 주말까지 끌려나가느라고 시간을 낼 수 없었어요."

"아이고, 쉬어가면서 일해야지. 그러다 병나요."

"그러니까요, 사장님."

유미는 잘 새겨들으라는 듯 진욱을 힐끔 흘겨보았다. 진욱은 괜스레 마른기침을 내뱉으며 벽에 붙은 메뉴판을 보는 척 시선을 돌려버렸다.

"오늘은 뭘 드릴까요?"

"찜닭 하나랑 만두, 비빔 막국수, 물 막국수, 이렇게 주세요."

"네. 알겠습니다."

사장은 빨간 무생채와 생양파, 양념장, 물병과 물수건을 내려놓고는 다시 쟁반을 들고 밖으로 나갔다.

"반찬이 이게 답니까?"

"찜닭 나올 때, 부추 삶은 것도 함께 나와요."

"부추 삶은 거? 그게 다라고?"

"찜닭에 이거면 되지 뭐가 더 필요해요?"

진욱은 영 내키지 않는 얼굴로 잔에 물을 따랐다. 그리고 속이 탄다는 듯 벌컥벌컥 물을 들이켰다.

"지금은 이래도 맛이나 한번 보고 이야기해요. 계속 찾아오게 될 거니까."

"글쎄, 난 오늘이 처음이자 마지막일 것 같은데……."

"먹어보고 나중에 이야기하자니까요. 몸 허할 땐 찜닭과 부추만큼 좋은 게 없다고요."

따뜻한 물수건으로 손을 닦으며 유미가 생글거렸다.

이 여자, 차 안에서만 해도 긴장한 모습으로 벌벌 떨더니 단골집, 홈 그라운드에 왔다고 어느새 마음이 편해진 모양이다.

그녀가 진심으로 활짝 웃는 모습을 본 게 언제였더라?

진욱은 왠지 모르게 목구멍이 간질거리는 것 같아 또다시 물을 벌컥벌컥 들이켰다. 싹싹 깨끗하게 손을 닦은 유미는 소매를 걷어붙이더니 자신 앞으로 양념장이 담긴 종지를 끌어왔다.

"이건 이 집만의 특별한 양념장이거든요."

능숙한 솜씨로 겨자와 식초, 고추장을 양념장에 섞으며 유미가 제법 진지한 표정으로 설명했다.

"전 아직도 이 안에 뭐가 들었는지 확실히 알아내지 못했어요."

그녀는 재료를 모두 섞은 후, 조그만 접시에 양념을 덜어 진욱의 앞에 놓아주었다.

잠시 후, 사장이 김이 모락모락 올라오는 찜닭 한 마리를 들고 돌아왔다. 유미가 말한 그대로 상 위에는 접시에 담긴 찜닭 한 마리와 삶은 부추가 전부였다.

"닭고기 위에 삶은 부추와 양념을 올려서 먹으면 돼요."

유미는 자신이 먼저 시범을 보이겠다며 접시 위에 닭고기 한 점을 올려놓고 삶은 부추와 양념을 올린 후, 진욱에게 건네었다. 그리고 진욱이 한 입 맛보기를 기다렸다.

"맛있죠?"

닭 냄새도 전혀 안 나고, 껍질은 쫄깃하면서 살은 푸석하지 않고 적당하게 부드러웠다. 그녀의 말대로 오랜 세월 동안 이 집만의 전통 요리법을 살린 담백하면서도 깊은 맛이었다.

"……그리 나쁘진 않네요."

말은 그렇게 하면서도 진욱은 감동한 표정을 지었다. 진욱이 젓가락으로 닭고기 조각을 집어 드는 모습을 보며 유미가 나긋하게 설명에 들어갔다.

"기본이 있는 정직한 맛이죠. 강렬한 색감에 강한 양념으로 맛을 꾸민다 해도 기본적인 맛이 흐트러지면 아무 소용이 없거든요. 화려하진 않지만, 기본이 제대로 된 맛이 중요한 거죠. 그러니까 이 찜닭에는 간단한 양념과 삶은 부추, 무생채만 있으면 다른 반찬은 필요 없어요."

진욱은 그녀의 말에 동의한다는 듯 작게 고개를 끄덕거렸다.

음식이 만족스럽기 때문일까? 아니면 그녀와 함께 있기 때문일까?

허름하게만 느껴졌던 방 안도 어느새 시골 할머니 집에 놀러 온 것처럼 푸근하게 느껴지기 시작했다.

"식단을 짤 때, 영양소만 중요한 게 아니라 맛의 조화도 함께 따져야 하거든요. 더 나아가선 씹는 맛도 고려해야 하고. 전 여기에 올 때마다 부드러운 닭고기와 씹는 맛이 있는 부추, 아삭한 무생채의 조화에 감탄하곤 해요."

자신의 전문 분야에 관해 자신 있게 말하기 때문일까? 그를 바라보는 그녀의 눈빛이 너무도 생기 있게 반짝거렸다.

이 여자, 왜 이렇게 빛나 보이는 거야?

진욱은 그녀의 말에 귀를 기울이며 묵묵히 음식을 입으로 가져갔다. 한껏 행복한 얼굴로 말문이 트인 그녀를 방해하고 싶지 않았기 때문이었다. 매섭게 짖어대기만 하던 강아지가 갑자기 울타리가 사라지자 '어디 한 번, 네 녀석에 관해서 알아볼까?' 하며 코를 들이대고 킁킁 냄새를 맡는 뭐, 그런 느낌이랄까?

음식이 맛있기도 했지만, 그녀와 함께여서인지 진욱은 하나도 남김 없이 그릇을 말끔히 비우고 말았다.

"어때요?"

진욱의 앞에 놓인 빈 그릇을 바라보며 유미가 뿌듯한 미소를 지었다.

"뭐, 나중에 자꾸만 생각날지 안 날지는 시간이 지나보면 알겠죠."

그릇을 싹싹 비우고서도 끝까지 센 척이라니! 하여간 못 말려.

"먼저 나가서 계산하고 있을 테니까 본부장님은 천천히 나오세요."

가방을 챙겨 자리에서 일어나며 유미가 말했다.

"아뇨, 그러지 말고 같이 나가요. ……아!"

유미를 따라서 자리에서 일어나던 진욱이 순간 신음을 흘리며 그대로 주저앉았다. 놀란 유미가 진욱에게 달려가 무릎을 꿇고 앉았다.

"갑자기 왜 그래요?"

"……너무 오래 앉아 있었더니……."

"어떡해! 다리에 쥐 났어요?"

쥐가 난 것까진 아니고 발이 조금 저린 건데, 유미는 설명할 기회도 주지 않고 진욱의 종아리를 두 손으로 움켜쥐더니 꾹꾹 누르기 시작했다.

"아니, 저…… 왼쪽이 아니라 오른쪽……."

"네? 오른쪽이요? 어디요? 여기요?"

왼쪽 종아리를 열심히 주무르던 유미는 재빨리 오른쪽 종아리를 주물렀다. 많이 해봤는지 유미는 주먹을 꽉 쥐고 종아리를 손등으로 꾹꾹 누르기도 했다.

"그런데, 이유미 씨."

"네?"

"이러면 곤란한데……."

유미는 주무르던 동작을 멈추고 어리둥절한 눈으로 진욱을 바라보았다.

"남자 몸을 막 함부로 만지고 그러면 안 되죠."

뭐라는 거야? 물에 빠진 사람 건져놨더니 보따리 내놓으라는 것도 아니고.

"아니, 난 그저 도와주려고."

유미가 말꼬리를 흐리자, 진욱의 얼굴에 짓궂은 표정이 떠올랐다.

"아까 차 안에서도 허벅지를 막 만지더니, 아닌 척하면서 은근히 스킨십을 하는군요, 이유미 씨."

"생사람 잡지 말아요! 내가 언제! 나가서 먼저 계산할 테니까 천천히 나오세요."

유미는 얼굴을 새빨갛게 붉히며 자리에서 벌떡 일어섰다. 그리고 한 손에 가방을 움켜쥐고는 쪼르르 밖으로 달려나갔다.

하여간 조금만 놀려대도 즉각 반응해버린다. 진욱은 그런 그녀의 뒷모습을 보며 참았던 웃음을 터뜨렸다.

진욱이 방에서 나오니 평상에 앉아 무를 다듬는 할머니가 눈에 들어왔다. 유미는 벌써 계산을 마치고 나갔는지 아무 곳에도 보이지 않았다.

대문을 열고 밖으로 나오자, 한 손에 검은 비닐봉지를 들고 대문 앞에 서 있던 유미가 뒤로 돌아섰다. 아직도 삐쳤는지 약간 새초롬한 얼굴로 그를 노려보던 그녀는 불쑥 봉지를 들지 않은 손을 내밀었다.

"손 줘봐요."

"손? 내 손?"

유미가 고개를 끄덕이자 진욱은 피식 입꼬리를 비틀었다.

같이 밥 한 번 먹었다고 이렇게 적극적으로 나오다니, 나쁘진 않네.

"그러죠."

진욱은 두 손으로 유미가 내민 손을 움켜쥐었다. 진욱이 자신의 손을 덥석 잡아버리자 유미는 황당한 눈으로 그를 바라보았다.

"지금 뭐 하시는 거예요?"

"손 달라면서요?"

"그게 손 내밀라는 거지, 잡아달라는 거예요?"

유미는 슬그머니 잡힌 손을 빼더니 진욱의 손에 살포시 뭔가를 쥐여주었다.

"이걸로 입가심하라고요."

진욱은 허무한 눈으로 자신의 손바닥에 놓인 사탕을 내려다보았다.

뭐야, 이게? 누룽지 사탕?

진욱은 어이없다는 듯 픽 웃음을 흘렸다.

"계산서와 함께 딸려오는 사탕을 볼 때마다 이런 거 누가 먹나 했더니……. 난 항상 손도 대지 않고 테이블 위에 올려놓고 나왔는데."

"어머, 이렇게 맛있는 걸 두고 그냥 나왔어요?"

"영양사님이 먹으라고 하니까 오늘은 군소리 없이 먹기로 하죠."

진욱은 고분고분 말 잘 듣는 학생처럼 사탕을 까서 천천히 입에 넣었다. 생각했던 것보다 고소하면서 달콤한 맛이 입 안 가득히 퍼져나갔다.

원래 사탕 같은 거 별로 안 좋아하는데, 이상하게도 그녀가 준 사탕은 어떤 값비싼 디저트보다 부드럽게 녹아들었다. 그저 단순한 사탕일 뿐인데도…….

"거 봐요. 입가심으론 누룽지 사탕이 최고라고요."

진욱이 잠자코 입속에서 사탕을 굴리자 유미는 자신의 사탕 껍질을 까기 시작했다. 그녀의 하얀 손에 놓인 사탕을 보는 순간 진욱은 갑자기 장난기가 돌았다.

"잠깐만요."

진욱은 손을 뻗어 사탕을 막 입에 넣으려는 유미의 손을 잡아당겼다.

"다른 방법으로도 사탕을 먹을 수 있는데……."

유미는 무슨 말이냐는 듯 의아한 눈으로 바라보았다.

"……네? 어떻게요?"

가루가 되게 부숴서 먹기라도 하나?

"알고 싶어요?"

"네."

유미의 대답이 끝나자마자 진욱은 피식 웃으며 재빨리 그녀의 입술을 향하여 고개를 숙였다.

"흡!"

마치 키스라도 할 것처럼 그의 얼굴이 가까이 다가오자 유미는 숨을 들이마셨다. 하지만 진욱은 예상과는 달리 유미의 얼굴을 그대로 지나쳐 그녀 손에서 사탕을 낚아챘다.

그러고는 허공에 사탕을 던진 후, 고개를 뒤로 젖혀 입으로 사탕을 받아먹었다. 마치 훈련된 강아지가 간식을 받아먹는 묘기를 부리듯.

방금 뭐였지?

유미는 멍한 얼굴로 두 개의 사탕을 입에 넣은 진욱을 바라보았다.

그러니까 다르게 먹는 방법이란 게 '사탕 키스'를 말하는 게 아니라 강아지처럼 던져서 먹는 거였어? 난 그것도 모르고 잠시나마 키스하려는 줄 착각했다는 말이고?

급히 무안해진 유미는 빨갛게 얼굴을 붉히며 서둘러 등을 돌려 앞으로 걸어갔다.

이게 바로 로맨스 소설을 너무 많이 읽은 부작용인 거야. 그러면 그렇지. 사귀는 사이도 아닌데…….

"손에 든 건 뭡니까?"

종종걸음을 걷는 유미를 여유롭게 따라잡으며 진욱이 손에 든 검은 비닐봉지를 턱짓으로 가리켰다.

"아, 이거요. 만두 좀 포장했어요."

얼른 주제를 바꾸고 싶은 마음에 유미는 비닐봉지를 들어 올리며 활짝 웃어 보였다.

"누구 주려고요?"

활짝 웃는 그녀와는 달리 진욱의 목소리에는 다소 날이 서 있었다.

설마 그 놈팡이 녀석을 챙겨주려고 그러는 건 아니겠지? 정체 모를 불길이 속에서부터 화르르 솟아오르며 진욱의 눈빛이 차갑게 변해버렸다. 하지만 곧이어 나온 유미의 대답에 경직되었던 표정이 도로 느슨해졌다.

"엄마요. 우리 엄마도 이 집 단골이거든요."

"아, 어머니와 함께 사나 봐요?"

"음……. 어쩌다 보니까 그렇게 됐네요."

"그래요. 다행이군요."

조금은 쓸쓸한 목소리로 진욱이 작게 중얼거렸다.

"네? 뭐가 다행이죠?"

말은 다행이라고 하면서 진욱의 목소리는 무겁게 착 가라앉아 있었다. 유미가 자신을 빤히 바라보자, 진욱은 억지로 입꼬리를 올리며 애써 웃어 보였다. 그런 모습이 어딘지 모르게 더 슬퍼 보인다. 왜일까?

"아니, 뭐…… 어머니 먹을 것도 챙겨 드리고 모녀끼리 사이가 좋아 보여서."

"아뇨. 전혀 아니에요. 우리 맨날 싸워요. 엊그제도 완전 살벌하게 싸웠……."

아니, 내가 지금 무슨 말을 하는 거야! 뭐 좋은 일이라고 엄마랑 싸운 일을 미주알고주알 늘어놓고 그래!

"본부장님은요?"

유미는 서둘러 진욱의 어머니 얘기로 화제를 돌렸다.

차진욱이란 남자의 어머니라면 우리 엄마와는 다르게 아주 고상하실 거야.

"어머니와 사이좋으세요?"

그런데 어째 진욱의 얼굴은 점점 더 어두워져만 갔다.

"글쎄…… 어머니에 대한 기억은 별로 없어요. 워낙 어릴 때 부모님이 헤어지셔서……."

헤어지셨다면…… 이혼?

"어머, 미안해요."

이런, 물어보지 말걸.

이번엔 유미의 표정이 어둡게 가라앉았다.

"어머니는 지금 혼자 강원도에 계세요. 건강하게 잘 계신답니다."

진욱은 담담한 목소리로 어머니에 관해 털어놓았다.

"……우리 어머니는 전복죽을 참 좋아하셨어요. 직접 전복죽을 끓이기도 하셨고. 다른 건 몰라도 그건 확실하게 기억나요."

애령은 꿈틀거리는 전복을 만졌다가 깜짝 놀라 울음을 터뜨리는 꼬마 진욱을 품에 안고 토닥거려주곤 했었다. 그래서인지 진욱에게 전복죽은 언제나 애령의 품을 연상시켰다. 부드럽고 따스한 엄마의 품.

"본부장님도 전복죽 좋아하세요? 그러면 다음엔 전복죽 먹으러 갈까요?"

유미의 제안에 잠시 화색이 도는 듯했지만, 다시금 그의 안색이 어둡게 변했다.

"아뇨, 됐어요. 어딜 가도 그 맛은 안 나니까."

그러고 보니 유미가 처음으로 만들어준 도시락 역시 전복죽이었다.

그때 그냥 버리지 말고 한 입이라도 먹어볼 걸 그랬나? 혹시 알아? 어머니가 만들어주셨던 그 맛이었을지.

진욱은 쓸쓸해진 기분을 감추려 빠른 걸음으로 앞장서 걸어가기 시작했다.

지금까지 알고 지낸 진욱의 모습 중에서 이렇게까지 외로워 보이는 모습은 처음인 것 같다.

멀어지는 진욱을 멍하니 바라보던 유미는 퍼뜩 정신을 차리고 부랴부랴 그의 뒤를 쫓아갔다. 어색한 위로의 말을 건네는 것보단 그의 옆에서 나란히 걸어주는 게 어쩌면 더 도움이 될지도 모르니까.

그새 몇 번 와봤다고 진욱은 내비게이션의 도움 없이 유미의 집으로 차를 몰았다.

"다음번엔 내가 사니까, 두말하지 말아요."

바래다줘서 고맙다고 인사한 후, 차에서 내리는 유미의 등에 대고 진욱이 말했다. 그리고 그는 대답도 기다리지 않고 그대로 차를 출발시켰다.

유미는 진욱의 차가 완전히 시야에서 사라질 때까지 제자리에 서 있었다.

"오랜만에 분위기 좋았는데……."

괜히 엄마 얘길 꺼내 가지고선 갑자기 서먹서먹해졌어.

"후, 내가 하는 일이 그렇지 뭐."

맥&북 건물로 터덜터덜 걸어가던 유미는 무의식적으로 바지 주머니에 손을 넣었다.

"어? 뭐지?"

뭔가 주머니에서 잡혀서 꺼내보니 누룽지 사탕이 눈에 들어왔다. 몰랐는데 하나 더 집어온 모양이다.

유미는 가만히 선 채, 사탕을 쥔 손을 빤히 내려다보았다.

"이럴 줄 알았으면 헤어질 때, 하나 더 줄 걸 그랬나?"

그랬다면 이번에는 어떤 모습으로 사탕 먹는 법을 보여줬을까?

아직도 그녀의 손에는 두 손으로 꼭 잡아주던 진욱의 온기가 남아 있는 것만 같았다.

동시에 키스라도 할 것처럼 가까이 다가오던 그의 얼굴이 자꾸만 눈앞에 아른거린다. 그래서일까? 괜스레 심장 박동이 빨라지며 은근히 마음이 설레었다.

유미는 손등으로 상기된 뺨을 꾹꾹 누르며 서둘러 집을 향해 발걸음을 돌렸다.

"저거, 저거, 볼 빵빵한 거 봐. 했네, 했어!"

심야 드라마를 시청하던 미희는 중년 배우의 얼굴이 클로즈업되자, 흥분한 듯 언성을 높였다. 어째 그녀는 포장해 온 만두엔 관심이 없고 온통 TV에 정신이 팔린 듯했다. 특히 배우의 외모를 요모조모 평가하느라 바빴다.

"저건 분명히 보톡스 맞은 거야. 봐, 봐. 저기, 경애 오른쪽 턱에 주삿바늘 보이지?"

"네, 어련하시겠어요. 매의 눈으로 잘도 잡아내십니다."

유미는 한입 크기로 자른 만두를 동구의 입에 넣어주며 미희의 호들갑에 대충 맞장구를 쳤다. 그러자 미희는 신이 난 듯 속사포처럼 다다다 말을 퍼부었다.

"경애, 쟤 내 덕분에 배우 하는 거잖아. 내가 결혼하고 은퇴만 안 했어도 〈터질 거예요!〉 시리즈, 그거 내가 하는 거였어. 경애, 쟤가 나 대신에 그걸로 빵 뜬 거잖아."

'노경애'란 중년 배우가 TV에 나올 때마다 미희는 유미를 붙잡고 하소연을 늘어놓곤 했다. 이젠 하도 들어서 줄줄 외울 정도였다.

"그러니까 우리 엄마는 왜 그때 결혼해서 은퇴하셨을까? 그냥 끝까지 독신으로 살면서 〈터질 거예요!〉 2, 3, 4까지 찍었으면 좋았잖아."

진심이었다. 엄마가 그때 아빠와 결혼하지 않았더라면, 그래서 그녀가 세상에 나오지 않았더라면……. 어쩌면 모두 행복했을지도 모른다.

그랬더라면 미희가 연예계에서 밀려난 아쉬움에 한숨을 내쉴 리도 없고, 그녀도 에로 배우의 딸이란 꼬리표를 달고 괴로워하지 않아도 됐을 텐데…….

—그래요. 다행이군요.

그 순간 헤어지기 전에 중얼거렸던 진욱의 말이 떠올랐다.

—어머니 먹을 것도 챙겨드리고 모녀끼리 사이가 좋아 보여서.
—어머니에 대한 기억은 별로 없어요.

쓸쓸해 보이던 진욱의 얼굴이 떠오르자 유미는 왠지 모르게 가슴이 뭉클해졌다.
"아유, 속상해."
미희의 투덜거리는 소리에 유미는 퍼뜩 상념에서 깨어났다.
"내가 재보다 뭐가 못나서! 얼굴이며, 몸매며 빠지는 데가 없는데. 난 보톡스 안 맞아도 아직 피부가 빵빵하다고! 그렇지, 똥구야?"
미희가 코앞으로 얼굴을 들이밀자, 동구는 한입 가득 만두를 문 채, 빠르게 고개를 끄덕거렸다. 그러고는 뭐가 그리도 좋은지 반달 모양으로 눈꼬리를 휘었다.
"역시 우리 똥구밖에 없어."
미희는 동구의 해맑은 미소에 기분이 좋아졌는지 동구를 끌어안고 통통한 뺨에 뽀뽀를 날렸다.
"아이고, 엄마와 아들이랑 아주 좋아서 죽네, 죽어."
말은 그렇게 하면서도 어느새 유미의 얼굴에도 희미한 미소가 떠올랐다. 그녀가 보기에도 미희와 동구는 정말 죽이 잘 맞는 모자였으니까. 서로 갈라서며 영한에게 동구를 맡기고 올 수도 있었지만 미희는 동구 나이 또래에는 꼭 엄마가 곁에 있어야 한다며 위자료는 필요 없으니 양육권을 달라고 주장했다.

미희가 가끔 미웠지만 그래도 엄마는 엄마였다. 에로 배우의 딸이란 꼬리표를 붙여준 것만 빼면, 가끔 철부지 같은 행동으로 사고 치는 것만 빼면 그래도 크게 나쁘진 않았다. 아무리 어려운 상황에서도 유미를 포기하지는 않았으니까.

갑자기 남편이 사고로 사망하고 혼자 덩그러니 남겨진 미희에게 뻗치는 유혹의 손길은 많았다. 준 재벌급으로 제법 잘나가던, 당시 총각이던 남자가 청혼한 적도 있었다. 대신 결혼과 함께 유미를 멀리 외국으로 유학 보내는 조건을 붙였다.

—내가 우리 딸이랑 이산가족 되면서까지 나 혼자 잘 살고 싶진 않거든! 그러니까 꺼져! 꺼지라고!

미희는 무슨 일이 있어도 유미와 떨어질 수 없다며 그의 청혼을 단호히 물리쳤다. 단순한 성격 탓에 종종 뒷감당 못 할 일을 벌이는 건 문제였지만, 그래도 미희에게는 언제나 유미가 제일 먼저였다.

골칫덩어리인 엄마가 가끔씩 밉긴 했지만, 그래도 항상 옆에 있어줬다는 사실에 감사해야 할지도 모르겠다.

—워낙 어릴 때 부모님이 헤어지셔서…….

유미는 또다시 쓸쓸해 보이던 진욱의 얼굴을 떠올렸다.

—……우리 어머니는 전복죽을 참 좋아하셨어요. 직접 생물을 사다가 전복죽을 끓이기도 하고. 다른 건 몰라도 그건 확실하게 기억나요.

분명 손도 대지 않고 버렸겠지만, 우연하게도 그를 위해 처음으로 만들어준 음식이 바로 전복죽이었다. 솔직히 그녀도 처음 만들어본 전복죽이라 맛을 장담할 순 없었다. 어떻게 하면 맛있게 만들 수 있는지 좀 배워볼까? 월요일에 출근하면 우선 제니에게 전복죽을 맛있게 끓이는 비법을 물어봐야겠다.

유미는 머릿속으로 이리저리 궁리하며 오물오물 만두를 먹는 동구를 위해 숟가락으로 만두를 작게 자르기 시작했다.

"야아옹."

현관 앞에서 기다리던 깜순이가 진욱을 보자마자 속상하다는 듯 구슬프게 울어댔다. 옷에 닭 냄새라도 배었나? 진욱은 소매를 들어 킁킁 냄새를 맡아보았다.

"야옹. 야아옹."

진욱의 그런 행동에 깜순이는 다 알고 있으니까 속일 생각 말라는 듯 더 크게 울어댔다.

"미안, 깜순. 이럴 줄 알았으면 나도 우리 깜순이 몸보신하게 닭 좀 포장해 올 걸 그랬지? 지금 우리 깜순이는 홑몸도 아닌데……."

"야옹."

또랑또랑한 눈으로 진욱을 쳐다보던 깜순은 작은 입으로 그의 손을 '앙' 물어버렸다. 왠지 '말이나 못 하면 밉지나 않지, 이 화상아!'라고 투정 부리는 것처럼…….

"알았어. 다음번에는 꼭 포장해 올게. 오빠가 찜닭을 기가 막히게 잘하는 집을 알아냈거든. 맛의 기본 하난 철저한 집이라서 너도 좋아할 거야."

깜순이의 머리를 쓰다듬던 진욱은 자신이 그곳에 또 가려고 한다는 사실을 깨닫고 잠시 움찔했다.

"……내가 지금 뭐라고 한 거야?"

하, 거길 다시 간다고? 진욱은 그런 자신에게 어이가 없어 작게 실소를 내뱉었다.

"야옹."

어쩐지 속을 꿰뚫어 보는 것 같은 깜순이의 선한 눈빛에 진욱은 한숨을 내쉬며 제자리에 주저앉았다. 그러자 깜순이가 그의 무릎 위에 폴짝 뛰어올랐다. 깜순이에게만은 솔직하게 털어놓아도 되지 않을까?

오랜만에 아주 맛있는 저녁을 먹었다고.

오랜만에 아주 즐거운 시간을 보냈다고.

오랜만에 아주 행복했다고.

그녀와 함께였기 때문에…….

내일은 토요일이라 그녀를 볼 수 없다는 사실에 가슴이 알싸하게 아파왔다.

진욱은 벽에 머리를 기대어 눈을 감으며 무릎 위에 앉은 깜순이를 한 손으로 쓰다듬었다. 그의 손길에 기분이 좋은지, 깜순이는 두 눈을 감으며 그르렁 소리를 내기 시작했다.

"으으응."

유미가 잠결에 옆으로 돌아눕자, 미희는 얼어붙은 듯 옷장 문 여는 동작을 멈췄다.

잠시 후, 유미는 긴 한숨을 내쉬더니 반대로 돌아누워 옆에 있는 동구를 끌어안았다. 동구는 따뜻한 체온이 좋은지 그대로 유미의 품에 파고들었다.

아휴, 누가 오누이 아니랄까 봐, 어쩜 자는 모습까지 이렇게 똑같을까! 미희는 서로 꼭 껴안고 자는 유미와 동구를 말없이 바라보다 다시금 옷장 문을 열었다. 그리고 유미와 동구가 깨지 않게 조심하며 의상과 화장품을 챙겨 살금살금 방을 빠져나왔다.

오늘은 저번에 명함을 받았던 NBN 방송국의 강 국장을 만나기로 한 날이다. 제일 잘나가는 피디를 소개해 주겠다고 했으니까 오늘 당장 배역을 따내지는 못 해도 언젠가는 좋은 소식이 있을 거다. 그때까진 유미에겐 철저히 비밀로 해야 한다.

〈터질 거예요!〉 같은 노출이 심한 영화는 아니겠지만, 그래도 누가 알아? 중년의 러브 스토리를 하자고 할지? 키스 같은 애정신 정도는 아무렇지 않게 소화할 자신이 있었다.

문제는 유미였다. 미희의 연기 생활 시작은 드라마 조연에서부터였고, 그러다가 영화 출연 제의를 받은 거니까 이번에도 그리 되지 말란 법은 없다며 도끼눈을 뜨고 반대할 게 분명했다. 그러고 보면 요새 중년 여배우들도 꽤 높은 수위의 노출 영화를 찍기도 했다. 음, 그것도 나쁘진 않네. 내 몸매라면 20대와 견줘도 손색이 없거든. 하여간 첫발을 잘 내딛는 게 중요해.

"나, 조미희! 아직은 한물간 배우 아니라고!"

미희는 혼잣말처럼 중얼거리며 주방에서 몰래 옷을 갈아입고 후다닥 화장을 끝냈다. 그러고는 소리 나지 않게 현관문을 닫고 밖으로 나와 조심조심 계단을 내려갔다. 맥&북 유리창에 모습을 비춰보며 마무리를 하려는데 건물 앞에 스쿠터가 멈춰 섰다.

"와, 어디 좋은 데 가세요?"

헬멧을 벗은 현태는 몸에 착 달라붙는 원피스에 검정 스타킹, 킬 힐을 신은 미희를 놀란 표정으로 바라보았다.

"응, 오늘 방송국에 중요한 미팅이 있어서……."

미희는 빨간 립스틱에 윤기 나는 입술을 위로 말아 올리며 환하게 미소 지었다.

"어때, 현태야? 에스코트해줄래?"

"물론이죠. 어서 타세요."

토요일 이른 아침이라서 그런지 방송국까지 도로가 막힘없이 뻥 뚫렸다. 현태가 방송국 앞에 스쿠터를 세우자, 미희는 사뿐하게 내려서며 헬멧을 벗어 현태에게 건넸다.

"유미한테는 비밀이다. 알았지?"

"그럼요. 잘 다녀오세요."

미희는 현태를 향해 살짝 윙크를 던진 후, 우아한 걸음으로 방송국 건물 안으로 사라졌다. 그런 미희의 뒷모습을 애정 어린 눈길로 바라보던 현태가 다시 헬멧을 쓰고 스쿠터 시동을 걸려는데 누군가가 급하게 그를 불렀다.

"저기요!"

아무 생각 없이 뒤로 고개를 돌리자, 어디선가 나타난 혜리가 협찬 의상이 들어 있는 옷 가방을 현태에게 툭 던지듯 건넸다.

"숍에서 왔죠? 이거 가져가요."

"네?"

현태는 그녀가 던진 옷 가방을 무심결에 받아 들었다. 다짜고짜 숍에서 왔느냐며 옷 가방을 안기는 혜리에게 현태는 얼떨떨한 표정을 지었다. 무슨 일인지 전혀 감을 잡을 수가 없었기 때문이었다.

현태가 출발하지 않고 옷 가방과 자신을 번갈아 바라보자 혜리는 짜증스러운 얼굴로 미간에 주름을 잡았다.

"아니, 언제 선불로 바뀌었대요? 나랑 어디 한두 번 거래했나!"

그래도 할 수 없다는 듯 혜리는 지갑에서 5만 원짜리 한 장을 꺼내 현태의 주머니에 쑤셔 넣었다.

"잔돈은 됐어요."

"이봐요, 그게 아니라……."

"네, 네."

현태가 오해가 있는 것 같다고 말하려 했으나 혜리는 곧바로 그의 말을 끊어버렸다. 그러더니 더더욱 황당한 말을 늘어놓았다.

"내 팬인 건 알겠는데. 내가 지금 생방송 들어가야 해서요. 사진은 다음에 찍어줄게요. 그럼 부탁해요."

말을 마친 혜리는 뒤도 돌아보지 않고 부리나케 방송국 건물 안으로 뛰어 들어갔다.

"하! 뭐야, 저 여자?"

바삐 뛰어가는 혜리의 뒷모습을 바라보던 현태의 입에서 기가 막힌다는 듯 실소가 흘러나왔다.

누구지? 가수 같진 않고…… 신인 배우인가?

"그나저나 어떡한다?"

현태는 자신의 손에 들린 옷 가방을 난처한 눈으로 내려다보았다. 가방에는 큼직큼직한 글씨로 숍 주소가 적혀 있었다.

"아 함, 토요일 아침부터 엄마는 또 어딜 간 거야?"

유미는 잠이 덜 깬 얼굴로 크게 하품을 하며 터덜터덜 계단을 내려갔다. 혹시나 해서 맥&북 카페로 가봤지만 문이 굳게 잠겨 있었다. 영업시간이 되려면 아직 멀긴 했는데…….

유리창을 통해 안을 들여다보자 역시나 불 꺼진 실내가 텅 비어 있었다.

일찍 일어나서 현태와 커피 마시나 했는데 그것도 아니고. 진짜 어딜 간 거야? 어디를 가면 간다고 말을 하고 가야지.

머리를 긁적이며 혼자 구시렁거리는데 현태가 건물 앞에 스쿠터가 멈추었다. 현태는 맥&북 앞에 서 있는 유미를 보더니 손을 흔들며 빠르게 스쿠터에서 내렸다.

"현태, 너 이제 오냐?"

"어, 그렇게 됐다. 아침부터 이상한 여자를 만나서 말이지."

헬멧을 벗어 유미에게 건네고 열쇠로 카페 문을 열며 현태가 투덜거렸다.

"이상한 여자?"

"응. 날 보자마자 돈을 주면서 심부름을 시키더라고."

카페 문이 열리자, 현태는 성큼성큼 안으로 들어가 제일 먼저 커피 머신의 스위치부터 올렸다. 아무래도 커피를 마시며 생각을 좀 정리해 봐야 할 것 같았다.

"어? 처음 보는 여자가 다짜고짜 돈을 주면서 심부름을 시켰어? 그래서?"

"그래서는 뭐? 그냥 해줬지. 선불까지 받았는데 별수 있냐? 사기꾼 소리 안 들으려면 해줘야지."

다시 생각해도 어이가 없는지 현태는 피식피식 웃으며 커피 머신에 원두커피를 집어넣었다.

"유미야, 아침 먹었어? 프렌치토스트 해줄까? 슈거 파우더 팍팍 뿌려서?"

"그럴까? 동구도 좋아하겠다. 달걀 물은 내가 준비할게."

띠리리—.

팔을 걷어붙이며 주방으로 향하려는데 주머니에 넣어둔 유미의 휴대폰이 울리기 시작했다.

"어? 잠깐만."

주머니에서 휴대폰을 꺼내 화면을 들여다보자, '삼시 새끼'란 글자가 눈앞을 가득 채웠다.

어머, 토요일 아침 일찍 웬 전화질이래?

유미는 살짝 긴장한 표정으로 재빨리 통화 버튼을 눌렀다.

"네, 본부장님."

본부장이란 말에 현태는 혹시라도 두 사람의 통화를 엿들을 수 있을까 하는 마음에 슬그머니 유미에게로 상체를 기울였다. 하지만 아쉽게도 유미는 휴대폰을 귀에 댄 채 현태로부터 멀찍이 떨어져 창가로 걸어가버렸다.

[이유미 씨, 우리 오늘…….]

휴대폰 저편으로부터 진욱의 나직한 목소리가 흘러나왔다.

진욱이 유미에게 전화 거는 시점에서 15분 전으로 돌아가서…….

"정말이야?"

[그렇다니까요.]

진욱이 의혹 어린 목소리로 되묻자 휴대폰 건너편에서 흘러나오는 우진의 말이 빨라졌다.

[이국적인 음식점이 몰려 있는 경리단길 맛집 중에서도 최고로 손꼽히는 곳입니다. 특히 그 집만의 특제 소스 왕새우 크림 파스타가 끝내준다고요.]

"그래?"

[네. 저도 데이트하느라 종종 가곤 하는데 항상 그것만 주문한다니까요.]

우진의 입에서 '데이트'라는 단어가 튀어나오자 진욱은 미간을 찌푸렸다.

믿었던 도끼에 발등 찍히는 기분이 바로 이런 걸까?

"데이트? 형, 언제 여자 친구 있었어?"

[아니, 지금 내 나이가 몇인데 아직까지 여자가 없으려고요.]

"그런데 어째서 한 번도 나에게 그런 말을 안 했지?"

뭔지 모를 배신감에 진욱은 아랫입술을 깨물었다.

그렇단 말이지, 세상 사람 모두 연애하는데 지금까지 나만 연애 지수 0%로 지냈다?

[공과 사를 분명하게 구분하자던 사람은 바로 본부장님이 아닌가 싶은데요.]

말이나 못 하면 밉지나 않지.

"알았어. 그만 끊어."

진욱은 매몰차게 전화를 끊어버리고 소파에 털썩 주저앉았다.

"야옹."

소파 밑에 있던 깜순이가 폴짝 소파 위로 뛰어오르더니 진욱의 손을 할짝할짝 핥기 시작했다. 기분 풀라는 듯 다정하게 핥아주는 깜순이를 보며 진욱은 긴 한숨을 내쉬었다.

"그러고 보면 깜순이, 너도 혼자가 아니잖아."

새끼를 가졌다는 건, 저 밖 어딘가에 남자 친구가 있다는 말.

"후우, 어쩌다가 천하의 차진욱이 이렇게 됐을까……."

도저히 억울해서 안 되겠다. 이런 기분으로는 절대로 밥이 목구멍에 넘어가지 않을 것 같다. 진욱은 커피 테이블 위에 올려놓은 휴대폰을 집어 들었다.

뚜, 뚜, 신호 음이 들리고 건너편에서 유미의 목소리가 흘러나왔다.

[네, 본부장님.]

그녀의 목소리를 듣는 순간 울컥 목이 메는 이유는 그저 오늘이 토요일이기 때문일 것이다.

"이유미 씨."

진욱은 안부 인사 이런 거 다 생략하고 단도직입적으로 하고 싶은 말을 꺼냈다.

"우리 오늘 같이 밥 먹죠."

"네?"

진욱의 황당한 제안에 유미는 멍한 얼굴로 눈만 깜빡거렸다.

'오늘 날씨가 좋네요.'도 아니고 '지금 뭐 합니까?'도 아니고 '오늘 바쁩니까?'도 아니고, 통화가 연결되자마자 다짜고짜 같이 밥을 먹자니……. 아무리 '통화는 간단히'라는 말이 있다지만, 이건 아니잖아? 게다가 오늘은 황금 같은 주말이다!

"저, 오늘은 주말인데요."

[왜요? 이유미 씨는 주말엔 밥 안 먹습니까? 주말에 혹독한 다이어트라도 해요?]

"아뇨. 그런 건 아니고……."

다이어트라니, 무슨 소리? 세상은 넓고 먹을 것은 많은데. 먹다 죽은 귀신은 때깔도 곱다고 절대로 내 인생에 다이어트란 없다!

[그러면 뭐가 문제입니까? 어차피 배는 고프니까 밥은 먹어야 하고 그걸 나와 먹자는 건데.]

"누가 그걸 몰라서 그래요? 내 말은……."

[두 번째는 내가 내기로 했으니까, 이번엔 장소도 내가 고르겠습니다. 주소 찍어줄 테니까 얼른 준비하고 와요.]

그녀의 말을 도중에 잘라버린 진욱은 뭐라고 대꾸하기도 전에 전화를 뚝 끊어버렸다.

"아니, 저기……."

유미는 황당한 얼굴로 끊어진 휴대폰 화면을 멍하니 바라보았다.

뭐야, 이게? 이 남자, 은근히 제멋대로네!

잔에 커피를 따르던 현태가 왕성한 호기심을 감추며 슬쩍 지나가는 투로 물었다.

"왜? 삼시 새끼가 또 뭐라고 그래?"

"아, 아니. 회사 일로 좀……. 나, 잠시 나가봐야 해."

"지금?"

"응. 하여간 토스트는 다음에 먹어야겠다."

"그래, 할 수 없지 뭐."

"아 참, 똥구!"

외출 준비를 하기 위해 서둘러 카페 문으로 향하던 유미가 갑자기 제자리에 멈춰 섰다.

"개, 혼자 두고 가면 안 되는데, 어떡하지? 아휴, 엄만 이럴 때 또 어딜 간 거야."

유미가 미희에게 전화하려고 하자, 잔에 커피를 따르던 현태가 화들짝 놀라며 커피포트를 다급히 내려놓았다.

"유미야!"

오늘 미희는 방송국에서 중요한 미팅이 있다고 했다. 한창 미팅 중일지도 모르는데 괜히 전화 걸어서 방해해선 안 된다.

"동구는 걱정하지 마. 나랑 아침 먹고 여기서 놀면 되니까."

"안 돼. 하루 이틀도 아니고 너한테 미안해서……."

유미는 단호하게 고개를 내저으며 미희의 단축 번호를 눌렀다. 그러자 현태는 휴대폰을 그러쥔 유미의 손을 덥석 잡아 일방적으로 전화를 끊어버렸다.

"나, 동구 사랑해! 나, 동구의 열성 팬이라고!"

"응?"

"그러니까 전혀 신세 진다고 생각하지 말고 동구를 나에게 맡기고 가."

얘가 왜 이렇게 오버하지?

유미가 의심스러운 눈빛으로 바라보자 현태는 이를 드러내며 활짝 웃어 보였다.

"내가 진짜, 진짜 좋아서 하는 일이니까, 마음 편하게 갔다 와. 제발!"

"그래도……."

"괜찮다니까!"

현태가 버럭 언성을 높이고서야 유미는 할 수 없다는 듯 고개를 끄덕거렸다.

"……알았어. 그럼. 대신 금방 다녀올게."

"그래, 너도 무슨 일 생기면 곧바로 연락하고."

"응? 일은 무슨 일?"

이번엔 또 무슨 소리? 오늘따라 약간 이상한 현태를 보며 유미가 콧등에 잔주름을 잡았다.

"기회가 되면 드라마 주인공 흉내 좀 내보자고."

"아휴, 됐네요."

"야, 진짜라니까! 나, 〈아이가 다섯〉의 성훈처럼 아주 시크하게 연기할 수 있어. 나 못 믿어?"

"아이고, 어련하시겠어요. 그래, 알았다. 알았어."

유미는 기기 막힌다는 듯 손을 내젓고는 외출 준비를 위해 부랴부랴 카페를 걸어나갔다. 그런데 어째 걸어가는 모양새가 주말에 일터로 끌려나가게 된 사람 같지 않고 즐거워 보인다. 가만히 들어보면 흥얼거리며 콧노래를 부르는 것 같기도 하고…….

그런 유미를 보고 있자니 현태는 왠지 모르게 힘이 빠지며 묘하게 기분이 거슬렸다.

제발 남자 좀 사귀어보라고 등 떠밀 때는 언제고 왜 자꾸만 찝찝한 생각이 드는 걸까? 아마도 같이 놀아줄 친구를 아침부터 빼앗겨서 그런 거겠지?

현태는 유미를 주려고 따른 커피를 말없이 바라보다 천천히 한 모금 들이켰다.

"크으."

이상하게도 오늘따라 커피 맛이 참 쓰다. 음…… 설탕이라도 밥숟가락으로 팍팍 넣어야 하나?

Episode 18

이렇게라도 같이 있고 싶으니까

한낮의 이태원 거리는 주말을 즐기러 나온 사람들로 발 디딜 틈 없이 북적거렸다. 그런 곳에서 주차할 공간을 찾는다는 건 하늘의 별을 따는 것만큼 어려웠다. 결국 진욱은 조금 멀리 떨어진 공영 주차장에 차를 세운 후, 레스토랑까지 천천히 걸어가기로 했다.

우진이 적극적으로 추천한 레스토랑은 경리단길 중간쯤, 대로변에 자리 잡고 있었다. 겉으로 보기엔 이탈리안 가정집같이 소박하면서도 곳곳에 놓아둔 알록달록 화려한 색채의 화분이 타인의 눈길을 끌었다. 마치 지중해에 온 것 같은 분위기를 물씬 풍기는 레스토랑 앞에는 주말 점심을 즐기러 나온 연인들이 줄지어 서 있었다.

진욱은 우아한 걸음으로 줄 서 있는 사람들을 지나쳐 레스토랑 입구로 향했다. 입구에 놓인 데스크 뒤에서 뭔가를 바쁘게 적던 종업원이 진욱을 향해 고개를 들었다.

"몇 분이세요?"

"둘입니다. 창가 쪽 넓은 자리로 부탁합니다."

진욱의 말에 종업원은 심드렁한 표정으로 고개를 흔들었다.

"그건 장담 못 합니다. 나중에 자리 나는 것 봐서요. 성함은요?"

"차진욱."

종업원은 대기 명단에 진욱의 이름을 휘갈기더니 옆에 '2'라고 적었다. 그리고 옆에 있던 번호표를 집어 들었다.

"자, 번호표 받으세요. 자리 나오는 대로 불러드릴게요."

종업원이 건네주는 번호표에는 '15번'이란 숫자가 인쇄돼 있었다.

"9번 정승주 고객님. 들어가세요."

이름이 불린 젊은 연인이 활짝 웃으며 서로 팔짱을 낀 채, 진욱을 지나쳐 레스토랑 안으로 들어갔다. 진욱은 놀란 눈으로 자신의 번호를 빠르게 확인했다. '15번'이란 숫자가 시야에 가득 찼다.

"잠깐! 이제 9번이면 내 앞으로 다섯 팀이 더 있다는 말입니까?

"네."

'그렇게 단순한 계산도 못하나?' 하는 얼굴로 종업원이 고개를 끄덕였다.

"그러면 얼마나 기다려야 한다는 소리죠?"

"글쎄요. 테이블 회전이 빠르면 15분에서 30분, 좀 느리면 45분에서 1시간쯤 걸릴 겁니다."

"뭐라고요?"

로맨틱하게 분위기 잡으려고 우진이 추천한 넘버원 데이트 코스로 온 건데, 밖에서 1시간이나 기다리게 될지도 모른다고?

그래도 어제 그 가정집 같은 식당은 기다리지 않고 바로 들어가 앉았단 말이다. 만약에 그녀가 기다릴 수 없다며 화내고 집에 가버리기라도 한다면?

돌연 이마에 식은땀이 흘렀다. 진욱은 서둘러 품에서 명함을 꺼내며 품위 있게 느긋한 어조로 말했다.

"이건 제 명함입니다."

종업원은 귀찮다는 표정으로 진욱과 명함을 힐끗 쳐다보았다.

"명함은 저 주시지 말고, 거기 통에다 넣으세요."

"통이요?"

진욱이 한 번에 알아듣지 못하자 종업원은 손가락으로 뒤에 놓인 이벤트 통을 가리켰다.

한 달에 한 번 추첨을 통해 '그릭 샐러드' 무료 쿠폰을 드립니다.

누가 그까짓 공짜 샐러드가 탐난다고 했어? 공짜 좋아하면 머리만 벗겨진다고. 내 돈 내고 사 먹으면 그만이지!

진욱은 올라오는 짜증을 내리누르며 다시금 상냥하게 말했다.

"이벤트에 응모하겠다는 게 아니라, 어떻게 하면 기다리는 시간을 단축할 수 있을지 홍정하자는 겁니다. 돈을 얼마나 더 내야 하는지 액수를 불러봐요."

"네?"

"고급 호텔이나 리조트에 가면 'VIP 서비스'라는 게 있어서 24시간 중 어느 때라도 곧바로 객실을 얻을 수 있어요. 내가 지금 그런 서비스를 살 테니까 얼마인지 말해보라는 겁니다."

"하아."

진욱의 설명에 종업원은 크게 한숨을 내쉬었다.

"손님, 저희 같은 조그만 레스토랑에 그런 거창한 서비스가 있겠습니까?"

"그렇다면 지금이라도 한번 만들어보든지. 연회비 받아서 시작하면 아주 인기 많을 텐데……. 그게 바로 공격적 마케팅이라는 거예요. 사업을 하다 보면……."

'VIP 서비스'의 장점에 관해서 열심히 설명하고 있는데 누군가 진욱의 등을 손가락으로 톡톡 두드렸다. 슬쩍 뒤를 돌아보자 유미가 뽀로통한 얼굴로 서 있었다. 안절부절못하는 얼굴로 주위를 둘러보던 그녀는 재빨리 진욱의 귓가에 작게 속삭였다.

"지금 여기서 뭐 하시는 거예요?"

"조금이라도 빨리 자리를 얻기 위해서 흥정을 벌이는 중입니다."

"분위기 안 맞게 왜 이러세요. 이리 와요."

유미는 매섭게 진욱을 쫙 째려보더니 그의 팔을 잡아당겼다. 그리고 미안한 얼굴로 종업원을 향해서 꾸벅 고개를 숙였다.

"정말 죄송합니다. 우리 차례가 되면 불러주세요."

유미는 레스토랑 입구에서 조금 멀리 떨어진 곳으로 와서야 꽉 잡은 진욱의 팔을 놓아주었다. 그녀가 껴안은 것처럼 팔을 꽉 잡아주었기에 은근히 기분은 좋았지만 진욱은 티를 내지 않고 무심한 얼굴로 구겨진 옷의 주름을 툭툭 손등으로 폈다.

유미는 빨개진 얼굴을 두 손으로 가리며 마치 죄를 지은 사람처럼 고개를 푹 숙였다.

"본부장님, 지금 뭐 하시는 거예요? 사람들 다 있는 데서 그러시면 어떡해요?"

"나는 조금이라도 시간을 낭비하지 않으려고 한 것뿐입니다."

"낭비라니요?"

"고작 점심 한 끼 먹으려고 밖에서 줄 서서 기다리는 게 시간 낭비가 아니면?"

말로 해서는 안 되겠다는 생각이 들었는지, 유미는 번쩍 고개를 들고 앞으로 손가락을 뻗었다.

"눈이 있으면 좀 보세요."

그녀가 가리킨 곳에는 차례를 기다리는 사람들이 긴 줄을 이어 서 있었다. 대부분은 연인 사이인지 서로 손을 잡거나 팔짱을 끼고 다정하게 대화를 나누며 웃고 있었다.

"본부장님 눈에는 저 모습이 시간 낭비하는 걸로 보이세요?"

음, 다시 찬찬히 살펴보니 전혀 그렇게 보이지 않았다. 유미의 말대로 줄 선 사람 모두 즐거운 얼굴로 차례를 기다리고 있었다.

"그리고 좋아하는 사람이랑 맛있는 거 먹으려고 일찍부터 줄 서서 기다리는데 누가 VIP다, 어쩌다 하면서 막 끼어들어 새치기하면 기분이 좋겠어요?"

그녀의 말이 맞긴 했다. 진욱은 아무런 대꾸도 하지 못하고 입을 꽉 다물었다.

"저 사람들 모두 주중 내내 일하다가 주말에 겨우 시간 내서 데이트하러 나온 거라고요."

메뉴판을 보면서 무슨 음식을 주문할까 심각하게 고민하는 연인도 있었고 서로 꽉 끌어안고 휴대폰으로 사진을 찍는 연인도 있었다. 밝은 햇살 아래, 모두 행복해 보였다.

부러운 시선으로 앞에 선 연인들을 바라보던 유미의 목소리가 속삭이듯 잦아들었다.

보고 있자니까 은근히 부아가 치밀어 오른다. 남들은 다 노는 주말에 난 이게 뭐야!

"난 주말도 없이 위에서 나오라면 나와야 하고……."

그렇게 말하면 괜히 미안해지잖아.

"흠, 흠."

진욱은 슬그머니 그녀의 시선을 피하며 마른기침을 내뱉었다.

"뭐, 그렇게 억울하면……. 이걸 데이트라고 생각하면 되잖습니까."

"이게 어떻게 데이트예요! 빚 갚으려고 하는 일이지! 약속도 맨날 본부장님 제멋대로 잡으면서……."

입 밖으로 말하고 나니까 왠지 눈물이 핑 돌 정도로 서글펐다. 나오려는 눈물을 꾹 참으며 유미는 아랫입술을 삐죽이 내밀었다.

평소에는 그래도 참을 만했는데 오늘처럼 사랑에 빠진 연인들이 거리에 차고 넘치는 모습을 보니 속상하기 그지없었다.

유미는 앞으로 팔짱을 끼며 얼굴도 보기 싫다는 듯 진욱으로부터 등을 돌려버렸다.

"……이렇게라도."

그때 웅얼거리듯 낮은 목소리가 그녀의 귀로 흘러들어왔다.

"……이렇게라도 같이 있고 싶으니까."

"네……?"

방금 뭐라고 한 거야?

유미는 자신의 귀를 의심하며 황급히 진욱을 향해 돌아섰다.

"혼자……."

그녀를 빤히 쳐다보며 진욱이 말을 이었다.

"밥 먹기 싫으니까."

혼자, 밥 먹기 싫다고?

"아……."

돌이켜 생각해보니까 그는 항상 홀로 식사했다. 거래처와 약속이 있는 경우를 제외하고는 진욱은 항상 집무실에서 아침, 점심, 저녁, 그녀가 가져간 도시락으로 끼니를 해결했다.

"어머니가 떠나시고 나서도 아버지는……. 언제나 바쁘셨어요. 새벽 일찍 집에서 나가고 밤늦게 돌아오셨죠. 그래서 어렸을 때부터 혼자 식사하는 경우가 대부분이었는데……."

일하는 아주머니가 차려준 식탁에 홀로 앉아 쓸쓸히 식사하는 어린 진욱의 모습이 쉽사리 눈앞에 그려졌다. 그날 집에까지 가서 차려준 쌈밥도 혼자서 먹었겠지?

그녀는 그래도 집에 가면 언제나 미희가 옆에 있었다. 사고뭉치 엄마였지만, 음식 솜씨도 형편없었지만, 그래도 그녀를 위해 김치찌개 하나쯤은 맛있게 끓여줄 수 있었다.

유미는 진욱의 깊은 외로움이 전해지는 것 같아 코끝이 찡해졌다.

"아주 외로웠겠다……."

속으로 생각한다고 했는데 그녀도 모르게 말이 새어 나왔나 보다. 값싼 동정심이라고 느꼈기 때문일까? 진욱은 살짝 미간을 좁히더니 돌연히 그녀의 시선을 피해버렸다.

두 사람 사이에 잠시 어색한 침묵이 흘렀다.

먼저 입을 연 사람은 저 멀리 도로 건너편을 바라보던 진욱이었다.

"그런데 이유미 씨……."

이번엔 또 무슨 소리를 하려고 그러나? 유미는 재빨리 고개를 돌려 진욱을 쳐다보았다.

"분명히 데이트가 아니라면서, 일하러 나온 사람치고 오늘 의상이 참 화려하네?"

순간 유미의 얼굴이 화르르 새빨갛게 달아올랐다.

헉! 어떻게 알았지? 귀신이다! 엄마 화장품을 몰래 훔쳐 바르고 향수도 뿌리고 나왔는데……. 목 끝까지 잠그던 단추도 큰마음 먹고 하나 풀었고, 작지만 나름 깜찍한 귀걸이도 하고 나왔다.

티가 그렇게 많이 났나?

"아, 아니거든요!"

시치미를 딱 잡아떼고 거짓말하는 그녀의 목소리가 불안정하게 떨렸다.

"주말이니까 기분 전환도 할 겸, 아니, 저, 그리고 원래 집에서 이렇게 꾸미고 있거든요?"

"아…… 네, 그러세요."

진욱은 잘 알겠다는 듯 위아래로 고개를 크게 끄덕였다.

"왜? 집에 있을 땐, 예쁘게 꽃단장하고 화초에 물 준다고 그러지?"

"저, 진짜 그러거든요!"

지금까지 물을 제때 안 줘서 말라 비틀어 죽어간 화초가 한두 개가 아니었지만, 유미는 눈을 부릅뜨고 입에 침을 발랐다. 양심상 입에 침이나 바르고 거짓말을 해야 하니까.

"15번, 차진욱 손님."

그때 종업원이 두 사람의 차례가 왔음을 알렸다.

살았다! 위기에서 구해준 종업원의 무뚝뚝한 목소리가 지금 유미의 귀에는 하늘에서 들려오는 천사의 노래보다 달콤하게 들렸다.

"저거 우리, 아니에요?"

"여기요!"

진욱은 황급히 번호표를 확인하더니 종업원을 향해 손을 번쩍 들어

올렸다. 그는 유미의 손을 덥석 잡아 자신 쪽으로 잡아당겼다. 깜짝 놀란 유미가 눈을 동그랗게 뜨자 진욱은 씨익 한쪽 입꼬리를 비틀며 웃어 보였다.

"갑시다, 일하러!"

진욱은 큼직한 손으로 유미의 손을 꽉 잡은 채 성큼성큼 걸어갔다.

유미는 그가 이끄는 대로 레스토랑 입구를 향해 끌려갔다.

분명 일하러 가는 게 맞는데 왜 이리도 가슴이 두근거릴까?

그에게 잡힌 손에서 시작된 화끈거림이 서서히 온몸으로 퍼지기 시작했다.

"특제 소스 왕새우 크림 파스타가 제일 맛있어요."

메뉴를 쓱 훑어본 진욱이 메뉴판을 탁, 덮으며 짧게 말했다.

그 말에 메뉴판에 얼굴을 묻고 뭘 고를지 고민하던 유미가 고개를 들어 올렸다.

"여기 자주 오셨나 봐요?"

"뭐, 그냥……."

진욱은 무뚝뚝한 표정으로 대답을 얼버무렸다. 자신이 아닌 장우진이 데이트하러 이곳에 자주 온다는 말은 자존심이 상해서 절대로 할 수 없었기에…….

"그럼 저도 그걸로 할게요."

꽤 큰 주방이라 요리하는 사람들이 많은지 요리는 주문하고 나서 얼마 되지 않아 바로 나왔다.

크림 파스타는 오래 볶았는지 왕새우 살이 조금 단단한 것 빼곤 아주 훌륭했다. 특히 입 안 가득 트러플(Truffle) 향이 퍼지는 특제 소스가 색달랐다.

그러나 까다로운 진욱의 입맛을 만족시키기엔 부족했다. 유미가 느낀 그대로 진욱은 너무 익어서 단단해진 왕새우에 관해 불평을 늘어놓았다.

"요리에 집중하지 않고 딴청 부렸군. 그렇지 않고서야."

"그래도 특제 소스는 괜찮은데요. 은은하게 트러플 향도 나고……."

"진짜 송로 버섯을 넣은 게 아니라 그냥 트러플 향 오일을 첨가한 것뿐이에요."

"저기, 이게 제일 맛있다고 한 사람은 제가 아니라 본부장님인데요."

정확하게 하자면 끝내주는 맛이라고 호들갑을 떤 사람은 그가 아니라 장우진이었다.

진욱은 작게 한숨을 내쉬며 물을 한 모금 들이켰다.

우진 형의 초딩 입맛을 믿는 게 아니었다. 평소에도 편의점 스파게티가 제일 맛있다며 케첩을 팍팍 뿌려 먹었다는 걸 깜빡하다니.

제대로 된 찜닭을 맛보게 해준 보답으로 정말 맛있는 파스타를 사주고 싶었다는 말을 꾹 삼키며 진욱은 가만히 포크로 파스타를 둘둘 감았다.

"그새 쉐프가 바뀌었나 봅니다. 이럴 줄 알았으면 다른 곳으로 갈걸."

"전 괜찮아요. 맛있어요."

유미는 흡족한 미소를 지으며 파스타 면발을 호로록 빨아들였다. 정말인지 아니면 그를 위해서인지 그녀는 아주 맛있게 파스타가 담긴 그릇을 비워나갔다.

그녀의 입 안으로 사라져가는 파스타를 보며 진욱은 그녀가 사무실로 가져왔던 해물 파스타를 떠올렸다.

솔직히 그녀가 해준 파스타가 지금의 특제 소스 왕새우 크림 파스타보다 훨씬 더 맛있었다.

"이것보다 훨씬 더 맛있는데……."

"어디요?

유미가 의아한 눈으로 그를 바라보았다.

"있어요, 그런 데가. '앵그리 버펄로 앤드 베어'라고."

앵그리 버펄로 앤드 베어? 무슨 레스토랑 이름이 그래?

아무 생각 없이 포크로 파스타를 돌돌 감던 유미가 흠칫 동작을 멈췄다.

잠깐만!

앵그리=성난. 버펄로=들소. 베어=곰. 성난 들소와 곰?

동시에 진욱의 목소리가 귓가에 울려 퍼졌다.

—성난 들소처럼 웨딩 케이크 카트로 뛰어든 게 누군데 그래?

—내 눈으로 똑똑히 봤지. 그때는 들소가 아니라 성난 곰처럼 포효하던데…….

그 말은 내가 해준 파스타가 더 맛있다는 말?

유미가 믿기지 않는다는 눈으로 바라보자 진욱은 급하게 시선을 피하며 포크로 왕새우를 꾹 찍어 올렸다.

"식기 전에 어서 먹죠."

파스타는 약간 실망스러웠지만, 레스토랑에서 만들었다는 티라미수는 제법이었다. 진욱은 그제야 굳었던 표정을 풀고 기분 좋게 웨이터에게 계산서를 가져오라고 지시했다.

식사를 마치고 나오자, 밖에는 아직도 기다리는 손님들로 긴 줄이 이어져 있었다.

"소화도 시킬 겸 좀 걸을까요?"

"네."

사실은 식사만 끝나면 쌩 집으로 가버릴 생각이었다. 하지만 유미는 도저히 그의 제안을 뿌리칠 수가 없었다. 아주 조금만 더 같이 있어도 되겠지? 아주 조금만 더…….

주말이라서 그런지 쏟아져 나온 인파가 거리를 가득 메우고 있었다. 복잡한 사람들 사이로 걷자니 나란히 걷는 것조차 힘들었다. 열심히 진욱을 따라 걷는데 돌연 그가 자리에 우뚝 멈춰 섰다. 힐끗 발아래를 쳐다보던 진욱은 갑자기 그녀의 어깨를 끌어안더니 반대로 방향을 틀었다. 유미는 무방비 상태로 그에게 어깨를 내준 채 그가 이끄는 곳으로 따라갔다.

사람의 발길이 드문 한적한 곳에 이르자 진욱은 갑자기 그녀 앞에 무릎을 꿇었다.

헉, 이 남자! 왜 갑자기 무릎은 꿇고 난리래? 유미는 당황한 눈으로 혹시 보는 사람이 없나 신속히 주위를 둘러보았다. 그러나 진욱은 아무렇지 않은 표정으로 신발 끈이 풀린 그녀의 운동화를 꼼꼼하게 묶기 시작했다. 전혀 상상도 하지 못한 그의 자상한 행동에 유미는 꿀꺽 마른침을 삼켰다.

멋있는 남자가 무릎을 꿇고 앉아 다정하게 풀린 신발 끈을 묶어 주다니. 이건 정말 로맨스 소설 아니면 드라마에서나 나오던 장면인데……. 살아생전 이런 경험을 다 해보네! 가슴이 콩닥콩닥 뛰며 누군가 뺨을 쓰다듬는 것처럼 기분 좋게 알알했다.

옆을 지나가던 사람들이 부러운 눈길로 힐끔거리자, 유미는 가만히 아랫입술을 깨물었다. 익숙하지 않은 사람들의 눈길에 몸 둘 바를 모르겠다.

유미는 민망한 마음에 얼굴을 붉히며 저 멀리 먼 산만 뚫어지게 노려보았다.

"됐어요."

잠시 후, 모든 끈을 묶은 진욱이 신발 끝을 톡톡 두드렸다.

"제가 해도…… 되는데……."

"그래요?"

그 말에 진욱은 장난스럽게 웃으며 신발 끈을 잡아당겼다.

"그럼 다시 풀까요?"

"아뇨!"

그녀도 모르게 꽥 소리를 지르고 말았다. 유미는 본인이 더 놀란 듯 두 눈을 동그랗게 뜨다 진욱의 의아한 눈과 마주치자 빠르게 변명을 늘어놓았다.

"아니…… 그러니까. 힘들게 묶은 걸 다시 풀 거까지는 없다고요."

진욱은 길게 설명하지 않아도 된다는 듯 피식 웃으며 천천히 몸을 일으켰다.

"우리 어디 가서 차나 한잔하죠."

"아……."

마음 같아선 차가 아니라 그와 함께 저녁까지 먹고 싶었다. 하지만…… 홀로 두고 온 동구와 카페에서 바쁘게 일하고 있을 현태가 눈앞에 아른거렸다. 슬슬 바빠질 시간이었다. 현태에게만 동구를 맡겨둘 순 없었다.

"아뇨. 오늘은 집에 빨리 가봐야 돼서……."

"집에는 왜요? 급한 일이에요?"

"그게, 똥……."

'똥구'라고 말하려던 유미가 멈칫 입을 다물었다. 3살짜리 남동생이 있다고 하면 좀 웃기겠지? 저번에도 그래서 '똥강아지'라고 둘러댔잖아. 그러니까 이번에도…….

"그게 똥, 저 그러니까 우리 똥강아지 밥 주러 가야 하거든요."

강아지 밥을 주러 가야 한다는 말에 진욱이 눈을 가늘게 모았다. 강아지 밥 주러? 그건 내가 고양이 밥 주러 간다고 써먹던 멘트잖아? 혹시 지금 나를 거절하려고?

"그러면 저는 이만 가보겠습니다."

유미는 꾸벅 고개를 숙여 인사한 후, 그대로 뒤돌아 지하철역 방향으로 빠르게 뛰어갔다.

진욱은 아쉬운 얼굴로 시야에서 유미가 사라질 때까지 하염없이 그녀의 뒷모습을 바라보았다. 방금까지 같이 있었으면서도, 그새 말로 표현할 수 없을 만큼 속이 허전해졌다.

쓸쓸히 공영주차장으로 발길을 돌리던 진욱은 얼마 가지 않아, '펫베이커리' 간판을 보고, 걸음을 멈췄다.

음…… 오늘은 깜순이를 위해서 뭐라도 사가야 하나?

“이번 게스트는 정현태 작가 어때요?”

한창 제작 회의를 진행하던 중, 온라인 검색을 마친 막내 작가가 진지한 얼굴로 제안했다.

“정현태 작가요?”

금시초문이라는 듯 혜리가 고개를 갸우뚱거리자, 맞은편에 앉은 피디가 재빨리 끼어들었다.

“나, 그 작가 알아. 베스트셀러, 여행 에세이가 꽤 되지, 아마? 글도 쓰고 사진 실력도 완전 프로급이고. 본인이 직접 찍어서 올린다며? 파워 블로그에다 SNS 팔로워도 엄청 많은걸?”

“얼굴도 완전 잘생겼어요.”

사심 가득한 미소를 머금으며 막내 작가가 자신의 노트북을 혜리에게 내밀었다. 화면 가득 현태의 사진이 채워져 있었다. 응, 어딘지 모르게 낯익은 얼굴이네? 이 남자를 어디서 봤더라? 뚫어지게 현태의 사진을 들여다보는 혜리에게 메인 작가가 말을 걸었다.

“어때? 주 아나가 보기에도 미남이지? 정현태 잡으면 완전 대박인데……. 그런데 그 사람, 방송 출연 같은 거 별로 좋아하지 않는다고 들었어. 섭외하기 쉽지 않을 거야.”

“이 사람, 어디서 본 건 같은데……. 어디서 봤더라?”

“어머! 주 아나, 아는 사람이야?”

메인 작가의 얼굴이 환하게 밝아졌다.

“아뇨. 아는 사람은 아닌데……. 이상하게 낯이 익어요. 왜지?”

“주 아나 진짜 발 넓다. 차진욱 본부장도 잘 알더니 정현태 작가까지? 이번에도 어떻게 좀 안 될까? 우리 주혜리 아나운서 덕 좀 보자."

메인 작가의 말에 피디는 결정이라도 난 것처럼 손바닥으로 테이블을 '쾅' 내려쳤다.

"그래, 좋아, 좋아! 우리 시청률 10% 한번 가보자고!"

"아니, 제가 안다는 게 아니라……."

그러나 혜리의 말은 제작진의 함성에 허무하게 묻혀버렸다.

"와아! 우리 이번에 시청률 10% 되면 방송국에서 포상 휴가 보내준다고 했죠?"

"그래! 우리도 신나게 놀아보는 거야!"

어째 분위기가 꼭 정현태란 작가를 섭외해야 하는 것처럼 흘러갔다. 아, 짜증 나게시리. 또 미인계를 써야 하나? 잠시 고민하던 혜리는 할 수 없다는 듯 어깨를 으쓱거렸다.

"좋아요. 제가 한번 만나볼게요."

이 세상에 차진욱 빼고는 나 싫다는 남잔 없으니까, 까짓 정현태란 남자 섭외쯤이야.

잘나가는 피디는 드라마 국장도 쩔쩔맨다고 하더니…….

"당분간은 딱히 계획된 드라마가 없고요. 하여간 연락드리죠."

NBN에서 제일 잘나간다는 전 피디는 강 국장의 적극적인 추천에도 불구하고 시종 떨떠름한 표정으로 미희를 대했다. 그래도 그가 찍은 드라마는 무조건 시청률 30%를 넘는다니, 목에 뻣뻣하게 힘을 줄 만도 했다.

"네. 그러면 연락 기다릴게요."

어차피 피디를 만나자마자 곧바로 배역을 따게 될 거라고 기대하진 않았다. 그랬기에 크게 기분 상할 일도 없었다. 그러나 깜빡 잊고 소파에 두고 온 재킷을 가지러 돌아간 미희는 강 국장과 전 피디의 대화를 듣고 말았다.

"국장님, 왕년에 잘 안 나가던 배우가 어디 있습니까? 게다가 에로 배우 출신이라면서요."

국장실 문틈을 통해 조금은 불편한 내용이 흘러나오고 있었다.

"에로 배우라기보단 은퇴하기 직전에 찍은 영화가 노출이 좀 심했던 것뿐일세. 그것도 그 당시에 노출이 심했던 거고, 요즘 수준으로 보면 아무것도 아니라고. 〈1%의 어떤 것〉의 노경애 씨도 〈터질 거예요!〉 시리즈로 뜬 배우 아닌가!"

"노경애 선생님은 그때부터 지금까지 쭉 연기하는 분이잖아요. 영화 한 편 찍고 달랑 은퇴한 사람과 같습니까?"

"전 피디. 그러지 말고 내가 말한 드라마, 한 번이라도 보라고. 조미희 씨 연기하는 걸 보면 절대 그런 말 못할 테니까. 연기력으로 치자면 노경애 씨는 조미희 씨 앞에서 명함도 못 내밀어."

"참, 그게 도대체 언제 적 이야긴데요? 자그마치 20년도 더 전의 일이라고요. 에로 배우가 연기력은 무슨……."

똑똑—.

전 피디의 폭언을 더 이상 참을 수 없어 미희는 큰 소리로 노크하고 문을 열었다. 돌연 두 사람이 대화를 멈추고 문 쪽으로 고개를 돌렸다. 미희는 화사하게 웃으며 또각또각 소파 앞으로 걸어갔다.

"죄송합니다. 제가 재킷을 놓고 가서요."

미희는 재빠르게 재킷을 집어 들고 그대로 등을 돌려 국장실을 빠져나왔다.

"기가 막혀서."

국장실에서 멀리 떨어진 후에야 미희는 부들부들 주먹을 움켜쥐었다. 감히 어디다 대고 나와 노경애를 비교해? 나 한창 활동할 때, 경애, 걔는 날 똑바로 바라보지도 못했다고! 아무리 내가 은퇴한 지 좀 됐다고 해도 머리에 피도 안 마른 녀석이 날 무시해?

"하, 두고 보자! 나중에 제발 출연해달라고 조르기만 해봐라!"

미희는 분한 듯 투덜거리며 급하게 복도 모퉁이를 돌았다. 마침 맞은편에서 혜리가 한 손에 커피를 들고 대본을 보며 걸어오고 있었다.

"앗!"

두 사람은 미처 피하지 못하고 서로 몸을 부딪쳤다. 그 충격으로 미희는 손에 들고 있던 재킷을 바닥에 떨어뜨렸고 그 위로 혜리의 커피가 쏟아졌다.

"아아악!"

하얀 재킷이 커피로 까맣게 물들자, 미희의 눈이 튀어나올 것처럼 커다래졌다. 이게 얼마짜리 옷인데! 요 근래 들어 가장 비싸게 주고 구입한 명품 중의 명품이었다. 미희는 도끼눈을 하며 혜리를 죽일 듯이 노려보았다.

"야! 너, 뭐 하는 애야? 너, 눈 감고 다녀?"

"죄송해요. 갑자기 튀어나오셔서 제가 미처 못 봤네요."

웬 중년 여자가 방송국이 떠나가라 크게 소리 지르자, 혜리는 문화적 쇼크를 받은 듯 멍한 표정을 지었다.

"지금 이게 그러니까 내 탓이라는 거야?"

가뜩이나 분해 죽겠는데 불난 곳에 기름을 부은 격이다. 미희가 화를 참지 못하고 더 크게 빽 소리를 질렀다.

"아주머니, 정말 죄송하게 됐네요. 세탁비 드릴 테니까 목소리 좀 낮추세요."

혜리가 급하게 지갑에서 돈을 꺼내 건네자, 미희는 지폐를 휙 잡아채 바닥에 내동댕이쳤다.

"야, 네 눈에는 내가 세탁비나 구걸하는 거지로 보이니? 너, 이름이 뭐야? 하늘 같은 선배한테 뭐? 아주머니?"

"선배……요?"

전혀 기억에 없는데 무슨 소리야? 어떻게 저런 여자가 선배?

"너, 날 몰라? 내가 바로……."

그때였다. 화려한 차림의 중년 여자가 복도 모퉁이를 돌아 두 사람에게 걸어왔다. 중년 여자는 혜리와 언쟁 중인 미희를 발견하자마자 깜짝 놀란 듯 소리쳤다.

"어머! 미희 언니! 언니, 맞지!"

드라마 촬영을 마치고 나오던 경애가 미희를 보고는 호들갑을 떨며 달려왔다. 가까이 다가와 두 눈으로 확인한 경애는 와락 미희를 끌어안았다.

"언니! 이게 도대체 얼마만이야?"

"어, 어. 그래 오랜만이다."

"너무 반갑다, 언니. 지금까지 뭐 하고 지냈어. 어쩌면 소식 한 번도 없어."

옆에서 눈치를 보던 혜리가 노련하게 두 사람 사이에 끼어들었다.

"노경애 선생님, 안녕하세요. 드라마 아주 잘 보고 있어요."

"어머, 이게 누구야? 주혜리 아나운서?"

"선생님, 실제로 보니까 화면에서 볼 때보다 훨씬 더 고우세요."

미희는 기가 막힌다는 듯 경애를 향해 생글생글 미소 짓는 혜리를 노려보았다. 나에겐 선배도 아니고 아주머니라더니 경애에게는 선배도 아닌 선생님? 뭐 저런 싸가지 없는 게 다 있지?

미희는 서로 환하게 웃으며 대화하는 두 사람과 비교해 엉망이 돼버린 자신의 꼴이 속상했다. 말없이 혜리와 경애를 지켜보던 그녀는 그대로 홱 돌아 빠르게 엘리베이터를 향해 걸어갔다.

—이렇게라도 같이 있고 싶으니까.

—갑시다, 일하러!

—됐어요.

다정하게 신발 끈을 묶어주던 진욱의 모습이 떠오르자, 유미는 꿈꾸는 듯한 미소를 떠올렸다. 연애한다는 게 바로 이런 기분일까? 자꾸만 온몸이 간질거려서 미칠 것만 같아!

"야, 너 무섭게 왜 그래?"

손님에게 맥주를 건네고 주방으로 돌아가던 현태는 도저히 안 되겠는지 유미 앞으로 다가왔다.

"응? 내가 왜?"

소파 등받이에 기대어 허공을 향해 헤헤거리던 유미는 퍼뜩 정신을 차리고 현태를 올려다보았다.

"너, 막 웃고 있잖아."

"내가? 내가 웃었어?"

"어!"

현태는 실실 웃던 유미를 따라 실없이 웃는 표정을 지어 보였다.

"헤헤헤. 이러고 있었잖아, 너!"

"내가 그랬어?"

유미도 자신이 그랬다는 게 믿어지지 않는지 심각한 얼굴로 되물었다. 난 단지 삼시 새끼를 떠올렸을 뿐인데. 이런, 어쩌지? 그 남자를 생각했다는 이유만으로 다시 뺨이 빨갛게 달아오른다.

유미는 황급히 고개를 숙이며 손바닥으로 얼굴을 가렸다.

"삼시 새끼 전화 받고 나갔다 와서부터 계속 그러잖아. 왜? 뭐 좋은 일이라도 있었어? 업무 외 수당 올려준대?"

"아니, 수당을 올려주긴. 그냥 빚 갚는 중이야."

"빚?"

가면 갈수록 가관이다. 빚이라고? 현태는 험악한 인상을 지으며 언성을 높였다.

"너, 삼시 새끼에게 돈 빌렸어?"

"그런 건 아니고. 그냥 같이 밥 열 번만 먹어주면 끝나는 거야."

"뭐? 그게 무슨 말이야? 도시락 해다 바치는 걸로도 모자라서 이젠 밥까지 같이 먹어줘야 해? 네가 그 자식 보모라도 돼? 네가 왜 그 자식이랑 밥을 먹어? 오늘도 그래서 불러냈던 거야? 그것도 주말에?"

유미는 지금까지 한 번도 현태가 이렇게까지 화내는 모습을 본 적이 없었다. 별안간 '천사 정현태'에게 무슨 일이 일어난 걸까?

"야, 네가 왜 그렇게 화를 내?"

"어?"

그제야 현태는 자신의 행동을 깨달은 듯 어깨를 움찔했다.

"네가 왜 그렇게 화를 내느냐고? 너, 지금 얼굴 막 빨개졌어."

"정말?"

현태는 급하게 벽에 걸린 거울로 고개를 돌려 상기된 자신의 얼굴을 바라보았다. 진짜 내가 왜 이러지? 아까부터 뭔가 부글부글 기분이 나쁘더니, 그 녀석과 유미가 주말에 같이 밥 먹었단 소리에, 앞으로도 계속 같이 밥 먹을 거라는 소리에 뭔가 머릿속에서 팡 터져버렸다.

"엉아, 화나쪄(형, 화났어)?"

아무것도 모르는 동구는 슬픈 얼굴로 그의 소매를 잡아끌었다.

"어, 아, 아니……."

"현태야, 너 무슨 일 있어?"

글쎄 무슨 일이 있는 걸까? 목구멍이 꽉 막힌 것처럼 숨이 막힌다. 아무래도 '삼시 새끼' 녀석이 마음에 안 들어서 그런가 보다. 현태는 마음을 다잡으며 평소처럼 온화하게 말하려 노력했다.

"하여간 그거 권력 남용이야."

"오버하지 마. 밥 같이 먹는 게 무슨 권력 남용이니? 나도 좋아."

"뭐?"

"도, 도시락 덜 신경 써도 되고, 덕분에 좋은 곳에서 맛있는 것도 먹고. 나쁠 건 없어. 메뉴 개발할 때 참고도 되고."

"정말 그것뿐이야?"

거짓말 못 하는데 그렇게 빤히 쳐다보면 어떡해! 미안하다, 친구! 그냥 좀 믿어줘라. 나도 지금 내 마음을 모르겠는 걸……. 유미는 자신의 감정을 들키지 않으려 두 눈을 꼭 감으며 현태의 팔을 팍 내리쳤다.

"야! 네가 사회생활을 알아? 이것도 엄연히 일의 연장이라고."

그때 문이 벌컥 열리더니 미희가 씩씩거리며 들어왔다. 한껏 꾸미고 나갔을 때와 다르게 그녀는 어딘지 모르게 기가 죽어 보였다. 커피 얼룩으로 엉망이 된 재킷을 한 손에 든 채, 퀭한 눈으로 약간 비틀거리기까지 했다.

"나 찬물 좀."

"네, 어머니."

현태가 부리나케 주방으로 달려가 찬물을 가져오자, 미희는 찬물을 단숨에 벌컥벌컥 들이켰다. 그리고 손등으로 입가에 묻은 물기를 싹 닦아내고는 다시 카페를 걸어나갔다.

"어머니, 왜 저리 저기압이시니?"

"그러니까. 나, 먼저 올라가볼게."

유미는 빠르게 미희를 따라나섰다.

"분명히 '오늘은'이랬단 말이지. 그러니까 내일은 괜찮다는 거 아닐까?"

소파에 누워 휴대폰을 빤히 들여다보던 진욱이 혼잣말로 중얼거렸다. 옆에선 깜순이가 등을 대고 누운 채 할짝할짝 몸단장에 바빴다.

"전화할까? 말까?"

"야옹."

"할까? 그리고 내일 만나면 고양이 밥 줘야 한다고 하면서 내가 먼저 와버리는 거야. 어때?"

그 말에 열심히 제 손등 핥기에 바쁘던 깜순이가 동작을 멈추고 진욱을 힐끔 쳐다보았다.

"야옹."

분명히 '야옹'이랬는데 어째 들리는 건 '바보!'라는 것 같다.

"아냐, 그냥 참자."

진욱은 휴대폰을 내려놓으며 고개를 내저었다.

"너무 자주 보는 것도 안 좋아 그렇지, 깜순아?"

"야아옹."

이번에는 왠지 '야아옹'이 아니라 '멍청이!' 이러는 것 같고.

"좋아!"

말없이 깜순이를 내려다보던 진욱은 다시 휴대폰으로 손을 뻗었다. 그래도 전화라도 한번 해볼까?

유미가 따라온 걸 뻔히 알면서도 미희는 뒤 한 번 돌아보지 않고 화장대 앞에 앉은 채 거울 속의 자신을 노려보았다. 그러다 푹 한숨을 내쉬더니 화장 솜으로 클렌징크림을 덜어냈다.

"아침부터 어디 갔다 와?"

미희는 유미의 물음에 아무 대답도 없이 화장 솜으로 얼굴만 벅벅 문질렀다.

"어디 갔다 왔느냐니까?"

"몰라. 나 지금 말할 기분 아니니까 말 시키지 마."

유미는 미희 옆에 놓인 검게 얼룩진 재킷을 발견하곤 인상을 찡그렸다. 미희가 제일 아끼는 옷인데 어쩌다가 저 꼴이 됐을까?

"저건 또 왜 저래? 누구랑 싸우기라도 했어?"

"너는 내가 무슨 쌈닭이라도 되는 줄 아니!"

미희가 빽 소리를 지르자 유미는 흠칫하며 그녀의 눈치를 살폈다. 진짜 어디서 누구랑 대판 싸운 모양이다.

"아니, 그게 아니라……."

"어떤 되바라진 년이 내 재킷에다가 커피를 쏟고 세탁비 하라고 5만 원 던져주더라. 그래서 내가 거지냐고 소리치고 왔다, 왜?"

"어머, 엄만 그러고 참았단 말이야?"

아무리 철부지 엄마라지만, 누가 미희를 무시했다고 하니까 유미는 걷잡을 수 없이 화가 치밀어 올랐다.

팔은 안으로 굽는다고 누가 감히 우리 엄마를!

"누구야? 어디서 만났어? 내가 그 여자를 당장!"

유미가 성난 들소처럼 버럭 화를 낼 때, 주머니 안에 있던 휴대폰이 '띠리리' 울리기 시작했다.

"잠깐만 엄마, 나 전화 좀 받고……."

휴대폰을 꺼내 수신 상대를 확인한 유미의 눈이 놀람으로 커다래졌다.

"어머!"

〈2권에 계속〉

애타는 로맨스 1

초판 1쇄 인쇄 2017년 8월 28일
초판 1쇄 발행 2017년 9월 5일

지은이 이지연 | 원안 김하나 | 극본 김하나 김영윤
펴낸이 강성욱 | 책임 기획 전주예 | 기획 편집 송진아 김혜정 고은결 | 디자인 김선경
일러스트 홍예림 | 로고 김미현 | 교정 서진영 류혜선
펴낸곳 테라스북 | 등록 제25100-2013-000012호
주소 (134-826) 서울특별시 강동구 동남로 65길 13 2층
전화 070-4794-5826 | 팩스 0505-911-5826
블로그 http://terracebook.blog.me | 전자우편 terracebook@naver.com
ISBN 978-89-94300-76-4 (04810)
ISBN 978-89-94300-74-0 (SET)

테라스북은 오름미디어의 임프린트 브랜드입니다.

이 도서의 국립중앙도서관 출판시도서목록(CIP)은 서지정보유통지원시스템 홈페이지(http://www.seoji.nl.go.kr)와 국가자료공동목록시스템(http://www.nl.go.kr/kolisnet)에서 이용하실 수 있습니다. (CIP제어번호 : CIP2017019767)

해외배급 DramaFever
제작협조 기술보증기금
제작지원 라쉬반 · 문화체육관광부 · 한국콘텐츠진흥원 · 레디큐
미디어지원 네이버 웹툰&웹소설 · 로이비주얼
장소협찬 아내창하우징 · 싸토리우스코리아바이오텍 · MLMG커피 · 화자위엔 · 더브릴리에
논골담길상인협동조합 · 대명쏠비치 삼척리조트 · 카이로스테일러 · 매그넘코리아 · 원마운트
분원초등학교
의상협찬 더뮤즈 · 초코엘
액세서리협찬 아카디우스

[OCN]
총괄기획 박선진, 황혜정
채널운영 조율기
마케팅 김울안이
브랜드디자인 경현수
경영지원 CJ
홍보 김기현
심의 이신혜

[DramaFever]
Executive Producer 박석
총괄기획 박현
해외 마케팅 남보람 · 조현진 · 이윤재

[SKB oksusu]
총괄기획 이상진
모바일 기획프로듀서 강소연
편성 마케팅 김원 · 박현서
제휴 마케팅 김아영
운영 최원석

제작 [가딘미디어]
제작피디 한희경 · 이보영
영양사자문 박주경
기획지원 이은규 · 장우영
홍보자문 송민성
마케팅자문 이경록 · 황현철 · 장현곤 · 손주영 · 김치윤
세무회계자문 조대영(세무법인 민화) · 최정길 이사(정동 회계법인)
기획피디 송진아 · 김혜정
제작회계 오중배

무술 김원중
보조출연 〈라인엔터〉 이현우
외국인캐스팅 노지은
아역캐스팅 〈해피드림〉 이상흔
특효 민창기

음악 이철원
작곡 이철원 · 박민우
음악 오퍼레이터 이철원

타이틀 〈인스터〉 김성진
VISUAL EFFECTS 김종욱
COMPOSITOR 이상욱 · 이동윤 · 정진희 · 김소영
MATTE PAINTER 정민선
MOTION GRAPHIC LEAD 이훈희
MOTION GRAPHIC ARTIST 이진숙 · 김성진

편집 씬코드 〈SYNCORD〉
Editorial Director 허선미 · 한영규
Editorial 지형진 · 송지선 · 정진용
Assistant Editor 조성은 · 이나현 · 여은영 · 김현주
D.I 씬코드 〈SYNCORD〉 류성욱
Sound studio 씬코드 〈SYNCORD〉
Sound Supervisor 김봉수
Supervising Sound Editor 최재근
Sound Designer 김용균
Sound staff 문희찬 · 성시연

홍보 〈와이트리컴퍼니〉 노윤애 · 장민정 · 유예원
포스터 〈VanD〉 이용희 · 김다운
대본 〈SH미디어〉 이세희
메이킹북 디자인 김선경
버스 〈동백관광〉 이승우
연출봉고 김운용
카메라봉고 신원식 · 정근천
제작봉고 윤용현
렉카 박기만
특수차량 〈㈜네오액션/액션카〉 고기석 · 김태수 · 장세진
섭외 김광호 · 제창곤
SCR 권지연
FD 오승호 · 이성주 · 한영광
조연출 신동훈

배우
성훈 · 송지은 · 김재영 · 정다솔 · 남기애 · 김종구 · 박신운
임도윤 · 김시영 · 백승헌 · 이해인 · 주상혁

제작 강성욱 · 박석 · 이형희
기획 · 제작총괄 전주예 · 박현 · 김종원
총괄 프로듀서 금경옥
연출 강철우
극본 김하나 · 김영윤

A 촬영감독 조봉한
A 촬영1st 김진환
A 촬영팀 구자웅 · 노소영
B 촬영감독 홍승혁
B 촬영1st 김해용
B 촬영팀 유민정 · 이정현
촬영지원 김은석
데이터매니저 이봉준
카메라장비 〈신영필름〉 김민재

조명감독 박동순
조명 1st 박재준
조명팀 오영근 · 박수남 · 양현규 · 김태형 · 김경헌
발전차 이시형
동시녹음 김승필
붐 오퍼레이터 금경배 · 전영환
붐 어시스턴트 김다현
그립 강태욱 · 이언구 · 이지훈

미술감독 서유미
미술팀 남민지 · 최진솔
분장/미용 〈GLEAM〉 최영심 · 김미나 · 최영성
의상 김다정 · 서유현

스틸 용창준
메이킹 장용훈
2D일러스트 홍예림
웹디자인 이혜린
VR/타임랩스 〈에스와이엔커뮤니케이션〉 김지현 · 황규호 · 전주현 · 이윤수

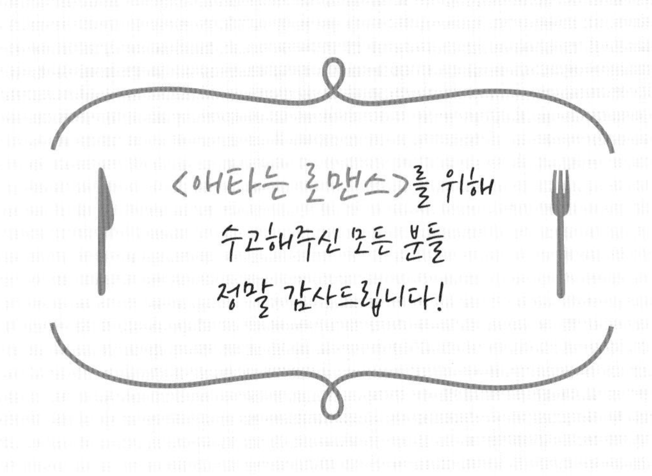
<애타는 로맨스>를 위해
수고해주신 모든 분들
정말 감사드립니다!

PLUS
DAY

34
DAY

33
DAY

A's

32
DAY

30
DAY

29

DAY

28
DAY

27
DAY

이 유 미

26 DAY

25
DAY

24 DAY

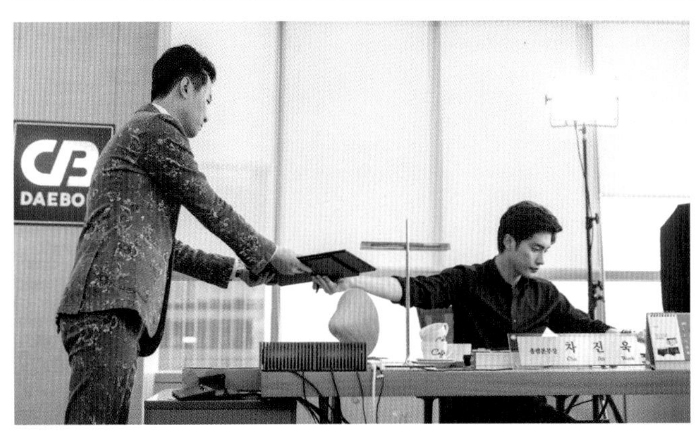

DAEBO
차 진 욱

23
DAY

22
DAY

21
DAY

3
4

4
5
6

20
DAY

19
DAY

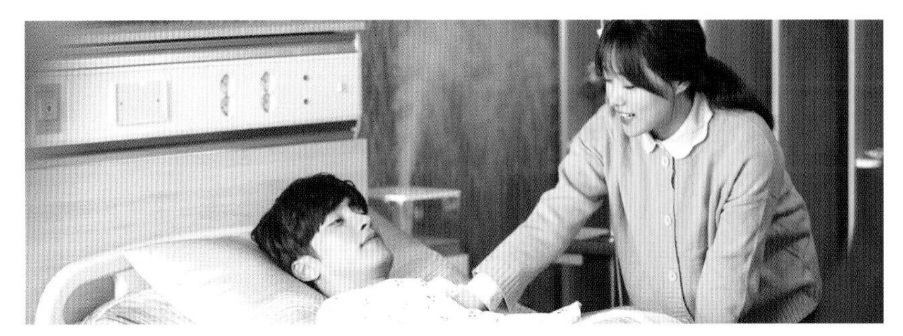

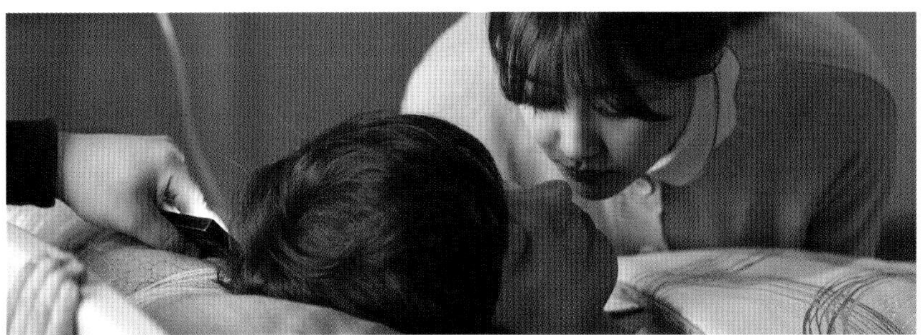

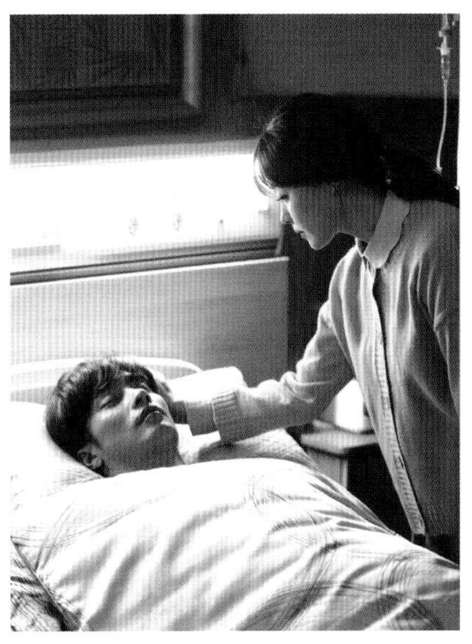

18
DAY

DAEBOK

DAEBOK

DAEBOK

17
DAY

차 진 욱

DAEBOK
차 진 욱

GOOD
VIBE
GOOD
WAVE

16
DAY

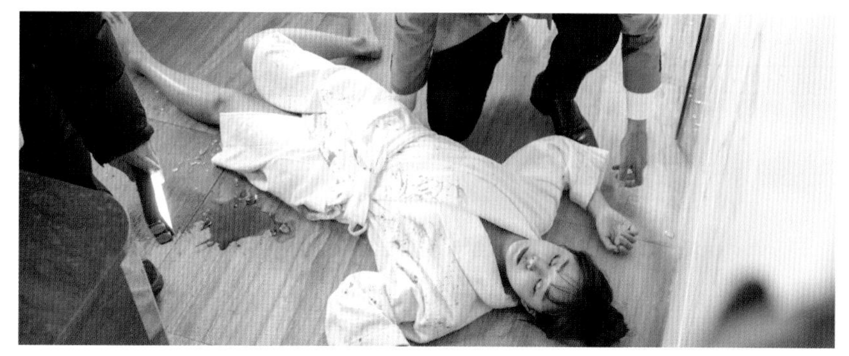

15 DAY

14
DAY

13 DAY

청담동
수제자

청담동
수제자

청담동
수제자

JUSTO

12 DAY

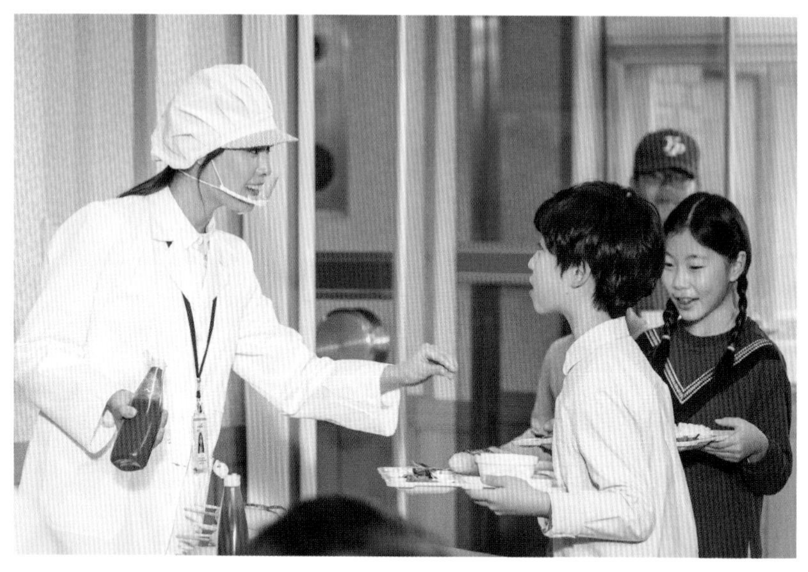

소화기

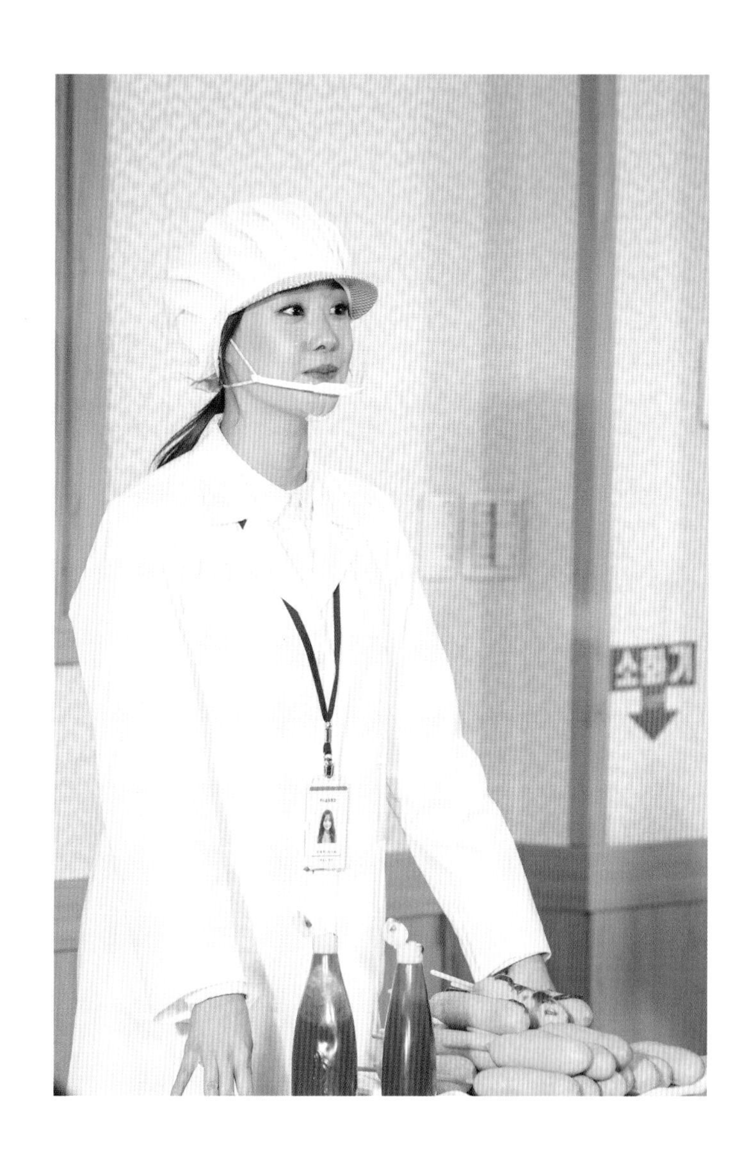

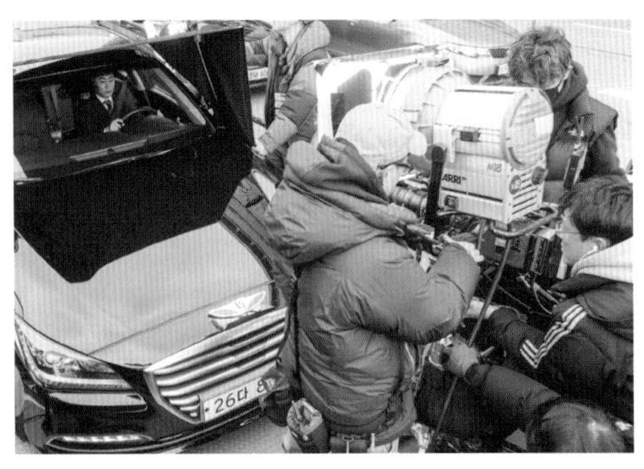

11
DAY

OMAN

10
DAY

FINE DINING

SS TOUR
ERVICE

9

DAY

8
DAY

7
DAY

BICYCLE

6 DAY

PHLOX

5 DAY

4
DAY

3
DAY

2
DAY

보스의
노골적
취향

스탠포
601

1
DAY

0

DAY

믿을 수 없던 순간, 원나잇

온통 너뿐인 세상, 투나잇

2017

1

SUN	MON	TUE	WED	THU	FRI	SAT
1	2	3	4	5	6	7
8	9	10	11	12	13	14
15	16	17	18	19	20	21
22	23	24	25	26	27	28
29	30	31				

2016

12

SUN	MON	TUE	WED	THU	FRI	SAT
				1	2	3
4	5	6	7	8	9	10
11	12	13	14	15	16	17
	19	20	21		23	24
25	26	27	28	29	30	31

2016

11

SUN	MON	TUE	WED	THU	FRI	SAT
		1	2	3	4	5
6	7	8	9	10	11	12
13	14	15	16	17	18	19
20	21	22	23	24	25	26
27	28	29	30			

강제니 / 20대 후반

구내식당 조리사

말수가 적다. 식당에서 별별 사건이 벌어지든 말든 대체로 무심하고 무표정하다.
일할 땐 수수한 조리복 차림이지만, 퇴근하면 섹시한 클럽녀로 변신하곤 한다.

이신화 / 20대 중반

구내식당 조리사

아이돌 뺨치는 꽃미모의 소유자. 늘 흥이 넘친다.
일하면서도 노래 부르며 춤을 춘다.
엄마뻘인 복자에게 스스럼없이 "누나~"를 외치며,
여초 환경에서도 굴하지 않는 꽃청년.

장은비 / 20대 초반

구내식당 막내 조리사

쾌활 발랄한 성격으로 조리사들 사이에서 '인간 비타민' 역을 맡고 있다. 텃세에 시달리는 유미를 유일하게 토닥여준다.
진욱의 외모에 꽂혀 아이돌처럼 열광하며, 약혼녀라 소문난 혜리를 시기질투한다.

차대복 / 60대

진욱 부

외양은 근엄하고 카리스마 넘치는, 드라마에 으레 나오는 회장님의 면모이지만, 까면 깔수록 '꽃보다 할배'스러운 친근한 모습이 드러난다.
자유 영혼을 지닌 섬 처녀에게 반해 끈질긴 구애 끝에 결혼에 골인하고 진욱을 낳았으나, 아내는 재벌가의 삶을 답답해하며 못 견뎌 했고 결국 이혼했다.
입신양명 금의환향한 혜리를 며느리로 삼기 위해 반강제로 결혼을 진행하던 와중에 진욱에게 아들이 있다는 사실을 알고 유미를 소환해 다짜고짜 친권과 양육권을 요구한다.
유미가 아니라고, 걘 내 동생이라고 아무리 외쳐도, "그래, 그렇게 말하고 싶겠지." 하며 듣지도 않는다. (유미, 진욱이 이 할배를 정말 쏙 빼다 박았구나...싶다.)

김애령 / 50대

진욱 모

진욱의 엄마, 강원도에서 죽집을 운영하고 있다.
섬에서 자유롭게 살다가 대복을 만나 결혼을 해 진욱을 낳았다.
하지만 재벌가의 삶을 못 견뎌 결국 이혼을 하고 강원도로 떠났다.
진욱에게는 항상 미안한 마음을 가지고 있다.

왕복자 / 40대 후반

구내식당 조리장

경력 20년의 왕고참. 말투가 시크하며 늘 인상을 팍 쓰고 있다.
초반엔 신입 영양사 유미에게 텃세를 부리며 기 싸움을 벌이다가, 조금씩 마음을 열며 그녀의 도시락 수난기에 도움의 손길을 뻗치기도 한다.

장우진 / 30대 중반

진욱의 비서

극강의 깔맞춤 패션을 고수한다. 슈트는 물론이고, 양말에 팬티까지! 리조트에선 대복이 급파한 진욱의 감시자였으나, 3년 뒤엔 진욱의 충직한 비서가 돼 있다. 훈훈한 외모로 존재감을 빛낸다. 가끔 스리슬쩍 진욱을 디스하곤 시치미를 뚝 뗀다.

조미희 / 50대

유미 모

왕년의 에로배우. 80년대 에로영화 전성기에 〈터질 거예요〉 시리즈로 반짝 인기를 구가했다.
유미 부와 사별한 지 몇 년 지나지 않아 섬광 같은 사랑에 빠져 강원도 재력가와 동해 호화 리조트에서 성대한 두 번째 결혼식을 치렀고 바로 허니문 베이비까지 탄생시키며 온 세상에 튼튼한 자궁을 입증(!)했다.
그러나 불타는 사랑은 금방 식어버렸고, 3년 만에 이혼 도장을 찍고 동구를 데리고 나왔다.
남편은 위자료로 살던 집을 주마 했지만, '내 사랑을 돈으로 환산하지 마라! 난 후회 없이 사랑했다!'라며 일언지하에 거절한 뒤 유미의 쥐꼬리만 한 원룸에, 유미의 입장에서는 아들 같은 남동생을 데리고 당당하게 입성한다.

동구 / 3세

유미의 이부동생

유미의 귀여운 이부동생. 미희의 두 번째 결혼식, 허니문 베이비로 태어났다. 유미의 아들이라고 해도 어색하지 않을 정도로 나이 차이가 나는 늦둥이 동생.
천진난만한 미소를 날리며 유미와 진욱의 큐피드가 되어준다.

정현태 / 28세

'맥&북(맥주 먹는 책방)' 주인

유미의 둘도 없는 절친. 어딜 가나 B사감 포스 폴폴 풍기는 유미도 현태 앞에서만큼은 후리(free)해지며 편안해진다.

커피도 팔고 맥주도 파는 서점을 운영한다. 오후에 문을 열고 새벽까지 운영하는 책방. 생맥주를 마시며 마음껏 책을 읽을 수 있는 공간. 그 건물 2층에 세 들어 사는 유미가 핑크(?) 서적을 읽다 잠들곤 하는 아지트이기도 하다.
호모루덴스(*일하면서 노는 인간)의 삶을 지향한다.

외향적인 성격으로 주위에 늘 사람이 많지만, 현태에게 유미는 아주 특별한 여사친(*여자사람친구)이다.

남자 보기를 돌같이 하는 유미에게 한창 예쁠 때 이놈저놈 다 만나봐라 조언하곤 했지만. 어쩌면, '그놈'이 내가 될 수도 있지 않을까...?

주혜리 / 28세

아나운서

지성과 미모, 애교까지 겸비한 현직 아나운서.
대대로 교육자인 보수적인 집안에서, 존경하는 인물은 '신사임당', 장래희망은 '현모양처'라는 세뇌에 가까운 교육을 받으며 자라왔다.

23살 최연소 아나운서로 입사한 뒤, 현재 각종 방송, 예능, 라디오를 종횡무진하며 맹활약 중이다. 어마어마한 경쟁률을 뚫고 어린 나이에 아나운서가 됐으니 얼마나 좋겠어 부러워하지만, 모르는 소리. 어린 나이에 아나운서가 되는 바람에 한창 놀고 싶을 때 맘대로 못 놀았던 게 스트레스다. 스트레스가 극에 달해 다 때려 치우고 놀고 싶은 날엔 복면가왕처럼 얼굴을 가린 채 클럽에 출두, 미친 여자처럼 춤을 추곤 한다. 이렇게 가끔 소소한 일탈을 즐기는 그녀지만, 남자 관계에서만큼은 '끝까지' 간적이 없다. 이유는 단 하나, 차진욱 때문.

진욱의 고교 시절 은사였던 아버지 덕분에 그와 처음 만나게 됐다. 사춘기 소녀시절, 대학생 오빠 진욱을 처음 본 이후 지금까지 그녀의 인생에서 진욱보다 잘난 남자를 본 적이 없다. 자연스레 진욱의 아내가 되는 것이 장래 희망이자 인생의 목표가 됐다. 그런데 진욱이 말단 영양사 유미와 썸을 타고 있다는 사실을 알고 혈압 상승! 이제 하다하다 저런 여자랑 라이벌이라니, 자존심 상해!

그 남자의 몸과 마음을 100% 책임지는 영양사

이유미 / 28세

대복그룹 구내식당 신입 영양사

그녀는 먹는 걸로 장난치는 사람을 세상에서 제일 혐오한다.
왜 그런 거 있잖은가. 프러포즈한답시고 케이크에 반지 넣는 거, 정말 비위생적이다. 잘못 씹어서 이라도 부러지면? 목구멍에 걸리면 어쩔 건데?

학창 시절 급식 당번이 돌아오면 짝사랑하는 남자애에게 치킨 너겟을 슬쩍 한 개 더 얹어주며 홀로 얼굴을 붉혔던 그녀는 커서 영양사가 되었다.
수포자(*수능 수학 영역 포기자)였지만 칼로리 계산은 기가 막히게 한다.
당연히 먹는 것, 좋아한다. 세상 웬만한 건 다 맛있다! '맛있으면 0칼로리'가 그녀의 신조다.
영양사라는 직업 탓인지, 모든 레시피는 대량 생산 기준이다.
그래서 1인분, 2인분 요리엔 젬병이다.

수많은 사람들을 위해 음식을 만들었지만, 사랑하는 단 한 사람을 위한 음식은 아직 한 번도 만들어본 적이 없는 '모쏠(모태 솔로)'.
평상시에 하고 다니는 걸 보면 방금 소설 속에서 튀어나온 'B사감' 같다.
블라우스 단추는 목 끝까지, 출근할 땐 검은색 바지 정장. 외박? 꿈도 못 꾼다. 어디 다 큰 여자가 밖에서 잠을 자!

하지만 이렇게 B사감 같은 그녀에게도
생각할 때마다 가슴 떨리게 하는 러브레터 같은 사연 하나쯤은 있다.

3년 전, 그녀의 나이 스물다섯.
엄마의 두 번째 결혼식에 참석하기 위해 갔던 강원도 리조트에서 만난 그 남자.
리조트 말단직원과 투숙객으로 만나 리조트 곳곳에서 부딪히며 엮이고,
함께 여기저기 돌아다니며 이런저런 얘기를 나누다보니 어머나, 세상에나.
분위기에 취해 하룻밤, 같이 자버렸다!
그것도 침대도 아닌, 뚜껑 열린 스포츠카에서! 어떡해. 나 미쳤나봐. 돌았나봐!

그 여자 이후로 연애지수 0%
시한폭탄 본부장

차진욱 / 32세

대복그룹 총괄 본부장

배우 빰치는 외모와 기럭지, 웬만한 연예인보다 잘생겼으며, 웬만한 여자 연예인들도 탐내는 남자. 그러나 그 웬만한 여성들 따위는 거들떠도 안 보는, 여신급 여자 배우의 추파보다 길고양이 밥 먹이는 게 더 중요한 남자.
그래서 그녀들을 더욱 안달 나게 만드는... 미치도록 갖고 싶은 남자.
업계 1위 대복그룹 오너의 외아들.
'차진욱', 이 한마디로 모든 것이 설명 가능한 남자.

경영 수업은 뒷전이고 날마다 클럽에서 흥청망청 파티를 즐긴다.
어딜 가나 자연스레 주인공이 되어 스포트라이트를 한 몸에 받는다. 허나 진욱에겐 너무나 당연한 일이다. 난 '차진욱'이니까. 세상의 중심은 나니까!
스치기만 해도 다음날 스캔들 기사의 주인공이 될 정도다.
'이러다 다음엔 눈만 마주쳐도 임신시켰다고 터뜨리겠네.' 하며 시크하게 조소하는 그를 보다 못한 차 회장은 밑바닥부터 배우라며 강원도 바닷가 리조트의 말단 직원으로 유배 보낸다.

그곳에서 그 여자, 유미와 운명적으로 조우하게 된다.
벨보이, 청소, 케이터링 수발까지 오만 잡일을 도맡아 하던 중, 진욱의 실수로 유미의 들러리 드레스가 케이크 범벅이 되고, 욕조에서 와인을 마시다가 자빠진 유미를 발견, 자해를 시도한 줄 오해하고 앰뷸런스를 부르며 둘러업는 등 우스꽝스런 악연으로 꼬이게 된다.

우연인 듯 운명 같은 그날, 두 사람은 꿈같은 하룻밤을 보내게 되는데...
다음 날 아침 일어나 보니, 그녀는 온데간데없이,
온다 간다 말도 없이 사라져 버렸다!
진욱은 화가 치솟았다. 수많은 여자를 만났지만,
아침을 같이 맞이하고 싶다 느낀 건 그녀가 처음이었는데.
그런데, 날 바람맞혀…? 감히 차진욱을?

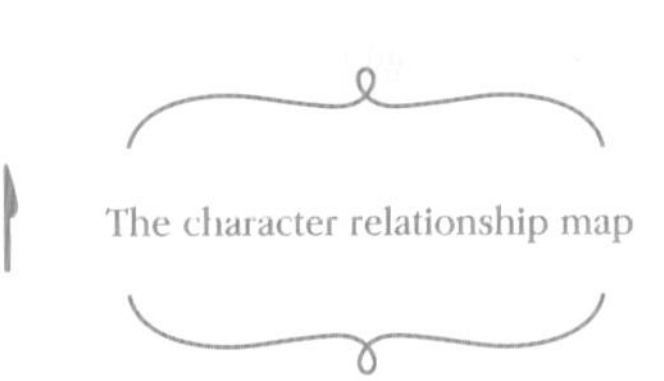

김애령(50대)
진욱의 엄마
강원도에서 죽집 운영

차대복(60대)
진욱의 아버지
대복그룹 회장

조미희(50대)
유미의 엄마
왕년의 에로배우

동구(3세)
유미의 이부동생

정략결혼상대

주혜리(28세)
아나운서

차진욱(32세)
'그 여자' 이후로 연애세포 0%.
영양실조에 걸린 시한폭탄 총괄본부장

이유미(28세)
'그 남자'의 몸과 마음을 100% 책임지는
대복그룹 구내식당 신입영양사

남사친

정현태(28세)
'맥&북(맥주 먹는 책방)' 주인

장우진(30대 중반)
진욱의 비서

회사동료

장은비(20대 초반)
구내식당 막내 조리사

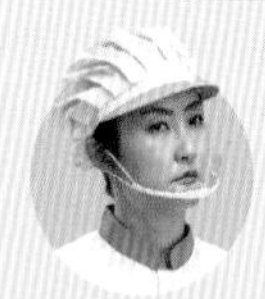

왕복자(40대 후반)
구내식당 조리장
경력 20년의 왕고참

강제니(20대 후반)
구내식당 조리사

이신화(20대 중반)
구내식당 조리사

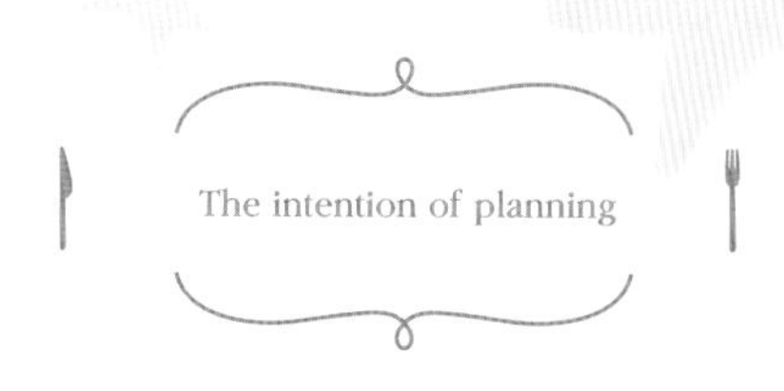

썸? 밀당? 원나잇 스탠드?

연애하기 힘든 세상이다.
시간도 없고, 돈도 없고, 무엇보다 '진심을 보여줄 용기'가 없다.
그래서 연애 대신 썸만 타고,
'니가 좋아!' 말 못 해 밀당만 하다 끝나버리고,
외로움에 몸부림치다 낯선 누군가와 원나잇 스탠드를 하곤 후회하기도 한다.

여기, '원나잇'으로 만난 남녀가 있다.
모쏠 인생 25년, 어설픈 B 사감 이유미와 능글능글 날라리 늑대 차진욱.
여자는 신데렐라 구두처럼 '뽕 한 짝' 떨궈놓고 바람처럼 사라지고,
남자는 그날 밤 이후 마법에 걸린 듯 '연애 불구자'가 돼버린다.

3년 후,
구내식당 신참 영양사와 워커홀릭 까칠 본부장으로 재회하는 두 사람.
서로 모르는 척, 기억 안 나는 척 시치미 떼고 밀당도 해보지만
문제의 '뽕 한 짝'으로 서로의 존재를 확인하게 되는데...

한순간의 유혹에 이끌려 '원나잇'으로 시작된 관계가
'진심'으로 이어질 수 있을까?
섣불리 진심 한 조각 내보였다가 뒤통수라도 맞으면?
'진심'이라는 당신의 말을 어떻게 믿지?

상처 받는 게 두려워서, 먹고 살 걱정에 치여서,
인스턴트 썸만 타거나 아예 연애를 포기해버리는 요즘 우리 청춘들.
결혼도 전에 연애부터 계급 문제에 부딪혀 시작도 전에 포기해버리는 청춘들.
주인공들의 솔직한 고민과 치열한 애정 싸움을 따라가는 과정에서,
시청자들은 비슷한 사연으로 사랑에 겁먹은 스스로를 발견하게 될 것이다.

'원나잇'으로 시작된 이들의 애(愛)라는 로맨스.
'밀당'하고 '썸'만 타다 '원나잇'으로 끝날 것인지,
서로의 '진심'을 확인하고 '투나잇'으로 이어질지.

기대하시라, 개봉박두!

애타는
로맨스
M.A.K.I.N.G.B.O.O.K